ISBN 978-0-243-32173-5
PIBN 10719246

FB &c Ltd, Dalton House, 60 Windsor Avenue, London, SW19 2RR.
Company number 08720141. Registered in England and Wales.

Abraham a St. Clara's,

weiland k. k. Hofprediger in Wien,

Sämmtliche Werke.

Dritter Band.

Abraham a St. Clara's,

weiland k. k. Hofprediger in Wien,

Sämmtliche Werke.

Dritter Band.

Passau, 1835.
Druck und Verlag von Friedrich Winkler.

Wien:
Karl Gerold,
Mörschner und Jasper.

Breslau:
Max und Comp.

Judas der Erzschelm

für ehrliche Leut',

oder

eigentlicher

Entwurf und Lebensbeschreibung

des

Iscariothischen Böswicht.

Von

P. Abraham a St. Clara,

Baarfüsser, Kayserlichem Prediger ꝛc.

Dritter Band.

Passau, 1835.

Druck und Verlag von Friedrich Winkler.

Wien: Karl Gerold, Mörschner und Jasper.

Breslau: Max und Comp.

Dem

Hoch- und wohlgebornen Grafen und Herrn, Herrn

Hans Jakoben Kißl[1]),

Grafen zu Gottschee, Freiherrn uf Kaltenbrunn und Gano-witz, wie auch wirklichen Obristen eines Regiments Dragone ꝛc.

Hoch- und wohlgeborner Graf,

Gnädiger Herr Obrister!

Weil die erste Syllaben in Dero preiswürdigsten Namen Jakob Ja ist, so weren hoffentlich Euer hochgräflichen Gnaden nit Nein sagen, wann ich frag,

---

1) Mit diesem unserm 3ten Bande beginnt in der Original-Ausgabe erst der II. Theil de Judas Ischarioth. Derselbe ist wie der 1ste durch eine Zueignungsschrift an den Grafen Kißl zu Gotschee eingeleitet.

Wir haben, da der Text und die Eintheilung des ganzen Werkes dieß wohl gestattet, dasselbe in einzelne Bände abgetheilt, von denen je zwei auf einen Theil der Original-Ausgabe kommen werden. Die Form unserer Ausgabe verlangte diese Eintheilung, da die Bände dennoch stark genug sind für das Duodez-Format. Die Anlag des Werkes aber ist nicht so streng wissenschaftlich, daß wir in dieser Beziehung, ohne dem Autor Gewalt anzuthun oder den Ueberblick über jenes Werk zu erschweren, nicht eine Abänderung hätten treffen dürfen. So viel zur Rechtfertigung unserer Bände-Ordnung.

*

Dem

Hoch- und wohlgebornen Grafen und Herrn, Herrn

Hans Jakoben Kißl[1]),

Grafen zu Gottschee, Freiherrn auf Kaltenbrunn und Gauowitz, wie auch wirklichen Obristen eines Regiments Dragoner 2c.

Hoch- und wohlgeborner Graf,
Gnädiger Herr Obrister!

Weil die erste Syllaben in Dero preiswürdigsten Namen Jakob Ja ist, so werden hoffentlich Euer hochgräflichen Gnaden nit Nein sagen, wann ich frag,

---

1) Mit diesem unserm 3ten Bande beginnt in der Original-Ausgabe erst der II. Theil des Judas Ischarioth. Derselbe ist wie der 1ste durch eine Zueignungsschrift an den Grafen Kißl zu Gotschee eingeleitet.

Wir haben, da der Text und die Eintheilung des ganzen Werkes dieß wohl gestattet, dasselbe in einzelne Bände abgetheilt, von denen je zwei auf einen Theil der Original-Ausgabe kommen werden. Die Form unserer Ausgabe verlangte diese Eintheilung, da die Bände dennoch stark genug sind für das Duodez-Format. Die Anlage des Werkes aber ist nicht so streng wissenschaftlich, daß wir in dieser Beziehung, ohne dem Autor Gewalt anzuthun oder den Ueberblick über sein Werk zu erschweren, nicht eine Abänderung hätten treffen dürfen. So viel zur Rechtfertigung unserer Bände-Ordnung.

*

ob ich wiederum dörf mit einem so geringen Werkl aufziehen? Es ist dieses zwar mehrmal eine schlechte Waar, weil es von dem Iscarioth handlet; aber Jakob hat vor diesem gleichwohl erfahren, daß ihm seine Lia fruchtbar gewesen, ungeacht selbige eine ungeschaffene Gestalt und wildes Frontispicium[1]) gehabt: also möcht' auch etwann dieses Buch, ob es schon mit dem Namen eines Erz-Bösewicht bezeichnet, gleichwohl bei manchem Leser eine Frucht schaffen. Daß ich mich aber wieder unterfang, dieses winzige Werkl Euer hochgräfl. Gnaden zuzuwidmen, hat mich hierzu veranlaßt mein h. Vater Augustinus, der je und allemal entworfen wird mit dem Herz in Händen: also ist mir gewest, ich soll einen solchen suchen, der da beherzt und barmherzig ist. Das Erste haben Euer hochgräfl. Gnaden sattsam erwiesen, sowohl vor Jahren in dem römischen Reich wider die Franzosen, als dermalen annoch ganz lobwürdigst wider den Erbfeind; dahero derselbige gar nit irren thät, welcher Euer hochgräfl. Gnaden Herrn Obristen einen tapfern Soldaten hintersich, fürsich nennt, weil das Wort S o l l d a t hintersich fürsich t a d l l o s gelesen wird. Wo aber der Name D r a g o n e r herrühre, ist mir allbereits nit bekannt, will auch dermal diesen Fisch nit aus-

1) häßliches A e u ß e r e. Eigentlich ist Frontispicium die V o r d e r s e i t e, der G i e b e l eines Daches.

weiden; im Uebrigen seynd Euer hochgräfl. Gnaden Herr Obrister mir ein Trageiner, welches unser Convent im Münzgraben öfters erfährt, und ist halt noch wahr, daß uns Gott keinen bessern Stein in Garten geworfen, als den Obrist Kißl. In der h. Schrift ist zwischen dem Abraham und dem Jakob fast allemal der Isaak: wahrhaftig, zwischen mir und Euer hochgräfl. Gnaden ist fast jederzeit der Insack; dann sich mein Bettel-Sack nirgends besser befind't, als bei Ihro hochgräfl. Gnaden. Deßgleichen ist auch gesitt' und gesinnt Dero lobwürdigste Frau Gemahlinn, die hoch- und wohlgeborne Frau Frau Charlotta Polixena geborne Montecuculin; dann wann Pietas nit generis feminini[1]) wär, so müßte es wegen ihrer seyn. Gott hat vor diesem bei harter Hungersnoth dem Eliä befohlen, er soll nach Sareptha gehen zu einer Wittib, die werde ihm Guts thun; wann dazumal Ihr Gnaden Graf Kißlinn wäre bei Leben gewest, so hätte Gott, glaub ich, dem Religiosen geschafft, er soll seine Zuflucht bei ihr nehmen. Wann Sonn und Mond, laut h. göttlicher Schrift ein Sinnbild seynd des Herrn und Frau in einem Haus, so haben die Religiosen und andere arme Leut

---

1) Pietas heißt die Frömmigkeit. Das Wort ist im Lateinischen und Deutschen gen. fem., d. h. weiblichen Geschlechtes.

in des Grafen und Obristen Kißels Haus gute Sonn-Tag und Mond-Tag, weil von beederseits nichts als gnädige Influenzen[1]) zu genießen seynd. Dessenthalben alle zu danken höchst verpflicht seyn, und eben darum komm ich mit meinem jüdischen Deo gratias daher, des gänzlichen Trosts, daß es werde wie der erste Theil eine günstige Hand finden, und mich wie vorhin samt dem Convent in beharrlicher Huld und Gnaden erhalten, welches der mildherzigste Gott mit des Abrahams Schoß vergelten wird.

Euer hochgräflichen Gnaden

demüthigster Diener,

Fr. Abraham.

---

1) d. i. gnädiger Einfluß.

Judas der Erz-Schelm lobet das Almosengeben, und rühmet, dem äußerlichen Schein nach, den Dativum, da er doch ein schlimmer Vocativus[1]) war rc.

Es ist erstlich sich hoch zu verwundern, daß wegen des lasterhaften Iscarioth kein Mensch mehr will den Namen Judas tragen, indem doch sattsam bekannt ist, daß viel dieses Namens heilige und vollkommene Männer gewesen: Judas, ein Sohn des Jacobs, war ein so werther Patriarch in den Augen Gottes, daß die andere Person in der Gottheit von seinem Stamm die Menschheit hat wollen annehmen, auch von diesem, als von einem Erz-Vater, alle Israeliten seynd Juden genennet worden. Judas, ein Sohn Saphiräi, war zu seiner Zeit der eifrigste Schutzherr dem mosaischen Gesetz', und zeigte sich steinhart gegen diejenigen, welche den Geboten der steinenen Tafeln zuwider lebten, wessenthalben er eine Geißel genennet

---

1) Der Dativus ist der Gebefall; Vokativus — der 5te Beugefall der Nennwörter — hier s. v. a. Schelm, Bösewicht. (S. die 2 ersten Bände.)

worden des lasterhaften Herodis. Judas, mit dem Zunamen Esäus, war ein vortrefflicher Mann, eines sehr unsträflichen Wandels, welcher nit ein Haar darnach gefragt, wie er den König Antigono die Wahrheit in Bart gerieben. Judas, mit dem Zunamen Hebräus, folgendes aber nach der h. Tauf ist er Quirianus genennt worden, führte ein sehr auferbauliches Leben, welches genugsam aus dem erhellet, da er denjenigen Ort umständig entdecket, allwo der h. Kreuzstamm begraben lag. Judas Alphäi ist gewest der vierzehente Bischof zu Jerusalem nach dem h. Jacobum, als welchen Petrus, damals schon gevollmächtigter Vicarius Christi, zum ersten Bischof geweihet. Gedachter Judas ist mit größtem Ruhm und Heiligkeit der Kirche zu Jerusalem vorgestanden. Judas Machabäus wird nit allein von den Lebendigen als ein streitbarer Heiliger gepriesen, sondern auch bei den Todten und Abgestorbenen verdiente er ein unsterbliches Lob, massen er dero Seelen auch in dem Fegfeur Hülf geleistet hat. Judas, sonst ins gemein genannt der Bruder Christi zu Jerusalem, hatte einen besondern von Gott erleuchten Verstand und allbekannten prophetischen Geist, war auch den zweien heiligen Lehrern Paulo und Barnabä wegen seiner apostolischen Doctrin sehr bekannt. Judas endlich mit dem Zunamen Thaddäus, ein Bruder Jacobi des Mindern, ist von Christo Jesu zu einem Apostel erkiesen worden, welcher nachmals mit großem Eifer durch ganz Judäa, Galiläa, Samaria, Idumäa, Arabia, Syria, Mesopotamia den christlichen Glauben ausgebreitet.

Seynd demnach viel heilige Männer, welche den

Namen Judas getragen. Doch ungeacht dieses seynd die wahnwitzigen Adams-Kinder und eigensinnigen Menschen bereits also beschaffen, daß sie auf keine Weis den Namen Judas erdulden wollen; aber was können die heiligen Juden dafür, daß Judas Iscarioth ein Schelm worden?

Der h. Apostel Petrus kann es nit entgelten, daß Petrus Brabantinus ein Sch. gewest. Der h. Apostel Paulus kann es nit entgelten, daß Paulus Crau ein Sch. gewest. Der h. Apostel Andreas kann es nit entgelten, daß Andreas Seramita ein Sch. gewest. Der h. Apostel Jacobus kann es nit entgelten, daß Jacobus Grisus ein Sch. gewest. Der h. Apostel Joannes kann es nit entgelten, daß Joannes Faustus ein Sch. gewest. Der h. Apostel Thomas kann es nit entgelten, daß Thomas Münzer ein Sch. gewest. Der h. Apostel Philippus kann es nit entgelten, daß Philippus Melanchton ein Sch. gewest. Der h. Bartholomäus kann es nit entgelten, daß Bartholomäus Patavinus ein Sch. gewest. Der h. Apostel Matthäus kann es nit entgelten, daß Matthäus II. Vice Comes ein Sch. gewest. Der h. Apostel Simon kann es nit entgelten, daß Simon Magus ein Sch. gewest.

Also soll auch und kann auch es nit entgelten der hl. Judas Thaddäus oder Machabäus, daß Judas Iscarioth ein Erz-Schelm gewest. Nichts desto weniger seynd die Menschen also genaturt, daß sie den Namen Judas, ungeacht auch heilige und apostolische Männer solchen getragen, in allweg verwerfen, und ein Grausen und Ekel darob schöpfen, auch bereits die allerschlimmesten

Leut mit dem Juden-Prädicat als mit einem sondern Schandfleck zu zeichnen pflegen.

Ist demnach dieser Iscariothische Bösewicht nit allein von dem allmächtigen Gott ewig verworfen, sondern das Unglück hat ihn wegen seiner selbst eignen Bosheit also getroffen, daß er auch bei der Welt dergestalten verhaßt, daß solche auch seinen Namen mit Unwillen anhöret, welches aber der lasterhafte Gesell nur gar zu wohl verdient hat, massen sein verrucktes Gemüth mit allem Sündenwust bekothiget. Forderist aber hatte hierin seine falsche Heiligkeit den Vorzug, welches man dazumal leichtlich konnte abnehmen, wie er das Almosen so hoch hat herfür gestrichen, als Maria Magdalena am Palm-Samstag zu Bethania in dem Haus Simonis ein ganzes Pfund der edlesten Salben über das Haupt und Füß Christi ausgossen. Der kostbare Geruch dieser Salben hat das ganze Haus erfüllt; insonderheit aber ist solcher dem saubern Judä dergestalten in die Nase gerochen, daß er hierüber spöttlich gemurrt, auch so gar der freche Lümmel in diese Wort ausgebrochen: ut quid perditio haec? „wozu dienet dieser Verlust?" dann diese Salben hätte man theuer verkaufen und den Armen geben können!

Vermuthlich ist es, daß auch andere Apostel, als dazumal nit gar vollkommene Leut, geschmählt haben, jedoch aber aus guter Meinung; denn sie gar wohl wußten, daß der Herr Jesus dergleichen wohllustbare Ergötzlichkeiten bishero nit geachtet: also hielten sie dieses Weib dermal für eine Verschwenderinn, und glaubten, es wäre besser gewest, wann man mit dem Geld, was diese Salben gekost, wäre den Armen beigesprungen. Dießfalls waren die Apostel noch erleidliche Murmulthier; aber der iscariothische Fuchs war eine Bestia, weil er das Almosen gelobt, und dessen so ernstliche Meldung gethan nit aus Lieb gegen die Armen, sondern damit er von demselben Geld, nach alter Diebsart, seinen Particul der Particular[1])-Schelm möchte zwacken. Was aber dieser Galgali Orator[2]) aus falschem Herzen hervor gestrichen, dasselbige soll mit redlicher Feder folgsam gepriesen werden, benanntlich das h. Almosen, dari Pauperibus. Matth. 26.

Vor Zeiten seynd viel aus dem weiblichen Geschlecht gefunden worden, welche durch Eingebung eines göttlichen Geistes von künftigen Dingen haben geweissaget, wessenthalben ihnen der Name Sybilla geschöpft worden. Dergleichen war die Sambethe, die Herophylis, die Phemenoe, die Amalthäa, die Marpesia, die Albunäa, die Cassandra, die Xenoclea, die Helissa, die Lampusa, deren Namen sehr unterschiedlich von denen Scribenten werden angezogen. Bei unsern Zeiten gibt es gar wenig dergleichen von Gott erleuchte Matronen, wohl aber seynd einige zu finden, welchen ohne Irrthum folgende Namen können geschöpft werden, nemlich Altophila, Hexasia, Zauberillis, Lieganguila, Gablreita rc.; ich will sagen: viel alte Zibethkatzen, abergläuberische Spinnweben, zahnlose Murmulthier, forderist viel zigeunerisch Lumpengesind trifft man aller Orten an, welche mit einem prophetischen

---

1) seinen Theil der Theildieb (oder geheime Schelm).
2) Galgen-Advokat, Galgen-Redner.

Geist wohl aufziehen, und meistens durch Brillen an einer wassersüchtigen Nase die Hand eines und des andern durchsüchen, durchgaffen, durchgrüblen, und folgsam kraft einer verlognen Chiromantie[1]) künftige Begebenheiten aussagen. Wann sie in dem Triangel der Hand zwei lange Linien mit etlichen Zwerchstrichlen ersehen, welches fast einer Leiter gleichet, so prophezeien sie, daß dieser Mensch ins künftig werde wegen des Ablativum[2]) nach Stricks-Burg reisen, und daselbst mit des Seilers Halstuch beschenkt werden. Wann sie etliche Sternl beobachten in der Fläche der Hand, nächst bei der Linie des Lebens, so sprechen sie mit gähnendem Maul aus: dieser werde bei den Weibern so viel gelten, wie viel ein Speck in einer Juden-Kuchel, und müsse über Willen Korbinian heißen, wann ihn schon die Leut den Veitl nennen. So diese etwann ein oder zwei Kreuz ergaffen unter dem Ohrenfinger in der mittern Linie, alsdann sagen sie ganz beherzt, daß dieser arme Schlucker bald werde auf dem Freithof[3]) das Quartier nehmen, und thue ihm der Rippen kramerische Tod schon wirklich das Ladschreiben[4]) verfertigen. Wann der Tisch der Hand bezeichnet ist mit vielen durcheinander gekrümmten Linien, welche den hebräischen Buchstaben nicht ungleich sehen, auch beinebens auf dem Berg des kleinen Fingers viel Tüpfel vermerkt werden, solches gibt ihnen Anlaß zu prophezeien, daß dieser im drei und zwan-

---

1) die Wahrsagerei aus den Händen und ihren Zügen.

2) Wegnehme Falles.

3) oder Friedhof statt Gottesacker.

4) statt Einladungs-Schreiben.

zigsten Jahr werde heirathen, und bis in das drei und fünfzigste Jahr 4 Weiber überleben, worunter ihn eine mit mehr Kindern als Rindern bereichen werde. Wann eine im Mittelfinger zwischen dem andern und dritten Glied eine schwarze und tiefe Linie hat, sey es gewiß, sagen sie, daß solche keine Lucretia[1]) werde abgeben, sondern ihr Mann sey im Zeichen des Widders geboren. Wann der Tisch einer Hand (verstehe die Fläche der Hand) gar schön glatt ist, und auf dem Berg des Zeigfingers ein Zeichen wie dieser lateinische Buchstab H erblickt wird, sodann geben sie vor, als werde dieser lang leben und zu großer Würdigkeit und Ehrenstand gelangen.

Ei, so lügt, ihr unverschamten Goschen, ihr lugenhafte Zungen, ihr kothige Höllschnäbel, ihr teufelsartige Mäuler, wollt ihr dann dem freyen Willen des Menschen einen Nothzaum anlegen? habt ihr dann das Protokoll der göttlichen Vorsichtigkeit gänzlich durchblättert? was für eine Wildtaube ist euch auf das Ohrwäschl[2]) gesessen? wie nennt sich der Geist, welcher euch solche Sybillenstückl eingeben? was ist das für ein Blasbalg, worvon diese eure verfluchte Propheten-Stimm erweckt wird? Für euch gehört ein hölzernes Unterbett, worauf der Vogel Phönix[3]) stirbt, ihr schändliche, schädliche, schinderische Satans-Brut!

---

1) streng weibliche Tugend der Sittsamkeit und Keuschheit, durch welche sich Lucretia auszeichnete.

2) in bayerischer und schwäbischer Mundart das Ohrläppchen.

3) der sich nach der Fabel in einem Neste von wohlriechenden Hölzern und Kräutern verbrennt.

Aber ich will mit festerer Wahrheit, ohne Beleidigung göttlicher oder menschlicher Satzungen, zu mehr Seelen-Heil aus den Händen wahrsagen: Wann ich nemlich eine Hand sehe, welche aus mitleidender Bewegung gegen den Armen ausgestreckt ist, und mit heiligen Almosen der Nothdurft beispringt, alsdann aus solcher Hand thue ich unfehlbar prophezeien: dieser Mensch werde Glück haben, lang leben, zu großen Ehren gelangen, ja ewig leben und die Kron der unendlichen Seligkeit erwerben.

Den Spielern sollt man gar nit hold seyn, sondern glauben, daß das Wort liederlich von dem Wort ludere[1]) herrühre; gleichwohl muß ich mit euch Spiellumpen, Spielåner, Spielaffen, Spielgel, Spieligel discuriren: Sagt her, ihr sauberen Karten-Brüder, was für eine Karte bringt das mehreste Glück? etwann ein S, vulgo[2]) eine Sau? Nein; dann der verlorne Sohn mit den Säuen verspielt. Etwann ein König? Nein; dann Herodias mit ihrem buhlerischen König verloren. Etwann ein Caval[3])? Nein; dann Pharao mit allen seinen Cavalen zu Grund gangen. Etwann ein Bub? Nein; dann jene Eltern haben gar wenig gewonnen, dero unerzogne Buben den Propheten Elisäum haben ausgehöhnt. Etwann ein Do[4])? Das

1) deutsch: spielen.

2) „sonst, insgemein genannt.“

3) Ritter, im Tarokspiel.

4) Do heißt auf deutsch: Ich gebe; zugleich ist dieß die erste Sylbe des Namens eines bekannten Spieles „Domino,“ auf welches P. Abr. hindeutet. S. das Folgende.

wohl. Wann jemand ein Do wohl anbringt, der zieht ein. Dem Zachäo hat nichts mehr über sich geholfen als ein Do: Domine, do pauperibus [1]); — wie er nemlich das entfremd'te Gut vierfach erstattet, und das Uebrige alles unter die Armen ausgetheilt. Dieses Do hat ihm Glück gebracht; und dieses wird auch dir, lieber Christ, nit allein ein ewiges Glück, sondern auch eine zeitliche Fortun [2]) eintragen.

Wann einer heißt Liberalis [3]) gegen die Armen, so will ich ihm aus der Hand wahrsagen, er werde Glück haben viel Jahr mit gewünschter Gesundheit im besten Ruhestand herrschen und regieren. Also hat viel Jahr mit Lob und Lieb regiert der König Eduardus in Engelland, um weil er gegen die Armen barmherzig war, und so gar auf eine Zeit, weil er dazumal kein Geld bei sich tragte, einem armen Bettler den guldenen Ring vom Finger gespendirt.

Wann ein Reicher heißt Herr Donatus [4]) gegen die Armen, so will ich ihm unfehlbar aus der Hand wahrsagen, daß ihm werde ein großes Glück zustehen, und mit seiner Freigebigkeit gegen die Armen seine zeitliche Habschaft merklich vermehren. Als hat sein Reich und Reichthum vermehrt Kaiser Tiberius, welcher einmal einen unschätzbaren Schatz aus der Erden graben, weilen er so gutherzig gegen die Armen gewest.

---

1) S. Luc. 19, V. 8. „Herr, ich gebe den Armen" rc.
2) gleichfalls „Glück, Segen."
3) deutsch: ein Freigebiger, Großmüthiger.
4) s. v. a. Donator, ein Schenkgern.

Wann ein junger Gesell heißt Benignus [1]) gegen die Armen, so will ich ihm gar gewiß aus der Hand wahrsagen, daß ihm eine sondere Fortun werde zu Theil werden, und eine reiche Heirath erwerben. Also hat erworben jener Jüngling zu Constantinopel, welcher eines sehr reichen Herrn einige Tochter derenthalben bekommen, um weil er sein väterliches Erbgut unter die Armen ausgetheilt.

Wann einer heißt Clemens [2]) gegen die Armen, dem will ich ganz glaubwürdig aus der Hand wahrsagen, daß er werde glückselig leben, und an seiner ehrlichen Unterhaltung [3]) niemals einen Mangel leiden. Das hat erfahren jener, welcher in allem seinem Vermögen nichts mehrers hatte als einen Groschen, jedoch solchen einem Armen mitgetheilt; welches ihm Gott also reichlich erstattet, daß er bald hernach in einem Fisch einen Edelstein gefunden, wormit er sich nachgehends herrlich erhalten.

Aus solchen barmherzigen Händen gegen die Armen, wie unter den Päpsten gehabt hat Gregorius Magnus zu Rom, unter den Kaisern Henricus in Deutschland, unter den Königen Stephanus in Hungarn, unter den Herzogen Amadäus in Savoien, unter den Fürsten Ludovicus in Thüring, unter den Grafen Theophanius zu Centucell, unter den Freiherren Rochus zu Narbona, unter den Edel-Leuten Martinus zu Ambian, unter den Burgern Macharius zu Alexandria, unter den

---

1) Wohlthäter.
2) gütig, mildthätig.
3) für Unterhalt, Auskommen.

Bauern Isidorus in Spanien 2c., aus solchen Handen ist gar leicht wahrsagen, daß sie werden Glück haben.

Ja, wer da will, daß sein gutes Vorhaben soll gerad gehen, der erbarme sich über alle die armen Krummen; wer will, daß er in seiner Wirthschaft nichts übersehe, der erbarme sich über die armen Blinden; wer will, daß sein Geld und Gut solle ganz bleiben, der erbarme sich über die armen Zerrissenen; wer will, daß man gut von ihm rede, der erbarme sich über die armen Stummen; wer will, daß er groß werde, der erbarme sich über die armen, kleinen Waisel; wer will, daß er söll Glück haben, der erbarme sich über die armen Unglückseligen; wer will in zeitlichen Gütern fortkommen, der thue mit zeitlichen Mittlen den Armen forthelfen.

Bandera ein Hund, Hylax ein Hund, Mariolena ein Hund, Barbatilla ein Hund, Bellina ein Hund, Melissus ein Hund, Griffus ein Hund, Loderus ein Hund, Adamantilla ein Hund 2c., diese seynd in so großem Werth und Ansehen gewest, daß man sie nach ihrem Tod an ehrliche Ort begraben, und nachmals gar schöne Epitaphia oder Grabschriften aufgericht. Dergleichen Hunds-Narren seyn gewest Naugerius, Auratus, Cotta 2c. Bei unsern schwindsüchtigen Zeiten ist auch kein Abgang solcher Hunds-Gemüther, welche mehrmal größere Sorg tragen und Lieb schöpfen gegen die Hunde als Menschen. Man muß bisweilen nit ohne nasse Augen ansehen, daß der Hund einen sammeten Polster für ein Unterbett hat, da unterdessen dem Armen, so nach Gottes Ebenbild erschaffen, nit ein Strohsack vergunnt wird. Nicht selten trifft man an, daß dem

Bellerl, Wellerl seine eigene Speis wird zugericht, und entgegen dem armen Bettler die Spülsuppe versagt wird; eigne Kuchi, eigne Küchl, eigne Köchl für dergleichen Schoßaffen und Polsterstänker stehen in Bereitschaft, und wann der Arme um Gottes willen bittet, ist nichts vorhanden. Ei so gehet hin in aller Hunds-Namen zum Teufel! wird es einmal heißen am jüngsten Tag — Esurivi, „ich bin hungerig gewest," und ihr habt mich nicht gespeist, wohl aber Hund und Hündinn. Daß mir die Hebräer den lasterhaften Barabbam haben vorzogen, ist mir sehr schmerzlich vorkommen; daß aber bei euch die Hund und vernunftloses Vieh mehr gilt als ich, oder ich, kommt mir noch schwerer vor. So geht dann hin 2c.; für euch gehört nicht das venite[1]), fordern vè-ite in ignem aeternum[2]). Ich betheuere es mit meinem Gewissen, daß ich selbst bei einer adelichen Person, so bereits mit dem Tod gerungen, in Beiseyn zweier Priester der Socität Jesu gestanden, und ganz deutlich vernommen, daß diese elende Tröpfinn unter dem kalten Todschweiß die Augen erschrecklich hin und her geworfen, und öfters mit halb gebrochnen Worten und Stimm sich hören lassen: Hund, Hund, Hund, Hund! welches allen Anwesenden nit einen geringen Schrecken eingejagt, forderist, weil fast allen gar zu wohl bekannt war die unordentliche Lieb, welche solche Person zu diesem Vieh getragen.

1) „Kommet her!"

2) vé bedeutet wie das deutsche un, ohn 2c. das Gegentheil von dem eigentlichen Worte: z. B. ve-sanus un-sinnig 2c. oder es steht vè statt vae, wehe! „Wehe euch, geht in das ewige Feuer!"

Allhier will ich nur diejenigen beschuldigen, welche eine gar zu übermäßige Lieb gegen die Hunde haben; denn nit ganz und gar zu verwerfen einiger Affect gegen diese Thier, dafern nur solcher die Schranken der Manier nit übersteiget: Der Hund ist dem gerechten Tobiä [1]) gar angenehm gewest, welcher seinem Herrn, einen so treuen Gesellsmann hat abgeben. Die Hund so dem armen Lazaro seine offenen Geschwür mit ihren heilsamen Zungen haben abgeleckt, seynd in der Wahrheit gute Hund gewest. Die Hund, welche der verruchten Jezabel [2]) die Haut abgezogen, und ihre faulen Beiner abgenagen, seynd gute Hund gewest, als welche den gerechten Willen Gottes vollzogen. Jener Hund zu Ulyssipon ist wohl zu lieben gewest, welcher allemal das höchste Gut, da man es zu Kranken getragen, begleitet hat, und nur diejenigen angebellt und gebissen, welche nit thäten niederknien. Jener Hund war lobenswerth, welcher das Brod von seines Herrn Tafel genommen, und darmit eine geraume Zeit den hl. Rochum in der Wüste gespeist. Derselbige Hund nebst seinen Kammeraden ist wohl zu lieben gewest, welcher bei der maltesischen Festung, St. Peter genannt, stete Schildwacht gehalten, und durch seinen Geruch so gar die verfluchten Türken von den Christen zu unterscheiden gewußt; ja, als auf eine Zeit ein Christ wegen ankommender Saracener sich in die Flucht begeben, und in eine tiefe, jedoch ausgedörrte Cisteren gesprungen, auch etlich Wochen darin verbleiben müßte, weil er durch eigne Kräfte nit

---

1) vgl. Tob. K. 6.

2) 4 Kön. K. 9. (Luther. Bibel 2 Kön. K. 9).

mächtig war heraus zu steigen: also hat gedachter Hund alle Tag seine gewöhnliche Portion Brod dem bedrängten Tropfen dahingebracht, bis endlich solches wegen Abmerglung des Hunds vermerkt worden, und man diese Treu nit genug konnte preisen. Jenes Hündl ist in aller Wahrheit zu lieben gewest, welches Margaritam de Cortona, als einen verbuhlten Schleppsack, bei dem Rock gezogen, und sie durch einen ziemlichen Weg geführt an den Ort, allwo ihr gwester Galan ermordt, und als ein stinkendes, und mit Würmern bereits überhäuftes Aas gelegen, worvon Margarita also bewegt worden, daß sie nachmals wie eine andere Magdalena in strengister Bußfertigkeit gelebt, und nunmehr in die Zahl der Seligen verzeichnet worden. Jener Hund ist zu lieben gewest, welcher, ob schon hungrig, geweigert hat, ein Stuck Fleisch aus den Händen Ottonis von Brandeburg zu nehmen, um weil solcher excomunicirt ward.

Diese und dergleichen Hund seynd lieb und lobenswerth, und so fern die Astrologi oder Sterngucker nit schon hätten einen Hund zwischen den Wassermann und Steinbock im Himmel gestellt, so hätt ich mich unterfangen, diese zu recommendiren.

Ich aber, o eifrige Christen, zeige euch weit bessere Hund, und diese Hund, ich bitte euch, liebet aus ganzem Herzen; diese Hund, ich rathe es euch, speist nach aller Müglichkeit; diese Hund, ich sags euch, verehret ihr wie Gott den Herrn selbsten: es seynd die armen Bettel-Hund! Also pflegt eine übermüthige Welt die mittellosen Leut und nothleidenden Tropfen zu nennen. Mit diesen Hunden könnt ihr mehr jagen, mehr hetzen, mehr fangen, mehr gewinnen, als Nemrod, als Carolus Magnus, als Kaiser Henrich, als Maximilianus, als alle anderen berühmtisten Welt-Männer; mit diesen Hunden könnet ihr auch alles zeitliches Glück, nach welchem der Menschen Zähn meistens wässern, unfehlbar bekommen!

Ich sehe es aber euch lauen Christen an der Stirn an, daß ihr dießfalls einen kleinen Glauben gebet; dann einem Menschen, (was ist dann ein Mensch?) einem Menschen glaubet ihr und vertrauet ihm große Kapitalien, eine namhafte Summa Geld, der euch das jährliche Interesse 4 pro Cento verspricht, und sich etwann mit einem schwachen Papier oder rauschenden Pergament verpfändt, woran ein wächsernes Zeugnuß hangt; einer solchen geschabenen Schafhaut, einem solchen rothen Brocken glaubt ihr; und Gottes Sohn, der ewigen Wahrheit, Jesu Christo, glaubt ihr nit, welcher verspricht nit 5, sondern 100 pro Cento noch auf der Welt zu geben! O Christen, keine Christen, weil ihr Christo nit glaubt! Gott verspricht das allermindeste Almosen hundertfach auf der Welt zu erstatten; er verspricht es, und hat es bishero allezeit gehalten.

Frag derohalben, du kleingläubiger Tropf, frag zu Sarepta in Sidonia. Dort wird dir eine arme, beinebens aber fromme Haut, eine verlassene bedrängte Wittib sagen, daß ihr der Oelkrug, wann sie ihn alle Täg auch hundertmal hätt ausgeleeret, allzeit durch ein Wunderwerk sey wieder angefüllt worden; auch das Mehl, wann sie es stündlich bis auf den letzten Staub hätte verzehret, wieder miraculoser Weis sey ergänzt worden; in Summa: hat ja niemal nichts gemanglet, um weil sie dem hungerigen Eliä bei der theueren Zeit ein Bißl Brod hat gespendirt. Frag in Hetruria zu Castell Florentin. Allda wird dir eine arme Jungfrau, benanntlich die hl. Verdiana, ein Dienstmensch bei einem Kaufmann, sagen, daß sie eine halbe Truhe voll Arbes [1]) unter die Armen ausgetheilt, den andern Tag aber die Truhe ganz voll gefunden habe. Frag in dem Kloster Nazvol. Alldort wird dir der heil. Joan. Gualbertus sagen, daß er einmahl 6 Kühe von der Herd' getrieben, dero Fleisch unter die Armen ausgespendirt, gleichwohl sey die Zahl der ganzen Kühe-Herd nit allein nicht gemindert, sondern alle Kühe und Rindvieh merklich feister worden. Frag zu Renns den seligen Corvinum. Dieser wird dir andeuten, daß er einen einzigen Kreuzer im Beutel gehabt, denselbigen aber mildherzig den Armen dargestreckt, welches Gott dem Herrn also gefallen, daß nachmals derselbe Beutel nie ohne Geld gewest, auch auf keine Weis' denselben konnte ganz ausleeren. Frag zu Prag. Daselbst wird dir der heiligmäßige Joannes Lohelins bekennen, daß er manchesmal, ja gar oft, einen ganzen Sack voll Reichsthaler in dem versperrten Kasten gefunden, welche Gott durch die Händ der lieben Engel dahin gelegt, weil gedachter Lohelius so gern Almosen geben hat. Frag bei den P. P. Capucinern; so werden sie dir nach der Länge und Breite erzählen von ihrem Matthäo a Bascio, von ihrem Josepho a Colle, von ihrem Bainerio a Burgo 2c, und vielen anderen mehrern, daß sie manchesmal ein halbes Stückel Leinwath von frommen Weibern ausgebettlet, und doch das ganze

---

1) Erbsen.

Stückel nit um ein Viertel kürzer worden, ja manchesmal dieselbe Leinwath viel länger gewährt als andere. Frag zu Vissenach in Niederland. Alldort wird dir eine fromme Köchinn eines Pfarrherrn sagen, daß sie einmal einen Trunk Wasser vom nächsten Brunn gehohlt, unterwegs aber einem armen durstigen Fremdling darvon zu trinken geben, worvon geschehen, daß das überige Wasser in den auserlesensten Wein ist verkehrt worden. — Die hl. Brigitta von Kildarien, die hl. Jungfrau Lidwina, der hl. Nicolaus Finns aus unserm Orden, der hl. Franciscus de Paula, der hl. Abt Alferus, die hl. Ida, der hl. Abt Robertus, der hl. Odilo, der hl. Bischof Maurilius, der hl. Theodosius Cänobiarcha haben nit nur einmal, sondern allemal erfahren, je mehr sie Almosen geben, je reicher seynd sie worden.

Glaubst du es noch nicht, so stell' ich dir denselbigen Abt Henrich, Prämonstratenser-Ordens, welcher jederzeit handgreiflich vermerkt, daß sein Treidboden reicher worden, so oft er etwas darvon den Armen geschenkt: ja, das Treid hat ihm Gott etlich Wochen vor der Zeit lassen zeitigen auf dem Feld, damit er nur den Armen konnte beispringen.

Glaubst du es noch nit, so führe ich dir vor eine fromme Wittib zu Leiden, dazumal bei der Fischbrucken wohnhaft, welche sehr mitleidend gegen die Armen war, auch viel Treid den armen Leuten mitgetheilt. Indem solche auf eine Zeit bei der Tafel gesessen, und ein armes Bettelweib samt zweien Kindern sehr elend und ausgehungert bei der Hausthür angeklopft, befiehlt sie alsobald, daß man die arme Haut samt den zweien Kleinen soll zu Tisch führen und selbige nach Möglichkeit speisen. Nach vollendetem Mittagmahl schafft sie noch der Dienstmagd, sie soll schleunig von der Treidkammer ein Säckl Korn vor diese arme Tröpfinn herab bringen. Das Mensch sagt, klagt, schwört und betheuert hoch, daß nicht mehr ein Körnl vorhanden, auch sey deßhalben kein Wunder, weil ihre Frau so verschwenderisch. Die gute Wittib legt dieser bereits gronenden, greinenden, grimmenden Ursel mehrmal auf, sie sollt mit dem Bartwisch 1) Alles fleißig zusammen kehren, und das wenige Uebrige dem armen Weib bringen. Diese voller Ungeduld lauft hinauf, und siehe Wunder! die Treidkammer war dergestalt gestrotzt und angefüllt, daß sie die Thür nit konnte aufmachen, sondern das Treid ist ganz häufig gegen ihr heraus geschossen; worüber sie ein unerhörtes Geschrei erhoben, welches in dem ganzen Ort dergestalten kundbar worden, daß jedermann unläugbar bekennen muß, daß man durch das Almosen geben nit ärmer, sondern reicher werde.

Das ist auch geschehen mit dem h. Eutychio, Patriarchen zu Constantinopel, auch mit dem h. Juliano, auch mit dem h. Thoma de Villanova, auch mit dem h. Beichtiger Gerardo, auch mit dem h. Grafen Elzeario, auch mit dem h. Abt Cunäno, auch mit dem h. Wonedulpho; das ist geschehen und geschieht noch auf heutigen Tag, Stund und Augenblick mit unzahlbaren Vielen, welche durch das Ausgeben mehr eingenommen, und durch die Armen seynd reicher worden.

1) Borstenwisch, ein kurzer Kehrwisch, dessen rauhe Gestalt einem Barte ähnlich ist.

Anno 1197 hat der h. Abt Gevardus bei großer Hungersnoth große Sorg getragen über die Armen, und weil er in Forcht gestanden, es möcht mit der Zeit das Mehl nicht mehr klecken[1]), den armen Leuten Brod zu schaffen, also hat er dem Pfistrer anbefohlen, er sollt die Laibl forthin kliener machen. Ja, sagt der Bäck, das hab ich schon lang gethan, und mach sie täglich kliener, allein das Brod wächst augenscheinlich im Ofen, und wann ich zwei Unzen einschieb, so nehm ich vier heraus. Gott läßt demnach sich nit überwinden in der Cortesi[2]): je mehr man ihm gibt, je häufiger erstatt' er es wiederum. Die lieben Jünger setzen ihm ein Stückl Bratfisch vor, „obtulerunt ei partem piscis:“ solches hat der liebste Jesus ganz reichlich vergolten, indem er denselben einen so großen Fischfang geschickt, daß so gar das Netz vor Menge der Fisch zerrissen. Je mehr du dann aus dem Kasten nimmst, je völler wird derselbe, je öfter du den Beutel ziehest, je gefüllter wird derselbe, je gütiger du gegen den Armen bist, je begüter wirst du. Deine Habschaft, deine Wirthschaft, deine Baarschaft, deine Herrschaft, deine Handelschaft, deine Kundschaft, deine Gewerbschaft, deine Bürgschaft, deine Gerhabschaft[3]), deine Freundschaft, deine Nachbarschaft, deine Wissenschaft, deine Bekanntschaft ist alles zum besten geschafft, wann du den armen Hungerigen Brod schaffest, den Nackenden Klei-

---

1) hinreichen, ausreichen.
2) Artigkeit, Gefälligkeit.
3) Vormundschaft.

der schäffest, den Fremden Herberg schaffest, und den Nothleidenden Hülfe schaffest. . .

Zu Cana in Galliläa ist das Wasser zu Wein worden; zu Poliaster ist das Brod des hl. Thomä Aquinatis zu Rosen worden; in Hebernia ist ein Sauschunk[1]) durch den hl. Bischof Silai zu einem Fisch worden; bei dem Abt Fechino ist, salvâ veniâ, ein Butzen aus der Nasen eines Aussätzigen zu Gold worden; zu Alenques seynd die Rosen der h. arangonischen Elisabeth zu Geld worden; bei dem h. Atilano ist sein alter zerlumpter Rock zu einem kostbaren Meßgewandt worden. Diese gedunken dir freilich große Wunder zu seyn; aber gib Almosen, gib, gib, alsdann wirst du Wunder über Wunder sehen! Du wirst sehen, daß dir dein Kreuzer zu einem Thaler wird; du wirst sehen, daß dir dein Korn zu einem Weizen wird; du wirst sehen, daß dir dein Zwilch zu Sammet wird; du wirst sehen, sehen und greifen, greifen und hören, hören und empfinden, daß all dein Auskommen, Einkommen, Zukommen, Fortkommen vermehrt wird durch das Wegkommen: wann nemlich ein Almosen von dir kommt in die Schoß der Armen.

Der künstliche und köstliche, der schöne und scheinende Sitz des Königs Salomon ist gewest von dem edelsten Helfenbein. Willst du gut sitzen, mein frommer Mensch, willst du ruhig sitzen, willst du in großem Reichthum sitzen, so gib Acht, daß dein Sitz auch sey von Helfenbein; thue helfen den armen Bettlern; thue helfen der armen Katterl, die wird dir

---

1) Schinken von Schweinfleisch.

Glückrad anheften; thue helfen der armen, wassersüchtigen Aperl, die wird machen, daß du und deine Erben allzeit werden genug haben zu nagen und beißen; thue heisen dem armen, krummen Peter, der wird dir die Schlüssel zum Reichthum einhändigen; thue helfen der armen, blinden Martl, die wird dir deine Kuchl spicken; thue helfen dem armen, thörischen Stephel, der wird dich steinreich machen; thue helfen dem alten, armen Jörgen, der wird dir vom Esel aufs Pferd helfen!

Diesen Rath hat geben der fromme und gottselige Capuciner Aegidius Turrianus, welcher mehrmal gar freundlich mit einem armen Weber pflegte zu reden und ihn bester Massen in seiner Armuth trösten. Unter andern gab er diesem bedrängten Tropfen folgenden Rath: wann er wolle seiner großen und harten Armuth entgehen, soll er sich keines andern Vortheil gebrauchen, als des Almosen geben. Solchem guten Rath ist dieser ohnedas gar tugendsame Weber gar emsig nachkommen, und alle Tag einen Pfenning Almosen geben (ein schönes Kapital). Nichts desto weniger tragte ihm diese winzige Summa ein stattliches Interesse; dann, nachdem er im benannten Almosengeben eine kleine Zeit verharret, hat er alsobald handgreiflich wahrgenommen, daß sein Wirthschäftl in einem merklichen Aufnehmen sey, welches ihn dann veranlasset, daß er nachgehends zwei Pfenning täglich unter die Armen ausgetheilt, worvon er dergestalten bereicht worden, daß er ein sehr reicher und vornehmer Handelsmann worden. Dazumalen war in der ganzen perusinischen Gegend und Landschaft eine sehr große

Hungersnoth, wessenthalben eine überaus häufige Anzahl der armen Leute bei seinem Haus täglich sich eingefunden, welchen er ohne Unterschied Brod und nöthige Lebensmittel ganz mildherzig dargereicht. Dem Teufel war solche Wohlgewogenheit und Lieb gegen die Armen sehr mißfällig; suchte demnach diese alte Schlange durch das Weib den Mann zu hintertreiben, wie dann solche bereits dem Mann stark zugeredt, er soll und woll nicht gleich obenhin das Seinige verschwenden, sondern mit mehrerm Bedacht das Almosen austheilen, und sein den Armen von den Armen unterscheiden. Der gute Handelsmann vermerkte bald, daß diese Rathschläg in des Teufels Kanzlei concipirt[1]), dahero schafft er ihr, sprechend: mein Weib, nimm du einen Sack voll Brod, und nach deinem so reifen Verstand und stattlicher Bedachtsamkeit theile solchen unter diejenigen Armen aus, welche nach deiner Meinung die bedürftigisten seynd; ich entgegen will dergleichen Säck voll Brod aufnehmen, aber einem jeden anlangenden Bettler ohne fernere Nachforsch mittheilen; laß sehen, mein Weib, welcher Sack ehender leer wird. Der Ausgang hat es zeigt: das Weib aus angeborner Kargheit hat gar wenig Brod ausgetheilt, der Mann aber in der Menge; gleichwohl ist der Frauen Brodsack bald ausgeleert worden, des Herrn Sack aber eine lange Zeit ganz, unangesehen so viel daraus genommen worden, voll mit Brod, auch ohne Abgang eines einigen Laibs,

1) gefaßt wurden.

gefunden worden. O Wunder! schrie auf das karge Weib; ich aber schrei: nit Wunder ein bös Weib!

Die mehresten kargen Christen wenden vor einige Entschuldigung, und erscheinen mit diesem Einwurf: wie daß sie derenthalben nicht können Almosen geben, weil sie selbst bei keinen Mittlen seyn, auch bei solchen Zeiten hart sey zu leben; zu dem so seyn ihre Kinder vermehrt, wie die Kinder Israel, und klagt sich niemand wegen des Zahnwehe, als eben der Laib Brod; man höret die ganze Zeit im Haus immerzu gut papstisch reden, indem eins um das ander Päpn, Päpn, Päpn schreit; über das muß gleichwohl noch etwas im Vorbehalt restiren[1]) und in die Sparbüchs gelegt werden für einen Noth-Pfenning; dann die Zeiten seynd nit mehr, bei welchen das Manna von Himmel falle, Elias von Raben gespeist, und Daniel vom Habakuk tractirt werde, oder den Israeliten die Vögel ins Maul fliegen; das „Nolite esse soliciti in crastinum[2])" habe bereits eine andere Auslegung: laß reiche Leut Almosen geben, welche den Ueberfluß an Geld und Gut haben!

O ihr laue Christen! ich sehe wohl, ihr seyd weit eifriger im Klauben als im Glauben! eben derenthalben, merkts euch wohl, derenthalben sollt ihr Almosen geben, weil ihr bei keinen Mitteln seyd; dann durch das Almosen wachsen die Mittel! Dives kommt her von dividendo: Mittel rühren her von Mitleiden; die Güter vermehren sich durch die Gut-

1) bleiben.

2) „Sorget nicht für den andern Morgen!"

herzigkeit; die Reichthumen nehmen zu vom Darreichen; das Geld wachset vom Vergelts Gott der Armen! Nit allein, o bethörte Adams-Kinder, gibt Gott um das Almosen den Himmel, und im Himmel die Kron, und in der Kron die Seligkeit, nit allein dieß — es wäre zwar dieß überschwenglich genug bezahlt — sondern noch darüber verspricht er, verlobt er, verheißt er, daß er es auch auf der Welt wolle hundertfach bezahlen. Cui Judaeo negares, o homo, qui in vanum accepisti Nomen Domini nostri Jesu Christi? „Wann dir ein Jud zu Prag, wann dir ein Rabbiner zu Dresden, wann dir ein Talmudist zu Nickelsburg, wann dir ein Cappadiner zu Frankfurt, wann dir ein Hebräer zu Leipzig, wann dir ein Präputiant aus Polen verspricht, das ihm geliehene Geld zehenfach zu bezahlen, dem gibst du es mit gierigem Herzen, mit lachendem Mund, mit festem Vertrauen, — und deinem Jesu willst du es nit anvertrauen, welcher es hundertfach verspricht zu erstatten?"

Was trägst du Margaritta von Mutina? fragt ihr geiziger Bruder, als sie etliche eingewicklete Stückl Brod zu den Armen getragen. Margaritta antwortet: Rosen, und siehe Wunder! die Scherzel Brod seynd wirklich in schöne Rosen verändert worden. — Was trägst du, Thomas von Aquin? fragt sein Herr Vater, als er mit etlichen verborgenen Scherzlen Semmeln zu den Armen geeilt. Thomas antwortet vor Schrecken: er trage Rosen, und siehe, die Semmeln seynd in die schönsten Rosen verwandlet worden! — Was tragst du, Petre Regalate? fragen seine vorwitzigen Mitgespän, als er etliche Tag nacheinander das übergelassene Brod einer armen Wittib mit dreien Kindern zubracht. Petrus antwortet: er trage Rosen, und wahrhaftig, alle diese geübrigten Scherzl Brod seynd in die wohlriechenden Rosen verkehrt worden! — Was tragst du, Nicolå de Tolentino? fragt sein gronender Prior, als er etliche Stückl Brod im Mantel zu der Porte für die armen Leut getragen. Nicolaus antwortet: Rosen, und siehe, die seynd in purpurfarbe Rosen verändert worden!

Diesen und vielen andern ist das Almosen durch ein Wunderwerk in Rosen verkehrt worden. Aber glaub du mir auch, o barmherziger Christ, glaub du fest, daß dein Almosen, welches du den Armen darreichest, gleichmäßig zu Rosen werde: es wird dir gewiß Rosen tragen in deiner Wirthschaft!

Dem Job hat es Rosen tragen; dann weil er ließ Woll' spinnen und daraus Kleider machen für die Armen, also hat ihm Gott geschenkt eine große und häufige Herd' Schaf. Dem lieben Mann hat das Almosen Rosen getragen, welcher den hl. Dominicum in die Herberg hat aufgenommen und ihn nach Möglichkeit tractirt; dann dazumal ein geh entstandenes Wetter mit hartem Schauer und schädlichen Rieselsteinern alle Weingebirg in selber Gegend gänzlich zu Grund gericht, der Weingarten aber des gedachten gutherzigen Manns ist nit ein Haar groß verletzt worden. Childeberto, Roberto und Ludovico, Königen in Frankreich, hat das Almosen Rosen getragen, indem sie kraft dessen ihre meisten Feind überwunden und allemal siegreiche Waffen nach Haus gebracht. Rambaldo, einem Cavalier in Hibernia, hat das Almosen Rosen getragen, daß, als einst durch des bösen Feinds Anstiftung sein Pallast mit Feuer angesteckt worden, hat solches auf keine Weis' mögen gelöscht werden, bis die armen Bettler beigeloffen und das kurz zuvor von diesem Herrn gespendirte Geld und Brod in die Flammen geworfen, worvon augenblicklich alles erloschen. Dem Sem, nachmals Melchisedech genannt, hat das Almosen Rosen getragen; dann er etlich hundert Jahr alt worden, im besten Ruhestand und Wohlstand sein Leben zugebracht, keinem Unheil, keinem Unglück, keinem Unstern unterworfen, und als die Ursach dessen der große Patriarch Abraham gefragt, gab er die Antwort, wie daß er in der Arche Noe einen allgemeinen Futtermeister abgeben und alle Thier darinn gespeist, damit sie nit vor Hunger gestorben. Derenthalben habe ihn der allmächtige Gott auch auf der Welt also beglückt. Si Deus adeo beneficus est in eos, qui cum brutis animantibus misericordiam faciunt, quanto magis remunerabit eos, qui in homines sunt liberales! „Thut es der Allmächtige also reichlich vergelten auf der Welt, so man nur den wilden und unvernünftigen Thieren etwas Gutes erweiset, wie wird er erst belohnen dieselbigen, welche sich freigebig gegen den nach dem Ebenbild Gottes erschaffenen Menschen erzeigen!" Folge nach, o frommer Christ! es wird dir gewiß auch Rosen tragen, folge nach diesem Melchisedech, und speise gleichfalls die Thier wie dieser, so wirst du ebenfalls wie er auf dieser Welt glücklich leben! Aldört vor der Kirchen-Thür sitzt ein armer Blinder, der heißt Philipp Haß;

dort am Eck der Herrngasse leinet ein krummer Bettler, der heißt Rupert Hirsch; dort auf der Brücken hockt ein alter Bettler, der heißt Christoph Ainkhirn; dort beim Wasser-Thor liegt ein armer Wassersüchtiger, der heißt Stephan Lämpel; dort unsern dem Burger-Spital sitzt ein altes Mütterl, die heißt Anna Cammelin; hie geht ein armer Pilgram, der heißt Christian Adler; da singt vor der Thür ein bene pallidus und male palliatus Studiosus [1]), der heißt Ferdinand Fink; da zieht dich bei dem Mantel ein armes Büberl, das heißt Benedict Zeisl 2c., — diese und dergleichen Thier, mein lieber Christ, thue speisen; alsdann wird dich Gott wieder speisen, ja du und die Deinigen, du und das Deinige wird niemalen abnehmen, so lang die Armen von dir das Almosen einnehmen.

Thue dich um Gottes Willen nit entschuldigen: wann du möchtest Almosen geben, so blieb mit der Zeit der Bettel-Sack dir selbst nit aus, Hola parola, die nichts als lugenhaft. 25 Buchstaben überweisen dich, daß diese Wort mehr als 5tausendmal nit wahr seyn; 25 Buchstaben setzt der h. Geist in 5 Wort; diese 5 Wort stehen in göttlicher h. Schrift; nach diesen 5 Worten sollst du alle 5 Finger schlecken; an diesen 5 Worten sollen alle deine 5 Sinn sich begnügen lassen, benanntlich: Qui dat Pauperi non indigebit, „wer den Armen gibt, wird nie Mangel leiden.“ Diese Wort seynd so wahr, als Gott nit kann die Unwahrheit reden.

---

1) „ein wohl bleicher, aber übel bekleideter Student.“

Ein Reicher kann wohl verderben, wie der Feigenbaum am Weg; ein Reicher kann wohl abnehmen, wie der Wein zu Cana in Galliläa, ein Reicher kann wohl um das Seinige kommen, wie der Reisende von Jerusalem nach Jericho; aber der sich der Bettler annimmt, kann nimmermehr zu einem Bettler werden qui dat Pauperi non indigebit.

Kaiser Andronicus ist so arm worden, daß er bei kalter Winters-Zeit hat müssen neun Gulden zu leihen nehmen, wormit er einen alten Fuchs-Pelz hat kaufen können. Das kann einem Almosengeber nit begegnen: non indigebit.

Zu Anneberg wird man von einem erzählen, welcher daselbst also reich war, daß er sich mehrmal in lauter Malvasier[1]) gebadet, und so er ausgeritten, mußten seine Diener ihm allemal auf dem Weg mit Gold sehr reich gestickte Teppich aufbreiten, worüber er ganz herrlich passirt[2]); endlich aber ist er so arm worden, daß er das Brod von Haus zu Haus mußte sammlen. Das kann einem Barmherzigen gegen die Armen nit begegnen: non indigebit.

Zu Schemnitz in Ober-Ungarn zeigt man noch eine Saul, dermal aber fast einem alten Steinbruch gleich, worinnen die Frau gewohnt, dermassen so reich an Silber und Gold, daß solches Schinnenweis[3]) bei ihr wie die Scheiter gelegen. Solche ist aber mit

---

1) ein vortrefflicher süßer Wein, ursprünglich von der Stadt Napoli di Malvasia auf der Halbinsel Morea.

2) hinübergeschritten, geritten.

3) nach Schichten, in Haufen.

der Zeit also erarmet, daß sie allda in dem Spital wie eine Bettlerinn gestorben. Das kann einem Mitleidenden gegen die Armen nit widerfahren: non indigebit.

Belisarius[1]) war ein solcher reicher und mächtiger Herr, daß man seine Bildnuß gar auf die öffentliche Münzen geprägt, und also auf einer Seite Kaiser Justinianus, auf der andern Belisarus zu sehen gewest. Er ist aber endlich so arm worden, daß er mit einem hölzernen Schüsserl auf dem Weg gesessen und bettlen müssen: date obulum Belisario[2]).

Hie sitzt der arme Belisari,
Bitt um ein Bissel Brod;
Sein Glück ist worden Lari fari
Und steckt in größter Noth.

Dieß hat ein Freigebiger gegen die Armen zu förchten: non indigebit. Der sich der Armen annimmt, kann niemal erarmen. Wo seyd ihr, ihr gwinnsüchtigen Menschen, ihr geldgierigen Adams-Kinder, ihr wucherischen Weltaffen? wann ihr doch nach dem Gewinn schlecket, wie der Saul nach dem Honig, wann euch doch die Zähn' wässern nach dem Interesse, wie den Israeliten nach den ägyptischen Zwiefeln, wann bei euch Knöpf doch die Goldblumen den Vorzug haben, wann ihr Büffel doch das guldene

---

1) ein bekannter sehr berühmter Feldherr des Kaisers Justinian, in der ersten Hälfte des 6ten Jahrhunderts.

2) „gebt dem Belisar einen Pfennig (Kreuzer)!"

Kälb mit des Aarons Pfarrkindern anbetet, wann bei euch doch das beste Recept ist das Cupio capio[1]) mit Aesculapio[2]); so kommt her, treibt solchen Wucher, welcher euch nit allein an dem Ewigen nit schädlich, sondern noch hundertfach das Zeitliche vermehrt: nemlich durch das Almosengeben wird das Zeitliche nit verloren, sondern auserkoren, durch das Almosengeben wird das Geld nit geleert, sondern vermehrt, durch das Almosengeben wird die Wirthschaft nit geschwächt, sondern erhöcht, mit einem Wort: wer reich will werden, der nehm sich der Armen an.

Wie der gebenedeite Jesus von Nazareth zwölf Jahr alt war, hat er sich auch wegen der gewöhnlichen Solennität nach Jerusalem begeben, woselbst er von Maria und Joseph nit ohne sondere Herzes-Wehemuth verloren, nicht weniger erst am dritten Tag, nach allem möglichist angewend'ten Fleiß und emsigister Nachforsch im Tempel zu Jerusalem gefunden worden, allwo er in Mitte der hochwürdigen und hochgelehrten Herren Doctorn wurde angetroffen, als der ihnen dazumalen die tiefsinnigisten Fragstuck vorgetragen, über welches sich die hebräischen Spitzköpf und Witzköpf nit wenig verwunderten! Es haben die bedrängten Eltern ihren allerliebsten Sohn Anfangs gesucht bei den Befreund'ten und Anverwandten, der gänzlichen Meinung, als habe etwann der Herr Vetter Samuel oder die Frau Mam Rebecca den zwölfjährigen Knaben nach

---

1) „das Wünschen und Sehnen."
2) ein sehr berühmter Arzt in Griechenland.

Haus geführt, und ihm daselbst eine Ehr angethan. Es war aber dem nit also, wie man es leider noch erfahret, daß einem von landfremden Menschen mehr Guts erwiesen wird, als von eignen Freunden und Bluts-Verwandten. Als nun die sorgfältigste Mutter Maria an allen Orten und Porten nachgefragt, ob sie nicht einen fremden Knaben, der eines holdseligisten Angesichts und mehr als englischer Gestalt, hätten gesehen; da hat sie endlich so viel erforscht, daß eine sich verlauten lassen: ja es habe vorgestern ein Knab, ihres Gedunken nach mit 12 Jahr, bei ihrer Hausthür angeklopft, und um eine Nachtherberg gebeten, dem sie es wegen einer so lieben Gestalt und angenehmsten Gebehrden nicht hab können versagen; auch habe solcher ihr das Herz dergestalten eingenommen, daß sie Zeit ihres Lebens keines so fröhlichen Gemüths sey gewest, als bei diesem Gast. Da, Frau, sagt sie, hab ich ihm mit eignen Händen ein Bettl zugericht, und mit lindem Feder-Polster wohl versehen. So hat aber der guldene Knab solches auf alle Weis gewweigert, sondern er hat auf der harten Erd mit einem steinenen Hauptkiß' Vorlieb genommen. Zu Morgens bei anbrechender Morgenröth hat er sich höflichist beurlaubt, und allem Vermuthen nach in den Tempel gangen. So viel kann ich euch, meine liebe Frau, Nachricht geben. — Eine andere sagt: meine Frau, erst gestern bin ich eines solchen Knabens ansichtig worden. Da ich auf den Platz gangen, sah ich ihn bei des Burgers Zachariä Hausthür um Mittags-Zeit ein Stückl Brod bettlen; muß bekennen, so er wäre in meine Armuthei kommen, hätt ich ihm nach meinem Vermögen ein Mittagmahl zugericht, dann er ja gar ein holdseliger Knab. So viel ich von Andern vernommen, sey er heut Nacht im Spital, nit weit vom Eisenthor, geblieben, in der Frühe aber der allererst im Tempel gewesen; allwo ihn nachmalen mit unbeschreiblichem Herzens-Trost Joseph und Maria angetroffen. Also hat derjenige, so Himmel und Erden erschaffen, so alles was lebt und schwebt, ernähret, einen armen Bettler abgeben, und die drei Täg hindurch das Almosen gesucht.

Hättest du auch, lieber-Christ, hättest du auch diesem bei der Thür ein Stückl Brod vergonnt, forderist, wann dich jemand hätte vergwißt, daß dieser Gottes Sohn sey? Ja, ja, tausendmal ja, unendlichmal ja, sonst ein jeder Alles und Alles hätt ihm gutwilligist, treuherzigist gespendirt. O hätte ich einmal die Gnad vom Himmel, daß Gott zu meiner Thür komme, ich wüßt nit, gar nit, was Guts ich ihm erweisen sollte; ich wolit, so es ihm beliebig wäre, mit dem Messer mir die Brust eröffnen, urbietigist das Herz heraus heben und ihm darreichen, mehr hätt ich nicht!

Mein eifriger Christ, solche erst erwünschte Gnad hast du alle Tag; dann so oft ein armer und bedrängter Tropf dich um ein Almosen ersucht, so glaube vor gewiß, daß Gottes Sohn in eigner Person dich anrede und bitte, und was du den Armen gibst, das hast du Gott selbsten geben! Dieses ist so wahr, als wahr ist, daß dich Gott erschaffen und erlöst. Ja, Gott schwört hierauf, damit du ihm sollest glauben: Amen, amen dico vobis, quod uni ex minimis meis fecistis, mihi fecistis[1]). Glaub du sicher, daß oft dein Heiland Jesus in Gestalt eines krummen oder lahmen oder blinden oder sonst elenden Bettlers dich anspreche um ein Almosen, glaub es unfehlbar!

Der h. Ethbinus ging einst mit seinem frommen und h. Vater Uvinvaloro ins Feld spazieren, zu beederseits Trost einen geistlichen Discurs zu führen. Da sahen sie ungefähr einen armen, todtblichenen, aussätzigen Bettler, welcher voller Geschwür am ganzen Leib fast einem Job auf seinem Mistbett'l gleichte. Diese zwei gottseligen Männer umarmten alsobald den armen Tropfen, trösteten ihn nach aller Möglichkeit, und nachdem sie ihm seine rinnenden Geschwür gewaschen und gesäubert, hat sich Ethbinus also verliebt in diesen elenden Bettler, daß er so gar wollte das Eiter aus dem Geschwür und zeitigen Aisen[2]) heraus sangen, und siehe Wunder! als Ethbinus vermeinte, diesen rinnenden Wust und faule Materi schon im Maul zu haben, so fand er anstatt desselben ein kostbares Edelgestein auf seiner Zunge, erblicket beinebens ein glänzendes Kreuz auf der Stirn dieses Bettlers, und nehmen alle beede wahr, daß dieser der gebenedeite Jesus selbst gewesen, welcher in Begleitung unzählbarer englischer Geister vor ihren Augen in Himmel gefahren.

Der h. Papst Gregorius Magnus, der h. Papst Leo, der h. Joannes Columbinus, der h. Abt Ro-

1) „Wahrhaftig, ich sage euch, was ihr einem aus meinen Geringsten gethan habt, das habt ihr mir gethan."

2) Dasselbe was Eiter, Geschwur."

bertns, der h. Bischof Martinus, der h. Bischof Julianns, die h. Catharina Senensis, der selige Andreas de Galleranis, der h. Franciscus von Assis, der h. Ivo, der selige Joannes Dei 2c. und viel unzählbare mehr haben Jesum Christum in Gestalt eines Bettlers gespeist, bekleid't, beherbergt und beschenkt.

Der gebenedeite Heiland saß auf eine Zeit bei einem Brunn allermüd und matt wegen der Reis' und großen Sonnenhitz. Da kommt ein samaritanisch Weib, Wasser zu schöpfen, welche der demüthigste Herr ganz freundlich bewillkommet, von ihr aber nichts anderst, als ein saures Gesicht und unhöfliches Anschnarchen erhalten; auch da er von ihr einen frischen Trunk Wasser billig verlangte, warf sie ihm noch schimpflich vor, wie daß er ein Jud sey, die Sprach samt dem Aufzug verrathe ihn, die Juden aber pflegen den Samaritanern nit viel bona dies[1] zu geben, viel weniger, daß sie aus dero Geschirren möchten essen oder trinken. Worauf der sanftmüthigste Heiland mit diesen Worten zu ihr gesprochen: Si scires, quis est, qui dicit tibi, da mihi, forsitan dedisses: „Wann du wüßtest, wer der ist, welcher zu dir sagt, gib mir, vielleicht hättest du ihm geben."

Du, mein lieber Herr Gebhart, es bittet dich ein armer alter Tättl so schön, daß es scheint, als trage er den Ciceronem[2]) auf der Zung und nit im Sack; er bittet dich um Gottes willen um ein Al-

1) „guten Tag."

2) dieß war der größte Redner der Römer.

mosen; du schnarchest ihn aber an, warum er in seiner Jugend nichts habe erspart, es sey ein Zeichen, daß er das Seinige durch die Gurgel gejagt, und beim blauen Hechten, allwo er immerzu gesoffen, hab seine Wirthschaft den Krebsgang genommen.

Du mein lieber Meister Zacharias, vor deiner steht ein elender Tropf, welcher darum arm, weil er nur einen Arm hat, den er durch einen Schuß vor Ofen verloren, dazumalen, wie es bei Ofen kühl ist hergangen; dieser arme Gesell bedauret sehr stark, daß er nit zwei Händ hat, damit er beide könnt aufheben, dich zu bitten; du aber machest ein ursicinisch[1]) Gesicht gegen ihn, mit dem schmählichen Vorwurf: wann er etwas Guts wäre gewest, so wäre er wohl kein Soldat worden; er hätte bevor wissen sollen, daß es nirgends mehr Scherben gibt, als bei Kriegen, auch sey Fechten[2]) und Bettlen fast eines Innhalts.

Du, mein lieber und gestrenger Herr Secretari Servati[3]), siehe doch, wie dieser krumme Tropf mit seinem hölzernen Hand-Pferd dir so mühselig nachgallopirt; du kannst dir gar wohl einbilden, daß ihn auch am hölzernen Fuß der Schuh drucke, und weil der untere Stock so schlecht ist, ist gar wohl zu vermuthen;

---

1) wahrscheinlich von ursus der Bär, ein wildes Bärengesicht.

2) Fechten heißt nemlich in vielen Gegenden Deutschlands betteln. So liest man an vielen Warnungstafeln in Süddeutschland: „Das Fechten der Handwerksbursche 2c 2c ist bei Strafe verboten.“

3) einer, der das Seinige sparsam beisammen hält.

der obere Stock sey mit Trübsal ausspalirt. Du aber erbarmest dich seiner nit, sondern zählest ihn noch unter die liederlichsten Zigenner-Bursch, als sey er ein Ordinari-Landbettler und wisse gar stattlich die Leut auf der Straße, wann sie allein gehen, zu schröpfen.

Du, mein ehrenfester und wohlvornehmer Herr Hartmann, schau mir diesen elenden Menschen an, welcher vor deiner die Händ aufhebet; Kleider halber soll er ja Ihr Durchleucht genennt werden; es scheint, als sey er dem Papiermacher über seine Garderobe [2]) kommen; er geht daher, als wie sonst die Frau Wahrheit soll aufziehen, das ist nackend und bloß. Dieser bittet dich in Frost und Kälte ganz inbrünstig um Hülf; du aber stellst dich, als wann du ihn nit sähest, und fällt dir nit ein, daß aus diesen Hadern und Lumpen ein Papier gemacht wird, worauf Gottes ernstliche Wort können geschrieben werden: Nudus eram, et non cooperuistis me, „ich war nackend und bloß, und ihr habt mich nit bekleidet!"

Si scires, quis est, qui dicit tibi, da mihi; o Hartmann, wann du wüßtest, wer der ist, welcher zu dir sagt, gib mir, wie gern und urbietig würdest du ihm deine mildreiche Hand darreichen; und mußt wissen und sollst wissen, daß gar oft der Welt Heiland selbst, dein Erschöpfer, dein Erlöser, dein Richter, dein Gott, die elende Gestalt eines Bettlers an sich nehme, mit Lumpen und Hadern sich bekleide, bei der Thür anklopfe, und von dir ein Almosen begehre: si scires, forsitan dedisses.

---

1) Kleiderschrank, Kleidervorrath.

Einem Fischer in Indien begegnete gar oft das Glück, daß er unverhofft anstatt des Fisches die kostbaren Edelgestein aus dem Meer ziehet. Er wurf das Netz in die nasse Herrschaft Neptuni[1]) ganz keck hinein, der größten Zuversicht, das Meer wird ihm mehr günstig seyn, als dem Petro die ganze Nacht, da der Fisch Nihil[2]) ins Netz gangen. Nachdem er endlich das Netz aus der Tiefe ziehet, und spannet mit gierigen Augen, ob nit einiger Fischfang seine Mühe bezahle, da merkt er bald, daß er weder bei Neptuno, noch Fortuna[3]) den Kürzeren gezogen, indem er wahrnimmt, daß er anstatt der Fisch die hoch-schätzbarsten Edelgestein, anstatt eines Punin einen Rubin, anstatt der Aalen die schönsten Corallen, anstatt der Stirl die theuresten Saphirl heraushebet.

Deßgleichen widerfahrt auch viel mildherzigen Almosengebern, welche oft und mehrestentheil vermeinen, daß sie arme und nothleidende Bettler in ihre Behausung einführen, auch kräftig glauben, daß sie bedrängte und presthafte Menschen mit Speis' und Trank versehen, auch sich selbst nichts anderst einbilden, als daß sie elenden Tropfen und nothleidenden Adamskindern einen Kreuzer schenken, unterdessen aber ist geschehen und geschieht noch, daß sie anstatt der Fisch die schönsten Edelgesteiner gefangen, will sagen, anstatt eines Bettlers den Heiland Jesum selbst beherbergt, anstatt eines Menschen dem wahren Gott und Menschen diese Gutthat selbst erwiesen.

1) des Meer-Gottes.

2) Namens „Nichts".

3) Göttinn des Glücks.

Abraham hat glaubt, er tractire 3 fremde Männer, und waren unterdessen 3 hl. Engel in der Figur der allerheiligsten Dreifaltigkeit, tres vidit, et unum adoravit [1]). Martinus hat glaubt, er gebe das Trumm [2]) von seinem Mantel einem Armen, und ware doch kein Armer, sondern ein Reicher: derjenige, welcher das Himmelreich erschaffen. Joannes Dei hat vermeint, er trage auf seinen Achslen einen elenden Bettler ins Spital, und war unterdessen Gottes Sohn. Der hl. Ivo hat darfür gehalten, er helfe den armen Wittiben und Waisen, unterdessen war gar oft unter denselben Jesus selbsten.

Also sey du auch versichert, mildherziger Christ, gutherziger Mensch, barmherziger Almosengeber, sey versichert, daß du vielleicht auch einem Armen etwas gespendirt, den du für einen elenden Tropfen gehalten, unterdessen aber ist es etwann Gott selbst gewesen. Glaube beinebens auch, daß du bisweilen einen armen Menschen bei deiner Hausthür mit rauhen und groben Worten hast angetast, welcher in Bettlers-Gestalt der Heiland selbst gewest, und also deinem Erlöser einen schnarcherischen Verweis geben. Si scires, quis est, qui dicit tibi, da mihi, forsitan dedisses.

Arnoldus in seinem Martyrologio schreibt von einer frommen Gräfinn, welche, ob schon hochgeboren, dannoch eine niederige, demüthige Dama gewesen, auch war solche nit allein wohlgeboren, sondern war auch wohlgelobt, forderist wegen der Wohlthaten, die sie den

1) „Er sah drei, und hat einen angebetet."
2) Trumm (davon Trümmer) ist ein Stück.

armen Leuten erwiesen, daß ihr also rechtmäßig der Titul Ihr Gnaden gebührt, und sich füglich eine Gräfinn von Helfenstein hat schreiben können. Dieses adeliche Gemüth, so sehr es zu der Lieb des Nächsten geneigt, so unbarmherzig und aufblasen war ihr Herr Gemahl, als welcher nichts unwerther konnte sehen, als die Bettler, die er ins gemein nur lausige Bursch und verworfenes Lumpengesind taufte, auch so gar obbenannter seiner Frau Gemahlinn ernsthaft verboten, daß sie mit dergleichen Grindschipeln nit soll umgehen, noch weniger solche Fleck-Kramer in ihre Behausung einlassen. Als nun auf eine Zeit dieser Durandus[1]) sich mit einer Jagd nach Gewohnheit ergözte, hat sich ein elender, aussätziger Bettler bei der Schloßthür eingefunden, welcher um Gottes willen eine Herberg gesucht. Der Frau Gräfinn war das Herz schon erweicht, als die nicht konnte sehen einen Menschen, dessen sie sich nit thäte erbarmen; allein die schützte vor das große Verbot ihres so harten Herrn. Weil aber der arme, mit Geschwüren überhäufte Bettler ganz inständig gebeten, also hat die Barmherzigkeit bei ihr vorgeschlagen, und diesen nicht allein in das Geschloß, sondern auch, wie er verlangte, so gar in ihr eigenes Bett auf eine Stund zu ruhen eingelassen. Unterdessen aber kommt unverhofft der Graf von seiner Jagd zuruck, und weil er sich im Hetzen so stark bemühte, begehrt er alsobald in die Schlaf-Kammer, daselbst eine keine Ruhe zu suchen, und den abgematten Leib mit

---

1) von dem lat. Durus d. i. hart.

einem sündigen Schlaff zu befriedigen. Allhier erwäge jemand, wie es der Frau Gräfinn um das Herz gewesen, was Aengsten und Sorgen ihr bedrängtes Gemüth überfallen, als die so wohl ihren eignen, als auch des armen Bettlers Untergang und Tod ganz unfehlbar prophezeite. Indem nun auf sein ernstliches Begehren die Frau Gräfinn die Kammer aufzusperren etwas verweilte, stößt der ungeduldige Cavalier mit gleichen Füssen die Thür ein, welches zugleich fast ein tödtlicher Stoß war in dem Herzen der beängstigten Dama. Aber Gottes Weisheit weiß meisterlich zu spielen in allen Welt-Sachen. Wie erstgedachter Wurmius in die Kammer eingetreten, hat er einen so lieblichen Geruch empfunden, daß ihn gedunkte, als habe das irdische Paradies seinen Blumenschatz dahin gespendirt, auch wünschen konnte, daß er gar zu einer Nase möchte werden, diesen übernatürlichen Geruch sattsam zu genießen. Als unterdessen die bedrängte Gräfinn ihr den gewissen Tod vorgebildet, der Meinung, es habe der Graf den armen, presthaften Bettler daselbst im Bett angetroffen, so hat sich aber der Herr Graf bald wieder aus der Kammer begeben, mit höchster Verwunderung sich zu seiner Frauen Gemahlinn gewendet, sprechend: er habe länger nit mehr schlafen noch ruhen können, weil es ihm nicht anderst vorkommen, als sey er mitten im Paradies, so voller Lieblichkeit und Süße sey das Bett gewest. Worauf die gottselige alles umständig erzählet, wie daß sie einen armen, elenden Bettler habe darein gelegt, weil solcher sie inständig gebeten. Indem dann solcher verschwunden, sey gar glaublich zu halten, daß es nit ein Bettler, sondern in dessen Gestalt der

Heiland Jesus selbst gewesen; welches dann dem vorhin hartmüthigen Grafen das Herz also erweicht, daß er nachmals die übrige Lebensfrist unaussetzlich sich samt seiner frommen Frauen Gemahlinn in allen Werken der Barmherzigkeit ganz emsig geübet. Si scires, quis est, qui dicit tibi, da mihi, forsitan dedisses.

Demnach, mildherziger Christ, bild dir ein, so bei deiner Hausthür ein armer Bettler klopft, es sey derjenige, welcher in das Haus Zachäi eingetreten, und dasselbe mit seiner göttlichen Gegenwart geheiliget; bild dir ein, wann ein blinder Bettler ganz armselig dich anspricht, es sey Jesus der Sohn David, welcher dem Blinden am Weg das Gesicht erstattet; bild dir ein, so dich ein kummer und elender Tropf mit nassen Augen bittet, es sey derjenige Jesus, in dessen Namen Petrus den Lahmen bei der Porten des Tempels curirt hat; bild dir ein, wann dich ein armer Schlucker nur um einen Pfenning bittlich ersucht, es sey derjenige, welcher dem alten Mütterl wegen Opferung zweier Heller so großes Lob im Tempel nachgesprochen; mit einem Wort: so oft du eines Armen ansichtig wirst, bild dir ein, es sey Gott selbsten; dann in der Wahrheit mehrmal unser lieber Herr in Bettlers-Gestalt, in Bettlers-Kleider, in Bettlers-Lumpen, in Bettlers-Krucken, mit Bettlers-Säcken, in Städten, in Märkten, in Geschlössern, in Dörfern, in Häusern herumgehet, und das Almosen sammelt, hierdurch die Adams-Kinder zur Barmherzigkeit und Mitleiden zu lenden und wenden.

Gesetzt aber, es sey weder Christus, weder ein Engel, weder ein Heiliger, der dich mit den 6 Buchstaben „da mihi" ansingt, so ist es genug, daß es ein armer und nothleidender Mensch ist; und sollst du auf seiner Stirn sein lesen, so Gott mit eignen Händen auf Fractur-Art geschrieben: Was ihr einem aus meinen Mindesten gethan, das habt ihr mir gethan! Mir, merkts Cavalier; mir, merkts Monsigneur; mir, merkts Forestier; mir, merkts alle ihr; mir, sagt Gott, gebt ihr, was ihr den Armen gebt!

Es wird registrirt von einem, der wegen inständigen Anhaltens einem armen, halb nackenden Menschen ein Kleid gespendirt, weil er aber bald hierauf Nachricht erhalten, daß dieser ein schlimmer Gast sey und heilloser Bösewicht: so hat es ihn über alle Massen gereuet, daß er einen solchen nichtsnutzigen Vaganten bekleidet, welcher doch mit gutem Bärenhäuter-Zeug bedeckt war. Auf solches ist ihm der Herr Jesus leib- und lebhaft erschienen, und ihn mit diesen Worten angeredt: Laß dich gar nit reuen; dann du nit ihm, sondern mir das Kleid geschenkt hast! Mir, merks Currier; mir, merks Officier; mir, merks Mercantier!

Es war unlängst einer, welcher zwar kein anders Stamm-Haus wußte, als eine arme Bauernhütte; gleichwohl hat er klar an Tag geben, daß nit Alles Stroh im Kopf hat, was unter dem Stroh-Dach geboren: massen dieser durch die Studien so viel gezeigt, daß auch die Knöpf zu Rosen werden. Als solcher noch in den untern Schulen mit dem Häferl in eines großen Herrn Hof seine Kost suchte, und derenthalben nicht allein mit dem Hausgesind und Dienstboten in die Bekanntschaft gerathen, sondern so gar auch mit der Herrschaft selbst, welche ein sehr gnädiges Wohlgefallen an der bescheiden und bescheidenen Ansprach und sehr witzigen Schnacken dieses Ollaris Scholaris [1]) hatten. Unter andern bracht er einest Ihro Gnaden die sinnreiche Frag vor: wie viel Gott der Allmächtige Ellen Tuch brauche zu einem Rock und Paar Hosen — allweil Gott unendlich und so groß, daß er Himmel und Erd einfülle? Der gnädige Herr kratzte hierüber in den Haaren, und wußte keineswegs diesen Knopf aufzulösen. Er glaube wohl, sprach er, die Hosen müssen größer seyn, als des Herrn Burgermeisters zu Lucern im Schweizerland. O nein, sagt hierauf der Scholar, mit 7 oder 8 Ellen aufs mehrest kann Gott gar wohl bekleid't werden zu Hosen, Wammes und Rock; dann Gott bei dem Evangelisten Matth. 25 Capitel spricht: Quamdiu fecistis uni ex his Fratribus meis minimis, mihi fecistis: „Was ihr einem aus meinen mindesten Brüdern habt gethan, das habt ihr mir gethan; ich aber bin einer aus denselben mindesten: wer also mich, wie ich dann von Euer Gnaden nit anderst hoffe, wird von Fuß auf kleiden, der hat Gott selbst ein nagelneues Kleid gespendiret. Mihi, mihi, mir, merks Furier, mir, merks Cassier, mir, merks Portier, mir gibst du es, sagt Gott, was du den Armen gibst!

Recht ist Misericordia [2]) generis feminini, und sagt man nit der, sondern die Barmherzigkeit, massen solches mehr bei dem weichherzigen Weiber-Geschlecht, als bei denen Männern anzutreffen ist.

---

1) „Topf-Schülers.“
2) deutsch: Barmherzigkeit (Mitleid).

Solche hat in allweg getragen gegen die Armen eine gewisse fromme Matron, die ich unterdessen Frau Benigna [1]), mit dem Zunamen Gutherzinn will genennt haben. Als diese auf eine Zeit ein armer, halb nackender Mensch um einen alten Fetzen angesprochen, darmit seinen elenden Leib zu verhüllen, schafft sie unverweilt der Dienstmagd, daß sie ihm solle ein Hemmet aus dem Gewand-Kasten beibringen. Welche dann nichts als hurtig solchen Befehl vollzogen, und damit sie sich als eine häusliche Wirthinn zu erkennen gäbe, hat sie ein altes und in etwas zerrissenes Hemmet herab gebracht, worüber die wackere Frau sich nicht ein wenig entfärbt, und in diese löbliche Ungeduld ausgebrochen: Ei du schlimme Husten, sprechend, du karge Hex, geschwind bring ein anders und bessers herbei; es wäre mir ja eine ewige Schand, ja, pfui Teufel, die größte Schand, wann am jüngsten Tag vor allen Engeln und Heiligen Gottes und dem gesamten menschlichen Geschlecht Christus der Herr dieses zerrissene Hemmet soll zeigen und sagen: Ecce, sehet, dieses Kleid hat mir diese Frau gespendiret! Pfui, pfui, pfui!

Mihi dedisti, mihi; m i r, merks Hatschier; m i r, merks Sumulier; m i r, merks Cavalier; m i r gebt ihr, was ihr den Armen gebt, und solches will ich euch sowohl zeitlich als ewig vergelten!

Appelles Appollophanes, Appollonius, Appollodorus haben viel geschrien und geschrieben von den Kräutern, dero Eigenschaft und Wirkungen; unter

---

1) die B a r m h e r z i g e, G ü t i g e, wie gleich selbst erklärt wird.

andern melden sie auch von einem Kräutel, welches sie Xanthium, auf deutsch insgemein Bettlerläuſ nennen. Diese seynd nichts anderst als Kletten, welche meistens auf gemeiner Straße wachsen. Solche haben eine wunderliche Beschaffenheit, melden obgedachte Weltweisen, daß, wann man sie im Herbst eröffnet, so find't man darin zwei fruchtbare Körnlein: seynd es Gerstenkörnl, so bedeut's ein fruchtbares Jahr, seynd es aber Haberkörnl, so bedeut's eine Theurung aller Früchten. Ob dieß wahr sey, kann's ein jeder probiren. Im Uebrigen haben auch diese Kletten oder Bettlerläuſ eine andere Kraft, daß sie nemlich mit Rhabarbara in Wein gesotten den Aussatz reinigen.

Was hierinfalls Dioscorides den Bettlerläusen zuschreibet, das schreib ich den Bettel-Leuten zu: daß nemlich solche so voller Wirkung seynd, daß sie auch dir, mein sündiger Mensch, den Aussatz deiner Seelen können heilen und reinigen. Dieses Recept hab ich von dem vornehmsten Medico, welcher sich nennt Jesus von Nazareth. Solches hat von Wort zu Wort gar genau und emsig abgeschrieben der Evangelist Lucas im 11ten Capitel: Recipe, date Eleemosynam, et omnia munda sunt vobis: „Gebt Almosen, so wird Alles rein bei euch!" die Sünden werden ausgelöscht, der Aussatz wird gereiniget!

Bist du ein Ehebrecher und ein größerer als der israelitische David oder longobardische Paphaon; bist du ein Mörder, und ein größerer als der Kain oder der Cajus; bist du ein Dieb, und größerer als der Achan oder lydische Achäus; bist du ein Gotteslästerer, und ein größerer als der Antiochus oder bithynische Antinous: sey dessenthalben nicht verzagt, die Krankheit ist zwar groß, aber eine einige Purgation[1]) macht dich gesund: Eleemosyna à morte liberat, et ipsa est, quae purgat peccata[2]). — Bist du gewest 10 Jahr klauberisch, 20 Jahr rauberisch, 30 Jahr verfressen, 40 Jahr vermessen, 50 Jahr unzüchtig, 60 Jahr unrichtig, 70 Jahr im Haß, 80 Jahr im Fraß, 90 Jahr verrucht, 100 Jahr verflucht: sey derenthalben noch nit verzagt, die Wunde ist zwar groß, aber ein einiges Pflaster hofft: gib Almosen, non parvum cataplasina est eleemosyna, cum valeat omnibus apponi vulneribus[3]). — Wann du ärger bist, schlimmer bist, lasterhafter bist als Holofernes von Buhlersdorf, als Esau aus Frißland, als Saul von Neidlingen, als Herodes von Frauhofen, als Nabuchodonosor von Stolzendorf, als Judas von Kaufbeuren, als der verlorne Sohn von Schweinfurt, als der Nabel von Schlegelleuten, als der Goliath von Großwardein, als der Pharao von Hartberg ꝛc.: nichts verzagt, kannst gar leicht nach Heilbrunn kommen, gib Almosen, das Heil ist dir gewiß!

Ich sehe es dir an, deine Augen seynd Fenster,

---

1) Reinigung.

2) „Almosen befreit vom Tode, und dieß ist es selbst, das die Sünden rein macht." (Tob. 12.)

3) „Das Almosen ist kein geringes Pflaster, da es auf alle Wunden gesetzt werden kann."

wo der Teufel oft eingestiegen; deine Ohren seynd Zimmer, wo der Satan oft Audienz gehabt; dein Maul ist eine Schmide, wo der Lucifer oft Zank-Eisen geschmid't hat; deine Händ seynd Angeln, mit denen der böse Feind oft gefischt hat; dein Gewissen ist ein Kissen, worauf der Beelzebub oft geschlafen: gleichwohl sey nit verzagt! Allegro, macht Almosen! Eleemosyna kommt her von Elimino[1]): Almosen will so viel sagen, als: Alle müssen, das ist, alle Sünden müssen weichen dem Almosen.

Der Fluß Jordan hat den Aussatz des Naams kurirt: das thut auch das Almosen; Moses hat mit einem Holz das bittere Wasser süß gemacht: das thut auch das Almosen; der Elisäus hat das schwere Eisen ring[2]) gemacht: das thut auch das Almosen, und mehr; dann es macht schwere Gewissen ring, das ist ja mehr; es macht den verbitterten Tod süß und gütig, das ist ja mehr; es macht vergifte Herzen gesund, das ist ja mehr; es reiniget den Aussatz der Seelen, das ist ja mehr! Omnia munda sunt.

Was braucht's viel? Es sey der Sünder so groß als er immer kann seyn, wann er ein Almosengeber darneben ist, so wird er in den Sünden nit sterben, nit verderben, sondern solches wird ihm zuvor eine rechte Buß und Reu' zu wegen bringen. Dahero allen solchen zu sonderm Trost mein h. Erz-Vater

---

1) lateinisches Wort: entfernen, aus dem Hause stoßen, wie im folgenden erklärt wird.

2) für gering, leicht. (Denn das Eisen des Elisäus schwamm bekanntlich auf dem Wasser.)

zuspricht: er habe viel Bücher, und in Büchern viel Schriften, und in Schriften viel Geschichten gelesen; aber niemalen hab er gefunden, daß einer wäre eines übeln Tods und unbußfertigen Ends gestorben, der sich in den Werken der Barmherzigkeit emsig geübet hat, ob er entzwischen schon mit andern Lastern behaft gewesen.

Joab war eine Generals-Person im Feld, beinebens; aber auch ein General-Tyrann im Gemüth: den Absalon, diesen königlichen Prinzen, hat er wider den Willen Davids ermord't, und diesen schönsten Fürsten zu dem schändlichen Fürsten der Finsternuß, das ist, zum Teufel gejagt; dem Abner und dem Amasa hat auch gedachter Joab den Rest geben, und sie schelmerischer Weis' ermord't; Joab hat gestohlen, ich sags unverhohlen; dieser Offizier lebte in stetem Braus, ich sags grund heraus; dieser lebte wie ein Tyrann, ich sags jedermann; endlich hat ihn lassen Salomon in seinem eigenen Tabernakel unversehener Weis' erstechen. So ist er ja ohne Zweifel beim Teufel? Holla, still, das ist zu viel! kehr das Blättl um, dort wirst du etliche musikalische Noten antreffen, welche David auf der Harfe aufgemacht mit dem untergeführten Text: Beatus, qui intelligit super egenum et pauperem [1]). Joab ist begraben worden nächst bei einer gemeinen Straße; daselbst hat er etlich Jahr vorhero von dem Geld, welches er in Kriegsdiensten erworben, ein Spital erbaut für die armen Reisenden,

1) „Glücklich, der sich des Armen und Dürftigen annimmt.“

wessenthalben ihm Gott noch vor seinem letzten End die Gnad geben, daß er sattsame Reu und Leid über seine Unthaten erweckt, und folgsam ein Kind der Seligkeit worden.

Cornelius war auch ein Soldat und Commandant zu Cäsarea, zwar eines gar ehrlichen Wandels, aber gleichwohl ein Heid und Ungläubiger; weil er aber so gern Almosen geben, hat der allmächtige Gott nit wollen zulassen, daß er solle in das ewige Verderben gerathen, sondern ihm einen Engel zugesandt mit dem Befehl, er solle unverweilt seine Reis' nach Joppen vornehmen, daselbst bei einem Lederer nächst dem Meer halt' sich der Peter auf, von ihm soll er die nothwendige Unterweisung im Glauben und die heilsame Tauf empfangen. Dictum, factum[1].

So ist dannoch wahr, daß Xanthium oder Bettlerläus' den Aussatz des Leibs, Bettel-Leut aber durch das empfangene Almosen den Aussatz der Seelen reinigen, verstehe mit Thoma Aquinate, dispositive.

Wohlan dann, üppiger Welt-Mensch, so arm als ich bin, so schenk ich dir doch etwas: Rähler-Dukaten hab ich nit, mein Rabbi; aber einen Rappen wohl, den geb ich dir. Dieser Galgenvogel war auch mit anderm ehrlichen Geflügelwerk in der Arche Noe, und weil dieser schwarz-aufgezogen, glaubte etwann der gerechte Patriarch, als gehe er in der Klag und Trauer, als werde er sich behutsamer und eingezogner halten, als andere Vögel. Schickt ihn demnach aus für einen Currier, die gewisse Avisa wegen des Sündfluß einzuhohlen, ob nit die Wassersucht

1) „Gesagt, gethan."

sich einmal in eine Schwindsucht verkehre. Dieser rußige Gesell ist ausgeflogen, aber nicht mehr zuruck geflogen, weil er etwas anderst pflogen; er ist nit mehr zuruck kommen, weil er etwas anderst überkommen, nemlich ein stinkendes Aas, welches auf dem Wasser geschwummen, zu dem er sich aus Antrieb seines luderischen Appetits begeben. Ei dieser Vogel war werth, daß ihn der Teufel rupfte! diese Scharte war groß; gleichwohl hat er solche bei Gott dem Herrn ausgeschlieffen. Als er dem Propheten Eliä in der Wüste alle Tag das Brod gebracht, da war der Rapp wieder wohl daran, und die göttliche Vorsichtigkeit gibt seinen Jungen einen so wunderlichen Contralor[1]) ab, daß sie, als verlaßne Weis'l vom Himmel gar gespeist werden: qui dat escam pullis corvorum invocantibus eum[2]).

Ist es dann wahr, soll es dann also seyn, verhält sich die Sache dergestalten, mein unbehutsames Adams-Kind, daß du schon etlich Jahr auf Rappenart dem stinkenden Aas hast nachgehetzt und nachgesetzt; daß du so gar von der cyprischen Göttinn das Zipperl bekommen, und das verdrießliche Podagra mit sonderem Wehklagen geerbt hast? ist es dann gewiß, daß du viel Jahr hero das sechste Gebot über sechs hundertmal übertreten, und nit ungleich den übermüthigen Böcken auf allen Geißmärkten herum gemeckezet

---

1) war schon öfter da, statt Controleur, Mitaufseher; hier Vorsorger.

2) „Welcher Speise gibt den jungen Raben, wenn sie ihn anrufen." (Die Worte der hl. Schrift.)

vivendo luxuriose[1]); mit dem verlornen Bürschl in dem Evangelio bei Andl und Kandl dein Leben zugebracht, und öfter Schiffbruch gelitten in Donna, als in der Donau? soll es dann noch der Wahrheit gemäß seyn, daß du nit allein zu Raab, sondern auch zu Sodoma und Gomorha dein Logement als ein loser Mensch genommen? Du verstehest mich schon! Ei so ist es noch leicht möglich, dich von dieser schweren Sündenlast zu entbinden; es kann noch gar wohl seyn, daß die göttliche Gnaden-Porte, ob schon bishero so stark verrieglet — massen der Himmel ein Schafstall, und nit für solche Säu gebaut, wie du bishero gelebt — Thür- Engel- und Angel offen stehet, wann du zwar mit dem Rappen gesündiget, dich mit Wust und Luder gesättiget, anjetzo aber mit dem Rappen die Hungerigen speisest und die Werk der Barmherzigkeit gegen den Armen übest. Dann wer sein Gesicht nit abwendet von den Armen, von dem wendet auch der Allerhöchste nit ab sein göttliches Angesicht; wer seine Händ ausstrecket gegen den Armen, dem bietet auch Gott die Händ, und erhält ihn vor dem Untergang wie den Peter im Meer; wer die Durstigen tränken thut, dem wird auch Gott einen gesunden Trunk zubringen aus seinem guldenen Becher, worauf geschrieben stehet: Inebriabuntur ab ubertate domus tuae[2]). Wer die Fremden beherberget, der wird seine Einkehr nehmen in dem Schoß Abrahä; wer die Nackenden bekleidet, dem wird derjenige das Kleid der Glorie an-

1) „in üppiger Lebensweise.“

2) „Es werden deine Häuser voll werden von Ueberfluß.“

legen, so nackend und bloß für uns am Kreuz gestorben; mit einem Wort: wer barmherzig ist, dem wird Gott auch barmherzig seyn; und es kann nit seyn, es wird nit seyn, daß ein Barmherziger verloren werde; denn bei denen die Armen gewinnen, der kann das Hell nit verlieren, nit, nit, nit, glaub du es mir, er kann nit, nit, nit; dann mittelst des Almosen wird Gott einen solchen Sünder erleuchten, daß er ohne Reu und reuvollen Buß und bußfertiges End nit wird sterben. Date Eleemosynam, et omnia munda sunt vobis!

Wann du es schon öfter gelesen, was ich allhier beifüge, so mußt du nit gleich die Nasen darüber rümpfen, weil ich ohnedas wohl vorsehe, daß ich eine Sau werde aufheben, weil es eine Geschicht ist von einem Saudieb. Solches hat selbst mit glaubwürdiger Feder verzeichnet Petrus Damianus: daß nemlich einer gewest sey, welcher einen sehr lobwürdigen und untadelhaften Wandel führte, und männiglich mit seinem auferbaulichen Leben bestermassen vorgeleucht; insonderheit war er ganz eiferig in Werken der Barmherzigkeit, also daß sein Haus fast eine gewöhnliche Einkehr der Armen, und ins gemein die Bettel-Herberg genennt worden. Allein, Leibfarb und Liebfarb schießen bald ab, und gleichwie grünes Gras zu Heu, also ist mancher Fromme auch schlimm worden. Bei unserm Almosengeber haben mit der Weil, wie auf der Geige die Saiten, also bei ihm die Sitten nachgelassen, daß er endlich seine löblichen Liebsstuck in schändliche Diebsstuck verkehrt, so gar auf eine Zeit seinem Nachbaurn eine gute gemäste Sau entfremd't, durch welche Unthat er in die göttliche Ungnad gefallen, und folgsam in die Gefahr des ewigen Verderbens. Aber Gott will nit, daß ein Barmherziger solle in Verlust gehen, weil nemlich, nach Aussag des h. Vaters Augustini, die Barmherzigkeit vor der Höll-Porten Schildwacht stehet, auch bei eines jeden Ankunft fraget: wer da? Wann sie dann die Antwort vernimmt: gut Freund! den läßt sie nit in die Höll passiren; dann welcher ein guter Freund ist gewest seinem Nächsten, absonderlich denen Armen, der ist befreit von der Hölle. Dahero wollt auch diesen unsern Saudieb zum Guten bringen derjenige, so das verlorne Schäfel gesucht in der Wüste. Dieser Heiland dann verkleid't sich und verstellte sich einmal in die Gestalt eines armen Bettlers, und begegnete also dem Saudieb. So bald solcher eines so armen Tropfen ansichtig worden — was wirkt nit die Gewohnheit in allem! — so tragt er alsobald ein inniges Mitleiden mit dem nothleidenden Menschen, führt nach vorigem seinen Brauch diesen Bettler in seine Behausung, waschet und säubert ihn; vor allem aber waren dem armen Tropfen die Haar also verwachsen und zerrüttet, daß dem Saudieb für gut gedunkt, solche abzuschneiden. Wie er nun mit der Scheer hin und her gefahren, vermerkt er in dem Genick des Haupts ein Paar Augen, worüber er ganz erstummet und vor der Verwunderung schier sinnlos zu Boden gesunken. Nachdem er sich wieder in etwas erhohlt, hat er endlich das Herz gefaßt, ihn zu fragen: was um Gottes willen es möge bedeuten, daß er sowohl vorn als hinten am Kopf Augen habe, was das sey? Darauf ihm dieser Bettler geantwortet: Ich bin Jesus, dem nichts verborgen: mit diesen Augen habe ich gesehen, wie du deinem Nachbaurn das Vieh diebisch weggetrieben; diesen Augen thust du mißfallen! worauf er verschwunden; das Herz aber dieses Menschen dergestalten erweicht, daß er seine Sünden inniglich bereuet, forthin ein heiliges Leben geführt, und also ein gar seliges End genommen.

Aus welchem dann sonnenklar erhellet, daß ein mitleidender Mensch durch das Almosen, als durch eine stattliche Seife — und eine bessere, als Susanna von ihren Frauenzimmer-Menschen im Garten verlangte — alle seine Sünd könne austilgen: welches also zu verstehen, wie schon vorhero gemeld't, daß der allmächtige Gott durch das Almosen und Lieb des Nächsten dahin bewegt werde, daß er einen solchen nit lasse in seiner Ungnad sterben, sondern gebe ihm sattsame Erleuchtung und so starken Beistand, wormit er noch vor seinem End ein Kind der Gnaden könne werden.

Was nun Christus jenem armen Tropfen bei der Synagog am Samstag gesagt, das sag ich dir, sündiger Mensch, alle Tag. Jener war, nach Aussag des h. Hieronymi, ein Maurer, und hatte einen sehr harten Zustand bekommen an der rechten Hand, wessenthalben er zum Arbeiten untüchtig, und also das Bettel-Handwerk treiben mußte; verlangte demnach nichts mehrers als die Gesundheit, welche ihm der Heiland Jesus mit diesen Worten geben: extende manum, „strecke die Hand aus.“ So bald er solche ausgestreckt, ist er völlig und vollkommen gesund worden. Willst du, o sündiger Tropf, auch gesund werden an der Seel? willst du aus einem Kain ein Cajetanus werden? — dieser ist ein großer Heiliger gewest; willst du aus einem Aman ein Amandus werden? — dieser ist ein wunderthätiger Heiliger gewest; willst du aus einem Malcho ein Malachias werden? — dieser ist ein berühmter Heiliger gewest; willst du aus einem Nabl ein Nabor werden? — dieser ist ein bekannter Heiliger gewest; willst du gesund werden, und aus einem Heillosen ein Heiliger werden? Streck die Händ aus zu den Armen!

Begehrst du, daß Wasser wieder solle zu Wein werden, wie zu Christi Zeiten? begehrst du, daß eine verdorrte Ruthe wieder solle blühen, wie zu Aarons Zeiten? begehrst du, daß ein Todter wieder solle lebendig werden, wie zu Elisäi Zeiten? begehrst du, daß ein Vieh soll zu einem Menschen werden, wie zu Nabuchodonosors Zeiten? begehrst du, daß aus einem Lasterhaften ein Tugendhafter werde: Streck die Händ aus, gib Almosen!

Hast du ein hitziges Fieber, wie der verliebte Holofernes; hast du das Chiragra[1]) in Händen, wie der verstohlene Zachäus; hast du die aufblasene Wassersucht, wie der stolze Goliath; hast du die Mundfäul, wie der verfressene Prasser; hast du das Grimmen im Leib, wie der zornige Pharao; hast du alle schlimmen und gefährlichen Zuständ: Recipe, Streck die Händ aus, leg das Almosen für ein Pflaster auf, es hilft! Probatum est, spricht Zeno, ein Kaiser; probatum est, sagt Manfredus, König zu

1) die Gicht oder das Zipperlein in den Händen.

Neapel; probatum est, sagt Martha, mit Martha Martinus, mit Martino Martinianus rc. Wirst also sehen, hören, greifen, riechen, kosten, daß dir Mendicus zu einem Medicus[1]) wird.

Es ist ein Kraut, welches die Griechen Pentaphyllon, die Lateiner aber Quinquefolium heißen, bei den Deutschen nennt man es insgemein Fünffinger Kraut. Dieses hat sehr heilsame Wirkungen wider unterschiedliche Krankheiten und Presten: unter andern soll es, nach Aussag Dioscoridis, sehr gut seyn für das Zahnweh. Ich meines Theils halt keinen Schmerzen gleich diesem Zustand, absonderlich demselben, mit welchem die Verdammten in der Höll ewig gepeiniget werden; dann, nach Laut des göttlichen Worts leiden die Verlornen daselbst neben andern unbeschreiblichen Qualen ein immerwährendes Heulen und Zahnklappern. Dieses ist in der Wahrheit ein hartes Zahnwehe; aber Gott sey höchsten Dank, daß gleichwohl noch ein Mittel vorhanden, welches diesen Zahn-Schmerz verhütet, nemlich das Fünffinger-Kraut, oder — verstehe mich besser — die ausgestreckten 5 Finger mit dem Almosen gegen die Armen. Dieses ist ein herrliches Präservativ[2]) wider das Zahnklappern in der Höll.

Anno Christi 925 hat es unweit der schönen Stadt Genua den ganzen Tag das helle Blut geregnet. Ein ganzes Jahr zuvor, ehe Sylla[3]) seine feind-

1) Daß dir der Bettler zu einem Arzte wird.

2) Verwahrungs-Mittel.

3) ein berühmter, sehr glücklicher, aber auch sehr grausamer Feldherr der Römer etwa 100 Jahre vor Christi Geburt.

lichen Waffen wider die Athenienser geführet, hat es an einem Montag häufige Asche geregnet. Das war kein Ascher-Mittwoch, sondern ein Ascher-Montag. Wie die Saracener ganz Frankreich verwüst und unglaublichen Schaden verursacht, hat es kurz vor, bei heißer Sommerszeit, lange Eiszapfen wie die Degen geregnet. In Schottland hat es einmal eine so große Menge Ottern und Schlangen geregnet, welches die bald hierauf erfolgte Gefangenschaft des Königs Donati bedeutet hat. In Frankreich hat es auf eine Zeit Treid und Fisch geregnet, in Brittannia kleine Vögl rc., welche alle für sondere Wunder-Regen können gehalten werden; allein keiner war wunderbarlicher, als der über die 5 Städt' Sodoma, Gomorrha, Adama, Seborin und Segor gefallen, deren letztere zwei Städt ziemlich klein, die anderen sehr große, forderist die zwei ersten, berühmte Haupt-Städt waren. Dieser erschreckliche Regen bestund in lauter Feuerflammen und Funken, wie man dann noch auf heutigen Tag in selbiger Gegend äußerlicher Gestalt halber die schönsten Aepfel und Weintrauben antrifft, so man aber dieselbigen in etwas stark anrührt oder drucket, so find't sich nichts als eine Asche und rauchender Dampf darin; auch alles Gras und Kräutelwerk in besagter Gegend, so bald es zur Vollkommenheit aufgewachsen, wirds gleich ganz schwarz, und zerpulvert sich selbst zu Asche. Viel Scribenten seynd der Aussag, als sey gedachter Feuer-Regen durch die göttliche Justiz aus der Höll und tiefen Abgrund in die Höhe gezogen, und nachmals über die sündigen Städt gefällt worden. — Dieses nunmehr erschreckliche Feuer hat verheert, verzehrt alle Edel-Leut, Burgers-Leut, Handwerks-Leut, Bettler-Leut, alte Leut, junge Leut, auch unschuldige Leut; dann vermuthlich auch daselbst kleine unmündige Kinder, dero zartes Alter aus Mangel der Vernunft von Sünden befreit: gleichwohl alle, alle durch dieses Feuer, von diesem Feuer, in diesem Feuer elendiglich zu Grund gangen, — alleinig der Loth samt den Seinigen war befreit. Fragst du die Ursach warum? — indem doch der Loth nit allein Namens wegen, sondern auch guter Werk halber nit gar gewichtig war, welches man genugsam aus dem kann abnehmen, weil er gleich nach dem erschrecklichen Untergang der Stadt Sodoma alles Elend so bald vergessen, auch wegen seiner Frauen gesalzenen Zustand sich selber die geringsten Mucken[1]) nit gemacht, sondern noch darüber einen guten, dicken, starken, kräftigen und ziemend-haltenden Rausch angetrunken, und nachgehends, weil Vinum und Venus auf einer Bank sitzen, der Ehrbarkeit eine ziemliche Schlappe angehängt; dahero man gar wenig gute Werk von dem Loth protocollirt, außer daß er cortes[2]) und freigebig gewesen gegen die Armen, absonderlich gegen die Fremdlinge, welche er mit großer Lieb beherbergt, wessenthalben ihn und die Seinigen der erschreckliche Feuerregen verschont, zumalen, nach Aussag des h. Petri Chrysostomi, das göttliche Feuer über die Barmherzigen keine Gewalt hat. Dahero ein jeder

---

1) sich Muken machen d. i. sich bekümmern. (s. oben)

2) artig, gastfreundlich, gefällig.

ernstlich glaube: das Frei mache frei; verstehe: die Freigebigkeit gegen die armen und nothleidenden Nächsten macht frei von der Höll und höllischen Straf.

Unser lieber Herr hat seinen lieben Apostlen, da er sie zwei und zwei ausgesandt, gleich Anfangs Taschen und Säck und Proviant zu tragen verboten; gleichwohl aber hat er ihnen einen Stab zugelassen: Zweifels ohne derentwegen, damit sie mit dieser hölzernen Beihilf auf so schwere Reis bisweilen möchten über einen Graben kommen. Keinen größern Graben noch Gruben wird man finden, als die Höll ist, massen selbige etliche deutsche Meilen breit und tief seyn soll; braucht demnach einen ziemlichen Sprung, wann jemand über solchen Abgrund sicher zu kommen verlangt.

Zu Prag wird man einem deutsch und böhmisch erzählen, auch zeigen, daß einer, Namens Hormyrius, seinem Pferd etliche Wört in das Ohr geredt, gleich darauf die Sporn angesetzt und in einem Sprung von dem Geschloß Wissegrad bis über den großen Fluß Moldau hinüber gelangt, allwo er vom Wasser sehr angespritzt überlaut aufgeschrien: Zlychow! worvon noch das Dorf jenseits der Moldau den Namen hat. Der Sprung geht hin; aber über die tiefe, breite, weite Höll zu springen braucht noch einen größern Sprung; und zwar solcher kann zum allersichersten geschehen mit einem Stab: dieser ist herentgegen kein anderer, als der Bettel-Stab. Wann du solchen an der Seite hast, wann dieser dir günstig ist, wann die armen Bettler, will ich sagen, vor dich beim göttlichen Gnaden-Thron anklopfen, so springst du trutz aller Teufel über die Höll; dann ein Almosengeber und barmherziger Mensch kann nit in diese Grube fallen.

Jener Gesell und schlemmerische Weinschlauch zerreißt sein Maul umsonst in der Höll, da er überlaut dem Vater Abraham zugeschrien, er soll doch den Lazarum zu ihm schicken. Mein Phantast, dermal ist es schon zu spat, dich hat bereits schon der Bettlputz in die Höll gehohlt! gleichwohl aber ist es ein Zeichen, als sey dir der Rausch vergangen, weil du so bescheid redest; dann wahrhaftig ein Lazarus, ein Bettler ist eine Hilf und ein Mittel für die Höll; aber nit aus der Höll: noch bei Lebzeiten hättest du sollen den Bettelstab des Lazari ergreifen, bei Lebszeiten hättest du sollen den armen Tropfen zu einem Freund haben, so wärest du nachmals nit in dieses elende Ort gerathen, allwo dir auch ein Tropfen Wasser von des Lazari Finger versagt wird! Freilich errettet der Bettler einen Almosengeber von dem ewigen Tod, und mittls seiner erwirbt der Barmherzige das ewige Leben; dann der Bettler bringt bei Gott zu wegen seinem Spenditor den Buchstaben-Wechsel von seinem Bettlers-Namen, benanntlich Betler, id est[1]), er lebt!

Jene vornehme Dama im Orient hat bereits schon sollen durch gerechtes Urthl Gottes, welcher er in dem Todbettl mit ergrimmtem Angesicht erschienen, zur ewigen Straf gezogen werden, dafern nit die Frau Barmherzigkeit sich mit zwei holdseligen Knäblein darein gelegt, vorgebend, daß diese Dama mit rechtem

---

1) id est oder abgekürzt i. e. auf deutsch: das ist, abgekürzt d. i., d. h. (das heißt).

Fug nit könne von der göttlichen Justiz verstoßen werden, um weil sie aus Mitleiden diese zwei kleine Kinder als arme Waisel habe auferzogen: worüber Gott sich also besänftigen lassen, daß sie noch die Gnad, wahre Reu und Leid zu erwecken, erhalten, und folgsam auf keine andere Weis, als mit dem Bettelstab, über die Höll gesprungen.

Jene zwei Bettler haben nicht Unrecht geredt — wer weiß es, ob sie nit Engel gewest? — als sie von einer Frauen, die gleich damalen in die Kirche gangen, ganz inständig ein Almosen suchten, die aber dazumalen mit nichts versehen; weil aber die armen Tropfen gar zu heftig angehalten, also hat die gottselige Frau einen silbernen Gürtel vom Leib gezogen, und ihnen dargereicht, worauf diese zwei in folgende Wort ausgebrochen: Frau, seyd versichert, am jüngsten Tag, Frau, wollen wir euch mit diesem Gürtel von der linken Seite auf die rechte ziehen!

Jener lasterhafte Edelmann wurde schon von einer unzahlbaren Menge der höllischen Geister umgeben, die ihn wegen seines sündhaften Wandels wollten in die unglückselige Ewigkeit stürzen, wofern der hl. Erz-Engel Michael nicht etliche Büschel Stroh, so er kurz vorhero mit eignen Händen zweien Ordens-Männern aus dem Orden St. Francisci untergebettet, auf die Wagschale gelegt hätte, auch darmit alle großen Sünden überwogen, und folgsam solcher der Verdammnuß noch entgangen.

Gleichwie nun dem hl. Propheten Jeremiä die alten Fetzen und halb verfaulten Lumpen in Vorhof des Königs Sedeciä großes Glück gebracht, massen er mittels dieser alten Hadern aus der tiefen Grube gezogen und dergestalt dem Tod entgangen: also seynd öfters die armen zerrissenen Leut, die mit Lumpen und Hadern halb bedeckten Bettler, Ursach, daß mancher Reiche noch dem ewigen Unheil entgehet; wann schon Gottes Wort dem reichen und wohlbegüterten Menschen drohen, daß sie in den Himmel werden eingehen wie ein Kameel durch ein Nadel-Loch, so müssen sie derenthalben gleichwohl nit in einige kleinmüthige Gedanken fallen, als sie ihnen alle Hoffnung zur Seligkeit benehmen, sondern ich versprich ihnen, und nimm den Himmel selbst zum Zeugen, ich versprich ihnen das ewige Leben, wann sie werden seyn wie die Kameel, aber wie jene Kameel, welche mit Schankungen und Gaben samt den drei hl. orientalischen Monarchen seynd nach Bethlehem kommen. Mit einem Wort: wann sie der armen Bettler nit werden vergessen, so wird ihrer Gott auch nit vergessen!

Allegro von Herzen, meine Almosengeber! kratzt nicht hinter den Ohren, wie ein flohiger Melampus; macht kein runzeltes Gesicht, wie ein Hackbrettl in der Kuchel; schaut nicht sauer aus, als hättet ihr Holzäpfel-Most getrunken; seufzet nit immerdar, wie ein ungeschmierter Schubkarn; züglet nicht graue Haar, als hättet ihr einen Müllnersack für eine Schlafhauben; macht kein finsteres Gesicht, wie ein angehauchter Spiegel; allegro, seyd lustig und guter Ding! Melancholia ist des Teufels seine Saugammel, Allegrezza [1]) ist Gott

1) Allegrezza ist eines Stammes mit allegro, fröhlich, munter! und heißt die Freude, Fröhlichkeit.

des Herrn seine Haushalterinn! Wohlan, mein Freigebiger gegen die Menschen, laß dein Herz in Freuden schweben, und nur allzeit fröhlich leben, kommst gewiß in Himmel und nicht darneben! David, der hl. Harfenist, macht selbst in seinem 111ten Psalm ein Lied auf, dich zur Fröhlichkeit aufzumuntern, da er spricht: Jucundus homo, qui miseretur etc., „Lustig und ganz wohlauf derjenige, der ein Mitleiden tragt!" Diese deine Fröhlichkeit zu befördern, führ ich dich zu einem Tanz. Allo! wohlauf!

Erstlich, zu einem Tanz gehört ein gutes Paar Schuh, — das sollst du haben, und zwar von einem braven Schuster, von welchem der heilige und große Papst Gregorius also schreibt, wie daß ihm einmal der allmächtige Gott ein Gebäu eines sehr stattlichen und über alle Massen prächtigen Pallasts im Himmel gezeigt, beinebens aber vermerkt, daß an besagter königlicher Burg lauter krumme, lahme, zerrissene und zerlumpte Bettler, arme Wittib und verlassene Waislen gebaut, und zwar nur allezeit am Samstag; welches dann den h. Vater noch zu größerer Verwunderung bewegt, also, daß er Gott den Herrn demüthigist ersucht, er wolle ihm doch offenbaren, für wen solche herrliche Behausung werde aufgericht. Worauf Gott der Herr einen Engel gesandt, welcher dem h. Gregorio angedeut', wie daß dieser königliche Hof werde zugericht für einen seiner Nachbaurn, der seines Handwerks ein Schuster, welcher aber dergestalten gutherzig war gegen die Armen, daß er allen seinen Wochen-Gewinn, außer der Haus-Nothdurft, am Samstag unter die Armen austheilte, die dann bereits ihm den so ansehnlichen Pallast im Himmel bauen. Das war ein gebenedeiter Schuster, der ungezweiflet in der ewigen Glorie bei jenem joppischen Lederer sitzen wird, welcher auch so gutherzig den h. Petrum beherbergt hat. Ob schon die göttliche Schrift dem Pech wenig Lob nachsagt, gestalten der Ecclesiasticus[1]) sich hören lasset: Daß, wer Pech wird anrühren, werde darmit besudelt: so ist gleichwohl zu glauben, daß diesen so treu- und mildherzigen Handwerker sein Schusterpech nit wenig geziert habe, mit welchem er sich die ewige Kron und Glorie erworben. Wohl recht an keinem Ort hat der Patriarch Jacob einen so großen Segen und Benediction erhalten, als zu Bethel, welches eine Stadt war in Mesopotamia, allwo er die Leiter gen Himmel gesehen. Willst du auch, daß dir der Segen Jacobs, das Glück Jacobs, die Leiter Jacobs gen Himmel begegne, so gehe nach Bethel, das ist: der Bettelmann, die Bettel-Leut, das Bettel-Volk wird dir wegen des Almosen ganz schnurgerade Stafflen und ganz sichere Leiter in Himmel machen!

Zu einem Tanz wird absonderlich, und zwar meistens, ein guter Spielmann erfordert; dann gar gewiß bei dem Tanz der üppigen Herodiadis, allwo der Kehraus auf Joannem gesprungen, gute Geiger und anders wohlgestimmtes Saitenspiel sich haben eingefunden. Damit dann der liebliche Musikschall, welcher auch den groben Bauernsticflen die Noten vorschreibt, diesseits nicht mangle,

---

1) dieß ist der lat. Name für Jesus Sirach. S. daselbst K. 13, V. 1.

also macht dir ein Hüpfendes auf ein überaus guter Pfeifer, von welchem schreibt Palladius folgender Gestalten: Der heil. Pachomius lebte viel Jahr in der Wüste gleich einem schönen Perl in einer rauhen Muschel oder Schale, war mehr bekannt dem Himmel, als der Erde, auch scheinte er ein vollkommener Abriß und ganz ähnliches Ebenbild eines Engels zu seyn, außer daß ihn der sterbliche Leib als ein zerlumpter Vorhang verhüllte. Nachdem er nun eine geraume Zeit in diesem strengen Wandel verharrt, hat ihn endlich der fromme Vorwitz gekitzlet, zu wissen, wie weit er schon in den Verdiensten bei Gott dem Herrn möchte kommen seyn? welches dann ihm bald hernach ein Engel durch göttlichen Befehl angedeut, wie daß er gleich sey einem Sackpfeifer in nächster Stadt. Ein Sackpfeifer mir gleich? er beim Tanz, ich beim Rosenkranz; ich beim Singen, er beim Springen; bei ihm lactare, bei mir miserere[1]); bei ihm Choreae, bei mir Chorus[2]); er mir gleich? soll dann pfaffisch und pfeifisch gleich seyn? o Gott, den Pfeifer muß ich sehen! hören mag ich ihn nit; dann weil er so gut ist, möcht er auch meinen Eremiten-Füssen eine hupfernde Gewalt anthun! Gehet demnach der alt-erlebte h. Klausner

1) „bei ihm Freude, bei mir Elend." — Zugleich sind die lateinischen Worte besondere Anspielungen nach ihrer kirchlichen Bedeutung.

2) „bei ihm Gesang und Tanz; bei mir geistliche Verrichtung im Chore" (dem besonders für die Geistlichen bestimmten Platz in den katholischen Kirchen).

Paphnutius[1]) in die Stadt, sagt, fragt, wo ein Pfeifer wohne. Vielen hat solche Frag einen wunderlichen Argwohn erweckt, als welche hierüber nit wenig gestutzt, und sich fast geärgert, daß dieser Wald-Bruder um Spielleut umfrage; es stunde rühmlicher, daß er an den letzten Posaunen-Schall, und nit an die Sackpfeifen gedenke. Endlich und endlich hat er den guten Spielmann erfragt, und gleich Anfangs ernstlich ausgeforscht, wer er sey, wie sein Wandel, was sein Thun und Lassen? Dieser gab immerdar keine andere Antwort, als: er sey ein armer Teufel, und zwar vor diesem ein Schelm in der Haut, ein Mörder, ein Ehebrecher, ein Strassenräuber, ein Bandit, ein Dieb, ein Assassin[2]), ein nichtsnutziger Galgen-Vogel; anjetzo aber hab er sich in etwas gebessert, und gebe einen Spielmann ab. Dem h. Paphnutio kam solche Litanei spanisch vor; fragt demnach ferners ganz ernstlich, was er denn dermal für einen Wandel führe? Ich, mein h. Vater, damit ich dir nichts verberge, ich gib einen Spielmann, einen Sackpfeifer ab; ein anders Gewerb weiß ich nit zu treiben; auch gib ich nach meinem Vermögen Almosen. Vom Guten weiß ich nit viel, weil ich erst neulich von meinem lasterhaften Leben abgestanden, außer

---

1) Hier steht Paphnutius statt des obigen Pachomius, was offenbar eine Verwechslung ist. Der leztere war ein bekannter Einsiedler in Aegypten, und kann als der Stifter des Mönchs-Wesens angesehen werden. Paphnutius war ein angesehener Bischof gleichfalls in Aegypten. Beide lebten fast zu gleicher Zeit. Paphnutius etwas früher.

2) ein Meuchelmörder.

eines, so ich offenherzig bekenne: Mir begegnete einsmals eine junge und wohlgestalte Frau, welche bitterlich weinend die Händ ober dem Kopf zusammen geschlagen, aus Ursachen, weilen ihr Mann und einiger Sohn wegen großer Schuldenlast in die Gefängnuß gelegt worden. Dieser hab ich mich alsobald erbarmet, selbige in die Stadt begleitet, und aus herzlichem Mitleiden ihr zu Erlösung ihres Manns und Sohns 600 Gulden gespendirt, welches die Summa war meiner ganzen Habschaft. Sobald solches der h. Vater Paphnutius vernommen, ist er mit nassen Augen in diese Wort ausgebrochen: Ecce! ecce! ecce! das Almosengeben hat dich also bei Gott dem Herrn angenehm gemacht, daß du dermalen mir in den Verdiensten gleichest!

Lobens und Liebens werth ist dieser Pfeifer; und solcher pfeift dir, mein Reicher, ein Liedl auf, darnach sollst du tanzen. Die Prediger lassen oft von der Höhe herunter etliche Liedl hören; aber die vermöglichen Batzenhofer will das Tanzen so gar nit ankommen. Deren seynd meistens achte: das erste gehet in Tripel [1]), und heißt: Selig seynd die Armen! Dieß Liedl ist den Reichen zuwider, als denen lieber ist das guldene Kalb Aaronis, als der Ochs des Krippels. Das andere geht etwas traurig, und heißt: Selig seynd, die da weinen und Leid tragen! Dieß ist gar kein Tanz vor die Reichen; dann wo die guldene Sonn' scheinet, ist keine Zeit eines Regenwetters. Das dritte gehet und lautet ganz sanft: Selig seynd die

1) Ein Tact mit 3 Gliedern.

Sanftmüthigen! Diese Sarabanda[1]) schmecket den Reichen gar nit; daun wo lange Geldsäck, dort ist man kurz angebunden. Das vierte heißt: Selig seynd die Hungerigen! Dieß ist für die Reichen auch kein Weg; dann wer gut Ungari[2]) hat, kann den Hunger leicht vertreiben. Das fünfte heißt: Selig, die eines reinen Herzens seynd! Viel Geld in Händen macht schwarze Finger, und viel Rheinisch[3]) macht wenig rein. Das sechste heißt: Selig seynd die Friedsamen! Die mehresten Rechtshändel führen die Reichen; dann sie haben dran zu setzen. Das siebente heißt: Selig, die Verfolgung leiden! Das schickt sich wohl nicht für die Reichen; dann Gold macht hold, und haben diese die mehresten Freund.— Weil euch dann, Reiche, kein Liedl aus diesen gefällt, so pfeift euch mein frommer Sackpfeifer das achte, benanntlich: Selig seynd die Barmherzigen! Das gehört für euch. Allo, bequemt euch zu tanzen; tanzt, daß es Fetzen gibt, so haben die Armen etwas zu einer Kleidung; tanzt, daß euch Säck und Beutel zerreißen, so haben die Armen etwas aufzuklauben!

Zu einem Tanz gehört auch eigenthümlich und meistens ein lustiger Ort; dann in einer niedern Rauchstube oder auf einer kothigen und sumpfigen Gasse ist gar wenig Freud beim Tanzen. Dahero die jungen Töchter und

---

1) ein sehr beliebter spanischer Tanz.

2) so werden von den Venetianern alle Dukaten, die nicht von ihrem Gepräge sind, benannt.

3) Anspielung auf den so benannten Münzfuß.

hebräischen Mägdlein nach dem Untergang des Königs Pharaonis im rothen Meer auf einem annehmlichen ebnen und grünen Wasen ganz fröhlich herum getanzt. Damit du dann auch dießfalls dein Begnügen habest, so führ ich dich gar an ein schönes Ort, allwo man noch die Fußstapfen siehet unsers Herrn und Heilands selbsten, allwo er einen ziemlichen Sprung gethan. Dieser ist der schöne Oelberg unweit Bethania, woselbst der Herr Jesus, in Gegenwart Mariä seiner werthesten Mutter, Magdalenä, Marthä, Lazari und der zwölf Apostel, in Himmel gefahren, auch allda dergestalten seine heilige Fußstapfen eingedruckt, daß solche noch auf heutigen Tag zu sehen; und kann weder die Bosheit der Türken, weder die Andacht der christlichen Wallfahrter mit Schaben und Kratzen solche Fußstapfen nit auslöschen, auch hat man dieselbigen auf keine Weis mit Silber, Gold oder Marmor können bedecken; und als die gottselige Kaiserinn Helena daselbst eine Kirche auferbaut hat, das Dach an dem Ort, wo der Heiland hinauf gefahren, durch keinen menschlichen Fleiß noch Kunst können zugeschlossen werden.

Wohlan Reicher, dieser Berg ist ein schöner und lustiger Ort zu einem braven Sprung! Dann willst du rechtmäßig wissen, warum der Heiland eben auf diesem Berg in seine himmlische Glorie aufgefahren, so hör mich: Er hat dir wollen den Weg zeigen; dann kein besserer Weg, keine sichere Bahn, keine gewissere Strasse ist nicht in den Himmel, als vom Oelberg. Du verstehst mich schon: das Oel ist noch allemal ein Sinnbild der Barmherzigkeit gewesen; also ist gewesen, ist noch, und wird allezeit bleiben die Barmherzigkeit ein schnurgerader Weg gen Himmel.

Allegro dann! beim Tanzen muß man auch juitzen; also juitz ich dir vor A, E, I, O, U: in Himmel kommst du, wann du wirst seyn, wie A — Alexander der Fünfte, römische Papst, der fast all sein Einkommen unter die Armen ausgetheilt; dahero er öfter aus frommem Herzen pflegte zu reden: er sey ein reicher Bischof gewest, nachmals ein armer Cardinal worden, nunmehr sey er ein bettlerischer Papst; — wann du wirst seyn, wie E — Eduardus, König in Engelland, der in damaligem Mangel des Gelds einen guldenen Ring vom Finger gezogen und den Armen gespendirt; — wann du wirst seyn, wie I — Joannes, Patriarch zu Alexandria, welcher also freigebig war gegen die Armen, daß er sich hören lassen: wann die ganze Welt ein Spital wäre, so wollt er's erhalten; — wann du wirst seyn, wie O — Oswaldus der König, welcher bei der Tafel einen silbernen Becher zu Trümmern zerschnitten, und solchen stuckweis den Armen ausgetheilt; — U — wann du wirst seyn, wie Ubaldus, der auch das Bissel Brod wieder aus dem Maul genommen und den Armen geben.

A, E, I, O, U — in Himmel kommst du, wann du wirst seyn, wie A — Amadäus in Sabaudia, E — Elisabeth in Hungarn, I — Joannes Dei in Italia, O — Odila in Sicilia, U — Udalricus in Schwaben, lauter heilige Almosengeber.

Bei dieser nur gar zu üppigen Welt wird fast niemalen ein Tanz vorbei gehen, allwo nicht Weiber und Jungfrauen sich einfinden. Damit auch dergestalten du keinen Unwillen fassest, so führ ich dir eine Jungfrau und ein Weib zu.

Nachdem Gott der Allmächtige den Adam erschaffen, und wahrgenommen, daß dieser Mensch möchte melancholisch werden, aus Ursachen, weil niemand beihanden war, mit dem er konnte Gesellschaft, Gespannschaft und Freundschaft pflegen, also hat er in seinem göttlichen Rath beschlossen, ihm eine Mit-Consortinn beizuschaffen, benanntlich die Eva. Adamus aber mußte hierbei ein freigebiger Spenditor[1]) seyn; dann zu Formirung dieser so edlen Jungfrauen hat er eine Rippe von seinem Leib hergeben. Damit aber der allmächtige Gott zeige, daß man ihm nichts gebe, welches er nit überhäufig bezahle, also hat er dessen ersten Weltpfleger vor seine Rippe und krummes Bein das beste Fleisch geben, „replevit carnem pro ea:“ gibt also die Formirung dieser so edlischen Jungfrau Eva sonnenklar an den Tag, wie Gott so reichlich vergelte, wann man ihm durch das Almosen etwas mittheilt. Für einen kalten Trunk Wasser belohnt er dich, für ein Stückl Brod bezahlt er dich, für etliche Löffel Suppen bereicht er dich nicht allein zeitlich, sondern auch ewig: gibst ihm das Zeitliche, so gibt er das Ewige, gibst ihm das Irdische, so gibt er das Himmlische, gibst ihm das Zergängliche, so gibt er dir das Immerwährende; — heißt das nit bezahlt? — Der Jakob bekommt für das Linsenkoch die Primogenitur oder die

---

1) Geber.

Majorasco[1]), das heißt die Linsen theuer anworden; Gott gibt dir für etliche Pfenning eine guldene Kron im Himmel, das heißt dein Geld noch besser anworden! — Weißt du, warum die armen Bettler gemeiniglich sich bücken, ja meistens ganz bucklet daher gehen? Siehe, die Gassen-Buben haben diese allbekannte Gewohnheit: wann sie gern ein Garten-Conseet naschen wollen, der Baum aber ihnen zu hoch, so sagt einer zum andern: geh, mach mir einen Bock! kniet also einer nieder, dessen Rucken dem andern für eine Leiter dienet: Derenthalben gehen die armen Bettler gemeiniglich bucklet daher oder bucken sich vor deiner, als wollens dir einen Bock machen, damit du in den Himmel steigest!

Es hätte der allmächtige Gott gar leicht den Propheten Daniel in der Löwen-Grube durch die Raben, wie den Elias, können speisen, oder durch die Engel, oder hätte gar wohl ihm ein Manna oder Himmelbrod, wie den Israeliten, vom Himmel können schicken; hat es aber nit gethan, sondern den Habakuk lassen beim Schopf nehmen samt der Pfanne voller Koch, und lassen nach Babylon tragen, damit sein ein Mensch dem andern helfe. Also könnte der Allmächtige gar leicht machen, daß kein einiger Bettler oder armer Mensch in der Welt wäre, er könnte gar leicht allesamt reich und mächtig machen; hat aber dessentwegen Reiche und Arme erschaffen, damit der Reiche dem Armen zu Hülf komme, und damit der

---

1) Die Erstgeburt.

Arme den Reichen in den Himmel helfe; dann eigenthümlich gehört der Himmel für die Almosengeber. Hast also, mein Adams-Kind, von der ersten ehrsamen Jungfrau Eva sattsam zu lernen, wie Gott so reichlich das fromme Spendiren belohnet; ist es aber Sach, daß du noch nit allerseits begnügt bist, so führ ich dir zum Tanz nit allein besagte Jungfrau, sondern auch ein Weib, aber mit Gunst gar eine Alte.

Vor etlich Jahren seglete ein großes Schiff mit gar günstigen Winden und friedsamen Flocken aus Holland über das hohe Meer nach Venedig. Als nun solches reich-beladene Schiff unweit der berühmten Stadt Venedig sich befunden, hat sich ganz unverhofft eine große Ungestümme erhoben: der Himmel machte ein finsteres Gesicht, der Wind fangt an zu brummen und sausen, das Meer erwachste dergestalten in die ungeheuren Wellen, daß es sich bald aufgebäumt wie Berg und Bühel, bald wieder in die Tiefe des Abgrunds gestiegen; es spielte der ergrimmte Neptunus mit dem Schiff als mit einem Ballen, und also stunde der entsetzliche Untergang männiglich vor Augen, welches sattsam aus den entbleichten Angesichtern und aus Forcht fast entseelten Leuten im ganzen Schiff abzunehmen war. In solcher äußerster und vor Augen schwebender Lebensgefahr ist der Schiffleut einige, ob zwar sehr windige, Hoffnung noch gestanden in Ausleerung des Schiffes. Wie dann alle und jede, ohne einige Widerred, das Ihrige in das tobende Meer hinaus geworfen, da war zu sehen, wie schlennig und unverzüglich dieser Kaufmann so viel hundert Ballen englisch Tuch, ein anderer große, schwere Faß mit dem theuren Gewürz, der dritte in die 400 Zentner Toback hinaus geworfen. Unter andern war eine alte Frau, welche bereits 88 Jahr, 8 Monat, 18 Täg, 8 Stund, 28 Minuten alt gewesen, diese hat eine sehr große Truhe voll mit Silber und stattlicher Jubilier-Waar selbst eigenhändig hinaus keit[1]). Warum dieß, meine alte, kalte, rotzige, rostige, hustige, wustige Mutter? warum thust so herrliche, stattliche, theure, schöne, köstliche, künstliche Waar hinweg werfen? Darum, mein Pater, damit ich mit dem Leben darvon komme. Wie lang hofft ihr noch, meine Mutter, zu leben? Gleichwohl, sagt sie, noch 4 oder 5 Jahr. Ei, du alter Zabulon, daß dich der — wegen 4 oder 5 müheseliger, arbeit-voller und drangseliger Jahre wirfst du so viel weg; und das ewige Leben zu gewinnen gibst nit einen Heller den Armen! daß dir der Geiz-Teufel schneuz, du geschmierter Kehraus! thust du den besten Schatz, Silber und Gold hinweg werfen, damit du noch wenig Jahr lebest, da doch solches zeitliche Leben schier kein Leben zu nennen! warum sollst du, du und er, er und mehr also karg seyn, und nicht etwas, will nicht begehren das beste, hinweg werfen in die Schoß und Hand der Armen, damit du ewig lebest, ewig lebest? o Gott! Dessen bist du vergwißt, wann du der Armen nicht vergißt! — Nun hui Alte, dreh dich wohl herum und tanz eins, wie dir der David mit der Harpfe aufspielt: Beatus, qui intelligit super egenum!

---

1) geworfen.

„selig, der sich der Armen annimmt!“ Allo, hurtig, meine alte Henn', sonst lehrt dich der Fuchs tanzen!

Aus dem uralten Fuchsischen Stamm-Haus war ein Graf, welcher der Freigebigkeit also zugethan, daß er seine meiste Habschaft unter die Leut ausgetheilt. Als solcher einest von Catalonia nach Haus kehrte, ist er dergestalten unterwegs von den Leuten geplagt worden, daß er Alles, was er bei sich hatte, hinweg geben, außer dem Maulthier, auf dem der Alte hergeritten. Indem aber einer so gar auch die Sporn — weil sonst nichts mehr übrig — inständig verlangt, ist der liebste Herr alsobald da, streckt den Fuß von sich, und biet' ihm den verlangten Sporn dar, bitt' aber anbei, daß ihn einer, um richtige Bezahlung, möchte treiben bis nach seiner Herrschaft Fuchs, weil er je der Sporn Hülf mußt entbehren.

Wer klopft? Ein Bettler. Es ist nichts da! Ist nichts da? du haltest solche Mahlzeiten, worbei der Vitellius[1]) selbst kounte verlieb nehmen, von dem doch glaubwürdig ausgesprengt wird, daß er ganze Richten von Vögel-Hirn, ganze Schüßlen von indianischen Spatzen-Zungen, ganze Trachten von asiatischen Fischrogen hab lassen aufsetzen; und nachdem er gnug die Wampe wie einen Wander-Ranzen angefüllt, hab er mit dem Finger dem Magen die Wiedergab anbefohlen, und eine Staffete nach Speier geschickt, damit er nachmals wieder fressen möge. — Antonius Geta soll, wie man schreibt, alle Mahlzeit die Spei-

1) Ein römischer Kaiser, bekannt vorzüglich durch seine Gefräßigkeit und seine beispiellose Schwelgerei.

sen nach dem ABC lassen austragen, benanntlich beim A — Andten, A — Austern, A — Aalen ꝛc., und also sortan nach allen Buchstaben, worunter doch das S der beste war. Deine kostbaren Mahlzeiten bishero seynd nit viel minder gewest; dann man hält es dermalen schon für säuisch, wann man etwas Kälbernes auf die Tafel bringet, da doch der Patriarch Abraham die Engel nit anderst tractirt. Anjetzo taugt das gebratene Kitzl des großen Isaaks nur auf eine Bauern-Hochzeit; der Zeiten nennt mans nur ein saubers Traetament, wann es wild hergeht: wo nemlich allerlei Feder-Wildpret die Tafel spicken, und schnadert man nicht lieber, als bei gebratenen Hagelgänsen, Trappgänsen, Löffelgänsen, Schneegänsen, Meergänsen, Kropfgänsen ꝛc. Gott vermeinte, er habe weiß nit wie herrlich die Israeliten gehalten, als er eine Menge der Wachtlen diesen murrerischen Galgen-Vöglen zugeschickt; aber dermalen ist deine Tafel weit darüber, und haltest du es für einen Quatember-Tisch [1]), wann dir nit die gebratenen Distelfinken, Flachsfinken, Kirschfinken, Buchfinken ins Maul fliegen — NB. warum nit auch Mistfinken? man tragt in einer solchen Menge bei dir auf, daß auch jener türkische Kommandant Scanderbeg zu Possega, welcher alle Tag einen gebratenen Hammel oder Kastraun verzehrt, mit einer Schüssel sich könnt' betragen.

Wer klopft? Ein Bettler. Es ist nichts da! Ist nichts da? deine Kästen hangen voller Kleider, und

---

1) Fasten-Tisch, weil jedesmal am Quatember in der katholischen Kirche Fasttag ist.

ist gleichsam des Teufels seine Garderobe. Der Samson hat seine Füchs gar genau gezählt, es ist eine große Frag, ob du deine Pelz kannst zählen; der Zwiebel hat viel Deckmäntel, aber du weit mehrere; der Krummschnabel verändert seine Federn alle Jahr zweimal, du aber schier alle Tag; und schleicht keine Woche hin, wo nicht neue Modi-Kleider und Nodi-Kleider ins Haus kommen. Da heißt es **wohl**: non est modus in rebus [1]); deine Finger klecken nit für die Zahl deiner Kleider: ein Hauskleid, ein Reiskleid, ein Sommerkleid, ein Winterkleid, ein Frühlingskleid, ein Herbstkleid, ein Kirchenkleid, ein Rathkleid, ein Hochzeitkleid, ein Gallakleid, ein Klagkleid, ein Feiertagskleid, ein Werktagkleid, ein Oberkleid, ein Unterkleid, ein Wetterkleid, eine Strapazierkleid, ein Spanierkleid, — holla, auch ein Narrnkleid für die Faßnacht ꝛc.! Elias hat mit einem Mantel nit können in den Himmel fahren, wo wirst du mit so viel Kleidern hin? Des reichen Prassers sein Purpurkleid wird dermalen ausgelacht; dann es müssen weit mehrere und neuere Farben auf die Bahn kommen, und muß sich die Seide auf Vertumni [2])-Art in alle Gestalten schicken. Hoch-indianisch Zorn-Leibfarb das ist eine fremde Farb, cyprianisch Tauben-Halsfarb das ist eine neue Farb, arabischer Cypressen-Rinden-Haarfarb das ist eine rare Farb, elsassische Rubenschalen halb Aurora-Farb das

1) „Es ist kein Maß in diesen Dingen."

2) Vertumnus ist der Garten-Gott; besonders aber der Gott der wachsenden Jahreszeiten und der Veränderlichkeit überhaupt.

ist eine angenehme Farb, lucernischer Hosenfalten-Dunkelfarb das ist eine theure Farb: der schöne Regenbogen selbst ist nit so vielfärbig, wie der Zeit die Kleider.

Jenes Weib im Evangelio hat ihr Heil an dem Saum der Kleider Christi[1]) gesucht und gefunden; der Zeit find't man das größte Unheil an dem Saum der Christen-Kleider, wo nemlich die theuren Spitz manchem sein Seelenheil auf eine Spitz setzen, ja gar ins ewige Verderben bringen. Glaubt mir, die Sünd hat im Paradies bei der Rose die Spitz aufgebracht; aber glaubt beinebens, der Teufel habe bei der Rosina, Rosalia, Rosimunda die Spitz erdacht! Ihr lacht mich aus, meine Weiber, und spöttlet, als hätte man diese meine Schreibfeder einem Gimpel ausgerupft; aber ich will dazumal auch nit Abraham, sondern Isaak, id est Risus[2]), seyn, wann euch Gott wird vorrupfen die theuren Perl-Ketten um euren Hals, wormit ihr so viel arme Leut hättet können erhalten, wann euch Gott wird vorwerfen die kostbaren Geschmuck und Edelgestein, mit welchen ihr steinreiche Leut so manchem blutarmen Menschen hättet können zu Hilf kommen, wann euch Gott in das Gesicht wird sagen, daß eure Kleider in Kasten verschimmlet, verfault, wie bei dem König Sedecias, und von Schaben durchbort worden; unterdessen hab er müs-

---

1) Mrc. K. 6.

2) Ein Gelächter, was auch der hebräische Name Isaak heißt; denn Gott hat — sagt Sarah 1 Mos. 21, 6 — mir ein Lachen zugerichtet 2c.

sen auf der Gasse halb nackend daher gehen. Wie wird es euch heiklichen Creaturen ankommen, wann ihr vor der gesammten Welt müßt anhören: ite maledicti, „gehet hin in das ewige Feuer, dann ich bin nackend und bloß gewesen, und ihr habt mich nit bekleid't!?"

Wer klopft? Ein Bettler. Es ist nichts da! Ist nichts da? sagst du. Pharao ist samt den Seinigen im rothen Meer ertrunken, du thust dich alle Wochen öfter als einmal im Wein volltrinken; Noe hat nur einmal, und zwar unvorsetzlicher Weis', einen Rausch gehabt, du aber alle Tag; der Loth hat einmal, so viel man weiß, einen Haupt-Zinnober gesoffen, du weit ärger; die meisten Soldaten des Gedeon haben sich auf die Wampe gelegt, und nach Genügen Wasser getrunken, du haltest für allemal deinen Bauch für einen Bachum, dessen Unterbett ein Weinfaß: ist also bei dir allzeit das Wörtel Sitis[1]), welches hinter sich und für sich gleich gelesen wird. Du bist nit besser, als jener Weinschlauch, welcher sich also mit October-Saft überhäuft, daß er bei nächtlicher Weil per indirectum daher gestolpert, bis er bei einem Haus, um weil das obere Gewicht zu schwer, zu Boden gefallen, und also auf dem Rucken mit gähnendem Maul liegen geblieben, wohl ein offner Sünder, und weil dazumalen die Dachtropfen in das aufgesperrte Orificium und offne Freßgewölb eingerunnen, hat der überweinte Phantast nit anderst vermeint, als schütt ihm sein Sauf-Kam-

---

1) der „Durst."

merad den Wein ein, wessenthalben er mit lallezter Zung aufgeschrien: nit, nit, mein Bluder, sey kein Nnarr, ich ab schon gnbug zoffen! O Bestia!

In dem Evangelio steht zwar, und mit fester Wahrheit, daß einer einen Sohn habe erzogen, welcher vom bösen Feind also mondsichtig gemacht worden, daß er bisweilen ins Feuer und öfter sich ins Wasser gestürzt: diesen hat unser Herr ex pleno curirt [1]). O mein Gott, mancher hat weit einen gefährlichern Zustand! vom Wasser zwar hat er wenig Gefahr, aber im Wein ersauft, ersauft er gewiß und wahr; in seinem Brevier ist niemalen de Feria [2]), und wann schon auf allen Seiten die Sonne scheint, so ist bei ihm naß Wetter. Ein kellnerischer, und nit ein köllnerischer Poet macht diesen ungereimten Reim: ede, bibe, lude, in festo Simonis et Judae [3]); aber bei manchem trifft das Liedl nit zu, weil fast alle Tag, oder wenigist öfter in der Woche, er sein Lager zu Kandlberg aufschlägt. Wann solcher vermittlst eines höflichen Ladschreibens auch zu Cana in Galiläa als ein Gast wäre auf der Hochzeit gewest, so hätte wohl zeitlicher, als dazumalen geschehen, der Wein die Schwindsucht bekommen. Wie oft ist bei dir das Sausen, daß dir die Haar geschwellen, wie die halbjährigen Binsenstauden! wie oft ist bei dir das Sausen, daß deine Nase hersieht, als wär sie vom Zimmermann mit Röthel

---

1) „von Grund aus geheilt."

2) weil in seinem Tagbuche nie etwas von einer Ruhe vorkommt.

3) „Iß, trink, spiel am Feste 2c.

gemessen worden! wie oft ist bei dir das Sausen, daß deine Augen gleich seynd einem Paar alten angeloffenen Brillen eines 70jährigen Nadelmachers! wie oft ist bei dir das Sausen, daß dein Gesicht eine Copei scheint eines preußischen Leders, jedoch in schlechtem Preis. Wann sollt von einem Lamml eine Sau geworfen werden, wäre es ein solches Wunder, daß man es in öffentlichen Schriften und Büchern lautbar allenthalben machen thät? unterdessen ists nichts Neues, daß du dich beim weißen Lammel also anpleperst [1]), daß du von dannen nit anderst kommst als eine Sau, säuvoll, nit viel besser, als jener Bebrius ebrius [2]), der wegen übermäßigen Weinsaufens im Koth gelegen, und beinebens aus dem Saumagen solches Spott-Confect feil boten, daß hierzu niemand, als geriselte und geberste Kaufer sich eingefunden, und als eine dergleichen Mäst-Sau zu hart um das Maul verfahren, also ist dem Sau-Narren eingefallen, er sey unter den Händen des Barbierers, derenthalben überlaut aufgeschrien: Meister Siegmund, gemach, gemach, und machts fein sauber! O Sau-bär! Zum übermäßigen Sausen ist genug da, und für die Armen ist nichts da? Holla! du bist nit besser als der reiche Prasser, welcher auch im Sausen und Brausen des armen Lazari vergessen; dein Grab wird also seyn in der Höll, mein Gesell, ite in ignem aeternum!

Es ist nichts da! Ist nichts da? sagst du. Was kosten dich deine unverschämten und ungezähmten

---

2) sonst so viel als schlürfen, über Nothdurft trinken.
3) Trunkenbold.

Buhlschaften allenthalben? sag her! Der verlorne Sohn, dieses liederliche Bürschl, hat mit dergleichen Geflügelwerk das Seinige dergestalten anworden, daß er nachmals das Brod nicht mehr zu beißen hatte, um weil er dem Fleisch zu viel nachsetzte; dann post diem Veneris[1]) kommt gemeiniglich der Sabbath oder Feierabend in den Geldbeutel. Die schlimmen und gewissenlosen Brüder haben ihren Bruder Joseph in eine alte Cistern geworfen. Da ist wohl dem Alt-Vater Jacob seine Hoffnung in den Brunn gefallen. Nachgehends aber hat sie der Geldgeiz angefochten; dann sie ihren Bruder ums Geld den Ismaelitern verkauft, und zu Verblümlung ihrer Unthat haben sie des Josephs langen Rock in ein Bocksblut eingedunkt, „in sanguine hoedi,“ und dem Vater also überbracht.

Der alte Hans beim untern Wasserthor hat 3 Kinder, denen er kümmerlich Brod schaffen kann; dann sein ganzes Gewerb bestehet in dem, daß er Käfich und Vogel-Häusel machet, auch die gelben Steften und hölzernen Nägel für etliche Schuhmacher spitzet, möcht seyn, daß ihm ins künftige auch das Besenbinden von hoher Obrigkeit verwilliget wurde: ist also sein Einkommens sehr klein und gering. Gleichwohl seine größere Tochter zieht daher, als wie eine halb-nobilirte Jungfrau; sie tragt einen stattlichen rothtopinen Rock, anbei ein seidenes neckerfarbes Mieder. Woher dieß, willst es wissen? Bei diesem Rock ist ein Bocksblut;

---

1) „nach dem Tag der Venus“ 2c. So hieß der 6te Tag in der Woche bei den Römern (der Freitag).

du, geiler Bock, bist Fundator[1]) über diese rothe, aber nit schamhafte Mistkrippe. Joseph hat seinen Mantel gelassen in den Händen einer rc., jedoch mit seinem Nutzen; du mußt dieser und dieser wohl öfter ein Kleid in die Händ werfen, aber mit deinem Schaden! Die h. Schrift sagt: das erste Weib sey aus einer Rippe, so auf lateinisch Costa heißt, formirt: das mußt du glauben; daß aber bei schamlosen Weibern auch eine Costa oder Kosten sey, das will ich auch glauben. Was kosten dich die schönen Zeug? was kosten dich die schönen kostbaren Spitz? was kosten dich die stattlichen Bänder? was kosten dich die schmeckenden[2]) Handschuh? was kosten dich die Neue Jahr? die Oster-Eier? was kosten dich die hoch- und wohl-tugendsame Sc. Kuplerinnen? Rath, raith und red'!

Das Götzenbild Dagon, welches halben Theils Fräule, halben Theils Fisch war, haben die Philistäer auf alle Massen verehrt, auf die Knie niedergefallen, die Händ aufgehebt; aber das war noch nit genug, sie haben müssen opfern auch. Diese und jene, welche nicht halben Theil eine Jungfrau, sondern mit Ehren zu melden, eine ganze H, complimentirest du wie ein Götzenbild; dein Aufwarten muß emsiger seyn, als des Jacobs um die Rachel; aber das nit allein, es muß das Opfer auch darbei seyn, dann solche Fratzen kosten Batzen, solche Zaschen[3]) leeren die Taschen, solche Goschen

1) Stifter.

2) wohlriechenden.

3) ein Schimpfwort gegen unordentliche schlampichte Weibspersonen.

wollen Groschen, solche Bilder kosten Silber, solche Waar will Denar[1]), solche Kittel brauchen Mittel. Dem Salomon werden seine 700 Weiber und 300 Cocubinen was kost haben, er war aber reich; dir gehet auch ein Ziemliches auf wegen solcher Aaas, und ist nichts da für die Armen? dem Buhl-Teufel Asmodäo gibst du, deinem wahren Heiland Jesu versagst du? Ito maledicte, gehe hin, du Verdammter!

Es ist nichts da! Ist nichts da? Sehe ich doch eine ganze Roß-Procession aus deinem Stall hervor treten, deren meiste scheinen, als wären sie dem berühmten Klepper Bucephalo, als des großen Alexanders wehrtisten Reitpferd, befreund't, welchem er zu Ehren und ewiger Gedächtnuß gar eine Stadt erbaut, und selbige nach solchem Roß-Namen genennet; die mehresten dieser deiner Pferd seynd unmuthig, und wird nit ein geringer Unkosten auf dero Unterhalt angewendt. Ich sehe eine solche Menge Hund, Wasserhund, Spürhund, Jagdhund, Pudelhund, Suchhund, Dachshund rc., daß einem möcht einfallen, Actäon[2]) habe bei dir einlogirt. Ich sehe possierliche Affen, spielende Meerkatzen, geschwätzige Papagei, lächerliche Fabian, indianische Raben im Fenster herum steigen; es schwörte einer, diese Behausung wäre eine Copei von der Arche Noe. Alle diese werden ernährt, gespeist, geätzt, gemäst, versehen, versorgt mit Speisen, und der arme Mensch leidet

---

1) eine römische Münze von ungefähr 20 Kreuzern im Werthe.

2) der berühmte Jäger, welchen die Göttinn Diana in einen Hirschen verwandelte (S. das frühere).

Hunger, — der Arme, welcher Christi Person vertritt, hat nichts zu zehren, der Arme, welcher nach dem Ebenbild Gottes erschaffen, wird nit unterhalten.

Jener, obschon lasterhafte, Sardanapalus zu Ninive auf die ernsthafte Predigt des Propheten Jonå låßt unverzůglich ein öffentliches Edict ausgehen, es solle Vieh und Menschen fasten: „homines et jumenta non gustent quicquam!“ Warum aber das Vieh? sollen dann Ochs und Esel auch können gute Werk üben? Nicht derenthalben, sondern Sardanapalus hielt es für ungereimt, wann die Menschen sollen fasten, und das Vieh, welches weit minder und weniger ist, soll essen.

Aber in deinem Haus, in deinem Pallast heißt es: die Thier sollen essen, und die Menschen fasten; dann Pferd und anders Vieh wird sorgfältigist gefüttert, und die armen Leut, bedrångte Bettler, elende Menschen aus Mangl der Lebens-Mittel müssen fasten. So ist dann der ninivitische Sardanapalus und lasterhafte König noch besser als du, als der, als die!

Wie oft hört man auch das gemeine Liedl: Schwester, wo fahrst du heut hin? heut ist die Gesellschaft bei dem von Foppenberg, morgen, wie ich hör', sells seyn bei dem von Lusthausen, übermorgen wird die von Scherzthal eine Merenda [1]) halten, und darbei auch ein Spiel auf meinen Såckel. Eine Zeit her hat mir das Glück nit favorisirt [2]), ich vermein, ich sey mit

---

1) ital. Wort, heißt das Vesperbrod, hier eine Abend-Gesellschaft.

2) war mir nicht günstig.

dem Rucken gegen dem Mondschein gesessen; aber ich wag's heut wieder, mein Herr muß sich doch in nächster Kindbett wieder mit 100 Dukaten einstellen. So, so, nit anderst, si, si, auf solche Weis' kost' die papierne Recreation[1]) ein ehrliches. Es ist mir bei meinem Gewissen bekannt, daß eine Kammer-Jungfrau nur in einem Jahr in die 64 fl. um die Karten ausgeben, dergleichen Spielanetl zu contentiren[2]). Dem Absalon hat ein Eichbaum bei seinen goldgelben Haaren ertappt; einer manchen Dama Gold und Silber erwischt öfter der Eichelbub, sonst cum pleno titulo[3]) Pamphili genannt. Sagt nun mehr, es sey nichts da; wisset und merkts sein wohl: das Geld, welches ihr ein Jahr durch so liederlich durch das Spiel verschwend't, ist fast so viel als den Armen gestohlen. Das ist zwar grob gesagt, aber doch wahr gesagt. Derjenige h. Lehrer, welcher in der Wüste mit einem Kieselstein so stark auf die Brust geschlagen, versetzt euch auch ein Gutes auf das Herz, wann's Fischbein nicht aufhält, indem er spricht: Non sunt tua, quae possides, sed dispensatio tibi credita est[4]). Was du über deinen Stand und Nothdurft besitzest, gehört dir nicht zu, kannst derenthalben mit demselben nit schaffen nach deinem Willen und Wohlgefallen, sondern Gott hat es dir anvertraut, damit du es den Armen sollst mittheilen!

---

1) Erhohlung.

2) diese Spiellust zu befriedigen.

3) „mit vollem Titel."

4) „Das gehört nicht eigentlich dir, was du besitzest, sondern die Verwaltung darüber und die Anwendung ist dir anvertraut worden." — Hieronym. in seinen Briefen.

O was Anzahl der Menschen wird derentwegen jenen erschrecklichen Bescheid und Abfertigung am Tag des Zorns von dem gerechten göttlichen Richter, in Beiseyn aller Auserwählten und englischen Heerschaaren, bekommen: Ite, gehet hin! o Wort entsetzlicher als ein Donnerkeil! ite, gehet hin! o Wort, darob alle Gliedmassen erzittern! ite, gehet hin! o Wort, woran auch der feste Erdboden erbebet! gehet hin ins ewige Feuer, ewige, ewige; dann ich bin hungerig gewest, ihr habt mich nicht gespeist, da doch mehrmal der Ueberfluß auf eurer Tafel stunde; ich bin durstig gewest, ihr habt mich nicht getränkt, indem doch öfters der überflüssige Wein in allerlei Farben eure Credenzen überschwemmt; ich bin nackend gewest, ihr habt mich nit bekleid't, da doch eure Kleider dem Schaben zu einer Beut worden; ich bin bedürftig gewesen, ihr habt mir nichts dargestreckt, da unterdessen eure Spieltisch, Spielbeutel, Spielkästen das Meinige verzehrt; gehet hin, ite!

O Pater, dieser Herr betet so emsig, daß ihm das Maul staubet; diese Frau gehet niemal aus der Kirche, es sey dann, sie habe bei einem jeden Altar eine Meß gehört; sie ist in allen Bruderschaften einverleibt, und hangen so viel Täferl um ihr Bett, als zu Zell in Steiermark, oder zu Alten-Oetting in Bayren; diese Dama nimmt einen ganzen Sack voll Bücher in die Kirche, daß es auch einem Müllner-Esel zu tragen schwer fallte; kein H. Ablaß ist nit, welchen sie nit mit Innbrunst empfanget: wohl fromme Leut alle beide; allein etwas kargs seynd sie, und da ein armer Bettler um etwas anhaltet, so ist nichts da. Auch diese, obschon deiner Meinung nach Heiligmäßigen, auch diese werden Kinder seyn des Verderbens, werden samt andern in den Abgrund der Höll steigen, werden von Jesu Christo verstoßen werden, weil es auch den fünf Jungfrauen keinen Nutzen gebracht, da sie mit der Lilie der Jungfrauschaft geprangt, entgegen aber das Oel der Barmherzigkeit gemanglet. Es lassen sich die Wort des h. Jacobi nit anderst auslegen, als wie sie lauten: Es wird ein Gericht ohne Barmherzigkeit über den ergehen, der nit Barmherzigkeit geübt hat: seynd also alle andere guten Werk ohne die Barmherzigkeit, wie ein Leib ohne Herz, wie ein Herz ohne Leben.

Der h. Castor am Ufer des großen-Fluß Mosel bittet die Schiffleut um ein wenig Salz, indem ein ganzes mit Salz beladenes Schiff am Gestade stunde; weil sie ihm aber solches geweigert, ist das ganze Schiff zu Grund gangen. Die Straf gehet noch hin.

Der h. Senanus bittet bei einem fürstlichen Geschloß um ein kleines Mittagmahl; weil ihm aber die ungeschlachten Bedienten solches rund abgeschlagen, dahero seynd alle Speisen bei der fürstlichen Tafel augenblicklich verfault, und der Wein in ein stinkendes Pfitzenwasser verkehrt worden.

Von dem bekannten Edelmann in Schwaben, Namens Richberger, begehrten die armen Leut bei großer Hungersnoth um ihr baares Geld ein Treid; welche er aber unbarmherzig abgewiesen, der Hoffnung, das Treid soll noch in höhern Werth steigen. Es hat aber der gerechte Gott allerlei schwarze Ochsen (vermuthlich seynd es Teufel gewest) in den Stall geschickt, die das Treid gänzlich verzehrt, worvon der reiche Tyrann in eine Unsinnigkeit gerathen.

Ein gesparsamer Normanier verbürgt das Treid bei harter Theurung, der Meinung, er möcht es noch besser anwehren; hat aber erfahren, daß eine unzahlbare Menge der Mäus nicht allein den Treidboden, sondern seine selbst eigene Person ganz ungestümm angefallen, jämmerlich zerbissen, bis er sich durch ein Gelübd zu der Mutter Gottes errettet hat. Auch diese Rach gehet noch hin.

Der geizige Bischof Walterus hat gedulden müssen, daß sein ganzer Treidkasten mit Krotten und Schlangen angefüllt worden, um weil er den Armen nit ist beigesprungen. Diese Straf ist noch nit die größte.

Zu Leiden in der St. Peters Kirche zeiget man noch ein Brod, welches zu Stein worden, aus Ursachen, weil eine Schwester der andern armen solches abgeschlagen.

Aber laßt euch doch das Ite in ignem aeternum, „Gehet hin in das ewige Feuer!" schrecken. Ein Crucifix löset beide Arm vom Kreutz, und stopft die Ohren zu, als man ein Seel-Amt gehalten für einen Reichen, welcher auch in Gewohnheit hatte, die Ohren zuzuhalten, wann die armen Leut um ein Almosen geschrien. Das ist erschrecklich.

Zu Lucca in Welschland ist der Teufel in einem Franciscaner-Habit, als wäre er ein Sammler desselbigen Convents, alle Tag, 2 Jahr lang, in der Stadt herum gangen, bei allen Thüren das Almosen gesucht;

absonderlich hat er bei einem reichen und wohlhabenden Kaufmann täglich angeklopft, jedoch niemalen etwas, gleich andern Bettlern, erhalten, dannoch ihm die tägliche Lehr hinterlassen, er solle sich bessern; weil aber solches, durch gerechtes Urthl Gottes, niemal geschehen, also hat er ihn nach vollend'ten zwei Jahren samt Leib und Seel in den höllischen Abgrund gezogen. Das, das laß dich schrecken!

Dem reichen Prasser wird sonst kein Laster noch große Missethat von göttlicher Schrift zugemessen, außer daß er des armen Lazari vor der Thür vergessen; dessenthalben ist er in der Höll begraben worden.

Christus Jesus am jüngsten Tag verspricht, und bei seiner göttlichen Parola verheißt er, daß er am jüngsten Tag allein die Werk der Barmherzigkeit wolle auf die Bahn bringen, und selbige belohnen, — von andern guten Werken geschieht weiter keine Meldung; entgegen aber drohet er anbei, daß er nur derentwegen viel tausend und hundert tausend werde ewig verwerfen, um weil solche unbarmherzig gewest gegen die Armen. So laßt euch dann trösten, ihr Barmherzigen des erfreulichen Venite, Kommet her! und laßt euch erschrecken, ihr Unbarmherzigen, das entsetzliche Ite, Gehet hin!

Judas der gewissenlose Bösewicht mit seinem schlimmen Exempel veranlaßt auch andere seiner Mitkollegen zum Murren und unverschamten Reden.

Das ganze Haus, der obere und untere Gaden des edlen Herrn Simon, der sonst ein Cavalier von großen Mittlen, und wie Etliche wollen, ein nächster Anverwandter der Magdalenä und Marthä, war angefüllt von dem edlesten Geruch der theuren und kostbaren Salben, wormit Magdalena ihren liebsten Jesum bedienet; allein dem wilden und unflätigen Misthammel Judä wollt solche nit schmecken, dessen Nase freilich wohl einen andern Balsam verdient, worinnen die Wiedhopfen ihre Schnäbel wetzen: wessenthalben er nit allein ganz frech und unverschamt etliche Schmachwort ausgossen, und mit seinem Lästermaul die lobwürdigste That getadlet: Ut quid perditio haec? „zu was solche Verschwenderei nutze?“ dem radbrecherischen Schelm und Galgen-Schwengel war nur um das Geld, wormit diese so stattliche Salbe ist eingehandlet worden, so leid gewesen. Weil dann die anderen anwesenden Apostel, als dazumal noch nicht in der Vollkommenheit befestigte Männer, solches von ihrem Mitkollega anhörten, und ohnedas sie als treu- und gutmeinende Leutl diesen Furbo [1]) in gutem Con-

1) ital. Wort: Schelm, Betrüger.

cept und hoch-achtbaren Namen hielten, als denen gar nit verhohlen, in was Werth und Würde er bis dato beim Meister gestanden: also haben sie, ob zwar nit aus übel gegründ'ter Meinung, auch angefangen zu murren, und die Köpf zusammen gestoßen, gestalten nit anderst Matthäus im 26. Kapitel die Sach umständig berichtet: Videntes autem Discipuli, indignati sunt dicentes[1]). Welches unbehutsame Reden und Afterurthl mein h. Vater Augustinus meistens dem bösen Exempel des ehrvergessenen Iscarioth zumesset, als der die damal noch ziemlich schwachen Apostel gar leicht zu einer Nachfolg gezogen. War also dem verruchten Lottersbürschl nit genug, sich selbst ins Verderben zu bringen, sondern wies noch andern auch den Weg zum Untergang.

O Erz-Raup! Es ist kein Wunder, daß jener Soldat, von dem Bartholomäus Neapolitanus schreibt, so gar den h. Matthiam nit wollen für einen Patron erkiesen, um weil dieser anstatt des Judå Iscarioth kommen. Indem aber erstgedachter h. Apostel ihm in augenscheinlicher Lebens-Gefahr erschienen, und ihm solchen Fehler scharf verwiesen, mit deutlicher Warnung, daß er des schlimmen Hunds nit künne noch solle entgelten, also hat der Soldat forthin den h. Matthiam eifrigist verehrt, gegen den Iscarioth aber, weil er auch Andere mit seinem Exempel zum Bösen angespornt, im vorigen Haß und billiger Mißgunst verharrt.

---

1) „da dieß die Jünger sahen (nemlich daß Magdalena die Salbe über Jesum goß), so wurden sie unwillig und sagten."

Eine manche, die weniger Zähn im Maul hat, als ein dreißigjähriger Bauern-Kämpl, wird in allweg den Abgang dieser ihrer helfenbeinernen Beißzang verbergen, oder auch, so selbige wegen übermäßigen Zuckerkiffelns die weiße Farb verloren, und also ein Gebiß wie ein alter Bär in Moscau hat, so wird sie auf das genaueste die Lefzen und das Maul wissen inzuhalten, damit solcher Mangel verhüllt und unbekannt verbleibe; willst du aber dero vermantlete Hoffart in etwas entdecken, und einem jeden Anwesenden kundbar machen, was diese für eine finstere Nacht im Maul logire, so fang nur an, nach Art eines faulen Hunds zu gaimetzen[1]), und das Maul ziemlich aufzusperren, alsdann wirst du unverweilt erfahren, daß diese gleich- und ebenmäßig das Freßthor in alle Weite aufreißt, und also einem jeden ganz leicht aus diesem eröffneten Kramerladen zu sehen, was für eine verpafelte[2]) Waar darin. Dann ein Gaimetzer macht den Nächsten auch gaimetzen, als wären die Mäuler in eine Angel zusammen geschrauft. Diesem ist nicht ungleich ein loser und lasterhafter Mensch, welcher mit seinem bösen Exempel und öffentlicher Aergernuß Andere zu gleichmäßigen Unthaten veranlaßt, forderist, wann ein solcher in einem Amt oder hohen Ansehen ist; alsdann heißt es:

A bove majori discit arare minor[3]):

---

1) gähnen; von Gaim, der Gaumen.

2) von bafel, pafel oder pofel, d. i. schlechte, verbrauchte, verlegene Waare.

3) „vom größern Ochsen lernt der kleinere pflügen."

Wie der Vater, also der Sohn; wie der Herr also der Unterthan.

Wie der Baum, also das Obst; wie der Bischof also der Probst.

Wie der Christoph, also der Dofferl; wie die Sophia, also die Sofferl.

Wie der Oberist also der Reiter; wie der Leutenant, also der Gfreiter.

Wie der Acker, also die Ruben; wie der Meister, also die Buben.

Wie der Jäger, also die Jagd; wie die Frau, also die Magd.

Wie der Philipp, also der Lippel; wie der Präceptor, also der Discipel.

Wie das Haupt, also die Glieder; ist solches krank, legen sich diese nieder.

Fällt ein großer Stein von einem Berg, so fallen alsobald kleine mit ihm; gehet ein großes Rad los in der Uhr und fangt an zu laufen, so schnurren gleich die kleinen mit; heult ein alter Wolf im Buchwald, so singen die jungen eine gleiche Mutette; sündiget ohne Gewissen, ohne Schamröthe, ohne Forcht ein Oberer, so werden die Unteren ohne Scheu nachfolgen. Aber wehe, durch welche Aergernuß geschieht! Große Fürsten und Herren prangen gewöhnlich mit kostbaren Edelgestein und Kleinodien; aber das h. Evangelium hängt den bösen und lasterhaften Fürsten anstatt der Edelgestein einen großen Mühlstein an den Hals, wormit sie mehr sollen einen Grund suchen, weilen sie einen grundlosen Wandel führen, dann: Wer einen ärgert, sagt Christus der Heiland selbst, aus diesen Kleinen, welche an mich glauben, dem wäre besser, daß ihm ein Mühlstein an seinen Hals gehängt, und er in die Tiefe des Meers versenkt würde.

Große Fürsten und Herren werden genennt Serenissimi, die Allerdurchleuchtigisten: also erben sie ihren so stattlichen Titul von dem Licht oder Leuchten; welches sie dann fügsam solle veranlassen, daß sie dem Volk mit einem Beispiel sollen vorleuchten, gleichwie die feuerstrahlende Saul den Israeliten in der Wüste. Aber wehe denjenigen, die ihrer so starken Pflicht vergessend mit einem ärgerlichen Lebenswandel auch die Untergebenen in das Verderben stoßen! dann solche große Herren seynd wie ein Leib, ihre bothmäßig Unterworfenen aber seynd wie der Schatten. Nun ist es allbekannt, was seltsame Affenart der Schatten an sich habe, und in Allem des Leibs seine Bewegungen oder waserlei Gebehrden auf das genaueste nachmache: Sauset ein durstiger Bruder aus einem Becher, daß ihm die Augen in die Schwemm fallen, wie es dem Noe nach dem langwierigen Wasser-Arrest begegnet, so thut es der Schatten nach; führt jemand einen wohlgefaßten Streich, wie der Samson mit seinem Esels-Kinnbacken auf die Philister getroffen, worvon die Philister viel Stöß getragen, so macht es der Schatten nach; sticht eine ihrem Mann den Gecken, und zeigt ihm höhnischer Weis' ein arkadisches Ohren-Behäng, wie es die saubere Michol dem David erwiesen, so macht es der Schatten nach, und wird in allweg des Leibs Bewegungen vollkommenest nachaffen; Regis ad exemplum totus componitur orbis[1]), also und nit anderst ist das untergebene Volk beschaffen, welches gar meisterlich weiß ihres Fürsten und Herrn Laster und Untugenden nachzuthun, und ohne Sporn oder weitern Nachtrieb in dero Fußstapfen zu treten.

Wie die wunderschöne Judith in das Lager Holofernis ankommen, hat sich ein jeder an ihrer holdseligen Gestalt vermaulafft, ja sogar die sauberen Herrn Kriegs-Offizier sich verlauten lassen, daß, wann sonst keine andere Ursach wäre, die Waffen wider die Hebräer zu ergreifen, wäre es schon der Mühe werth, Krieg wider sie zu führen, weil so edel-schönes Frauenzimmer sich unter ihnen findet; und gedachten sein diese muthwilligen Gesellen, gegenwärtige Madama Judith sey dermalen eine Reserve für ihren Fürsten, aber wann sie die Stadt werden erobern, so wolle ein jeder sich dergleichen Muster aussuchen; und wässerten ihnen bereits schon die Zähn nach einem solchen Zuckerkandel oder zuckerigen Andl. Es ist sich aber dessen so hoch nit zu verwundern, daß diese Herrn O-vitiales[2]) solche übermüthige Kerl gewest und schlimme Bursch; dann ihr Fürst, ihr Herr, der Holofernes, war ein solcher. Regis ad exemplum, die tadelhaften Sitten eines Fürsten sind eine Vorschrift der Untergebenen. Hörst du, meine üppige Prinzessinn zu Jerusalem, wie du mit dem frechen Tanz

---

1) „Nach des Königes Beispiel richtet die ganze Welt sich."

2) deutsch etwa: diese Taugenichtse, lasterhafte Gesellen.

und leichtfertigen Hupsen den berauschten Herodem also eingenommen, daß er dir das halbe Königreich hat anerboten, und du aber solches aus Einrathung deiner saubern Frau Mutter geweigert, sondern dafür das Haupt Joannis Baptistä begehrt! Warum gleich das Haupt? Wann du hast wollen dich an solchem Buß-Prediger rächen, warum verlangst du nit, daß ihm die Zung solle ausgeschnitten werden, wormit er mehrmal dem Herodi durch sein öfters Non licet[1]) die Wahrheit unter die Nase gerieben? warum supplicirest du nit, daß ihm beide Augen sollen ausgegraben werden, mit welchen er das verruchte procedere[2]) und gottlosen Wandel des ganzen Hofstaates so ungern hat angesehen? warum begehrst du nit, daß ihm die Händ sollen abgehauen werden, mit denen er öfters euch und andern die Höll und unausbleibliche Straf Gottes gedrohet? Diese saubere Husten antwortet aber also: wie daß sie viel weislicher das Haupt begehre; dann wann das Haupt hin ist, so ist Alles hin. Ei, du stinkender Schlepsack, dem ist wohl nicht anderst, als wie du sagst, und muß man diese deine Bosheit für eine halbe Weisheit taufen!

Regis ad exemplum etc. — freilich und nur zu wahr ist es, wann das Haupt hin ist, so ist Alles hin; ist der Landesfürst nichts nutz, so ist das Volk auch nit gut. Der obere Theil des Daches an einem jeden Gebäu wird der Fürst genennt: wann dieser nichts

1) „Es ist nicht erlaubt.“
2) „Her- und Fortgang.“

werth, sondern ganz baufällig, daß allerseits das Regenwasser eindringt, so wird das ganze Gebäu zu Grund gehen; wann große Fürsten und Herren voller Mängel und Missethaten, so wird unfehlbar das untergebene Volk nicht heilig seyn.

Wie Petrus, König in Ungarn, fast keiner ehrlichen Matron verschont, und schier alle Eheband und Ehestand bemailiget[1]), so ist nit einer unter seiner ganzen Soldatesca gewest, welcher ehrlich hatte gelebt. Dazumal hat man wohl können sagen: in Ungarn sey eine treffliche gesunde Luft, weil in viel Jahren keine Jungfrau gestorben; ich glaubs. — Wie Casimirus II, König in Polen, einen sochen lasterhaften Wandel geführt, daß auch die Judens-Töchter und hebräische Esterl vor ihm nicht sicher gewesen, hat solcher Muthwillen, als wär er privilegirt, im ganzen Königreich überhand genommen. — Als Sveno II, König in Dänemark, in öffentlicher Unzucht gelebt, ist das Volk ganz zaunlos und zaumlos in alle Freiheit und Frechheit ausgebrochen, als hätte sich Venus aus Cypern in Dänemark überzogen. Wie Vitissa, König in Spanien, Scepter und Kron mit allem Wust und Laster bekothiget, wollte niemand, so gar auch das geheiligte Priesterthum, nit sauber leben, und ist dazumalen einem in Spanien ganz spanisch vorkommen, wann er einen ehrlichen Menschen ersehen. Wie Kaiser Constantinus Copronymus seine Ehegebene Kaiserinn ohne Fug noch Ursach von sich gestoßen, da sollt jemand gesehen haben, wie

1) befleckt, beschmutzt.

einer um den andern sein Antiquarium[1]) verworfen, die alte Waar um frische vertauscht, und mit ihren Weibern, wie mit den Kalendern umgangen, alle Jahr einen neuen.

Von Henrico, König in Schweden, schreibt Olaus, daß er seines Gleichen in Hexenkünsten und Zauberpossen nit habe gehabt: die Teufel waren ihm bei Tag und Nacht also hurtig und urbietig zu Diensten, daß sie nur auf sein einiges Schaffen oder Winken gespannt; er hat die Sach so weit gebracht, daß, wie er seinen Hut gewendt, also ist der Wind gangen. Eine solche gleiche Beschaffenheit hat es mit großen Königen und Fürsten: wohin sie sich wenden, dorthin wend't sich auch das gemeine Volk, als wie der Wind.

Vor diesem hat es geheißen: laßt uns fahren, nichts mehr sparen, laßt uns fahren in Engelland zu; dann dazumal war das Engelland ein englisch Land, voll der heiligen Beichtiger und Jungfrauen, also daß wenig Münchs-Kappen ohne Schein seynd gesehen worden. So bald aber Henricus der Achte sich von der katholischen Kirche abgeschraufft, und wegen einer Diana putana[2]) den wahren Glauben verlassen, ist ihm alsobald das ganze Königreich nachgefolgt.

Guilelmus von Nassau, Fürst von Oranien, Gubernator in Holland, ist calvinisch worden; und als

---

1) erklärt P. Abr. selbst durch alte Waar. Antiquarium ist nemlich ein Aufbewahrungs-Ort für Alterthümer.

2) etwa: wegen eines nichtsnutzigen Weibes (putana leitet P. Abr., wie es scheint, von dem lat. puteo, faul seyn, stinkend seyn, ab. Ist auch schon öfter vorgekommen).

er einst seinen Hut abgezogen, hat er mit den Fingern auf seinen Kahlkopf gedeut, sprechend: ob er zwar kahl sey auf dem Kopf, so sey er doch mehr kahl im Herzen, verstunde calvinisch. Ist nachmals nit lang angestanden, so seynd die meisten Holländer in ihres Gubernator Fußstapfen getreten. Regis ad exemplum etc.

Von Caverle nach Venedig segelte ein großes Schiff, worin dreihundert Schaf waren, einem Edelmann zugehörig in Venedig. Auf solchem Schiff hat sich auch ein reicher und wohlhabender Kaufmann befunden, welcher, wie öfters geschieht, von einem sanften Schlaf übergangen, und dahero auf einer Bank mit dem angefangen zu napfetzen[1]). Als solches der Widder unter genannten dreihundert Schafen wahrgenommen, daß der Kaufmann stets mit dem Kopf in die Nieder bockle[2]), hat er es nit anderst ausgelegt, als werde er zu einem Duell oder Haupt-Kampf eingeladen; dahero sich unverweilt in die Postur gestellt, auch in etwas zuruck gewichen, desto kräftiger Attaque[3]) zu führen, — wie er dann mit seiner harten Parocca so stark den Kaufmann an die Blassen[4]) getroffen, daß er über die

---

1) aus Schläfrigkeit mit dem Kopfe nicken (im oberösterreichischen Dialecte).

2) oder bocken, wie auch: einen Bock machen heißt hier stoßen wie ein Bock; in die Nieder d. i. nach unten.

3) den Angriff.

4) die Blassen, Blässe od. Blesse ist eigentlich ein weißer Fleck auf der Stirn gewisser Thiere; dann wird das Wort auch überhaupt gebraucht für die Fläche der Stirn. So hier; sonst mehr bei Thieren, als bei Menschen.

Back hinunter gefallen, welches dem guten Herrn, wie billig, nit ein wenig verschmacht, ja in eine solche Cholera und Grimmen gezogen, daß er gleich aus unbändigem Zorn den Widder ergriffen und ins Meer hinaus geworfen. Sobald solches die Schaf ersehen, seynd deren alle mit großem Gewalt hinnach gesprungen, und folgsam alle ersoffen. Sagt her, ihr Herren Juristen, ob der Kaufmann schuldig sey, den erlittnen Schaden aller dieser Schaf zu refundiren[1])? Wann er gewußt hat, daß allezeit dem Widder nachfolgen die Schaf, so ist er im Gewissen verpflicht, allen hierin erlittenen Schaden zu ersetzen.

Ihr Fürsten, Herren und Herrscher vieler Länder und Landschaften, seyd wie ein Widder bei den Schafen! wie ihr wandelt, wie ihr gehet, so folgen euch die Unterthan und Vasallen nach: stürzt ihr euch in allen Muthwillen und Laster, so eilet das Volk auf dem Fuß nach. Wie der König Nabuchodonosor, also seine Herren Ministri und das ganze Volk; wie Herodes zu Jerusalem, also die Edel-Leut und Burger daselbst; wie der König Sedecias, also seine Landsassen; wie der König Jeroboam, also seine Unterthanen; wie der König Ptolomäus, also seine Egyptier; wie der jüngere Clodovaus, also seine Franken; sed vae mundo à scandalis! „wehe, wehe solchen Fürsten und Herren, die mit ihrem sündigen Wandel und Aergernussen auch andere zum Verderben ziehen!" Daß in euerm Land eine schändliche, schädliche Venus-Brunst entstanden, ihr seyd

1) ersetzen.

daran schuldig; dann ihr habt das Feuer angeblasen mit eurem bösen Exempel; daß so viel Tausend der Eurigen an Seel, Seligkeit Schiffbruch gelitten, ihr seyd daran schuldig; dann ihr habt solche Wellen und Ungestümme erweckt mit eurem bösen Exempel; daß so unzählbare viel der eurigen Unterthanen zum ewigen Untergang eilen, seyd ihr daran schuldig; dann ihr habt ihnen den Weg gewiesen mit eurem bösen Exempel! Wie werdet ihr bestehen? o wehe euch, wann ihr sollt und müßt und werd't Rechenschaft geben dem göttlichen Richter, nit nur wegen eurer eigenen Seel, sondern so viel tausend und tausend, die ihr durch Aergernuß und böses Beispiel zum Sündigen geleitet, sie dem allmächtigen Gott ungerechter Weis entfremd't, und dem Teufel geopfert! wehe euch! Regis ad exemplum.

Wehe den Geistlichen, durch welche Aergernuß kommet! Ihr habt den Namen von Christo Jesu selbst erhalten, daß ihr ein Licht und brennende Kerze auf dem Leuchter seyet. Nun wißt ihr gar wohl, wann eine Kerz auslöscht: pfui Teufel, wie stinkts! und ist solcher widerwärtige Gestank höchst schädlich, kann auch derselbige üble Krankheit verursachen. Was verursacht aber mehr Uebels und merklichen Schaden, als wann ein Geistlicher, ein Priester, als ein schön-scheinendes Licht, welches den Weltmenschen soll vorleuchten in der Lieb Gottes und Tugend-Wandel, erlöscht, und folgsam einen verdammlichen Gestank der Aergernuß von sich gibt?

Es ist kein Wunder, daß die Edel-Leut zu Jerusalem, die Handwerker zu Jerusalem, die Soldaten zu Jerusalem, die Kaufleut zu Jerusalem, die Schreiber zu Jerusalem, die Tagwerker zu Jerusalem, das ganze Volk zu Jerusalem hat mit heller und einhelliger Simm aufgeschrien: crucifige, crucifige, „man soll Jesum kreuzigen!" Es ist sich aber dessen nit so stark zu verwundern; dann sie haben gesehen, daß Ihro Hochwürden der Caiphas, Ihro Hochwürden der Annas, Ihro Wohlehrwürden die Pharisäer, Ihro Ehrwürden die Leviten, und die gesamte Geistlichkeit der Synagog nichts anders getracht', als Jesum aus dem Weg zu raumen; dessenthalben haben sie auch keine Scheu, keinen Scrupel, noch Gewissen gemacht, eben solches nachzuthun.

Nadat und Abiud, des großen Aaraonis leibliche Söhn, beide Priester, haben fremdes Feuer gebraucht zu dem göttlichen Opfer wider das Gesetz des Allerhöchsten; dessentwegen vom Feuer grimmig ergriffen worden, daß sie vor dem Altar todt dahin gefallen. Daß sie aber dergleichen groben Fehler begangen, war Ursach der starke Rausch, den sie gehabt. Wie solches das andere Volk öfter von ihnen ersehen, daß sie dem Wein also ergeben, ist gar leicht zu vermuthen, daß sie sich nicht wenig hierdurch geärgert, und etwan einer dem andern zugesprochen: Brüder, laßt uns saufen, bis uns die Haar geschwellen; laßt uns trinken, bis Lunge und Leber schwimmen; laßt uns zechen, bis das Weinfaß auf dem Kopf siehet, saufen doch unsere Pfaffen auch rc. O wehe der Aergernuß!

Ein Mann, und vermuthlich ein Burger von Jerusalem, reiste nach Jericho, und hatte das Unglück, daß er in einem dicken Wald und finsteren Gehölz, auf hebräisch Adamin genannt, unter die Mörder gerathen, welche ihm alle seine Baarschaft und gute Kleidung gewalltthätig hinweg genommen, auch darzu dergestalten durch Hauen und Schlagen mit ihm verfahren, daß der arme Tropf halb todt dahin gelegen. Eben diese Strasse und Weg ist gleich hernach auch durchpassirt ein Priester von Jerusalem, der dieses elenden Menschen zwar ansichtig worden, massen er nächst an dem Weg gelegen, sich aber (o wohl ein hartes Gemüth!) seiner nicht erbarmet, sondern dem Pferd den Sporn geben und also vorbei. Bald nach diesem reist ein Levit, welcher so viel, als bei uns ein Diaconus, selbige Strasse, der auch auf gleiche Weis' den elenden Menschen angetroffen, seiner aber sich im wenigisten nicht erbarmet, sondern ohne weiters Bedenken seine Reis' fortgesetzet, bis endlich ein Samaritan Weg halbers dahin getreten, welcher alsobald ein innigliches Mitleiden gegen ihn geschöpfet, und nach vielem Zusprechen und trostreichen Worten ihm seine Wunden verbunden, mit sich in die Herberg geführt, allwo er nach Möglichkeit mit sonderm Fleiß bis zu völliger Genesung bedient worden. Wie solches unter den Burgern zu Jerusalem, unter den Bauern um Jerusalem kundbar und lautmährig worden, wer weiß, ob sie sich nit haben hören lassen: Pfui Teufel, sprechend, was haben wir für saubere Pfaffen; wann der Samaritan nit gewest wäre, hätt' unser Mitburger, der gute Mann, müssen elend verderben! sie predigen uns viel von Abscheulichkeit des Geizes; entgegen ist dem Priester nur gewest um etliche Groschen, der Levit hat geforchten, er muß den Beutel ziehen, und derentwegen beide den armen Tropfen verlassen; seynd das nit heilige Pfaffen! Sie streichen uns so stark hervor die Werk der Barmherzigkeit, und entzwischen könnt' einer ehender aus einem Kieselstein Wasser locken, als aus ihnen einen Pfenning: es muß allem Ansehen nach die Höll nit so heiß, der Teufel nit so schwarz, der Weg gen Himmel nit so schmal, die Glorie nit so theuer, Gott nit so streng, die Gebot nit so wahr seyn, wie sie uns vormalen, indem sie es selbst also schlecht, ja öfters gar nicht halten, noch beobachten. O wehe, o wehe solchen Geistlichen, durch welche Aergernuß kommet!

Es kommen in einem Wirthshaus zusammen an einem Sonntag ein Schulmeister aus einem Markt, ein Burger aus der Stadt, ein Baur aus einem Dorf und ein Soldat aus dem Feld. Diese setzen sich zu einer Tafel, bei der Tafel in eine Zech, bei der Zech in eine Ansprach; das meiste Reden aber betraf die Geistlichen. Der Soldat schwört bei tausend Teufeln, ihr Regiments-Pfaff habe mehr nach Beut' als Leut' diesen Feldzug getracht, und sey mehr aufs Stehlen, als auf Seelen gangen, er habe mehr Trapulier als Brevier bei ihm gesehen, sey lieber mit Becher als Bücher umgangen. Ob er sich viel auf den Himmel verstehe, das wisse er zwar nicht, ja er zweifle daran; aber auf die Stern verstehe er sich hauptsächlich, dann er habe ihn nit nur einmal sternvoll gesehen. O schönes Lob! Der Bauer mit seinem feuchten Maul, aber gleichwohl ungewaschenen Goschen, will hierin nit der geringste seyn: ja, ja, sagt er, unsere Herren Geistlichen kommen mir vor, wie die Glocken in unserem Kirchen-Thurm, die leuten andern in die Kirche, und sie bleiben selbst drausen; unser Herr Geistlicher sagt uns viel vor und thut es selbst nit; er hat das nächste Mahl geprediget, daß Fraß und Füllerei eine große

Sünd sey, und er saufst fast alle Tag mit unserem Edelmann bis um 12 Uhr in die Nacht, daß er also oft eine Marter-Saul für einen Bettler, das Meßner-Haus für einen Heuwagen, und sogar das nächstemal ein Paar Stiefel für ein Messer-Gesteck hat angesehen. Der Meister Conrad als Burger kount kaum erwarten, bis des Bauern Lobpredigt ein Ende hat; brach demnach alsobald in diese Wort aus: meine Leut, wir haben ein Kloster bei uns, darin seynd 18 Mönche, der Prediger unter ihnen tummelt sich freilich wohl steif auf der Kanzel, etliche Feiertäg nacheinander hat er etwas von Fried und Einigkeit eingeführt; man weiß es aber gar zu wohl, das er das nächste Mal himmelblaue Augen und eine bleßirte Nase darvon tragen; er gab vor, als sey ihm ein Buch von der Gestell auf den Schmecker gefallen; es reimt sich aber in der Wahrheit, wie eine gute Faust auf ein Aug: frag einer nur ihren Kirchen-Diener, der wird es gar umständig erzählen, wie der Sacristan und Prediger miteinander duellirt, und die Sach so weit kommen, daß einer den andern hauptsächlich mit der trucknen Faust arquebusirt [1]). Sie leben untereinander, daß es dem Henker möcht grausen, und uns wollen sie alleweil einen Schein auf den Kopf naglen, das heißt: dicunt, et non faciunt [2]). Ja, Ja, sagt der Schulmeister, ich bin wohl besser versirt [3]) in dem Pfaffen-Protocoll,

---

1) franz. Wort, spr. arkebüsirt d. i. tüchtig durchgeblaut, geprugelt.

2) „sie reden zwar, aber thun selbst nicht darnach."

3) bewandert.

als ihr alle; ich wollt nur wünschen, ihr verstünd't lateinisch, so wollt ich es auslegen die Wort in der Bibel: viderunt Filii Dei filias hominum, quod essent pulchrae etc. [1]). Einer oder der andere Geistliche darf mir nichts sagen, sonsten zeig ich ihm gleich einen gemalten Vogel, welcher auf der Brust ein Menschen-Gesicht hat mit einer gewichtigen Nase, die er in dem Schnabel hält, worunter geschrieben: Nosce te ipsum, „nimm dich selbst bei der Nase!" O wehe, wehe solchen Geistlichen, durch welche Aergernuß kommen!

Gar wohl bekannt ist jene überaus köstliche und künstliche Statua oder Bildnuß des Königs Nabuchodonosors, dero Haupt von purem Gold, die Brust von Silber, der Leib von Erz rc. gewesen; solche hat ein einiges Steinl vom Berg getroffen und Alles zu Trümmer gemacht. Ein Berg ist ein Geistlicher wegen seiner priesterlichen Hoheit; ein Steinl ist ein Aergernuß, petra scandali [2]).

Eine stattliche Statua ist mancher fromme Mensch, welcher ganz guldene Gedanken, eine silberne Intention und ein metallenes oder erz-starkes Vorhaben hat, geistlich zu werden, in einen h. Orden zu treten; siehet aber, daß dieser und dieser Geistliche unbehutsam in Reden, leichtfertig in Gebehrden, lasterhaft im Wandel, und mit dem Rappen aus der Arche Noe bei stinkendem Aas seine Speis suchet: ach wehe der Aer-

---

1) „Es sahen die Söhne Gottes die Töchter der Menschen, daß sie schön wären."

2) „ein Stein der Aergerniß, des Anstoßes."

gernuß! dieses einzige Steiul wirft sein ganzes, herrliches, heiliges, rühmliches Vorhaben zu Boden, und schließt bei sich selbst, lieber weltlich verbleiben, weil er siehet, daß auch die Geistlichen nichts nutz seyn. Vae mundo à scandalis!

Im Meer ist ein Fisch mit Namen Polypus, der solche wunderliche Eigenschaft hat, daß er sich gern an die Felsen und Schroffen anheft und ganz dero Farb annimmt: also wann dergleichen Felsen schwarz seynd, so ist er auch schwarz, seynd sie grau oder grün, so tragt er gleichmäßige Liverei. Wie der Polypus, so ist Populus das Volk: dieses verläßt sich und hält sich fast auf ihre Geistlichen; wie diese gefärbt, also auch das Volk: ist die ehrwürdigiste Priesterschaft weiß und unschuldig in ihrem Wandel, so wird das Volk deßgleichen seyn; machen es aber die Geistlichen gar zu braun, so find't man diese Farb ebenmäßig bei dem Volk; da heißt es: peccavimus cum Patribus nostris[1]). Daß der mehreste Theil des lieben Deutschlands in größtem Zwiespalt wegen des Glaubens gerathen, und sich ganze Königreich und Länder von dem Gehorsam des römischen Stuhls entzogen, wer ist anderst Ursach, als die damalige im Gewissen und Wissen tadelhafte Geistlichkeit? wie dann eben 1517, als Lutherus den 31. October an der Vigil aller Heiligen zu Wittenberg angefangen zu wüthen, in dem Concilio Lateranensi ist beschlossen worden de reformandis Ecclesiae mo-

1) „wir haben gesündiget mit unsern Patern (Vätern).“

ribus — Sleidanus[1]) — die Geistlichen in bessere Zucht zu bringen, und dero sträflichen Wandel und ärgerliches Leben zu zaumen. Darum jener Deutsche nit übel geredet, wie er des h. Caroli Boromäi auferbaulichen und heiligen Wandel gesehen: O, sagte er, hätte Deutschland boromäische Bischöf gehabt, wär' es wohl nie von dem katholischen Glauben abgewichen!

Volsäus zu London, Albericus zu Prag, Wernerus zu Straßburg, Gobadeus zu Neapel, Hardinirus in Italien, Udo zu Magdeburg und viel andere hohe Geistliche wegen ihres boshaften Wandels was Aergernuß haben sie nit geben der Welt! O wehe, o wehe solchen!

Wehe, wehe denen Eltern, durch welche Aergernuß kommen! In der h. Schrift wird registrirt von einem großen Miracul und Wunderwerk: Factum est grande miraculum. 4. Mos. 26. Als der aufrührische Core mit dem Dathan und Abiron sich gegen den Moses und Aaron aufgeleint und sehr großen Tumult erweckt, hat Gott solchen sträflichen Zwiespalt nit ungerochen gelassen, sondern alsobald dem Erdboden befohlen, er sollt seinen Rachen und Schlund aufsperren und besagte drei meineidige Gesellen lebendig verschlucken. Wie es dann nit anderst ergangen; dann nach kurzem Verweis und ernstlicher Wort-Bestrafung des Mosis hat sich die Erd aufgethan, und seynd diese mit Leib und Seel zum Ab-

---

1) „im päpstlichen Rathe ist ein Beschluß über die Verbesserung der Sitten der Kirche gefaßt worden — nach Bericht des Geschichtschreibers Sleidanus.

grund gefahren. — Das größte Wunder aber bestund in dem, daß nemlich der Vater Core zu Grund gangen, seine Kinder aber, die hart neben seiner gestanden, nichts gelitten; und wird glaubwürdig von den heiligen Vätern vorgeben, als habe Gott durch seine heilige Engel gedachte Söhn empor in die Höhe gehalten dazumalen, wie sich die Erd eröffnet, daß also der Vater zu Grund gangen, seine Söhn aber nicht. O miraculum grande! o großes Miracul und Wunder! ein Vater geht zu Grund, seine Söhn nit; ein Vater fährt zum Teufel, und seine Söhn nit; o Wunder über Wunder! Sonst gemeiniglich nach dem Vater leben die Söhn: hab auch noch niemalen gehört, daß die alten Frösch gequackitzet, und die jungen wie Nachtigallen gesungen; es wäre was Neues, wann die alten Rappen ihre Kuchel aufschlagen bei einer Schinder-Hütte, und die jungen bei einem Biskoten-Becker; soll es dann seyn können, daß alte Krebsen hinter sich gehen, und die jungen ganz gravitätisch vor sich spazieren? Ein großes Wunder ist es, wann die Eltern lasterhaft leben, und die Kinder tugendhaft; gemeiniglich an den Eltern spieglen sich die Kinder.

Ihro Majestät die Königinn Michol, des Davids Frau Gemahlinn, war über alle Massen eine stolze Docke; sie hat wohl nit mehr zuruck gedenkt, wie ihr Vater Saul ein Eseltreiber war. Zwar es gibt ihres Gleichen mehr, die durch das Glück erhoben, sich nachmals ihres Herkommens schämen, und darf mancher gestrengen oder gnädigen Frau nit gesagt werden, daß ihre Mutter eine Näherinn, und ihr Vater ein armer Hafner gewest; dann sie ist schon eine von Nadelhofen und Kachelburg. Weil dann obgedachte Königinn Michol eines so übermüthigen und hochmüthigen Sinns war, hat sie Gott mit der Unfruchtbarkeit gestraft: weil er hat vorgesehen, wann sie sollte Töchter erzeugen, würden gleichmäßig nach dem Exempel der Mutter solche hoffärtige Grind-Schippel daraus werden. Wie die Mutter, also die Tochter.

David ist den Weibern nicht gar feind gewesen, dessen sattsame Zeugnuß die Versabea: Ammon und Salomon, seine Herren Söhn, waren gleichmäßig von solcher Lieb angesteckt und angestänkt. Wie der Vater, also die Söhne.

Ist der Vater ein Bachus-Bruder, welcher vor läuter übermäßigem Weinsaufen rothe Augen bekommt auf cyprianisch Tauben-Art, und also wegen solcher schlechter Fenster das ganze Gebäu muß Schaden leiden: so wird der Sohn nit weniger Martius seyn im October-Saft, und auch lernen aus Trinkgläsern Kupfer zu machen.

Ist der Vater, mit Ehren zu melden, ein Lügner, und im Maul ein größers Messer tragt zum Aufschneiden, als jener Bauer im Magen, welcher ein mehr als Spann langes Messer geschlückt, so aber mit einem Magnet-Pflaster ohne Schaden ganz künstlich von ihm gezogen worden, und annoch in der kaiserlichen Kunst-Kammer zu Wien gezeigt wird: so wird der Sohn auch gesparsam seyn in der Wahrheit, und in allen Reden den Lugo[1]) citiren; auch

1) Lugo ist wirklich der Name zweier sehr berühmter Brü-

einem solchen gar leicht ein Secretum[1]) wäre zu vertrauen, dann so ers schon offenbart, würd' es ihm als einem Lügner niemand glauben.

Ist der Vater ein Spieler, dessen meistes Traficiren[2]) in Trapuliren bestehet, und da man anderstwo die Hadern und Lumpen zu Papier macht, ihn aber macht das Papier, verstehe die Karten, zu Lumpen und zerrissenen Hadern und äusseriste Armuth: so wird der Sohn auch beherzt in Herz, floriren in Grün, närrisch in Schellen, säuisch in Eichlen seyn.

Ist der Vater ein Buhler, und in seinem Gewissen die Wort Non moechaberis[3]) mit bleicher Dinte geschrieben, und bei ihm nach dem A, B, C, D gleich das F folgt, und öfter das E[4]) überhupft: so wird der Sohn ebenfalls syllogisiren in Barbara, und mehrmal bei der guldenen Kuh, wie Moses beim guldenen Kalb, die Gebot brechen.

Ist der Vater ein Flucher und Gotteslästerer, bei dem es auch mitten im Winter donnert und hagelt, der wie ein grünhosender Frosch und Lachen-Musikant mit seiner Pfund-Gosche und verdrießlichem Tenor den Himmel selbst anquackitzet, und also der Lümmel den Himmel mit Getümmel antastet — wohl

---

der aus dem Jesuiten-Oiden, welche Anfangs des 17. Jahrhunderts lebten und schrieben.

1) Geheimniß.

2) „Handel, Gewerb treiben, von Trafik, der Handel, das Gewerbe, aus dem Französischen.

3) „du sollst nicht ehebrechen."

4) d. i. die Ehe.

ein Gott mißfälliger Boanerges: so wird der Sohn ebenfalls ein jedes Wort mit 100,000 Teufel füttern, und in allweg supra mentem[1]) sapramentiren.

Ist der Vater ein Dieb und Partitenmacher, der weit besser die Leut, als die Schwalben den Tobias weiß zu besudlen, und folgsam in den 7 Tagen der Woche das 7te Gebot: du sollst nicht stehlen! 77 mal vergißt, und also solcher Mammons-Bruder den Ablativum niemalen decliniret[2]): ja so wird der Sohn nit wie ein frommer Loth die Fremden, sondern wie ein schlimmer Lottersbub das Fremde lernen zu sich ziehen und wissen, beim klaren Sonnenschein einen hiner das Licht zu führen.

Ist die Mutter stolz und hoffärtig, und die mehreste Zeit sich mit dem Spiegel, als einem gläsernen Aufstecher berathschlaget, damit ihre Stirn sich möglichst schreiben von Glattau aus Schlesien, ihre Augen von Sternberg in Böhmen, ihre Wangen von Rothenburg am Neckar, ihre Leszen von Roseneck in Preußen, ihr Hals von Lilienfeld in Oesterreich, und also das Gesicht-Waschen, Reiben, Glätten, Beglen[3]), Färben, Poliren, und Zieren ihre meiste Arbeit: so wird die Tochter nit weniger nach Pracht und Tracht dichten, und mehr Acht haben auf ihre Haut, als Gedeon auf seine Schaf-Fell.

---

1) unverständig, gottlos.

2) den Wegnahme-Fall nie abbeugt (von sich wendet). Ist schon öfter da gewesen.

3) für Bügeln.

Ist die Mutter also beschaffen wie die Frau des egyptischen Putiphars, welche nt des Josephs Mantel ihre Bosheit suchte zu vermntlen, wo der englische Jüngling weit unsicherer wa bei dieser jungen Pfütze, als vorhero in der alten istern: so wird, glaub mir darum, die Tochter meh diocletianische, als lucretianische Sitten, an sich nemen, mehr in Catharinä de Bore, als Catharinä Senensis[1]) Fußstapfen treten, daß also zwischen ein solchen Agnes und Lupa[2]) kein Unterschied zu finden

Ist die Mutter faul wie ein Saumgaul[3]), ist die Mutter stolz wie ein Cederholz, ist die Mutter beschaffen wie die verliebten Affen, ist ie Mutter eine Buhlen wie die Venus-Schulen, istdie Mutter im Trinken wie im Sommer die Finke: so wird die Tochter selten anderst seyn.

Anno 1560 hat eine Frau, ie die Chronik der Kapuciner meldet, eine neue stolz Jezabel in Li-

---

1) Diokletian, ein römischer Kaiser steht bei P. Abr. nicht in großen Gunsten, weil er die Christi verfolgte; ebensowenig Katharina de Bora, welche früer Nonne — später die Gemahlinn Luthers geworden ist Dagegen ist die schon öfter erwähnte Lucretia auch ihn das Muster der Keuschheit, und die gleichfalls schon einige Mal angeführte Katharina Senensis war eine Heilige.

2) Agnes heißt keusch; Lupa dagegen heißt eine Wölfinn, und mit diesem Namen bezeicneten die Römer zugleich eine übel berüchtigte Weibperson, die sich öffentlich Preis gibt.

3) Lastgaul, Lastpferd.

guria, den berühmten Mann Patrem Angelum aus gedachten Orden zu sich berufen in ihrer Krankheit, wo ihm mit heller Stimm angedeut', daß sie verdamt sey derenthalben, weil sie zu stolz und prächtig in Kleidern gewest, und solchergestalten auch ihre Tochter erzogen, forderist, weil sie ihrer Tochter ein neues Kleid hat machen lassen, (merks, mein Frauenzimmer! dergleichen Modi und Materie in der Stadt nie gesehen worden; welcher nachmalens alles Frauenzimmer nachgefolgt. Kaum daß sie dieses ausgeredt, hat sie der böse Feind bis auf den obern Boden erhebt, und mit solcher Gewalt auf die Erd herab geworfen, daß sie ganz tobend und rasend ihre elende Seel aufgeben.

Wie ein groß Rad in der Uhr gehet, so gehen auch die kleinen; wie die alten Spatzen pfeifen, so pippen auch die jungen; wie die Sonn gehet, so wend't sich auch die Sonnen-Blum; wie die obern Gestirn, also auch die unteren Geschöpf wegen dero Influenz[1]): wie die Eltern, also die Kinder.

Bey dem reichen Prasser war es alle Tag Kirchtag, allzeit eine Mahlzeit, allemal ein Gastmahl; es hat stets geheißen: trag auf und zett'[2]) nit, schenk ein und schütt nit, greif in die Schüssel und schäm dich nit. Endlich hat ihn der Schlag getroffen, und

---

1) Einfluß.

2) Zetten heißt: theilweise fallen lassen, verlieren. So sagt man von Kindern, daß sie zetten, wenn sie die Speisen, welche sie zum Munde führen wollen, zum Theil verlieren x.

also ohne weitern Aufschub zum Teufel gefahren. Dann wegen seines steten Fressens hat er bei unserm Herrn die Suppe verschütt, theils, weil er auch dem armen Lazaro vor der Thür nit einen Bissen mitgetheilt. Der elende Bettler hat gesehen kochen, braten, sieden, backen, rösten, aber nie trösten; beim Reichen war alle Tag ein Mandel-Muß, beim Armen alle Tag ein Mangel-Muß; beim Reichen alle Tag eine Fresserei, beim Armen alleweil eine Fretterei [1]); beim Reichen war alleweil das Fassen, beim Armen alleweil das Fasten: es wünschete sich der hungerige Tropf, daß er dörfte die Brösel unter dem Tisch aufklauben und mit den Hunden daselbst in die Kost gehen, nemo ei dabat, „aber niemand gab ihm etwas." Es hat ja dieser reiche Gesell auch Kinder gehabt? Ich zweifle nit. Soll dann keins aus ihnen so barmherzig seyn gewest? Nemo, niemand hat ihm was geben: es hat ihm der junge Herr nichts geben, es hat ihm die Fräule nichts gespendirt; dann nach dem Exempel des Vaters leben die Kinder. Nemo, weder Lakei, weder Pagen, weder Aufwärter, weder Kutscher, weder Reitknecht; nemo, weder die Köchinn, weder das Kuchl-Mensch, welche beede sonst gar oft einer alten Kupplerinn wegen der Löffel-Post den Topf und Kropf angefüllt; nemo, kein Mensch im Haus war so barmherzig, der dem armen Lazaro einen Bissen hätte zugeworfen: weil nemlich auch ihr Haus-Herr so unbarmherzig war.

---

1) Stümperei, Armseligkeit, Mühseligkeit.

Man sagt von einem Kapellmeister, der hohen Alters halber gar ein schwaches und blödes Gesicht hatte, dessenhalben stets sein Nase mit einem Paar venetianischer Brillen, als mit einem gläsernen Sattl, versehen mußte, daß er auf eine Zeit in der Kirche vorgesungen, und also eine Mucke in dem Gesang-Buch oberhalb der schwarzen Linie gesessen, glaubte er gänzlich, dies sey eine musikalische Note, wessenthalben er seine Stimm' erschröcklich erhebet und jämmerlich aufgeschrieen, wie die Wölf, so sie den Vollmond ansingen; worauf auch alsobald die Kapell-Knaben nachgehend, und eine so unförmliche Musik gemacht, daß den Leuten schier das Gehör versallen. Wer war daran schuldig? Der Chor-Regent und Kapellmeister. Im Haus seynd Vater und Mutter: wann nun diese schlimm singen, so thun die Kinder deßgleichen. Wann der Vater bei der Tafel eine Sprach redet, wie der Cham, wann er mehr einen cyprischen als cyprianischen Discurs führet, wann er nit einen Propheten, wie der Wallfisch den Jonas, sondern einen solchen Poeten auswirft, der ganz ungereimte Reim eines nasenwitzigen Rasonis vorträgt: so ist kein Wunder, daß nachmals einen gleichen Tripel die Kinder intoniren. Wann Vater und Mutter in Gegenwart der Kinder solche freche Gebehrden zeigen, wie jene alten Tauber zu Babylon in dem Lustgarten Susannä: so fallen solche Funken in Heu und Streu der Kinder, und zünden an, was ohne dem gern brennt. Aber wehe solchen Eltern, durch welche Aergernuß kommt! Wann Vater und Mutter schläfrig seynd in dem Dienst Gottes, und hören nur Meß, wanns im Kalender roth geschrieben steht: so werden die Kinder ebenmäßig so inbrünstig seyn, wie ein Eiszapfen im Januario, und folgsam lieber zum Tanz als Rosenkranz gehen.

Wie die Ephraimiter vom wahren allmächtigen Gott abgetreten, und sich zu den falschen Abgöttern gewendt, dazumalen, sagt die hl. Schrift Jerem 7, haben die Väter angemacht, die Mütter Küchel gebacken zum Opfer vor solche Götter; was aber die Kinder? etwann haben sie die Augen gegen den Himmel gewendt und den jenigen angebet', so da Himmel und Erd erschaffen? O nein! die Kinder haben das Holz zu besagter abgötterischen Kocherei zusammen geklaubt: „Filii colligunt ligna, et Patres succendunt ignes, et Mulieres conspergunt adipem, ut faciant placentas Reginae Coeli et libent Diis alienis.“ Wie die Eltern, also die Kinder; ein schlimmer Vogel, ein schlimmes Ei; ein schlimmer Baum, eine schlimme Frucht; wie der Acker, also das Treid; wie der Autor, also das Buch; wie der Weinstock, also die Traube; ein schlimmer Fisch, ein schlimmer Rogen; seynd die Eltern nichts nuz, so seynd auch die Kinder unerzogen. Aber wehe solchen Eltern!

Nach dem letzten Abendmahl hat der Herr Jesus den Peter, den Joannes und Jacobum mit sich genommen in den Garten Gethsemani, welcher fast eine viertel deutsche Meil abgelegen von der Stadt Jerusalem, nächst dem Thal Josaphat, allwo der Bach Cedron durchrinnt, und der Zeit die Türken ihr Begräbniß daselbst haben. In diesem Garten hat sich der gebenedeite Heiland ein wenig abgesondert von den 3 Aposteln, mit dem Verlaut, wie daß seine Seel betrübt sey bis in den Tod; sollen demnach allda verbleiben und wachen. Nachdem er nun einige Zeit im Gebet zugebracht, kehrte er wieder zuruck zu seinen geliebten Jüngern, und weil er dieselben schlafend angetroffen, hat er alsobald dem Peter einen kleinen Verweis geben: Simon dormis, Simon schlafst du? hast du nit können eine Stund mit mir wachen?

Warum redet der Herr allhier den Peter allein an und leset ihm die Planeten? warum beschuldigt er nicht auch die anderen zwei? haben sie doch auch geschlafen, auch wacker geschnarcht, und folgsam ein gleiches Capitel wie Petrus verdient! Darum, darum hat Petrus den Verweis bekommen, weil er das Haupt war der Aposteln, und also die Ursach gewest, daß die anderen auch geschlafen; dann wie diese zwei vermerkt, daß Petrus die Augen zuschließt, daß er anfangt zu napfetzen und schlafen, so gedachten sie: gehet es ihm hin, der unser Haupt, so gehet es uns auch hin. War also des Petri gegebene Aergernuß bei Gott strafmäßig, deßwegen hat es geheißen: Simon dormis?

Wann ein Vater diese oder jene Untugend an sich hat, der Sohn thut es gleich nach: wie ich dann selbst einen Knaben mit 4 Jahren gekennt, welcher schon mit Stern- Million- Galle- Rennschiffel- Blut- Mord- Sapra ꝛc. gescholten. Du Vater, du, du gib Rechenschaft, du bist der Mörder der Seele deines Sohns! Wann die Mutter mit Galanen und Geilanen, mit Buhlern und Schülern umgeht: die Tochter spieglet sich daran, und mit 10 Jahren weiß sie schon, quod foemina sola reposcit, quae maribus solum[1]) etc. Du, du Mutter gib Rechenschaft, du bist der Wolf, welcher das Lammel zerrissen! Führen die Eltern einen sträflichen Wandel und lasterhaftes Leben, so scheuen sich die Kinder nit, in dero Fußstapfen zu treten; aber ihr Eltern! ihr, ihr gebet Rechenschaft, ihr habt das Gift gemischt, welches sie getrunken!

Zwischen der Stadt Jerusalem und dem Berg Oliveti[2]) ist das Thal Josaphat, allwo vor diesem ein teuflischer Abgott war, mit Namen Moloch, dem die Eltern ihre eignen leiblichen Kinder durch das Feuer aufgeopfert. Ihr, ihr Eltern, durch eure Gott höchst mißfällige und schädlichiste Aergernuß opfert ebenfalls eure eignen Kinder und Leibsfrucht dem Teufel, und werft sie gar in das ewige, ewige Feuer! o wehe, wie werdet ihr bestehen, wann euch der göttliche Richter in besagtem Thal am jüngsten Tage wird also anreden: ich hab' diese Seel so theuer erkauft mit meinem Blut, und ihr Eltern habt sie mir wieder durch eure gegebene Aergernuß verloren; ich hab diesen Acker so schön gebaut, und den besten Samen darein geworfen, und du Vater bist der Vogel gewesen, der durch die Aergernuß diesen guten Samen verzehrt; ich hab mir diese Seel für eine Festung erkiesen, und eine edle Stadt Sion daraus gemacht, du Mutter aber hast sie durch deine Aergernuß in ein wüstes Babylon verkehrt;

---

1) „was die weibliche Natur allein für sich fordert, was den Männern allein ꝛc.

2) Oelberg.

ich hab dieses Gärtl so emsig gar mit Dörnern umzäunt, wie dergleichen auf meinem Haupt zu sehen gewest auf dem Berg Calvariä, und ihr Eltern durch euer Aergernuß habt mir den Zaun wieder niedergerissen und die wilden Schwein darein lassen herum wühlen; ich hab die Seel eures Sohns, die Seel eurer Tochter zu einer Königinn gemacht, ihr aber habt durch euren ärgerlichen Wandel sie zu einer schlechten Sclavinn verworfen! Das Blut eurer Kinder schreit mehr Rach über euch, als über den Cain das Blut seines ermord'ten Bruders! wehe, wehe, wehe euch Eltern!

Nicht umsonst erhebt David seine Stimm zu Gott, und bittet mit vielen untermengten Seufzern: Ab oculis meis munda me Domine, et ab alienis parce servo tuo: „Von den verborgenen Sünden reinige mich, o Herr, und verschon mir deinen Diener wegen der fremden Sünden!" Fremde Sünd seynd, welche durch Aergernuß entsprießen.

Es war einmal ein Trompeter in einer Schlacht auch gefangen, und als sie ihm, gleich andern wollten den Rest geben, protestirt er hierüber, sprechend: man sey in allweg schuldig, ihn zu pardoniren, weil er niemalen einen hätte niedergemacht; warum wollt und sollt ihr denn mir den Tod anthun? O Sch, war die Antwort, ob du schon keinen aus den Unserigen erlegt, so hast du doch andere durch dein Blasen zum Fechten angefrischt und beherzt gemacht, du mußt sterben!

Eine manche kommt in den Beichtstuhl, und referirt ein ziemliches Register herab; doch nur von kleinen Sünden und geringen Uebertretungen. Unter andern protocollirt sie: wie daß sie ein wenig sey sauber aufgezogen, so etwann ihrem Stand nit geziemte. Aber Lazare veni foras [1]), „heraus besser mit der Sprach.“ Ihr seyd, so viel mir bewußt, um 9 Uhr aus den warmen Federn gekrochen, bis um 10 Uhr euch angelegt, bis um 11 Uhr euch gespieglet; um den Kopf allein waren von Gemisch Gemäsch 19 Ellen, daß also derselbe einem weißen Bier-Zeiger zu Kahlheim mehr als einem Menschen-Haupt gleichte; um den Hals hat der Reif gebrennt — allem Ansehen nach muß nit Quatember seyn, weil die Fleisch-Bänk offen stehen — ein seltsamer Zustand, daß auch die Kleider um den Hals können die Schwindsucht bekommen; das Gesicht siehet aus, als wäre es 4 Wochen auf der Wachsbleich gewest, 2 Tag in der Mang, 12 Stund im Firneiß — was wollt der polierte Marmol von Salzburg dagegen seyn; — zwei Gesellen stehen hinter ihr in der Kirche, verdecken die Nasen mit ihren alle Modi Hüten; diese verwundern sich über die philistäischen Felder, daß sie so bloß seyn, legen den Traum aus des Pharaonis Bäcker, welcher den obern Brod-Korb nit zugedeckt, wessenthalben die Vögel darüber kommen. Laß mir dieß eine saubere Andacht seyn, wer ist daran schuldig? Diese, diese mit ihrem liederlichen, frechen, leichtfertigen, übermüthigen, schandvollen, unverschamten, boshaften und ärgerlichen Aufzug. Das trifft euch auch, ihr großen Herren, in dero prächtigen Pallast

---

1) „Lazarus komm heraus!“

und Häuser der am Kreuz nackende Heiland oft niemalen gesehen wird, wohl aber eines muthwilligen Pinsels unverschamte Bilder, die bei den unbehutsamen Augen mehr Aergernuß als Kunst spendiren! vergeßt demnach im Beichtstuhl, in diesem geheimen Richterstuhl nit, daß ihr habt Aergernuß geben und böses Exempel, durch welches ihr Anderen zum Bösen Anlaß gegeben!

Ein gutes Exempel aber und auferbaulicher Wandel ist über Alles forderist der großen Fürsten und Herren: dieses ist ein Spiegel der Unterthanen, dieses ist eine Regel der Vasallen, dieses ist eine Richtschnur des Volks, dieß ist ein Sporn zu den Tugenden, dieses ist eine Predigt dem gemeinen Mann, dieses ist ein guldener Wegweiser, dieses ist eine herrliche Zeig-Uhr, dieß ist ein süßer Zwang zu allen löblichen Thaten. Wie der Esau sich als einen Gleitsmann seinem lieben Bruder anerboten, so hat sich dieser dessen höflichist bedankt, und seinen Bruder Esau einen Herrn gescholten: Praecedat Dominus meus, et ego paulatim sequar vestigia ejus: „Mein lieber Herr, sprach er, er wolle nur voran gehen, ich will ihm allgemach nachfolgen[1]).“ Also laßt sich verlauten ein Bauer im Dorf, ein Burger in der Stadt, ein Soldat im Feld, ein Religios im Kloster, ein Kind zu Haus, ein Kavalier zu Hof: Praecedat Ihr Majestät voran, Ihr Gnaden Herr Prälat voran, Ihr Excellenz Herr General voran, Ihr Gestreng Herr

1) 1. Mos. K. 33.

Burgermeister voran, Ihr Vest. Herr Pfleger voran; Vater und Mutter vorn, et ego sequar.

Wie der Pharao, dieser egyptische Monarch, wahrgenommen und augenscheinlich gesehen, daß sich das Meer beederseits zertheilt und also den Israelitern mit trucknen Füssen den Paß vergunnt, so glaubte er, solche Wunder-Strassen seyn auch für ihn und die Seinigen; aber Narr groß-Pfeter, was Gott seinen Freunden erweist, das thut er seinen Feinden nicht: Traut für dich! Wie er nun samt seinem Volk fast in Mitte des Meers war, da hat sich dasselbe wieder zusammengeschlossen, und also Pharao darinnen müssen einen weichen Tod nehmen, welcher sonsten eines harten Kopfs war, und solchergestalt vom Wasser ins ewige Feuer gerathen. Nachdem nun Moses der Führer mit den Seinigen glücklich durchpassirt, hat er gleichwohl den billigen Dank-Schilling wollen bezahlen, und also mit einheller Stimm ein Deo Gratias intoniret: kaum daß er dieses Lied angefangen, hat ihm alsobald das ganze Volk nachgesungen, und damit solcher Harmonie der Discant nit mangle, haben so gar die kleinen und damals noch unmündige Kinder überlaut mitgesungen.

So geht es noch auf den heutigen Tag: wie das Oberhaupt singt, so singen die Untergebenen nach, Regis ad exemplum. Ninive war eine Stadt in Assyria, von König Nino erbaut, so groß, daß jemand 3. Tag durchzugehen brauchte, so fest, daß um die ganze Stadt eine Mauer sind hundert Schuh hoch, dermassen breit, daß drey Wägen darauf nebeneinander konnten fahren, so herrlich, daß allein in dem Umkreis dieser Stadt 1500 schöne Thürm zu sehen gewesen.

Wie nun gemeiniglich geschicht, daß in großen Städten große Laster anzutreffen, so war solches absonderlich in Ninive zu sehen, wo daselbst fast alle Laster dergestalt überhand genommen, daß bereits alle Gerechtigkeit veracht, alle Ehrbarkeit verlacht, alle Zucht vertrieben, alle Gottesforcht verschrieben, aller Muthwille erstanden, alle Frechheit vorhanden, alle Laster im Gang, und Alles des Teufels Anhang; welches dann den gütigisten Gott dermassen in Harnisch gebracht, und seinen gerechten Zorn also erweckt, daß er dem Propheten Jonas alsobald den Befehl zugeschickt, er soll ganz schleunig und unverzüglich den Niniviten inner 40 Tagen den Untergang andeuten. Wie nun dieser fremde und neue Prediger auf allen Gassen und Plätzen seine Kanzel aufgeschlagen, und solche neue Zeitung und Ungnad des Himmels allerseits geoffenbaret, da ist geschwind der König Sardanapalus, so daselbst residirte, der allererste, welcher die Buß ergriffen, ein rauhes härenes Kleid angezogen, strenge Fasten angefangen, ganz reuevoll und zerknirscht mit dem mea culpa [1]) auf die Brust geschlagen. Kaum daß solches seine Kavalier und Hof-Damas ersehen — ungeacht solche Leut fast heiklicher als ein Biskoten-Teig, und bei ihnen ein Floh-Biß für ein Cilicium gehalten wird — seynd sie dannoch alsobald nachgefolgt, den Taffet und Brokat mit einem groben Sack vertauscht, die Haar mit Asche (ein seltsames Haar-Pulver zu Hof) eingesprengt, und das Miserere weheklagend intonirt. Wie dieses der löbl. Magistrat zu Ninive wahrgenommen, haben sie ganz hurtig die Trapulir-Karten ins Feuer geworfen; der

1) meine Schuld, ich bin schuldig.

Herr Burgermeister eine gute Disciplin in die Hand genommen, auf dem Rucken, wie Gedeon in seiner Schener, gedroschen; der Herr Stadt-Richter fällte unversöhnlich die scharfe Sentenz über seinen eigenen Leib, und mußte solcher mit Wasser und Brod vorlieb nehmen; dergleichen auch die anderen Raths-Herren gethan. Wie alles dieß die gesamte Burgerschaft mit Augen gesehen, so war kein Kauf- noch Handelsmann, der seinen Laden oder Gewölb nit zugesperret; haufenweis' zusammen geloffen, ein jeder an seine sündige Brust geschlagen (dem Teufel ist nichts mißfälliger, als solcher Brustfleck), ein jeder auf die Knie niedergefallen (auf solche Weis läßt sich die Ungnad Gottes über das Knie abbrechen), ein jeder die Händ gen Himmel gehebt (dieß ist das beste Handwerk), ein jeder sein Haupt mit Asche bedeckt (Gott vergißt des Faschings, worauf ein solcher Aschermittwoch folgt), der geringste Mensch sogar, welches ein großes Wunder, die Kutscher und Stall-Bursch haben sich zur Buß und Frömmigkeit bequemet. Allhier sieht man sonnenklar, was große Wirkung habe das gute Exempel und auferbauliche Wandel eines großen Monarchen: solches zieht, wie die Sonn die Erd-Dämpf, wie der Magnet das Eisen, solches zieht wie der Agatstein den Stroh-Halm; es prediget aber mit den Händen, es ermahnt aber mit dem Werk, es lernet aber mit der That; was Christus gesagt dem Matthäo: Sequere me, „folge mir nach!" was Wenceslaus gesagt zu Prag seinem Hof-Herrn: tritt in meine Fußstapfen! was Abimelech gesagt seinen Soldaten: was ihr sehet, das ich thue, thuet es nach! alles dieses thut das gute Exempel eines großen Herrn, welches nit anderst als eine Mutter, die viel fromme Kinder gebährt, nit anderst als ein Original, nach welchem viel Copei verfertiget werden, nit anderst als eine guldene Kette, so viel Glieder nach sich ziehet. Sobald der Hebdomadarius oder Wochner anfangt zu singen Deus in adjutorium, so folgen gleich alle nach; so bald der Fahntrager voran geht, so folgt die ganze Procession nach; so bald der Schulmeister die Vorschrift macht, so schreiben die Knaben nach; so bald große Fürsten und Herren sich in Tugenden üben, so folgen die Landsassen nach. Wer ein Exempel will wissen, was dergleichen gute Exempel genutzt haben, der thue die Chronik aller Länder fein behutsam durchblättern, so dann wird er finden: wie der h. Stephanus, König in Ungarn, viel herrliche Tempel zu Ehren der Mutter Gottes aufgericht, und sich solchergestalten wegen seines marianischen Eifers ein rechtes Mutter-Kind gezeigt, daß die mehresten Ungarn ihm nachfolgten, und mußte sogar Mariä Bildnuß auf dem Geld etwas gelten; er wird finden, wie der h. Wenceslaus, König in Böhmen, eine so große Innbrunst getragen zu dem hochheiligsten Altars-Geheimnuß, daß er sogar seine Würde und Hohheit hintan gesetzt, und das Treid selbst ausgedroschen, aus welchem nachmals dieses himmlische Manna und Brod der Engel gebacken worden, daß man nit ohne sondern Trost gesehen, wie damal bei den Böhmen das heiligste Meß-Opfer in größtem Werth war, und die h. Comunion so communis[1]) worden, daß solche fast

1) allgemein.

ein jeder in dem Vater unser für das tägliche Brod verlangt; er wird finden, wie der h. Canutus, König in Dänemark die geweihte Priesterschaft dergestalten ehrete, daß er dieselbe als Vice-Götter auf Erden gehalten: so seynd die Dänemarker also cortes und höflich gegen die Geistlichen worden, daß sie einem jeden Reverendo die größte Reverenz machten; er wird finden, wie Eduardus, König in Engelland, neben andern gottseligen Tugenden forderist den h. Joannem Evangelistam also geehret, daß er keine Bitt in dessen Namen abgeschlagen: da seynd die Heeren Engelländer dem h. Joanni dergestalten zugethan worden, daß fast kein Haus ohne Joannes, und kein Joannes ohne Gottes-Haus wurde angetroffen; er wird finden, wie Ludovicus, König in Frankreich, dem h. Meß-Opfer mit grader Andacht und unbeschreiblichem Eifer jederzeit beigewohnt: so ist in Frankreich ganz abkommen, daß man die Vater unser in Hut oder Käppen gehauchet, sondern das ganze Jahr das flectamus genua[1]) bei der hl. Meß mit größter Auferbaulichkeit beobachtet worden; er wird finden, wie Sigismundus in Burgund, wie Ferdinandus in Oesterreich, wie Casimirus in Polen, wie Emericus in Ungarn, wie Carolus Bonus in Flandern, wie Ludovicus in Sicilia, wie Maximilianus in Bayern als fromme, heilige und gottselige Fürsten gelebt, und ihren Untergebenen wie die feurige Saul den Egyptiern vorgeleucht, daß auch dero Unterthanen einen frommen und tugendsamen Wandel geführt haben.

---

1) „Knie beugen."

Willkomm, ihr Geizigen, ihr seyd halt wie die Bienen, die sammlen Honig, und genießens wenig: „sic vos, non vobis mellificatis, apes,“ „ihr thut viel haben, schaben und graben, und eure Erben thun sich darmit laben!“

Gute Nacht, ihr Falschen, ihr seyd just wie die Bienen, die tragen vorn Süß, und hinten Spieß: solche Tisch- und Fisch-Brüder seyd ihr auch, welche gleich den Katzen, die vorn lecken, und hinten kratzen.

Guten Abend, ihr Zornigen, ihr seyd recht wie die Bienen. Wann solche mit ihrem Stachel als subtilem Stilett, einen verletzen, so müssen sie hiervon das Leben lassen: also euch Zornigen die eigne Rachgier zu Schaden ausgeht, und der Stein, so ihr auf Andere werft, euch selbsten auf den Schädel fällt.

Guten Morgen, ihr Herrn Studenten, ihr seyd, oder wenigist sollt ihr seyn wie die Bienen, welche aus den Blumen nur das Honig heraus sutzlen, und nit den schädlichen Saft, „legunt, non laedunt:“ also sollt ihr in den Büchern suchen, was da thut lehren, nit was thut verkehren.

Grüß euch Gott, ihr lieben Pfarr-Kinder, ihr sollt fein seyn wie die Bienen. Wann man diesen mit einem messingen Geschirr klopft und leut', so sammlen sie sich zusammen: also wann man euch in die Kirche zum Gottesdienst leutet, so eilt fein schleunig dahin, und kommt nit erst, wann der Pfarrer euch mit dem Ite, Missa est [1]) begrüßt.

---

1) Das ist am Ende des Gottes-Dienstes.

Servitor, ihr jungen Gesellen, ihr sollt wohl seyn wie die Bienen. Wann diese bei nächtlicher Weil schlafen, so legen sie sich darum auf den Rucken, damit ihr Flügerl nicht von dem Himmel-Thau benetzt, und sie also an ihrer Arbeit verhindert werden: also sollt ihr euch nichts mehr angelegen seyn lassen, als die Arbeit, Fleiß und Emsigkeit; dann nichts ärger schmecket, als die gestunkene Faulheit. Darum heißt es: Adolescens, tibi dico, surge [1])!

Frisch auf, ihr Bedrängte, ihr seyd wie die Bienen, die allemal ein kleines Steinl unter ihrem Flügel tragen, damit sie der Wind nit darvon trage: also hat euch der gerechte Gott dessenthalben einige Beschwernuß auferlegt, damit ihr euch nit sollt übernehmen, noch übermüthig werden.

Wohlan, ihr ins gesamt alle Unterthanen und folgsam große Fürsten und Herren, ihr seyd in aller Wahrheit wie die Bienen: das, was der Binnen-König thut, das thun auch dessen Untergebene; schlaft er, so schlafen die anderen auch, fangt er an zu summen und brummen, so lassen alle eine gleiche Musik hören, fliegt er aus zu der Honig-Fechsung [2]), so bleibt keine zu Haus, ruhet er ein wenig, so machen alle Feierabend; in Summa: wie der König unter den Bienen, also seine Unterthanen. Regis ad exemplum etc.

Ihr allerdurchleuchtigisten, gnädigsten, 2c. großen

---

1) „Jüngling, ich sage dir, stehe auf!"

2) fechsen oder fächsen heißt die Feldfrüchte sammeln, einernten.

Fürsten und Herren, Herren rc., ich getraue es mir schier nit recht zu reden; aber ein wackeres und schönes Frauenzimmer ist hierinfalls kecker, und laßt man ehender eine solche Nachtigall singen, als eine schwarze Amsel: — dieses Frauenzimmer und wackere Dama ist die Bethsabea, welche nicht allein den David, ihren Herrn und König, mit diesen Worten angeredt: In te oculi respiciunt totius Israël, „mein David, alle Augen in ganz Israel schauen auf dich," sondern sie red't noch alle großen Fürsten und Herren an: In te oculi respiciunt totius Regni, totius Provinciae, totius Comitatus etc., „Alle, Alle schauen auf euch, ihr seyd wie die prächtigen Geschlösser und Festungen auf den hohen Bergen." Der Reisende schaut meistentheils nur diese an, und gar wenig die in der Nieder gelegenen Bauren-Hütten; die Unterthanen schauen, wie ihre Herrschaft, ihre Obrigkeit, ihr Haupt im Land leben thut: wann der Wandel nit schlecht, sondern recht und gerecht, Regis ad exemplum, so sagt solcher reine Spiegel einem jeden Unterthan auch in das Gesicht: putz dich; so sagt solches schöne Vorbild einem jeden Vasall: scham dich; so schreit solcher herrliche Glockenschall einen jeden Landsassen an: halt dich!

Ein gutes Exempel, ihr Geistlichen, euch schreit derenthalben Himmel und Erd, forderist die h. katholische Kirche zu! Der tyrannische Saul ergreift einst seine scharfe Lanze, und vermeint, dem David durch das Herz zu dringen, hat aber verfehlt; die Herren Geistlichen zeigen sich zuweilen so ernsthaft auf der Kanzel, im Beichtstuhl wider dieses und jenes Laster, aber fehlen gar oft, treffen das Herz nicht, ist nur ein Wasserstreich, ist eine Büchse nur mit Papier geladen, ist eine Blüthe und keine Frucht, seynd Wörter und keine Schwerter, ist nur ein scheinbares Rausch-Gold. Aber wann sie dasjenige in dem Werk selbst zeigen, was sie durch die Lehr vortragen, das trifft das Herz, das gewinnt das Gemüth, das lockt zur Nachfolg, das spieglet den Nächsten, das fruchtet auf Erden, das heilet die Wunden, das zieret die Kirchen, das prediget zum besten, das erweckt den Eifer, das trutzt dem Teufel, das erfreut die Engel, das heiliget den Menschen, das bereicht den Himmel, das riecht und zieht, das lehrt und mehrt, das bringt und zwingt die Menschen zur Nachfolg.

Wie Christus der Herr am Palmtag zu Jerusalem seinen prächtigen Einzug gehalten, und von dem gesamten Volk mit unglaublichem Jubelschall empfangen worden, ist wohl zu merken, was das gute Exempel dazumal für eine Wirkung gehabt. Dann vor dem Thor benannter Stadt hat das häufige Volk den Herrn Jesum ganz begierig erwartet. Wie er nun endlich ankommen, und die Apostel als fromme und eiferige Männer ihre Röck und Mäntel auf die Erd gelegt, damit Christus desto sanfter und mit besserer Bequemlichkeit reite, (o wie oft reit der Teufel auf den Kleidern!) so hat sich alsobald das Volk an diesen geistlichen Männern gespiegelt, daß sie auch gleich ihre Kleider ausgezogen und solche auf den öffentlichen Weg gebreitet.

O was Nutz und Frucht entsprießt nicht von dem guten Exempel der Geistlichen! Bei der unartigen Welt gehet es schon fast im Schwang, daß man die Geistlichen, noch ursprünglich von den falschen Götzen-Priestern, Pfaffen nennt. Wann solcher Nam endlich nit soll zum Schimpf gereichen, so seys, und laßt sie seyn Pfaffen! Echo: Affen; Affen aber seynd die Weltlichen. Der Affen Eigenschaft und Natur ist nur allbekannt, daß sie nemlich alles und jedes, was sie sehen, nachthun, wie sie dann durch solchen Vorthl gefangen werden. Dann am Ort und Gegend, wo sich dergleichen Thier aufhalten, pflegen die Jäger einige Stiefel, worin ein großes Gewicht von Blei, anzulegen und oben zuzubinden, nachmals wiederum auszuziehen und liegen zu lassen, und sich hierauf in einen dicken Busch zu verbergen. Wann nun die vorwitzigen Affen auch dergleichen nachthun, und also die gewichtigen Stiefel an den Füssen den schnellen Lauf verhindern, werden sie von den wachsamen Jägern ergriffen und gefangen. Wie Affen seynd beschaffen die Weltlichen: was sie von den Geistlichen und gottgeweihter Priesterschaft ersehen, das thun sie nach, und gedunkt solchen Schäflen die Nachfolg nicht schwer, wann der Hirt mit auferbaulichem Wandel vorgeht.

Ein Erz-Vogel ist gewest und üppiger Welt-Mensch jener, welcher sich aufs beste beflissen, nichts Guts zu thun, und hat ihm mehr graust an heiligen Sachen, als den Israeliten an dem Manna oder Himmel-Brod. Als solcher einst bei nächtlicher Weil in dem warmen Federbett pfnauste, und solches Gimpel-Nest ihm über alle Massen wohlschmeckte, hört er bei Mitternacht die Patres Dominicaner, von dero Kirchen seine Wohnung unfern entlegen, an einem Samstag ganz andächtig die Mette singen, Gott und seine wertheste Mutter loben und preisen, welches ihm dermassen das Gemüth gerieglet, das Herz eingenommen, in Erwägung daß diese guten Religiosen den Schlaf brechen und mit Psaliren und Singen die Zeit verbringen, daß er frühe Morgens in der Eil bei der Kloster-Porte angeleut', mit schnellen Füssen zum Pater Prior begehrt, und eifrigist um den h. Habit angehalten, worin er auch nachmalens viel Jahr mit großem Ruhm der Heiligkeit zugebracht. Was nicht das gute Exempel der Geistlichen wirket!

Petrus und Joannes eileten zu dem Grab Christi des Herrn. Weilen aber Joannes noch frischer zu Fuß war, ist er dem Peter vorgeloffen; aber weiß nit aus was Ursachen, aus Forcht oder Ehrerbietsamkeit, in das Grab nit hinein gangen, bis endlich Petrus auch daher kommen und in das h. Grab auch hinein getreten, worauf auch ohne weitern Verzug der Joannes nachgefolgt, ohne Zweifel bewegt durch das Exempel Petri. Was nit das gute Exempel wirkt!

Alphonsus, ein frischer Jüngling, mehr übermüthig, als demüthig, mehr verdächtig, als andächtig, mehr unerzogen, als einzogen; sah einmal, daß sowohl die alten als jungen Mönich in ihrem Oratorio oder Bethaus auf die bloßen Rücken mit scharfen Disciplinen und Geißelstreichen verfahren, hierdurch das Leiden Christi in Betrachtung zu ziehen, und den unbändigen Leib besser im Zaum zu halten. Das hat den sowohl verwelten [1]) als verwildten Menschen der-

1) verwelt? oder verweltet d. i. ganz von der Welt gefangen: ein recht eigentlicher Welt-Mensch.

gestalten auferbaut, daß er inständig in denselben Orden verlangt; worin er in solche Vollkommenheit kommen, daß er nachgehends als Bischof zu Oßnabruck erwählt worden, und selbiger Kirche mit sonderer Heiligkeit vorgestanden.

Petrus hat einst die ganze Nacht gefischt, und doch nichts gefangen, nihil; obenher nichts, untenher nichts, rechter Hand nichts, linker Hand nichts, in der Mitte nichts, nihil. Her, mein Fisch! Es gibt sonst nur dreierlei Fisch: große, keine, mittelmäßige; aber Petrus fangte keinen aus diesen, es war ihm das Meer gleich einer Fleisch-Suppe, als einer Fisch-Brühe, und hat er also das Netz umsonst zerrissen.

Weit glückseliger seynd dießfalls manche Religiosen und geistliche Ordens-Leut, welche unterschiedliche wackere, adeliche Welt-Menschen fischen, wessenthalben schon bei der Gemein das gemeine Reden gehet: hör Bruder, weißt was? diese und diese Patres haben den und den gefischt! beim Element, da werden sie einen guten Rogen ziehen! wer hat sich das eingebildt, daß er sollt ein solcher werden! Dieser frische Gesell ist in die Gesellschaft Jesu eingetreten, dieser Kapitän ist ein Kapuziner worden, dieser Au-Vogel ist ein Augustiner worden, dieser Wenigfromm ist ein Benedictiner worden, dieser Kartenmischer ist ein Karthäuser worden, dieser freie Dominantius[1]) ist ein Dominikaner worden rc., wie müssen sie ihn doch gefischt haben? Wollt ihr wissen wie? Sie haben ihm zuge-

---

2) der nur überall Herr seyn will.

schrieben, und doch keine Feder angerührt; sie haben ihn hierzu ermahnt, und doch kein Maul aufgethan; sie haben ihn dessenthalben angesprochen, und doch kein Wort verloren; sie haben ihn völlig eingenommen, und doch keiner mit ihm gehandlet; sie haben ihn gefischt ohne Netz und Angel; sondern einig und alleinig mit ihrem guten Exempel, mit züchtigen Gebehrden auf der Gasse, mit ihrem sittsamen Aufzug in dem Habit, mit ihrer geistlichen und auferbaulichen Ansprach; in Summa: Ein frommer und englischer Wandel der Geistlichen ist mehrmal ein h. Kuppler, eine guldene Angel, ein lobwürdiger Lock-Vogel, ein scharfer Wetzstein, ein spitziger Sporn, ein ziehender Magnet, ein wohlriechender Wecker, ein anreizender Trompetenschall, ein emsiger Werber zu allem Guten.

Nachdem die Hebräer 40 ganzer Jahr durch die Wüste passirt, seynd sie endlich zu dem Fluß Jordan kommen. Weil aber daselbst weder Schiff zum Ueberfahren, weder Brucken zum Uebergehen vorhanden, und gleichwohl der Befehl Gottes war, durch zu passiren, also schauert ihnen derenthalben die Haut nit wenig. Dann als sie schon noch in reifer Gedächtnuß hatten den wunderlichen Durchmarsch ihrer Vor-Eltern durch das rothe Meer, so zwackte und nagte und klagte nit wenig ihr Gewissens-Wurm, daß sie mehrmal den Allerhöchsten beleidiget, und also nit in geringer Forcht stunden, sie möchten das Bad austrinken, wie Pharao mit seinen Egyptiern, und also im Jordan einen schlechten Gesund-Trunk Bescheid gethan; wessenthalben ein jeder fast einen Brustfleck von Hasen-Balg getragen, und sich sein ansdrücklich vor dem Nassen geforchten; dann nit ein jeder schwimmen kann, forderist der ein schweres Gewissen hat. Schupfte demnach ein jeder die Achsel, und war bei den Kleinen eine große, und bei den Großen keine kleine Forcht. Sobald sie aber gesehen haben, daß die Priester mit der Arche des Herrn voran marschiren, ist das Volk ohne weitere Beschwernuß nachgefolgt; dann die Werk weit kräftiger bewegen, als die Wort.

Ihr Hochwürdigen und Ehrwürdigen, Titul Herren Geistliche, es hat der h. Petrus jenen armen, krummen Bettler bei der Porte des Tempels zu Jerusalem wunderthätig kurirt, daß er auf frischen Füssen gestanden und nach Belieben fortgangen, der vorhero mit seiner hölzernen Assistenz[1]) hart fortkommen. Aber wie ist dieser gesund worden? Es ist wohl zu merken, daß er nit allein mit Worten diesen zum Auferstehen hat angefrischt, benanntlich: In dem Namen Jesu stehe auf! sondern er hat ihn auch bei der Hand genommen; und das ist Recht. Wann die Geistlichen wollen einen Nutzen schaffen bei der Gemein, so muß die Zung nicht allein seyn, sondern die Hand vor eine Gespannschaft haben; die Wort seynd unkräftig, wo die Werk nit darbei; es ist nit genug, daß die Geistlichen predigen, man soll Almosen geben, derenthalben habe Gott und die Natur die Finger der menschlichen Hand von einander zertheilt, damit gleichwohl was möge durchfallen; sondern es ist auch

1) Hilfe, Beistand.

vonnöthen, solches im Werk selbsten zu zeigen, und das Dono über das Amo[1]) conjugiren. Es steht sonsten gar ungereimt, wann bei Bischöfen, Dom-Herren, Dechanten, Pfarr-Herren, Vicarien ꝛc. mehr Stein als Gibs im Haus. Es ist nicht genug, daß die Herren Patres auf der Kanzel schreien und so ernstlich mit Worten verfahren wider das Laster der Trunkenheit, wie daß solches die Historie des Königs Nabuchodonosor öfters wiederhole und einen Menschen in ein Vieh verwandle; sondern es ist auch vonnöthen, selbst einen nüchternen und auferbaulichen Wandel zu führen, und aus dem Bibo ein Verbum deponens[2]) zu machen; dann wie schändlich steht es, wann ein Religios beschaffen, wie die Krüg zu Cana in Galliläa auf der Hochzeit, impleverunt eas usque ad summum[3]). Es ist nit genug, daß die Geistlichen das Laster der Unzucht dergestalten verdammen, als sey dasselbige gar ein gewisses Anzeichen bei einem, daß er am jüngsten Tag unter die Böck logirt werde, sondern es ist vonnöthen, daß eine geheiligte Priesterschaft auch beschaffen sey, wie die Prozession mit Christo dem Herrn auf dem Calvari-Berg: Erant autem ibi mulieres multae a longe: „Es waren daselbst viel Weiber von weitem.“ Es ist nit genug, daß die Geistlichen mit Worten und Fe-

1) das Geben mehr als das Lieben.

2) Sinn: das Trinken abzulegen. — Das witzige Wortspiel ist jedoch nur denen deutlich, welche die lateinischen Worte verstehen; erklären läßt sich dieß nicht.

3) „sie füllten sie bis oben an.“

dern das Laster des Zorns stark verweisen und sagen, daß zwar die Gall des Fisches dem alten Tobiä ersprießlich gewest, aber die Gall eines manchen Stockfisches den göttlichen Augen höchst mißfalle; sondern es ist auch vonnöthen, daß sie ein saubers Exempel von dem unsaubern Misthaufen des geduldigen Job zeigen; dann Dult und Meß[1]) die besten Jahrmärkt bei der Priesterschaft, und steht gar nit wohl, daß ein Priester soll Presbitter[2]) und herb seyn. Es ist nit genug, daß die Geistlichen den Leuten vorstreichen die schöne Tugend der Demuth, als sey der tiefe Baß ein angenehmerer Gesang bei Gott, als der hohe Discant; sondern es ist vonnöthen, daß wir den Herrn Jesum nachfolgen, welcher in der Höhe des Kreuzes uns die Niedrigkeit gelehrt, da er das Haupt von dem prächtigen Königs-Titul abgeneigt; dann es scheint gar unformlich, wann wir armen Geistlichen auf Stroh liegen, und gleichwohl Federn tragen. Es ist nicht genug, daß wir mit häufigen Historien und Geschichten betheuren die abscheuliche Gotteslästerung und schändliche Gewohnheit zu fluchen, als wären die Menschen-Zungen weit ärger als die Zungen der Hund, welche des armen Lazari Geschwür geleckt, diese aber damit Gott und seine heiligen Sakramente beleidigen; sondern es ist auch vonnöthen, daß ein Geistlicher in kei-

1) bedeuten beide dasselbe.

2) Presbyter (deutsch: die Aeltesten, lat. Seniores) hießen die Vorsteher in den ersten christlichen Gemeinden, und noch jetzt in der nach diesem Namen benannten englischen Secte der Presbyterianer.

ner Begebenheit ein Fluch-Wort hören lasse; dann es stehet gar schlecht, wann ein Geistlicher, der Gottes Stell vertritt, soll wider Gott reden.

Ihr wißt gar wohl, meine Geistlichen, daß Gott der Herr am Samstag in der Welt-Erschaffung einen Feierabend gemachet habe; dann weil er das Gesatz gestellt, man soll den Sabbath heiligen und nit arbeiten, also hat er solches selbst im Werk gezeigt, damit man ihm nit möge nachsagen, er lehre etwas und halt es selbsten nit.

Mein Heiland Jesus ist auf die Welt kommen, damit er für uns sündige Adams-Kinder nach dem Befehl seines himmlischen Vaters möge sterben; und gleichwohl, als er in seiner unmündigen Kindheit von Herode zum Tod gesucht worden, hat er sich in die Flucht geben, der Ursachen halber: er wollt uns Menschen unterschiedliche Satzungen vorschreiben, und so er dazumal wäre gestorben, hätt er solche im Werk selbsten nit können vollziehen; dann was er gelehrt, wollt er auch thun, coepit facere et docere [1]). Er hat gelehrt, man soll Vater und Mutter in Ehren haben: das hat er selbst gethan, erat subditus illis, „da er in die dreißig Jahr seinen liebsten Eltern unterthänig war.“ Er hat gelehrt, man soll mit dem Nächsten ein Mitleiden tragen und ihm in der Noth beispringen: coepit facere et docere, das hat er selbst gethan, als er sich über das Volk in der Wüste erbarmet, und deroselben viel Tausend gespeist. Er hat gelehrt, daß wir sollen demüthig seyn; dieß hat er selbst ge-

1) Er fing an, Thaten zu verrichten und zu lehren.

than, wie er dann solche Haupt-Tugend bei den Füssen der Apostel sehen lassen, da er diese gewaschen. Er hat gelehrt, wie daß wir unsern Feinden sollen verzeihen, und das hat er selbst gethan, als er auf dem Kreuz für seine Feind gebeten und dero Unthat bei seinem himmlischen Vater entschuldiget. In Summa: was er gelehrt, das hat er selbst im Werk erwiesen, uns gesammten Geistlichen zu einem Unterricht, daß, was wir dem weltlichen Stand vorsagen, sein selbsten in der That und auferbaulichem Wandel zeigen sollen!

Ein gutes Exempel, ihr Eltern und Haus-Herren, sonst setz ich euch auf einen alten Esel, da könnt ihr hinreiten, wohin ihr wollt! Dieser war ein gemeiner Stadt-Esel zu Athen, also schreibet Olianus[1]). Weil er aber sehr alt und abgematt, also war er befreit und privilegirt vor aller Arbeit. Nun hat es sich begeben, als die Herren Athenienser zur selben Zeit einen sehr stattlichen Tempel für die Vestalen[2]) im Gebäu hatten, und hierzu sehr viel Esel und Maulthier die Stein mußten beitragen, daß besagter alte Lang-Ohr von freien Stucken und vor sich selbst, ohne Antrieb eines einigen Menschen, obschon unbeladen, den jungen Eseln stets vorgangen, und gleichsam ihnen ein gutes Exempel geben zur Arbeit, welches dem löblichen Magistrat zu Athen dergestalten wohlgefallen und

---

1) im 6ten Buche „Von den Thieren" K. 48.

2) Jungfrauen von tadelloser Schönheit und Sitten, welche sich auf 30 Jahre dem Dienste der Göttin Vesta in Rom widmeten und für diese Zeit das Gelübde der Keuschheit leisten mußten.

sie dahin veranlaßt, daß sie durch öffentlichen Trompetenschall haben in der ganzen Stadt lassen ausblasen, man solle gedachten Esel allenthalben unbeleidiget, frei und loß lassen gehen, und von dem gemeinen Magazin ihm als einen wohlmeritirten Esel gebührigen und genugsamen Unterhalt beigeschaft werden; auch wo und wie selbiger etwann bei begebender Gelegenheit an einem oder andern Ort möchte über Hrn und Haber gerathen, solle bei starker Straf auf keine Weis' ihm dieß geweigert, sondern vielmehr allerseits ihm als eine Freitafel gestattet werden. Datum Athen durch gesamten Rathschluß.

Wie ist es euch ums Herz, ihr Eltern, Haus-Herren, Obrigkeit? Hat ein vernunftloser alter Esel darvor gehalten, es gezieme in allweg ihm, daß er andern jungen arkadischen Bürschlen [1]) mit einem guten Exempel vorgehe, wie viel mehr soll und thut es euch obliegen, daß ihr euren Kindern, euren Haus-Genossen, euren Untergebenen mit einem auferbaulichen Wandel sollet vorleuchten; dann ein gutes Exempel bei euch, von euch, an euch, aus euch kann so viel auswirken, als die Ruthe Mosis und Aarons, womit so große Wunderding geschehen.

Zwei sonders große Wunder-Werk hat Christus der Herr zu Cana in dem gallilaischen Land gewirkt: das erste war, als er zu Ehren des Braut-Volks und der anwesenden Gäst das Wasser in Wein verkehrt; das andere, wie er des Königls von Kaphar-

1) so heißen bei P. Abr. — wie schon einigemal vorkam — die Esel.

naum halb todten-Sohn mit jedermanns Verwunderung frisch und gesund gemacht, welches diesen Königl oder vielmehr königlichen Gubernator, dergestalten bewegt, daß er alsbald an Christum Jesum geglaubt, er sey wahrer Gott und Mensch, und der recht versprochene Messias. Aber höret Wunder: credidit ipse, et domus ejus tota, er ist nit allein ein eifriger Christ worden, sondern sein ganzes Haus, auch seine Frau Gemahlinn, auch seine junge Herren und Fräulen, auch der Hofmeister und Kammer-Diener, auch Lackei und Pagen, auch alle Kammer-Menscher, domus tota, Stuben-Menscher, Kuchel-Menscher, mit einem Wort, alle und jede haben den Glauben Christi höchst eiferigst angenommen, bewegt durch das gute Exempel des Herrn Vaters ꝛc. Was nit ein gutes Exempel der Eltern und Haus-Herren für eine Wirkung hat!

Samuel durch das gute Exempel seiner Eltern, Susanna durch den guten Wandel ihrer Eltern, Isaak durch das auferbauliche Leben Vaters und der Mutter, Clara durch das h. Beispiel ihrer Mutter Hortulana, Nikolaus Tolentinus durch den tugendsamen Vorgang seiner Mutter Amata, Ludovicus durch den Sitten-Spiegel seiner Mutter Blanca seynd hoch, herrlich, heilig, himmlisch worden.

Wer bist du? fragten einmal die hoch-ansehnlichen Priester und Leviten Joannem in der Wüste — dein Wandel hat etwas Fremdes und Ungewöhnliches an sich, deine Heiligkeit kann auch zwischen den Bergen sich nicht verbergen, Felsen und Steinklippen geben dich vor einen Edelgestein aus, unsere Burger verlassen die Stadt, die Bauren laufen von ihren Hütten, und eilen alle zu dir in die Wüste: also möchten unsere Edelleut, forderist große Fürsten und Herren, gern eine glaubwürdige Nachricht einnehmen, wer du seyest; dann sie des starken Vorhabens seyn, deine Person besser zu respektiren — tu quis es[1])? bist du der wahre, und uns längst verheißene Messias? Ich bins nicht. Bist du Elias? Auch nicht. Bist du ein Prophet? Wohl nit. Mein, di gratia[2]), wir bitten dich höflichist, damit wir denen, die uns daher gesandt, mögen ein Contento geben, sag an, wer bist du? Ego vox, ich bin eine Stimm', sagt dieser wunderthätige Buß-Prediger. Eine Stimm? Joannes war ja ein Sohn Zachariä geboren in Judäa? was dann, ein Mensch? Glaub wohl. Von Haut und Bein? Frag eine Weil'. Wie kann er dann eine Stimm seyn? Geht ihr nach Haus, meine Herren Priester, und sein bald, zwar ihr seyd nicht weit her, und sagt sein zu Jerusalem und anderwärts, daß Joannes eine lautere Stimm sey; dann Alles an ihm prediget: seine mit Thräuen stets quellenden, und gen Himmel erhobenen Augen seynd eine Stimm, welche prediget die Andacht, sein magers und entfärbtes Angesicht ist eine Stimm, welche prediget die Ehrbarkeit; seine harten und bereits verpommerten[3]) Knie-Scheiben seynd eine Stimm, welche prediget das Gebet; seine bloßen Füß seynd eine Stimm, welche prediget die Armuth; seine

1) Wer also bist du?
2) mit Gunst.
3) verhärtet, abgenützt und verbraucht.

rauhe Kameel-Haut ist eine Stimm, welche prediget die Verachtung aller Wohllüste; sein ganzer Wandel ist eine Stimm, welche prediget die Pönitenz und Buß.

Auf solche Gattung müssen alle Vorsteher, absonderlich die Eltern beschaffen seyn, daß all dero ganzer Wandel, Thun und Lassen eine Stimm ist, welche zur Tugend anfrischet: wann sie solchergestalten werden Vocales seyn, ist kein Zweifel, daß nit die Kinder werden Consonantes[1]) abgeben. Es muß ein Vater nit allein mit Worten seine Kinder zu gehöriger Zucht und Andacht anleiten, sondern wohl in Acht nehmen, daß sein ganzes Leben mit der Lehr übereinstimme, auf daß er also eine lautere Stimm sey, die den Kindern prediget.

Bei dem Evangelisten Marco geschieht Meldung von einem armen, blinden Menschen, welchem der Herr Jesus das Gesicht wieder erstattet; aber es ist wohl zu merken die Manier oder Weis solcher angewendten Kur, indem der Herr auf seine Augen nit allein einen reinen Speichel geworfen, sondern auch zugleich die Händ aufgelegt, daß also Mund und Händ dem armen Tropfen geholfen. Es ist also nicht genug, meine Eltern, daß ihr euren Kindern viel Gutes und Lehrreiches vorsagt, sondern ihr müßt auch die Händ brauchen, es selbst im Werk erzeigen, was ihr mit dem Mund thut unterweisen!

Es ist eine gewest, welche stets daher gangen mit untergeschlagenen Augen; und gar recht, dann

---

1) Vocales heißen Grundlauter, Tonangeber; Consonantes Mitlauter, Mitstimmende.

wann man dergestalten die Balken für die Augen zieht, so kann der Schau-er nit so bald schaden. Sie hat an allen Welt-Possen und Welt-Bissen den größten Abschen getragen, und ob der geringsten ungereimten Red eine wohlgereimte Schamröthe gezeigt; und gar recht, dann alle heiligen Feiertäg im Kalender roth geschrieben seynd. Sie war ganz ehrbar in den Kleidern, und forderist wohl um den Hals bedeckt; und gar recht, dann solche Nackenden bekleiden, ist ein größers gutes Werk, als die Fremden beherbergen. Sie hat sich ganz behutsam von aller Gesellschaft weggeschraufft; und gar recht, dann weit darvon ist gut vor dem Schuß des muthwilligen Buben Cupido. Sie ist mit gewöhnlichem Eifer stets in die Kirche und Gotteshäuser geloffen; und gar recht, dann bei Tempeln mehr als bei Tölpeln zu gewinnen. Sie hat alle Copulation und Kuppulation beständig geweigert; und gar recht, dann Chori-Schwestern doch mehr gelten, als Thori-Schwestern. Endlich weiß ich nicht, durch was Wind dieses Licht erloschen, durch was Hitz dieses Gras zu Heu worden, durch was Gewalt dieß Gebän zu Boden gefallen; endlich ist dieser Fisch abgestanden, dieses Brod geschimmelt, dieser Wein zu Essig worden, und in ihrem guten Vorhaben also wankelmüthig worden, daß anstatt der Arche Gottes der philistäische Dagon den Tempel ihres Herzens betretten, und folgsam nach nichts anderst getracht, als nach dem Heirathen; wie sie dann bald einen Liebsten bekommen, welcher mit allen schönen Worten und guldenen Versprechungen sie stets bedient. Weil sie aber mit der Zeit verargwohnte, als wären es nur leere

Wort, also hat sie ihm durch eine bekannte Person ein verpetschirtes Schächterl zugeschickt, welches er mit sonderm Affekt empfangen und alsobald eröffnet. Indem er aber darinnen eine lebendige Grille und weiter nichts, gefunden, konnt er sich wegen der Grille nit genug Mucken machen, und zog solches bald in gute, bald in eine üble Auslegung, wußt auch gar nit daraus zu kommen, woran er wäre, bis er endlich solches seinem vertrautesten Kammeraden entdeckt, und dessenthalben seinen bekannten Witz und reifen Rathschlag angesucht, welcher ihm dann unverweilt die Antwort geben: Mein Bruder, sprach er, diese Grille sagt dir viel, dieses schwarze Sommer-Vögerle singt und klingt stets in grünen Wiesen und Wasen; aber sein Hall und Schall kommt nicht von dem subtilen Schnäberl, sondern von dem Zusammenkleschen der Flügerl, „carmen evibrat ab alis;“ also, mein lieber Bruder, diese Jungfrau will halt dir zu verstehen geben, du sollst das Maul nicht allein brauchen und viel versprechen, sondern im Werk selbst es erzeigen, und sie freien.

Das ist ein Lehrstuck für die Eltern. Gut ist es, wann der Vater dem Sohn das Trinken und Spielen widerrathet, crapulam und trapulam für Laster ausgibt; aber, Vater, das Maul nit allein „carmen evibrat ab alis;“ zeig du solches auch an dir. Gut ist es, wann der Vater dem Sohn das Faullenzen und Umschlenzen verbiet, musas und musäa[1]) ihm

1) Wissenschaft und wissenschaftliche Anstalten.

lobt; aber, Vater, das Maul nit allein, carmen evibrat ab alis: zeig du hierin fast im Werk auch nicht das Widerspiel! Gut ist es, wann die Mutter der Tochter das Löfflen verbiet', und den Kochlöffel einräth', „focum non procum;“ aber, Mutter, das Maul nit allein, carmen evibrat ab alis: thut ihr sein auch nit das Widerspiel!

Ein Epicurus[1]) muß dem Zenocrati nit die Keuschheit loben, ein Midas[2]) muß dem Diogeni nit die Armuth rathen, ein Heliogabalus muß einem Antonio in der Wüste nicht von der Gesparsamkeit predigen, ein Nero[2]) muß einem Herodi nicht die Sanftmuth lehren: also müßt ihr Eltern eueren Kinder nit einrathen, was ihr selbst nicht thut, sondern ihr müßt selbst einen frommen und unsträflichen Wandel führen, wann ihr wollet, daß euere Kinder sollen in der Forcht Gottes leben!

Gelt Joseph, es hat dir getraumt, Sonn und Mond, sogar auch die Stern thun dich anbeten? Jafreilich, sagt er. Mich wundert aber dessen so stark nicht wegen der Stern; dann wie Sonn und Mond

1) ein griechischer Philosoph, dessen Schüler, wohl durch seine Grundsätze verleitet, sehr wohllüstig lebten.

2) Ein König in Phrygien, der, als ihm der Gott Bachus einen beliebigen Wunsch zu thun erlaubte, wünschte: daß Alles, was er berührte, zu Gold werden möchte. Diogenes dagegen war bekanntlich ein sehr armer Philosoph, der seine Habschaft stets mit sich trug und des Nachts in einem Fasse schlief. So ist Heliogabalus ein bekannter Wohllüstling und Verschwender unter den römischen Kaisern; Nero ein berüchtigter Tyrann und Wütherich.

sich gezeigt, haben die Stern nicht anders können thun: also wann Vater und Mutter eifrig beten, dem hl. Gottesdienst öfters beiwohnen, der heiligsten Sakramente sich theilhaftig machen, so werden die Kinder deßgleichen thun. Vado piscari Joan. 21 — „Ich gehe jetzt eine Weil fischen,“ sagt Petrus: vadimus et nos tecum, sagen die anderen Jünger, „so gehen wir auch mit dir.“ Wann Obrigkeit und Eltern mit Gutem vorgehen, so folgen die Untergebenen gern nach.

Ihr Edelleut — hätt' euch bei einem Haar bald vergessen, da ihr doch große Parocca tragt — euch vor allem steht wohl an, mit einem guten Exempel dem gemeinen Menschen vorzuleuchten, und wo das nit ist, so seyd ihr nit adelich!

Von Adam her ist keiner besser als der andere; dann wir alle insgesamt von Leim zusammengepappt, und schreiben uns alle von einem Stammen-Haus: Mutter halber seynd wir insgemein verbrüdert und verschwestert, und küß ich den Tag etlichmal meine Mutter die Erde, Vater halber seynd auch große Monarchen meine Brüder, dann alle thun beten: Vater unser, der du bist im Himmel. Dahero zu wissen, daß die höchsten Stämme von geringen Stauden aufgewachsen, und der große Donaustrom von einem schlechten Ursprung. Große Potentaten, wann sie den ersten ihres Hauses wollen suchen, so wird sich ein gemeiner Mensch anmelden, und seynd von Hacken und Pflug die Scepter kommen. Als Adam ackerte und Eva spann, wer war dann damal ein Edelmann? Niemand, sondern derselbige, welcher herrliche Tugenden und vor andern heroische Thaten erwiesen hat, ist adelich genennt worden; woraus dann sonnenklar erhellet, daß die Tugenden einen adlen. Wessenthalben der Kaiser Maximilianus einem schlechten Menschen, niedrigen Herkommens und seines Handwerks ein Lederer, doch aber bei guten Mitteln, gar schön geantwortet, als solcher verlangte ein Edelmann zu werden: Ditare te possum, nobilitare non, nisi te propria virtus nobilitet: „Reich, sagt der Kaiser, kann ich dich wohl machen, mein Kerl, aber adelich nicht, dafern dich deine eignen Tugenden nicht adlen!“ Carolus der fünfte, römischer Kaiser, dieser weltberühmte Monarch, dieser österreichische Hercules, dieser deutsche Hannibal, dieser christliche Alexander pflegte zum öftern seinen Kavalieren, die sich von gutem Geblüt berühmet, zu sagen: sanguis rusticorum aeque rubet, „der Bauren ihr Blut ist auch roth,“ und oft Gesundheit halber schöner, als der Edel Leut; besteht also der Adel in den Tugenden, und nit in dem Geblüt.

Die sauberen Hebräer, damit sie Christo allen guten Nachklang und Namen bei den Leuten möchten stutzen und mindern, haben Schimpfweis von ihm ausgesagt, warum man ihn doch mag so hoch achten, sey er doch nur eines Zimmermanns Sohn: „nonne hic est Filius fabri?“ Ihr neidhaften und unverschamten Gesellen, wer seyd dann ihr? seyd dann ihr hoch- und wohlgeboren? Was? — antworten diese hebräischen Pfauen-Gemüther — wir stammen her von unserem Vater Abraham! Wann dem also, sagt mein Jesus, opera Abrahae facite. „thut sein die Werk Abrahams, folgt euerem Vater nach; wo nit, so ist euer vornehmes Herkommen nit einen

Heller werth; ihr seyd keine Illustrissimi, sondern Absurdissimi[1]).

Ich kam auf der Reis' einmal ungefähr in ein schönes und wohlerbautes Geschloß, und ließ mich durch die Bedienten, welches mit höflichster Bitt geschehen, ansagen, wie ich dann auch die Gnad gehabt vorzukommen. Bevor aber, als man zur Tafel gangen, führte mich dieser Edelmann in den obern Saal, welcher sehr prächtig und kostbar anzusehen war, forderist wegen der schönen Gemälde und alten Contraseien seines Stammhauses. Da, Pater, sagt er, und deut' mit dem Finger auf ein altes und vom Rauch verdunkletes Bild, woraus ein alter graubarteter Tättl entworfen mit einem dicken und weitgebauschten Kres, kurzen Haaren und zerschnittenem Wammes rc. Pater schaut, dieser war der erste aus unserem Haus, der hat sich so ritterlich gehalten bei Pavia, daß man ihm nach Gott die völlige Victori zugemessen, wessenthalben er so stattlich nobilitirt worden. Dieser war mein Anherr, der wegen seines großen Verstandes und vornehmen Qualitäten mehrmal ein Gesandter worden bei großen Höfen rc. Dieser, wie der Pater siehet, hat sich so tapfer gehalten, daß er General worden, und hat er nicht wenig Türken-Schöpf barbiret. Schau der Pater, wer ich bin? Weil ich wußte, daß dieser von gar geringen Talenten und Gaben, und anbei noch einen poltronischen[2]) Wandel führt, auch das obere

1) keine besonders edle (adeliche) Herren, sondern höchst abgeschmackte Thoren!

2) poltronisch, der sich durch Drohung und Trotz den

Zimmer bei ihm gar schlecht ausspallirt, und im mittern Stock nur Hasenbalg zu finden; also gedacht ich bei mir selbst, da er prahlte mit diesen Worten, Vater schaut, wer ich bin! gedacht ich: du bist ein Narr! Gered't hab ich es nit, wohl aber gedacht, du bist nicht gescheid, wann du zu deinem Lob fremde Glorie nimmst. Was hilft es dich, wann dein Vater zwei Augen gehabt, du aber bist blind? was hilft es dich, wann deine Mutter gerad gangen, du aber hinkest? was hilft es dich, wann deine Vor-Eltern herrlich und ehrlich seynd gewest, du aber nit? Wann du von den Eltern das Leben hast, und nit das löbliche, so bist du nit adelich, sondern du bist wie jener von Gott vermaledeite Feigenbaum, welcher mit vielen Blättern geprangt, aber mit keiner Frucht; du bist wie der unbesonnenen Israeliten geschmelzter Gott; dann diese das beste und feineste Gold hergespendirt, damit daraus soll ein Gott werden, und siehe, exivit vitulus, „da ist ein Kalb heraus kommen!" Was Nutz und Glorie ist es, wann deine Eltern guldene Leut seynd gewest, du aber ein Kalb worden oder gar ein Ochsen-Kopf? — Die h. Schrift, das göttliche Wort thut über alle Massen schmählen über den großen, groben, greulichen Lümmel den Nabal, was er für ein Haupt-Vogel, und gar ein Folianten-Trämmel[1]) gewest sey. Gleichwohl war er von einem guten Haus, und von dem Stamm des so sehr berühmten Kava-

---

Schein der Unerschrockenheit und männlichen Kraft gibt; in der That aber ein Taugenichts und eine feige Memme ist.

1) Knüttel, ungeformtes dickes Holz.

liers Caleb, welcher aus sechsmal hundert tausend Menschen allein mit dem Josue in das gelobte Land kommen: Hat also dem Nabal, diesem feindseligen Büffels-Kopf nichts geholfen, daß er von gutem Geblüt sich geschrieben, weil er seiner Vor-Eltern adelichen Tugenden nit auch hat nachgefolgt.

Ein solcher Edelmann, der seiner Vor-Eltern adeliche Tugenden nit auch samt dem Blut erbet, kommt mir vor wie jener Prahler, der in allweg die gemeinen Leut für verworfene Kanallien gehalten, und nur sein Haus dem babylonischen Thurm gleich geschätzt. Dieser nahm auf eine Zeit eine Nuß samt der grünen Hülse und unzeitigen Ueberhüll, sagte also: Gebet Acht, wie ich euch die drei Stând, den Bauern-Stand, den Burger-Stand, und den Adel-Stand so artlich werde entwerfen. Erstlich diese grüne Hülse bedeut' den im Bauernstand, diese Hülse muß man herab schälen: also müssen die Bauern auch geschunden werden; die andere harte Schale bedeutet den Burger-Stand, diese Schale ist hart, wessenthalben sie muß aufgebissen oder aufgeschlagen werden: also die Burger haben harte Köpf, derentwegen mit ihnen nit subtil zu verfahren ist; der süße Kern aber bedent' den Edel-Stand, und beißt zugleich die Nuß auf, findet aber wenig Kern, wohl aber einen Wurm, welcher ihm in das Maul perorirt[1]). Pfui Teufel, sagt er, und speit ihn wieder aus. — Pfui, pfui, und abermal pfui, und hundertmal pfui! sag ich auch zu einem

---

1) „eine wortreiche Rede hält."

solchen Edelmann, der ein Kern soll seyn von schönen Tugenden, von herrlichen Thaten, von adelichen Sitten, und ist darneben nur ein Wurm, der da nagen und plagen thut seine Unterthanen.

Mein lieber Prahl-Hans, ich mag dich nit nennen Illustrissime, dann es ist nit wahr, hör', was dir ein alter Paulus Minutius unter die Nase reibet: Parùm illustris est, qui praeter imagines et cognomen nil habet nobilitatis[1]).

Eine Frau, welcher die Natur eine Stief-Mutter abgeben, indem sie ein übelgestaltes und gar ungeschaffenes Gesicht bekommen, ein Fell ganz braunauerisch, eine Nase so lang, daß man sie könnte Athanasia nennen, schieklet[2]) in den Augen, daß sie zum besten für eine verlorne Schildwacht taugte, dann sie auf zwei Seiten zugleich konnte ausschauen, über und über getüpfelt in dem Angesicht, welches ja gar eine schlechte Miniatur-Arbeit, groß im Maul, daß sie fast in der Gefahr stehet, es möcht ihr der Kopf einmal zum Maul heraus fallen, bucklet auf dem Rucken, daß ihr also der Hochmuth von hintenher gewachsen. Diese von der Natur, jedoch durch sondere Verhängnuß Gottes, ziemlich beschimpfte Frau prangt und prahlt über alle Massen, was ihre Frau Mutter für eine schöne Dama sey gewest, Helena und Zenobia hätten sich müssen vor ihr verbergen, der

---

1) „Dessen Adel ist von geringem Werthe, der außer den Ahnen und dem Beinamen nichts Edles aufzuweisen hat.“

2) für schielen.

Schnee selbst sey im Zweifel gestanden, ob er sie an der zarten Farb übertreffe, ja wann die schöne Aurora oder Morgenröth wär mit Tod abgangen, so hätt ihre Frau Mutter die Expectanz[1]) gehabt. O Bruta[2]), ei du garstiges Larven-Gesicht, deck dich zu! glaubst du dann, deine Ungestalt sey geringer, weil deine Frau Mutter so schön war, dero Maden-Sack bereits den Würmen zu einem Tummel-Platz worden! Obschon deine Frau Mutter eine schöne Helena, so bist du gleichwohl eine garstige Höll! rc. Pfui!

Nicht eine geringere Thorheit ist es auch bei manchem, welcher einen tadelhaften, und mit vielen Lastern bekothigten Wandel führt, in allem Wust herum wühlt, und dannoch beinebens mit aufgeblasenen Backen das Gloria singt seines adelichen Herkommens, welches ihm doch mehr Schamröthe soll austreiben, und wär kein Wunder, es thäten die an der Wand hangenden Contrefei seiner adelichen Vor-Eltern und Annaten[3]) mit lauter Stimm wehmüthig kagen und bedauren, daß auf ihrem Stamm-Baum ein solcher wurmstichiger Apfel, daß in ihrem Stamm-Haus ein solcher zermoderter Trämm, daß in ihrem Geblüt eine solche ungesunde Ader entsprossen. Was helfen einem solchen die Glorie und Ruhm seines Vaters, welche in ihm schon erloschen? Der Cham ist gleichwohl als ein Böswicht und nichtswehrtiger Gesell gehalten

1) „die Hoffnung, ihre Stelle einzunehmen."
2) einfältige Närrinn!
3) Verwandte.

worden, ob schon sein Vater der Noe der alleredleste Mann war: so geschieht auch mehrmalen, daß ein Baum aus einem königlichen Forst und Wald abgehauen, gleichwohl zu einem Hackstock wird, und also wegen seines Herkommens wenig Preis darvon tragt. Das ist wahr und bleibt wahr: nobilitas morum plùs ornat, quàm genitorum; „wer edel thut, der ist edles Blut." Nobiliter vivens et agens haec nobilis est gens; „das heißt recht adelich gelebt, wo man nach Ehr und Tugend strebt." Hat also gar ungereimt jene Dama zu Baaden in Oesterreich einmal geredt, daß sie lieber wollt in der Höll bei einem Edelmann sitzen, als bei einem Bauern in dem Himmel. Als ich solches einem Bauern erzählte, wurde er hierüber nit unbillig erzürnet, und sagte endlich: er sey sauberer als ein Edelmann; dann wann er die Nase schneuze, so werfe er den Unflath hinweg, die Edel-Leut aber fassen ihn in ein Tüchel und schieben ihn in Sack.

Gebühret demnach vor allen andern denen Hoch- und Wohl-gebornen, denen Wohl-edel-gebornen, daß sie der Gemein mit einem guten Wandel vorleuchten, mit adelichen Tugenden geziert seyn, den Glanz nit verdunklen, welchen sie von ihren Vor-Eltern ererbt, ihrem adelichen Helm nit einen Schimpf anfügen, den preisvollen Namen ihres Hauses nit verschimpfen, sondern mit einem Wort adelich leben, das ist, tugendsam. Mit dergleichen seynd ganze Bücher angefüllt, ganze Chroniken beschrieben, ganze Schriften verfaßt; und zählt man in dem römischen Brevier allein über die 100 Heiligen, von denen das Officium gebet wird, welche alle vornehme Edel-Leut waren, und von großen Häusern und gutem Herkommen: Nobiles, id est noscibiles per virtutem[1]).

Judas der schlimme Hund verräth, verschwend't, verschächert, vergibt, verkauft, verwirft, verständ'let, verhandlet den guldenen Jesum um Silber.

An einem Mittwoch haben die vornehmsten Priester zu Jerusalem, benanntlich diejenigen, welche vorhero schon das hohe Priesterthum versehen, einen gesamten Rath gehalten, wie sie doch Jesum durch eine Arglist und geheimen Schlich möchten gefangen nehmen; dann sie stunden in Sorgen, er möcht' ihnen mehrmal entgeh'en, wie sie es schon öfters erfahren. Zu dem wollten sie nit öffentlich die Händ an ihn legen, aus Forcht, daß ein Aufruhr unter dem Volk möcht entstehen, als welches dem Herrn über alle Massen zugethan war, indem ihn die meisten für einen großen Propheten gehalten. Es wär auch etwan nit leer abgangen, dafern sie ihn öffentlich hätten ergriffen, daß nicht etliche mit Wehr und Waffen den Herrn geschützt hätten; auch hätten vielleicht mehr als der Malchus allein eins für die Ohren bekommen. Wie

---

1) „Adelich, das ist anerkannt durch ihre Tugenden."

nun besagte Priesterschaft mit Beiziehung anderer Schriftgelehrten und auch des weltlichen Magistrats und hoher Richterstell sich untereinander berathschlagten, da hat sich der saubere Iscarioth lassen ansagen, welcher dann mit aller Höflichkeit eingelassen worden, allwo er auf Verheißung eines Recompens[1]) in Geld nach dero gnädigen Discretion[2]) sich freiwillig anerboten, Jesum in ihre Händ zu überliefern, und zwar ohne einige Ungelegenheit oder bevorstehenden Aufruhr. O Schelm, wegen des Gelds!

Allhier laß dir gefallen, mein günstiger Leser, einer gar feinen Comödie beizuwohnen, in welcher das große Vermögen des verruchten Gelds sattsam entworfen wird. Die vornehmste und Principal-Person auf diesem Theatro ist Praenobilis Dominus Aurelius Goldecker, natus Argentinensis[3]), der vertritt die Person des Mammons oder Geld-Gotts; der andere ist Perillus Dominus Justinus à Rechtberg, natus Veronensis[4]), dieser hat die Person der Gerechtigkeit. Justinus als die Gerechtigkeit will, daß Alles soll recht und löblich in der Welt hergehen vermög göttlicher und menschlicher Satzungen, und hat derenthalben einen scharfen Kampf und Ge-

---

1) Belohnung.

2) beliebigem Ermessen.

3) deutsch etwa: der besonders vornehme Herr Goldmann Goldecker aus Silberstadt (Aurelius und Argentinensis sind zugleich wirkliche Beinamen).

4) etwa: Herr Gerechtlieb von Rechtberg aus Wahrstadt (Verona).

zank; Aurelius aber oder das Geld vergleicht Alles in der Güte. Erstlich steigt ein keiner Knab auf das Theatrum, fällt vor dem Geld nieder, und singt eine Litanei nit mit heller, sondern mehr mit höllischer Stimm, folgenden Lauts:

Silber Eleison,
Gold Eleison,
Silber erhöre uns,
Gold erhöre uns!
Gold Vater der Getümmel, erbarm dich unser!
Gold Tröster der Welt, erbarm dich unser!
Gold allmächtiges, erbarm dich unser! rc.

Apage[1]), schreit Justinus auf, und versetzt dem losen Schelm eine solche Maulschell, daß ihn der Teufel über das Theatrum hinunter geführt. Was, sagt Justinus, sollt das Geld oder Gold allmächtig seyn? Ja, ja, antwort Aurelius oder der Mammon, und es stehe zu probiren! Nachdem sie sich beede niedergesetzt, da erschien auf dem Theatro ein junger Mopsus, welcher dann bald gefragt wurde, wer er sey. Ich, sagt er, hab gestudirt das Blane vom Himmel, bin allzeit auf der ersten Bank bei der Thür gesessen, mein Vater heißt Hanns Lümmel, mein Name ist Ferdinand Lümmel, sonst von Stroh-Hofen gebürtig rc. Was dann sein Anbringen sey oder Verlangen, ist die Frag. Worauf er utcumque[2]) bescheiden geantwortet: er sey resolvirt, sein

1) „fort!“ (So sagte Christus zum Satan) hebe dich weg.“
2) „wie immer.“

Stückl Brod zu verbessern, und halt' derentwegen an um ein O vitium[1])! um eine ehrliche Scharsche. Es kann nicht seyn, sagt Justinus die Gerechtigkeit, dann zu einem Amt müssen taugliche Leut erkießen werden.

Wie die Herren Bäume einen Reichstag gehalten, und darauf nach genugsamer Bedachtsamkeit zu der Wahl geschritten, einen König zu erwählen, ist endlich mit einhelligen Stimmen die Dornstaude erwählt worden. Mit Gunst, ihr Herren Bäume, daß ich mich unterfange einzureden, warum habt ihr zu solcher Hohheit nit den Oelbaum erkiesen? Ist es doch geschehen, aber er hat wiederum resignirt[2]), und hat nit übel gethan, dann ein Oelbaum geht mit Schmiralien um, und ein solcher taugt nit für eine Obrigkeit. Warum habt ihr nicht den Feigenbaum erwählt? Ist es doch auch geschehen, aber er hat es nit angenommen, hat zwar gar recht hierinfalls gehandelt, dann er immer zu süß ist, und ein solcher taugt nicht vor eine Obrigkeit, weil diese auch zuweilen ein sauers Gesicht machen muß. Warum habt ihr nit erwählt den Weinstock? Ist es doch ebenfalls geschehen, aber er hat sich dessen geweigert, und hat gar wohl und bescheid gethan, dann ein Weinsüchtiger und Vollsaufer taugt nicht vor eine Obrigkeit. Jetzt fällt es mir ein, und glaube dessenthalben, daß ihr die Dornstaude habt erwählt, welche auch diese Hohheit angenommen, weil selbige voller Spitzen; dann wahrhaftig zu Aemtern und Dignitäten

---

1) Officium heißt ein Amt; o vitium aber heißt: o Laster!

2) „sein Amt niedergelegt.“

sollen sein spitzfindige Leut, nit kroperte Trämmel, verständige Leut, nit ungeschliffene Knäffel, qualificirte Leut, nit plumpe Herbst-Lümmel genommen werden. -

Herunter mit dir, und sein geschwind! hat es geheißen beim Zachäo „festinans!" Unser Herr hat gesehen, daß dieser kleine Masculus[1]) in der Höhe war, der doch voller Partiten und Interesse gesteckt. Dieß solle noch allezeit emsig beobachtet werden, daß man keinem in die Höhe helfe, noch daroben lasse, der da kleine Talenta, keine Erfahrenheit und große Schelm-Stuck hat!

Joseph in Egypten ist also durch die göttliche Gnad in den Welt-Ehren gestiegen, daß in dem weiten und breiten Königreich Egypten Alles durch ihn wurde regiert; alle hohen, stattlichen Aemter und Officia bei Hof und anderwärts kounte er vergeben, weil er denn der Einige beim Brett gesessen. Warum daß er seinen Brüdern nit geholfen? etwann den Bruder Ruben zum Oberst-Kuchelmeister gemacht, da hütt man vielleicht den Safran erspart[2]); der Simeon hätt ja getaugt für das Controllör-Amt? der Isachar, so verdolmetscht wird asinus fortis[3]), hätte ja können Stallmeister seyn? dem Bruder Nephtali wär die Obrist-Jägermeisterei nicht übel angestanden, massen sein Herr Vater Jacob solches im Geist vorgesehen, da er gesagt hat: Nephtali, cervus emissus etc.[4]); der Bruder Gad

---

1) Männlein.

2) ruber heißt neml. im Lateinischen roth.

3) starker Esel.

4) Naphthali ein Hirsch, der ausgesandt wird.

kount ja Hof Kriegs-Rath seyn, Gad accintus praeliabitur etc.[1]). Auf solche Weis wären seine Herren Brüder gar wohl accomodirt[2]) worden? Nichts, nichts, nichts, sagt Joseph, sollen dergleichen meine Brüder haben, dann sie seynd noch plumpe Phantasten, wissen nichts und können noch nichts, als die Schaf hüten, sie taugen nit, dessentwegen mag und soll und muß und will ich sie nit promoviren!

Anno 1647 haben die Studenten, und forderist die Juristen, zu Avignon in Frankreich bei Faßnacht-Zeit einen Esel zum Doctor gekrönt. Erstlich saß der Esel auf einem gar herrlichen Wagen, so von 6 andern starken Eseln gezogen wurde. Dieser graue Candidatus hatte vor seiner ein überaus großes ausgebreites Buch auf einem Pultbrett, worin er stets mit unbeschreiblich großen Brillen geschaut; neben seiner saß in philosophischem Aufzug der Plato und Aristoteles als hochweise Promotores dieses arcadischen Herrn; wurde also, in Begleitung von 2000 zu Pferd vermäscherirten[3]) Studenten, worunter ein großer Adel, durch die vornehmsten Gassen der Stadt, mit allerseits ungestümmem Gelächter, herum geführt, und endlich in Gegenwart hochfürstlicher Personen auf einem hohen Theatro oder Bühn solenniter zu einem Doctor inaugurirt[4]), welches Ihro Gestreng, dem neuen Doctor und clarissimo nec non Esclio[5]) über alle Massen wohlge-

1) „Gad wird gerüstet seyn zum Kampfe."
2) angestellt, verwendet.
3) wahrscheinlich s. v. a. maskirt.
4) feierlich z. D. geweiht.
5) hochberühmten Esel.

fallen. Es hat diese Esels-Promotion über 3000 Gulden gekost. O Gott, was sagen die Armen hierzu!

Allhier dieser angestellte Faßnachts-Possen war allein dahin angesehen, daß sie wollten durch solche Promotion zu verstehen geben, wie närrisch, thöricht, ungereimt, schändlich, schädlich, schimpflich es sey, wann man Esel- und Stroh-Köpf promovirt. Darum Rachel gar wohl gehandelt, wie sie aufs Stroh, worunter Götzen-Bilder waren, gesessen; dann auf einen solchen Kopf gehört kein anderer Hut.— Es schickt sich also nit, sagt Justinus zu diesem ungeschickten Flegelium, daß er zu einem Amt solle kommen wegen seiner allzugroßen Ungeschicklichkeit.

Der syrische König Benedad hat mit großer Kriegs-Macht Samariam umgeben, und dermassen hart und eng belagert, daß die äußerste Hungersnoth darin entstanden, und eine große Anzahl der Menschen wegen Abgang leiblicher Nahrung darin verdorben; die Theurung ist dergestalt gewachsen, daß ein Esels-Kopf um 30 Silberling verkauft worden. O wohl elende Zeiten, allwo die Esels-Köpf so viel gelten! Es ist kein schlimmerer Zustand in einem Land, in einer Stadt, in einer Republik, in einem Kloster 2c., als wann die Eselsköpf in großem Werth seyn, wann Idioten den obern Sitz haben, und die groben Blöck beim Bret sitzen!

Der große aufgeblasene Lümmel Goliath ist mit Lanzen und Harnisch über und über bedeckt gewesen, derentwegen hat er den kleinen David gespöttlet, und ihn vor einen Hunds-Buben gehalten; aber David klein von Person, groß von Kuraschi, zielt, wirft, trifft den eisenen Maulaffen also an die Stirn, daß er gleich niedergesunken und in das Gras gebissen, der lang genug ein Unkraut gewesen. Du fragst aber, wie es habe können geschehen, daß Goliath ganz beharnischt sey vom Kieselstein verletzt worden? Es antworten die mehreren Lehrer, daß gedachter großer und ungeheuere Bezel sey zwar völlig am ganzen Leib verpanzert gewese ausgenommen vornher an der Stirn, allwo ihn nachmalens der David getroffen. Dergleichen große Hansen, Hahn im Korb, Gimpel im Salz-Faß gibt es noch mehr, welche in allem, mit allem, an allem versehen außer am Hirn und Stirn haben sie nichts, dort ist es leer, dort ist es de sede vacante [1]). Derentwegen [illegible] man diese auf keine Weis zu Aemtern promoviren, noch in die Höhe hel[illegible]

Abrah[a]m im alten Te[st]a[ment] [illegible]t es gar deutlich an die H[a]nd, was man [illegible] im neuen [Te]stament. [illegible] als er seinen [illegible] [S]ohn Isaak [illegible] dem h[illegible] [Be]rg wollte G[illegible] [illegible]ern, [illegible] at [illegible] Knecht[illegible] en: exspe[illegible] [illegible] cum s[illegible] sollen [illegible] Esel her[illegible] Bergs wa[illegible] gar [illegible] [illegible]an ja [illegible] [illegible]kten Esel [illegible] Höh[illegible] [illegible]en [illegible] [illegible]tz und [illegible] nur [illegible] [illegible]d it [illegible] [illegible]an A[illegible] be[illegible] ist [illegible] [illegible]en! [illegible] i[illegible] [H]öhe [illegible] [illegible]uber [illegible] [illegible]ige [illegible]

Köaig in Lusitania. Dieser hat bei männiglich den Namen eines Gerechten. Deßwegen er also glücklich regiert, daß, ob schon damal alle anliegenden Königreiche in Kriegsflammen steckten, sein Königreich gleichwohl in gewünschtem Frieden und Freuen lebte. Dieser pflegte zu sagen, daß ein Land müsse zwei Füß haben, einer aber muß so groß seyn, als de andere, sonsten thut es hinken: ein Fuß sey, das Böse strafen, der andere, das Gute belohnen. Solches hielt er auf das genaueste, ja er war so ernsthaft, daß er stets an seinem Gürtel eine Geißel hangen hatte, zu zeigen seine Justiz. Er besuchte zum öftern das Königreich, und so man ihm einen Schuldigen oder Bösewicht vorgestellt, hat er sich, aus lauter Eifer der Gerechtigkeit, nit enthalten können, daß er ihn nit selbst mit eigner Hand abgestrafet; er war aber hinwieder dergestalten liberal und freigebig gegen die Wohlmeritirten, daß er in allweg suchte dieselbigen mit Gnaden, mit Gutthaten, mit Promotion[1]), mit Aemtern belohnen. Er hatte einst befohlen, man soll ihm Gürtel weiter lassen, damit er also füglicher und könne die Händ ausstrecken, den Wohlmeritirten [illegible]ziren. Wo aber solches nit beobachtet wird, [illegible] Unheil zu besorgen.

[illegible]as Schaden von denen Erdbeben herrührt [illegible] der ganzen Welt bekannt. Anno Ch[illegible] ganze, große, weite, schöne, reiche St[illegible] er gleich niedergesunken und in das Gras gebissen, der lang genug ein Unkraut gewesen. Du fragst aber, wie es habe können geschehen, daß Goliath ganz beharnischt sey vom Kieselstein verletzt worden? Es antworten die mehresten Lehrer, daß gedachter großer und ungeheuere Bengel sey zwar völlig am ganzen Leib verpanzert gewesen, ausgenommen vornher an der Stirn, allwo ihn nachmalens der David getroffen. Dergleichen große Hansen, Hahn im Korb, Gimpel im Salz-Faß gibt es noch mehr, welche in allem, mit allem, an allem versehen, außer am Hirn und Stirn haben sie nichts, dort ist es leer, dort ist es de sede vacante [1]). Derentwegen soll man diese auf keine Weis' zu Aemtern promoviren, noch in die Höhe helfen.

Abraham im alten Testament gibt es gar deutlich an die Hand, was man soll halten im neuen Testament. Dann als er seinen liebsten Sohn Isaak auf dem hohen Berg wollte Gott aufopfern, hat er den Knechten befohlen: exspectate hic cum asino „sie sollen mit dem Esel herunter des Bergs warten;" und gar recht, dann ja die ungeschickten Esel nit in die Höhe gehören! Was nit Witz und Spitz hat, wo nur leer und nit Lehr ist, wann Amen und stramen [2]) beisammen ist: bleib herunten! zu was dient ein Knopf in der Höhe, wo nicht über sich ein Spitz gehet? Spitzfindige und Gelehrte sollen in allweg den Vorzug haben.

In dem Fall hat ein ewiges Lob verdient Petrus,

---

1) das gehört zu den freien Sitzen.

2) Stramen das Stroh.

König in Lusitania. Dieser hat bei männiglich den Namen eines Gerechten. Deßwegen er also glücklich regiert, daß, ob schon damal alle umliegenden Königreiche in Kriegsflammen steckten, sein Königreich gleichwohl in gewünschtem Frieden und Freuden lebte. Dieser pflegte zu sagen, daß ein Land müsse zwei Füß haben, einer aber muß so groß seyn, als der andere, sonsten thut es hinken: ein Fuß sey, das Böse strafen, der andere, das Gute belohnen. Solches hielt er auf das genaueste, ja er war so ernsthaft, daß er stets an seinem Gürtel eine Geißel hangen hatte, zu zeigen seine Justiz. Er besuchte zum öftern das Königreich, und so man ihm einen Schuldigen oder Bösewicht vorgestellt, hat er sich, aus lauter Eifer der Gerechtigkeit, nit enthalten können, daß er ihn nit selbst mit eigner Hand abgestrafet; er war aber hinwieder dergestalten liberal und freigebig gegen die Wohlmeritirten, daß er in allweg suchte, dieselbigen mit Gnaden, mit Gutthaten, mit Promotion[1]), mit Aemtern zu belohnen. Er hatte einst befohlen, man soll ihm die Gürtel weiter lassen, damit er desto füglicher und besser könne die Hand ausstrecken, denen Wohlmeritirten zu spendiren. Wo aber solches nit beobachtet wird, ist alles Unheil zu besorgen.

Was Schäden von denen Erdbeben herrühren, ist schon der ganzen Welt bekannt. Anno Christi 343 ist die ganze, große, weite, schöne, reiche Stadt Neocesarea durch ein Erdbeben versunken. Anno 753 ist durch die Erdbeben das ganze Land Mesopotamia der-

1) Beförderung.

gestalten erschüttlet worden, daß die Erd dreimal in der Länge zerspalten; item, unter dem Bonifacio IX, römischen Papst, ist ein solches Erdbeben durch ganz Italia entstanden, daß hiervon die mehresten Gebäu umgestürzt und zu Boden gefallen, so gar hat sich der Papst aus Forcht, er möchte von dem Gemäuer überschüttet werden, zu Reate in dem Dominicaner Kloster mitten auf einer Wiese zur größten Winterszeit in einem von Brettern zusammen geschlagenen Hüttl müssen aufhalten. Anno 1509 ist zu Constantinopel ein solches Erdbeben entstanden, daß fast alles zerschmettert, und über die 13000 Menschen umkommen. Anno 1590 den 7. September ist zu Wien ein solches Erdbeben gewest, daß die Kirche samt dem Altar, bei unser Frau zum Schotten, mitten von einander zerspalten, ein Thurm beim rothen Thurm umgefallen, worvon 7 Personen zu todt geschlagen worden, und wurde dazumal kein Haus gefunden, welches nit schadhaft war.

Nun ist eine Frag, woher solcher Gewalt oder Erdbebungen herrühren? Die Philosophi seynd der einhelligen Aussag, daß, wann sich eine Luft in die Erde verschießt und verschließt, so suche sie nachmals auf alle Weis einen Ausgang; dann die Luft, als ein so hohes Element, schamt sich, daß die Erd, als ein schlechtes, niederiges, kothiges und besudeltes Element, soll ober ihr herrschen; sie schamt sich dessen, dahero sie auf allweg einen Ausgang sucht, und so sie keinen find't, rotte sie sich zusammen, und braucht eine solche Gewalt, daß sich die ganze Erde beweget, zerspaltet, und so großer Schaden zugefügt wird. Was! sagt die Luft, ich bin ein so wackers, so subtiles und herrliches Element, und die Erd, eine so schlechte Sach, soll ober meiner seyn? das thue ich nicht!

Wann man manchesmal die Meriten und Verdienste nit anschaut, sondern etwann einem forthilft, hinauf hilft, der plump und plumbeus[1]) ist, und muß ein wackerer, ansehnlicher, wohlverständiger Kerl unten bleiben: das erbittert das Gemüth, schmerzt das Herz, verwirrt den Verstand, zwingt den Will dahin, daß ein desperates[1]) Vorhaben erwacht, worvon nachmals erfolgt, daß keiner mehr in einem Reich, in einem Land, in einer Republik, in einem Kloster, in einer Gemein Lust und Lieb hat, etwas Gutes zu thun. Wann man sieht, daß der besser fortkommt, welcher die Fenster einschlägt, als der sie einsetzt, daß der ehender promovirt wird, der die Zech bezahlt, als der sie macht, daß der mehr gilt, welcher abbricht, und nicht der aufbaut; wann man wahrnimmt, daß ein Esau dem Jacob, eine Lia der Rachel, ein Ismael dem Isaak, ein Kain dem Abel, ein Judas dem Peter vorgezogen wird: wer hat Lust nachgehends, sich wohl und gut und ehrlich und treu zu halten?

Martinus Schenkius, ein ansehnlicher Hauptmann unter der spanischen Armee, hat sich sehr tapfer und ruhmwürdig gehalten in dem Krieg wider die Holländer, hat seinen Heldenmuth erzeigt in der Schlacht bei Herdenberg, in Eroberung Prädä und vieler anderer Orten. Nachdem er aber gesehen, daß ihm Schlechte und Unerfahrne seynd vorgesetzt worden, und man seine

---

1) bleiern, von Blei.

2) verzweifeltes

stattliche Dienst so wenig betrachtet, hat es ihm dergestalten verschmacht, daß er zu den Holländern übergangen, und nachmals den größten Schaden den Spaniern zugefügt. Dergleichen Beispiel und Exempel wären in einer großen Menge beizutragen, wo allemal die unbelohnte Treu in eine Untreu ausbrochen.

Sey ihm wie ihm woll, des verlornen Sohns Bruder ist es so gar nit vor übel zu halten, daß er so stark gemurrt wider seinen Herrn Vater, um weil er dem schlimmen Bürschl, so all sein Hab und Gut mit Andln und Kandln verschwend't, eine stattliche Mahlzeit gehalten, ihm aber, der sich Tag und Nacht gefrett'[1]), nit einmal ein Brätl sey vergunnt worden. Wer will auf solche Weis' sich wohlhalten? Wann die Knöpf mehr gelten, als die Rosen, wann der Rauch werther ist, als das Feuer, wann die Standen höher geschätzt werden, als die Bäume, wann die Karren mehr seynd, als die Wägen, wer soll sich dessen nit beklagen?

Es soll allerseits hergehen, wie auf einer Geige: auf dieser werden vielerlei Saiten gespannt, grobe, subtile und mittlere. Welche aber aus diesen ist die erste, und welche die letzte? Antwort: die subtile Seite ist die allererste, diese geht voran, die grobe gehört auf die letzt. Mit den Sitten soll man umgehen, wie mit den Saiten: grobe und ungeschlachte Sitten soll man jederzeit nachsetzen, die subtilen aber voran, und soll Kunst viel mehr wägen, als Gunst. Ein Land,

1) geplagt (S. oben).

eine Republik, ein Stadt, eine Gemein soll beschaffen seyn, wie jene Matron, welche Joannes gesehen in der Apocalypsis [1]). Diese war bekleidet mit der Sonne, zwölf Stern ober ihrem Haupt, und der Mondschein unter den Füssen. Durch die Stern werden bedeut' die hocherleuchten Männer, deßwegen seynd solche in der Höhe; durch den Mond wird vorgebildet ein ungeschickter und plumper Phantast, stultus ut luna mutatur [2]), daher solcher hinunter gehört.

Weil du dann, bekannter Mopse, sagt Justinus, nichts gestudirt, und dein Kopf einem Kraut-Topf gleichet, weil du nur gradirt zu Padden [3]) und nicht zu Padua, weil du nur Doctor bist worden zu Narrbona, und nicht zu Lisabona, weil du mit dem Nescio alle Fragstuck solvirest, und nit salvirest [4]), und dein Verstand so glatt florirt, wie das Florentiner-Gebirg; ist also dein Bescheid: Es kann nit seyn!

Hierauf erhebt sich von seinem Sessel der Aurelius oder Mammon, und wischt mit einem Beutel Geld heraus, streicht dem Monsieur Justino solchen zweimal um das Maul, und steckt ihm nachmals solchen in seinen Sack, worauf alsobald Justinus mit andern Worten aufgezogen, nemlich: Es kann gar wohl

1) der Offenbarung.

2) „der Thor ist veränderlich gleich dem Monde.“

3) Padden ist ein Fisch, der in den Gewässern bei Virginien gefangen wird, Padua eine berühmte Universitäts-Stadt in Ober-Italien.

4) alle Fragen nur mit dem „Ich weiß nicht“ losest, nicht aber recht beantwortest.

seyn, und es soll seyn; dann ob schon dieser Mensch wenig gestudirt, so zeigt er doch ein stattliches Cerebell[1]), er wird ansehnlich vor das Amt taugen, (besser geredt, das Amt wird für ihn taugen). O vermaledeites Geld! nun gilt Pluto mehr als Plato[2]), nun machen Batzen auch einen Pazzo[3]) zum Doctor, nun promoviren die Aurei auch einen auritum asinum[4]) zu Dignitäten, nun helfen die Thaler einem auf den Berg, nun gilt Argentum mehr als Argumentum[5]), nun muß man nit allein, wie die Israeliten, ein guldenes Kalb verehren, sondern auch einen solchen guldenen Ochsen-Kopf, nun machen die Groschen einen zu einem Großen, nun helfen Munera zu Munia[6]). O verfluchtes Geld!

Geld macht Affekt in der Welt, Geld macht Effekt in der Welt, Geld macht Infekt in der Welt, Geld macht Defekt in der Welt, Geld macht Profekt in der Welt, und Geld macht Präfekt[7]) in der Welt.

---

1) eigentlich das kleine Gehirn, das für den Sitz der Seele und des Verstandes gehalten wird.

2) Pluto ist der Gott der Unterwelt, der Hölle, und der unterirdischen Schätze; Plato aber ein sehr berühmter Weltweiser.

3) ital. Wort: der Narr.

4) die Goldenen (Goldstücke) befördern auch den langohrigen Esel zu Würden.

5) Silber mehr als Verstand und Verdienst.

6) Geschenke zu Aemtern.

7) Affect, Eff ꝛc. heißen: Theilnahme, Wirkung, Ansteckung, Mangel, Fortschritte, Vorgesetzte.

Hast Geld, so kommst fort; hast keins, so bleib dort; hast Geld, so setz dich nieder; hast keins, so bin ich dir zuwider. Du verdammtes Geld, auf solche Weis machest du Stolones[1]) zu Salomones.

Es waren einsmals etliche Competenten[2]) zu einem guten und wohlerträglichen Amt berufen. Damit man aber möcht' erkennen, welcher aus ihnen der witzigste und hierzu der tauglichste wäre, ist ein Examen von drei gelehrten Männern angestellt worden, welche einem jeden in der Stille und in das Ohr eine Frag aus dem Jure Civili[3]) vorgetragen, mit dem Verheiß, wer es zum besten solviren werde, dem soll das vacirende Amt verliehen seyn. Einer aus den Competenten war ein unverständiger Knospinianus und Haupt-Idiot[4]), welcher gar nicht wußte, ob Zachäus und Zacharias zweierlei Namen seyen, und glaubte, Epiphania sey des Herodis Saug-Ammel gewest; er wußte so gar nit, an was vor einen Tag dasselbige Jahr der Charfreitag falle. Solchem Mopso gab ein Examinator ein Fragstuck in die Ohren, auf welches aber der Phantast nit geantwortet, sondern hinwieder ganz beherzt dem Examinatori ohne weiteres Nachsinnen mit diesen Worten begegnet, auch ganz in das Ohr: Herr

---

1) ein lat. Wort, welches die sogenannten Räuber, d. i. solche Nebenzweige an Bäumen oder Gewächsen bezeichnet, welche von der Wurzel ausschlagen und dem Stamme die Nahrung entziehen.

2) Bewerber.

3) dem bürgerlichen Rechte.

4) Pinsel, Nichtswisser.

seyd auf meiner Seite, und helft mir dießmal fort, mit 100 Thalern will ich mich per par einstellen! Wahrhaftig, schreit der Examinator auf, nit ohne sondere Verwunderung, wahrhaftig, dieser hat die Question[1]) auf das allervollkommenste mit wenig Worten nach allem Contento solvirt! (aber solvere heißt auch bezahlen) ist demnach billig, daß er allen Andern soll vorgezogen werden. O vermaledeites Geld, du vermagst Alles in der Welt, derenthalben man dir noch den Titul gibt, allmächtiges Gold!

Mammon, ziemlich stolz und übermüthig wegen der Oberhand, setzt sich wiederum nieder. Darauf steigt ein sehr wohlbekleid'ter Forestier und junger Gentil-Homo auf das Theatrum. Dieser tragt den Hut nur auf halbem Kopf, spreizet die Ellenbogen heraus, als wollt er helfen dem Atlas die Welt-Kugel tragen. Justinus fragt gleich, wer er sey? Ich, gab er zur Antwort, reis' in die Länder etwas zu sehen und zu erfahren, damit man mir nit möge schimpflich vorwerfen, ich sey über meines Vaters Zaun nit gestiegen; ich bin in meinem Vaterland nit in geringem Ansehen, alle meine Freundschaft stehet in hochfürstlicher Amts-Verwaltung, mein Nam' ist Joannes Adamus Richardus Sallustius von Pflug-Eck ꝛc. Was er dann begehre? fragt ferners Justinus. Der läßt sich verlauten, als möcht er gar gern mit dieser jungen Tochter in Bekanntschaft kommen, und dero lieben Ansprach und werthe Gesellschaft genießen ꝛc. Es kann nicht seyn, war der Bescheid, Gott behüt's,

1) Frage.

es soll gar nit seyn, die Ehr eines jungen Mädels ist über Alles!

Jakob und Esau zankten miteinander, wer unter ihnen soll den Vorgang haben, die Aposteln wörtlen mit einander, wer unter ihnen soll Major heißen; aber mit dem Jungfraustand braucht es kein weitläufiges Wortwechslen noch Disputirens, er geht ohnedas allen anderen vor.

Der Ehestand ist ein Acker, der Wittibstand ist ein Garten, der Jungfraustand ist ein Paradies.

Der Ehestand ist ein Blei, der Wittibstand ist ein Silber, der Jungfraustand ist ein Gold.

Der Ehestand ist ein Stern, der Wittibstand ist der Mond, der Jungfraustand ist die Sonn.

Der Ehestand ist ein Dorf, der Wittibstand ist ein Markt, der Jungfraustand ist eine Stadt.

Der Ehestand ist ein Wasser, der Wittibstand ist ein Bier, der Jungfraustand ist ein Wein.

Der Ehestand ist ein Türkis[1]), der Wittibstand ist ein Rubin, der Jungfraustand ist ein Diamant.

Der Ehestand ist eine Leinwath, der Wittibstand ist ein Taffet, der Jungfraustand ist ein Atlaß.

Der Ehestand ist menschlich, der Wittibstand ist heilig, der Jungfraustand ist englisch.

Der Ehestand ist gut, der Wittibstand ist besser, der Jungfraustand ist der beste.

2. Mos. 25. Kap. hat der allmächtige Gott

---

1) ein edler Stein, der in Persien und Indien gefunden wird, im Werthe aber den beiden folgenden von P. Abr. genannten nachsteht.

dem Mosi befohlen, er soll in dem Tempel einen guldenen Leuchter verfertigen, mit dem Geding, daß die ausgestreckten Arme, worauf die Kerzen stecken, sollen geformirt seyn, wie die Lilien, „lilia ex ipso procedentia“ etc., dardurch zu zeigen, daß nichts mehr oder schöner in der allgemeinen Kirche leuchte und scheine, als der Jungfraustand, welcher durch die silberweißen Lilien entworfen wird; derentwegen unter den 12. zwölf Himmels-Zeichen auch der Löw gleich vor der Jungfrau, damit er, weil von diesem Thier glaubwürdig gesagt wird, als schlafe es mit offnen Augen, eine wachtsame Schildwacht abgebe dieses so kostbaren Schatzes der Jungfrauschaft.

Die Jungfrauen seynd lobwürdig, und dannoch nix zu achten, sie seynd ehrwürdig, und dannoch seynd sie nix werth, sie seynd preiswürdig, und dannoch seynd sie nix nutz. Verstehe mich aber recht: nix ist ein lateinisch Wort, und heißt auf deutsch ein Schnee. Gleichwie nun der gebenedeite Jesus auf dem hohen Berg Thabor mit einem glorreichen Kleid geprangt, welches gefärbt war wie der weiße Schnee, „vestimenta ejus facta sunt alba sicut nix,“ also kann eine junge Tochter mit keiner bessern Tracht aufziehen, als mit dem weißen Habit der jungfräulichen Ehren, welche forderist von dem höchsten Gott mit so großen Gnaden privilegirt.

Der Gürtel des h. Colomani hat auf den heutigen Tag noch diese wunderseltsame und von dem Allmächtigen ertheilte Eigenschaft, daß er dem allerdicken und feististen Leib, dafern solcher noch mit jungfräulicher Zierde begabt, nit zu eng, sondern kann sich einer gar leicht mit demselben umgürten; bei welchen aber die Lilien der jungfräulichen Ehr verwelket, so er auch so mager und dürr soll seyn, fast wie ein Ladstecken, so würde ihm doch besagter Gürtel zu eng seyn.

In dem berühmten Herzogthum Bayren ist ein gnadenreiches Gottes-Haus, Aethal genannt, allwo die Bildnuß der Mutter Gottes von purem Silber zu sehen, von dero ganz glaubwürdig erzählt wird, daß auch der stärkeste Mensch selbiges Bild nicht könne in die Höhe heben, solches aber eine reine Jungfrau, ob schon schwach und klein, gar leicht zuwegen bringe.

Daß Gott der Allmächtige den jungen Raben in ihrem Nest so gnädig ist, und sie, als dazumal arme, verlassene Weisl, so wunderbarlich ernährt, wundert mich so stark nit, massen diese jungen Galgen-Vögel zur selben Zeit noch weiße Federn tragen als eine jungfräuliche Liverei, auch dazumalen noch nichts um das stinkende Aas wissen, wie es eigentlich den Jungfrauen gebührt, derenthalben sie der allmächtige Gott also respectiret.

Die h. Jungfrau Paula, ins gemein Barbata[1]) genannt, wie sie gar zu heftig von einem Jüngling wegen ihrer so schönen und wohlgeschaffenen Gestalt wurde geplagt, und ihr fast auf eine unsinnige Weis' nachgestellt, hat ihr Zuflucht genommen in die Kirche, allwo sie vor einem Crucifix-Bild solche große Bedrängnuß mit eifrigen Thränen beklagt, welcher dann

1) die Bartige.

unter währendem Gebet ein solcher ungeformter Bart gewachsen, daß sie dem gröbesten Holzhacker gleich sah, welches dem geilen Jüngling all seinen Muth benommen, und Paula durch diesen Bart sicherer, als Paulus durch seinen Korb der Gefahr entrunnen. In solchem Werth ist bei dem Höchsten die Jungfrauschaft, daß er sie mehrmalen ganz wunderbarlich zu retten pflegt.

Kein Vogel soll geiler und verliebter seyn, als die Tauben, sagt Albertus Magnus, wie das stete und fast immerwährende Schnabelwetzen unter ihnen; dahero columba[1]) so viel, als colens lumbos heißet; auch wird der Triumph-Wagen der saubern Venus mit zwei Tauben bespannt gemahlt, wessenthalben Gott im alten Testament ordentlich verboten, man solle ihm keine Tauben opfern, wohl aber pullos columbarum, „junge Tauben," welche noch im Nest sitzen, und nichts wissen um das Schnäblen und Liebkosen, also ist der Ausspruch Theodoreti zum 3. B. Mos. Frage 1. welches eine gar deutliche Zeugnuß ist, wie Gott der Herr den Jungfraustand so hoch halte.

Im ganzen Königreich Spanien war Maria Coronel Gestalt und Schönheit halber die allerauserlesneste, wessentwegen sie von Petro, König zu Castel, aufs-äußerist angefochten worden, und fast nit mehr möglich scheinte, ihm zu entrinnen. Das letzte Mittel war dieß, daß sie die Kloster-Jungfrauen daselbst inständig gebeten, sie sollen sie in eine Grube

1) lat. Wort, die Taube.

ihres Gartens verbergen und mit Erd verhüllen, bis unterdessen die ungezaumte Hitz dieses Königs nachlasse. Welches dann auch also geschehen; und wie gleich hierauf der vergaffte Monarch in den Garten geloffen, etwann derentwegen in der Geheim verständiget, hat er im wenigisten nit können wahrnehmen, noch finden, wo doch gedachte schönste Helena muß verborgen seyn, massen durch göttliche Schickung augenblicklich aus der Erde, wormit sie in etwas bedeckt war, der schönste grüne Petersil in der Menge heraus gewachsen.

Wie Christus der Herr nach Bethania kommen, so seynd ihm zwei Schwestern entgegen gangen mit nassen Augen, mit schwarzem Flor, mit traurigen Gesichtern, mit aufstoßenden Seufzern, mit weißen Tüchlen in Händen, mit halb gebrochenen Worten den Herrn angeredt: O Domine, o Herr, wann du halt wärest da gewesen, so hätten wir unsern lieben Brudern nit verloren! Der gütigste Heiland läßt ihm alsobald das Grab zeigen, mit der tröstlichen Zusag, er wolle ihn von den Todten erwecken. So bald solches die adeliche Jungfrau Martha (dazumal hat mans noch nicht Fräule genennt) vernommen, sagt sie geschwind darauf: Jam faetet, „pfui, mein Herr, er stinkt schon!" Schau, schau, so kann das Jungfrau-Zimmer nichts übels riechen, wohl ein heikliches Nasen-Geschirr! Aber in der Wahrheit soll eine jede ehrsame Jungfrau also gesitt' und gesinnt seyn; wann sie einen üppigen Menschen vermerkt, der nach Bocks-Balsam schmeckt: pfui, soll sie sagen, jam faetet, er stinkt wie Holofernes, er mufft wie der Ammon, er böckelt wie der Abimelech, er brändlet wie Herodes; dessentwegen ist nit sicher, nahe bei ihm zu seyn, es ist nicht zu trauen; dann die Jungfrauschaft, weil sie in höchstem Preis und Werth gehalten wird, und allein von dem Himmel das stattliche Privilegium hat, daß sie dem schneeweißen Lamm Gottes auf dem Fuß nachtritt, erfordert allemal, daß man heiklich mit ihr umgehe.

Die h. Jungfrau Gertraud wird jederzeit, als eine Aebtissinn, mit einem Stab entworfen, an welchem etliche Mäus' aufkriechen. Die Ursach dessen such' der Leser in der Lebens-Beschreibung erstbenannter Heiligen; dießmal ist das schon genug, daß die Bildnuß besagter h. Gertraud niemalen ohne Mäus' vorgestellt wird. Das müssen die Jungfrauen wohl in Obacht nehmen, wann sie Gern-traut heißen, und so unbehutsam fast Allen gern trauen, daß sie von Mäusen genug, und zwar von großen, kecken, frechen, freien, Mäus-Köpfen werden angefochten; die Dina, des Jakobs frische Tochter, um Bericht! Dessenthalben soll eine Jungfrau seyn, wie eine Duck-Antel[1]): so bald solches der Leut ansichtig wird, so duckt es sich unter das Wasser, und verbirgt sich. Die Jungfrauen sollen die Männer lieb haben: — holla, versteht mich recht! die strohenen und von Fetzen zusammen geschoppten Männer, welche die Bauren zu Abtreibung der Vögel in den Aeckern und Gärten aufrichten, — also sollt ihr einiges Absehen dahin gestellt seyn, wie sie

---

1) Eine Art Wild-Enten, welche sich im Wasser zu verbergen pflegen.

lose und mehrmal unverschamte Erz-Vögel mögen abtreiben.

Majolus schreibt von einem wunderseltsamen Baum in dem pudesetanischen Reich, welcher insgemein genennt wird der Jungfrau-Baum: was meint ihr aber, hat der Baum für eine Eigenschaft? vielleicht kann man aus diesem Holz nichts anderst schnitzlen, als Löffel? Ei das nit, dann Löfflen schickt sich nit vor die Jungfrauen. Vielleicht tragt er eine Rinden, wie die Birken-Bäume, daß man darauf kann Buhl-Briefel schreiben? Das noch weniger; dann solche Kanzlei gehört nit für die Jungfrauen. Vielleicht, wann man aus diesem Holz ein Thür-Geschwell macht, hat es die Wirkung, daß jede, so keine gerechte Jungfrau ist, muß den Fuß brechen? Ei wohl nit, das wär grob, o Gott, wie viel träf' man krumme Menscher an! Vielleicht, wann man aus diesem Holz Zahnstürer macht, so wässern ihnen die Zähn nach dem Heirathen? Auch dieß nit; sondern in der Provinz Pudesetania wächst ein solcher Baum, wie auch Petra Sancta davon schreibt, daß, wann man denselben nur will anrühren, so zuckt er die Näst zu sich, und so man von demselben wieder abweicht, so streckt er seine Näst ganz frei aus wie zuvor; derentwegen wird er genennt Arbor pudoris, der Jungfrau-Baum oder schamhafte Baum.

Auf solche Art, und gar nicht anderst, sollen die Jungfrauen genaturt und beschaffen seyn, wann sie wollen den kostbaren und englischen Schatz der Jungfrauschaft erhalten, welcher so heiklich als ein Spiegel, der von geringstem Athem (ich sag nicht Adam) verdunklet wird, so heiklich, wie ein Licht, so vom geringsten Windblaser (ich sag nicht Blasio) ausgelöscht wird, so heiklich wie ein Schnee, der von einer lichten Sonne (ich sag nicht Sohn) zerschmelzt wird; dahero nicht gar ungereimt einer Jungfrau zu rathen, daß sie eine Hunds-Art (ei pfui!) soll an sich nehmen, dann ein Hund pflegt bei nächtlicher Weil auch den Mond anzubellen: also soll sie auch einen Mann anschnarchen und sauer ansehen.

Eine Jungfrau thät sehr weislich, wann sie auch eine närrische Natur an sich nähme; dann Levinus Lemnius schreibt Thl. 1, Bl. 3, daß er habe einen hypochondrischen Phantasten gekennt, der sich gänzlich die Einbildung gemacht, als sey er von lauter Glas zusammen gefügt, wessenthalben er im Gehen und Stehen sehr behutsam umgangen, und konnte man ihn auf keine Weis' noch Gewalt dahin verhalten, daß er sich sollte niedersetzen, weil er sich heftigist geforchten, es möchte Trümmer geben. Eine solche Einbildung wär' nit übel bei den jungen Töchtern, wann sie sein öfters die eigne Schwachheit vor Augen stellten, und sich dem gebrechlichen Glas nicht ungleich schätzten; dann Glück und Glas wie bald wird eine Jungfrau zu was? Gleichwie nun der Allmächtige in Erschaffung der Welt alsobald das Licht von der Finsternuß geschieden, „divisit lucem à tenebris," also ist auch nichts rathsamers, als daß auch Lucia à tenebrionibus[1]) soll abgesondert seyn.

---

1) von nichtsnutzigen, lichtscheuen Menschen.

Die Jungfrauen seynd noch allemal in größten Ehren gehalten worden, auch hat man sie schier angebetet, wie die Götzen-Bilder. Es wäre aber einsfalls nit gar unfüglich, wann sie sich wie die Götzen-Bilder stellten; dann von ihnen sagt die h. Bibel, aures habent et non audient, oculos habent et non videbunt, manus habent et non palpabunt etc., „sie haben Ohren und hören nit, sie haben Augen und sehen nit, sie haben Händ und fühlens nit, ꝛc. O Pater, sagt eine schnaderische Jungfrau, eure Meinung ist sehr wurmstichig; dann er muß vor gewiß halten, daß manche Jungfrau zur Gesellschaft geht, und wieder darvon, als wie die Sonnenstrahlen durch eine Mistlacke, worvon sie im wenigisten beunreiniget wird! Con licenza, meine junge Goschangula, so seyd ihr ganz und gar beschaffen, wie der Altar im alten Testament, auf dem durch göttlichen Befehl das Feuer stets mußte brennen, da doch derselbe Altar von lauter Holz war, und gleichwohl durch ein Wunderwerk vom Feuer nie verletzt worden: die Ursach war: weil besagtes Holz aus dem Paradies gewesen, wessentwegen es vom Feuer keinen Schaden können leiden. Also seyd ihr auch eine Jungfrau aus dem Paradies; ich glaub aber ehunder von Paris, und so man nach Plinii Aussag die Einhorn nicht anderst fangen kann, als in dem Schoß einer ganz gerechten Jungfrau, so würde vermuthlich mit euch gar eine schlechte Jagd angestellt werden: ist demnach weit besser, wann die Jungfrauen heiklich seynd; dann heiklich und heilig seynd zwei Bluts-Verwandte.

Allen Jungfrauen zu einer rechten Nachfolg hat die übergebenedeite Mutter Gottes Maria, als sie eilfertig, nit langsam, sondern ganz hurtig über das Gebirg gangen, in dem Haus Zachariä ihre liebste Maim oder Bas' freundlichist gegrüßt. Es steht aber an keinem Ort registrirt, daß sie ihren Vettern Zachariam hätte auch bewillkommt, woran sich alle rechtschaffenen Jungfrauen sollen spieglen, wie behutsam ihr Wandel seyn solle!

Was der verruchte Iscarioth den jüdischen Schörganten und Lotters-Knechten eingerathen, als er zu ihnen gesagt, tenete eum, et ducite cautè, „greift ihn an und führt ihn behutsam: das sollen auch alle Jungfrauen insgemein sich lassen gesagt seyn! cautè, fein behutsam geht mit euerer Ehr um, cautè, behutsam in Augen und Ohren, wann ihr wollt bleiben auserkoren; behutsam im Gehen und Stehen, wann ihrs nit wollt übersehen; cautè, behutsam in allen Dingen, wann ihr wollt die Ehr darvon bringen!

Salomon war so reich, daß er so viel Silber als Stein zu Jerusalem hatte; gleichwohl ist dieser Schatz weit minder zu achten, als die silberweiße Jungfrauschaft. Dahero so viel tapfere Gemüther und heroische Herzen auf das äußerste sich bemühet, mit allen erdenklichen Mittlen gedachtes Kleinod zu erhalten.

Surius schreibt von zwei adelichen Töchtern im Fürstenthum Lombardia, wie solche ehrliebenden Kinder in dem Einfall der barbarischen Völker zu Schirmung ihrer jungfräulichen Zierde folgende Arglist ersonnen: Benanntlich hat eine jede aus ihnen ganz junge und geropfte Hühnlein in den blossen Busen verborgen, alwo sie nach und nach durch die Wärme also zur Fäule gegriffen, daß sie nachgehends einen unglaublichen Gestank verursacht. Indem nun die barbarischen Kriegs-Knecht diese so edlen schönen Töchter ergafft, haben sie nit anderst verhofft, als gehören diese Leut' und Beut' für sie. Nachdem sie aber den üblen Gestank vermerkt, so hat ihnen, pfui Teufel! der Magen also rebelliret, daß sie alsobald von ihrem gottlosen Vorhaben abgewichen, aus Argwohn eines anderen Zustands. Und also haben diese englischen Creaturen durch solchen Gestank den Geruch ihrer unversehrten Lilien erhalten, und war solches ein sehr heiliger Betrug, und lobwürdigste Falschheit, allwo durch so keine Hühnl, so große Galgen-Vögel vertrieben, und durch faules Fleisch so frische Schelmen überwunden waren.

Die nicomedische Jungfrau Eurasia hat gleichfalls einen geilsüchtigen Gesellen stattlich hinter das Licht geführt, indem sie in der Verfolgung Diocletiani durch tyrannischen Befehl in das gemeine Huren-Haus mit höchster Bedrängnuß geführt war, auch unverzüglich einer ihr auf dem Fuß nachgefolgt, hat sie solchen mit ganz freundlichen Worten und höflichen Gebehrden demüthigst ersucht, er woll ihrer doch verschonen, und dafern er sie dießfalls ihrer Bitt' wohl gewähr machen, so versprech sie ihm hingegen eine Sach zu offenbaren, wordurch er sich dergestalten könne fest und gefroren machen, daß er vom Stechen und Hauen in allen Begebenheiten werde frei und unverletzt bleiben; und damit er glaube, daß solches nit in leeren Worten bestehe, also will sie solches durch die Prob wirklich darthun. Schmiert darauf mit einem Oel ihren schneeweißen Hals. Herr, sprach sie, nun probirt es, und schlagt mich aus allen Kräften mit dem Schwert, alsdann werdet ihr mit Verwunderung erfahren die Wirkung dieses Oels! Solchem so treuherzigen Einrathen dieser englischen Eurasiä hat der verbuhlte Lümmel einen so starken Glauben geben, daß er unverweilt das Schwert gezuckt, und also den zarten Hals wider seine Hoffnung noch Meinung abgeschlagen, wordurch er betrogen, Eurasia aber, als eine Märtyrinn und Jungfrau in Himmel geflogen. Nicephor. Callistus B. 7 K. 13. Diese lobwürdigiste Jungfrau ist noch mit besserm Oel versehen gewest, als die 5 Weisen, welche mit so höflichen Komplementen mit dem himmlischen Bräutigam zu dem hochzeitlichen Fest-Tag seynd einbegleit' worden.

Ungefähr vor 6 Jahren in Oesterreich hat es sich ober Wien zugetragen, daß ein ehrliches Bauern-Mädl auf dem Feld in Arbeit begriffen, von einem daselbst unweit einquartirten Reiter mit aller Macht angefochten worden. Weil nun diese arme Haut die Unmöglichkeit sah, solchem frechen Gesellen Widerstand zu thun, also hat sie ebenfalls einen Vorthl ersonnen, nemlich: sie zeigte sich nit gar ungeneigt seinem Willen, jedoch bat sie höflich, er woll ihr zuvor, weil er gut gestiefelt, jenseits des Bachs ihre anderen Kleider herüber hohlen, unterdessen woll sie schon das Pferd ganz sicher beim Zaum halten. Wie nun der verliebte Narr durch den Bach hindurch gewaten, ersiehet die ehrliche Bauern-Tochter ihren Vorthl, erhebt sich auf das Pferd und sprengt mit schnellem Lauf (die Sporn hat sie dem Phantasten hinterlassen) dem nächst-gelegenen Marktfleck zu, allwo sie bei den Herren Ober-Offizieren nit allein ein großes Gelächter, sondern auch bei männiglich ein großes Lob erhalten; der gestiefelte Monsieur aber bei seiner Ankunft in einen dreitägigen Aufzug mit dem spanischen Mantel angekleid't worden, in welchem hölzernen Galla-Kleid er forderist von den jungen Töchtern desselben Orts gespöttlet und ausgehöhnt worden, daß er aus einem Reiter ein Bärenhäuter worden und nunmehr müsse seine Liebesbrunst mit diesem Holz löschen, auch seine große Schand mit diesem, obschon großen Mantel, nit können vermantlen.

Alle dergleichen ehrliebenden Töchter verdienen das Lob, und unsterblichen Preis, daß man solche Thaten mit Gold solle beschreiben und der nachkommenden Welt zu einem lobwürdigsten Beispiel vortragen, weilen sie sowohl den großen Werth der theuren Jungfrauschaft erwogen, und jenen Spruch aus dem Evangelio ganz stattlich gehalten: Margaritas nolite projicere ante porcos (porcus per anagramma procus).

Indem nun obberührte so heftige Ursachen Justinus wohl zu Gemüth geführt, und auch beinebens sehr bedachtsam durchblättert die Schriften der heiligen Lehrer, worinnen so herrliches Lob der Jungfrauschaft zugemessen wird, und von Augustino in serm. de summo bono, von Hieronymo apud Ludovic. de Ponte tom. 3. von Damasceno lib. 4 ortho. fid. c. 25. von Cypriano in lib. 5. de Pudicit. von Athanasio lib. de Virg. von Bernardo in Epist. von Ambrosio de Virg. von Isidoro lib. 2 de sum. von Gregorio in Marcum mit so wohl ersonnen Preis-Namen das jungfräuliche Kleinod hervor gestrichen wird, also blieb Justinus bei seiner wohlgefaßten Meinung, und gab diesem frechen Forastier die gänzliche Abweisung: Es kann nit seyn!

Ueber diese so unverhoffte Schluß-Red stunde mehrmal der Mammon, oder das Geld auf, ließ im wenigsten ein entrüstes Angesicht hierüber spühren, sondern lächelte, und wie man insgemein zu reden pflegt, schmutzte mit halbem Maul, und brach endlich in diese Red' aus: wie nehmlich die Israeliten und muthwilligen Hebräer durch den Aaron ein guldenes Kalb für einen Gott haben aufrichten lassen, und als Moses von dem Berg mit den steinen Tafeln, worauf durch göttliche Hand die 10 Gebote geschrieben, langsam herab gestiegen, und sich nicht genugsam über das angehörige Geschrei und Juchitzen seines Volks verwundert; so bald er aber das guldene Kalb ersehen, hab er mit größtem Unwillen die Tafeln zur Erd' geworfen, und also der Erste gewest, welcher die 10 Gebot gebrochen. Auf solche Weis', sagt Mammon, seye unnöthig einen weitern Streit anzuheben, sondern wann er auch werde Gold zeigen, alsobald werden die Leut' die 10 Gebote brechen. Zieht demnach mit einem Duzend schönen Dukaten hervor, drukts der Jungfrau in die Hand, und ein paar alte Bärn-Thaler der alten Kupplerinn, worauf ohne fernere Widerred', das Fiat erfolget: Es kann seyn!

O verfluchtes Geld! verruchtes Geld! du gesamtes Geld, verdammtes Geld, was Uebel machst du in der Welt! Bei uns Deutschen pflegt man insgemein, wegen der Farb, die Dukaten rothe Fuchsen zu nennen, gleichwie nun die Füchs des Samsons, deren dreihundert in der Zahl, einen sehr großen Schaden den philistäischen Feldern zugefügt; nicht weniger Schaden verursachen obbenannte rothe Füchs der katholischen Kirche. O wie, wie manche Ehren-Blühte, von dero der himmlische Bräutigam spricht: „flores apparuerunt in terra nostra,“ verwüsten diese schlimme Gesellen.

In dem französischen Wappen-Schild waren vor diesem drei Kröten zu sehen, nunmehr aber seynd diese in schöne weisse Lilien verkehrt worden; aber leider, dermal ereignet sich gar oft das Widerspiel, indem aus Lilien Kröten werden, aus ehrlichen Jungfrauen leichtfertige und unverschämte Kröten, durch das teuflische Geld und verruchten Mammon.

Der berühmteste und größte Fluß in der Welt soll seyn der Ganges, sonst in h. Schrift Physon genannt, welcher gar seinen Ursprung aus dem Paradies nimmt, und mit seinem wunderbreiten Strom das niederste Indien berührt. Von diesem Fluß bezeugt die göttliche Schrift, daß er das beste und feineste Gold führe, und derenthalben von den angränzenden Ländern der Goldfluß benamset wird; in diesem Fluß aber solle, wie verlautet, sehr gefährlich seyn zu schiffen, und höre man daselbst von öfterm Schiffbruch und Untergang.

Bei jetziger schmutzigen, nichtsnutzigen Welt ist kein gefährlicherer Fluß, als der Goldfluß, worin auch so manche ehrliche Tochter, auch manche wohlgeschaffene Frau einen schädlichen Schiffbruch leidet, und wäre manche keine Metz, wann die Müntz nit wär, es wäre manche kein Scortum, wann Scutum nit wär, es wäre manche keine Putana, wann putum aurum nit wär. Es wäre manche keine leichtfertige Donna, wann die Dona nit wären; es wäre manche keine Lose, wann die Laschi nit wäre; es wäre bei mancher kein unehrlicher Genitivus, wann der Dativus nit wär, ich sag es Deutsch, es wäre manche keine Huesten, wann das Geld nit wär.

O maledicta terra! sagt der erzürnte Gott nach dem Fall des Adam. O vermaledeite Erde, sag ich auch zu Silber und Gold, massen es auch nichts anderst ist, als eine gefärbte, und von der Sonne ausgekochte Erde. Gar recht hat der apocalypsische Engel und göttliche Chronist Johannes in seinen Offenbarungen, neben andern geheimniß-reichen Gesichtern, auch die babylonische Hür über und über mit Gold gesehen, dann meistens dergleichen Kothfinken, und garstige Schlepp-Säck von Gold, und durch Gold verführet werden, daß ich also glauben muß, interitus komme her von Interesse.

Von dem liederlichen Gesellen registrirt das Evangelium, welcher das Seinige schlimm und schlemmerisch durchgejagt, daß er seine meiste Substanz und Baarschaft im Geld bei solchen wilden Grundschüppeln habe antworden. Vivendo luxuriose dilapidavit substantiam suam: aus welchem unschwer abzunehmen, daß dazumal solche ungerathene Töchter durch das Geld und Schankungen in den verruchten Wandel gerathen. O teuflisch Geld, was richtst du nicht in der Welt!

Marei am 4. wird geschrieben, wie daß ein arbeitsamer Ackersmann einen gar guten Saamen habe ausgesäet, dessen aber wenigster Theil aufgangen, und Frucht gebracht, dann ein Theil ist gefallen auf einen

Felsen und Steiner, wessenthalben er aus Mangel der Feuchtigkeit hat müssen verderben, ein anderer Theil ist gefallen unter die Dörner, von denen er ersticket, der dritte Theil des guten Samens ist gefallen auf den Weg, und diesen haben die Vögel aufgefressen und verzehrt. Nun möcht ich gern wissen, was diese vor Vögel seynd gewest? Spatzen oder Finken, oder Zeißl, oder Stiglitz, oder Amerling, oder Gimpel? das Evangelium erläutert nit, was es für eine seyn gewesen.

Ich aber weiß gewisse Vögel, die nennt man Galgen-Vögel, solche verzehren manchen guten Samen; die Jungfrauen in ihrem gebührenden Titul führen den Namen ehrsam und tugendsam, das ist gar ein ehrlicher, herrlicher Sam, aber diesen Ehrsam verzehren und fressen gar oft auf die Galgen-Vögel, solche seynd die Raben; die besten ungarischen Dukaten werden Räbler genennt, weil auf solcher Gold-Münz ein Rab geprägt ist, diese Galgen-Vögel schaden den ehrsamen Jungfrauen mehr, als die Greiffen in Afrika, die Harpiä in Indien, die Geier in Norwegen. Die Gold-Käfer seynd den schönen Rosen nicht allein schädlich, sondern auch mancher Rosina und Nesl, und gleichwie manches Castell durch Geld erobert wird, also auch manche Castitas; und purgiren die vergoldeten Pillen so stark, daß sie auch die Ehr und gute Gewissen von einem treiben.

Aber was thut ihr so unbesonnene Adams-Töchter? ihr scheltet und schimpft und spottet den Esau aus, und weil er pro coctione ruffa, um ein Linsen-Koch die Primogenitur und hochachtbare Majerat verschwendet, und ihr bedenkt es so wenig, daß ihr das beste Kleinod, den schönsten Namen, die größte Ehre, die Gnade Gottes, das Seelen-Heil so muthwillig pro ruffo metallo vertändelt, und um Gold einen Gott verlasset. O wohl thorrechte Menscher! daß euch so gar nit einfällt das wehmüthige Nescio, welches Gott den thorrechten Jungfrauen geben, was für einen Bescheid werden erst die thorrechten Huesten haben?

Jonathas, ein königlicher Prinz, hat einst vor dem gesamten Volk Israel, weil er wider das Gebot gehandlet, um ein wenig Honig sollen sterben, ganz wehmüthig aufgeschrien: gustans, gustavi paululum mellis, et ecce morior! „ich hab, o wehe mir! ich hab nur ein wenig Honig geschleckt, und gleichsam nur obenhin gekostet, jetzt kostet es mich das Leben, deßwegen muß ich sterben, o wehe!“

Wann ihr saubere Früchtl und unerzogene Töchterl sollet hören, wie eine Rodope aus Thracien, eine Asparia aus Milet, eine Phrynis aus Boetien, eine Antigona aus Macedonien, eine Gonoria aus der Normandie, eine Varia aus Phönicien, eine Rosimunda aus Engelland, viel tausend aus Venedig, massen das Carmen also lautet:

Urbe cur in Veneta Scortorum millia tot sunt?
In promptu causa est, est Venus orta mari.

Viel tausend und tausend andere, die bereits schon in der Höll, in dem höllischen Feuer, in der feurigen Ewigkeit liegen und leiden und lamentiren: vae nobis! etc. Ein wenig Honig haben wir gekostet, und jetzt müssen wir sterben, und ewig! merkts ihr Fetzen, die Haar von Ohren, damit ihr's recht könnt vernehmen, ewig, ewig, ewig, wann ihr dieses sein werdet wohl zu Gemüth führen, so werdet ihr bald einen Feierabend machen eurem liederlichen Wandel, und nicht also thorrecht um ein geringes Metall, um einen zergänglichen Gewinn, um ein verruchtes Geld das ewige Heil verscherzen; und wann doch der Gedanke von der Ewigkeit in euerem Herzen so gar kein Winkele findet, so soll euch wenigst von dem wüsten Gewerb abhalten der zeitliche Spott und unwiederbringliche Verlust der jungfräulichen Ehre.

Habt ihr dann nie gehört, wie auf eine Zeit der Wind, der gute Name, und die Jungfrauschaft, diese drei in einer angenehmen Gesellschaft seynd zusammen kommen, und nachdem sie eine ziemliche Weil' in beliebiger Ansprach beieinander zugebracht, hat sich sodann eins von dem andern höflichst beurlaubet, der Wind war dießfalls der Allererste, welcher seine Abreis' genommen; behüt euch Gott, meine lieben Mitkameraden, sprach er, beliebts Gott, so will ich innerhalb zwei Tagen wieder ankommen; a Dio, viel Glück auf den Weg, mein Herr Blasi, sagen die anderen, der Herr verbleib sein gesund und wohlauf. Kurz hierauf wollten sich auch die zwei, benanntlich der gute Nam', und die Jungfrauschaft voneinander scheiden, und nachdem sie einander freundlichst die Händ' geboten, Gott behüt dich, sagt der gute Nam', meine auserwählte Jungfrauschaft, wer weiß, wann wir mehr einander sehen, dann so ich einmal von einem Ort weiche, so kehr ich so bald nicht mehr dahin, ja gar selten. Ach, seufzet die Jungfrauschaft, und sprach:

mein werthester Freund Honori, auf solche Weis' werd ich deiner nimmermehr ansichtig werden, dann gleichwie vorgibst, daß du so bald nicht mehr die Wiederkehr nehmest zum selben Ort, welches du einmal verlassest; also wann ich einmal hinweg gehe, so komm ich ewig nit mehr zurück, so behüt halt noch einmal der liebe Gott, sagt mit ganz kleiner und heller Stimm' die Jungfrauschaft, und wischt beinebens mit dem Tüchel die nassen Augen.

Aus solchem Gedicht ist unschwer abzunehmen, wie hart man den verlornen ehrlichen Namen wieder erstatte, und wie unmöglich sey, die einmal verscherzte jungfräuliche Ehr' wieder zu ersetzen.

Nach diesem so wunderlichen Wortfechten, allwo gleichwohl die Victori auf Seiten des Mammons ausgeschlagen, setzten sich beede wiederum nieder, worauf gleich ein wackerer Kerl, ungefähr im 25. Jahr seines Alters, auf das Theatrum oder Bühn hinauf gestiegen, und nach beederseits abgelegtem freundlichen Willkomm und gehörigen Komplementen fangt er selbst freimüthig an zu reden, und ohne weitläufige Umstände beklagt er sich mächtig, wie daß ihn sein erlebter Herr Vater kurzum suche zu verheirathen mit einer, welche voller Bosheit und Untugenden stecke, und noch dazu einer übelgeschaffnen Leibsgestalt, was noch mehr, eines ziemlichen Alters, und bereits auf einer Seiten 31 Jahr habe, auf der andern auch so viel. Kaum daß er solche Reden vollend't, stieg diese auserlesene Madama, durch Beihilf einer krummen Naderin, auf das Theatrum; Herr Justinus hat sich nit wenig entfärbt ob diesem so ungeformten Abentheuer, indem sie nit allein so mager und zaundürr war, daß einem möcht einfallen, ihre Mutter habe sich an einem Ladstecken ersehen, auch das Gesicht allbereits zusammen geschnurft, wie beim spaten Herbst die vom Reif gebrennten Schlehen, will geschweigen die übrigen Leibs-Mängel, massen der hohe einseitige Rücken ihr die Retroquardi also verschanzt, daß die Brust-Gewehr vor allem feindlichen Einfall sicher scheinte. Nachdem sich Justinus in etwas erholt, fangt er an mit lauter Stimm zu schreien: es kann nit seyn, es kann nit seyn, daß dieser so wohl geschaffene und so gut genaturte Kerl soll diese Mißgeburt heirathen.

Dann erstlich muß man wissen, daß die schöne Gestalt nit den untersten Sitz habe unter den Gaben Gottes, also bezeugt es der h. Vater August. Auch wird glaubwürdig von unterschiedlichen Scribenten dargethan, daß die übergebenedeite Jungfrau Maria sey einer wunderschönen und ausbündigen Gestalt gewesen, wie es Nicephorus Callistus mit deutlichen Worten sattsam beschrieben. Massen die tugendliebenden Gemüther viel gewünschter in einem wohlgestalten Leib logieren, als in einem ungestalten Krippel, so hat auch der Allmächtige eine sondere Schönheit ganz reichlich gespendirt dem verwaisten Juden-Mädel Esther, daß ihr solche Gestalt nachmals zur Kron und Scepter beförderlich gewest. Die heroische Seel' und das tapfere Weiberherz der Judith wollt ebenmäßig nit mit einer zerschlampten und übelgestalten Menschenhaut verhüllt seyn, sondern hinter dem Vorhang eines so edlen, schönen Gesichts verhüllter stehen.

Dem Job, nach so mannigfaltigen Anstößen,

überhäufigen Drangsalen und unbeschreiblichen Wehtagen konnte und wußte Gott kein bessers Pflaster auf die versetzten Wunden zu legen, als daß er ihm drei Töchter geben, dero hübsche Gestalt alle Weibsbilder-Schönheit auf dem ganzen Erdboden überstiegen. Wer wird es dem Jakob, diesem Mann Gottes, und vom Himmel so reich gesegneten Patriarchen für ungut halten, daß er seine Augen geworfen auf die schöne Rachel, und einen Unwillen und Mißfallen geschöpft an der triefaugenden Lia. Des Moses Schwester hat nit wenig gemurret, ja als eine Schand und Spott allerseits ausgerufen, daß er die schwarze Mohrinn Sephora zu einem Weib genommen; pfui Teufel, sagte sie etwann, wie hat sich mein Bruder an diesem wilden und schwarzen Leder vergafft, und einen solchen schwarzen Ruß-Kübel hat mögen heirathen, wie hat er ihm doch diesen Himmel lassen gefallen, der mit so finsteren Wolken überzogen, ich muß schier glauben, ihre Mutter hab sie das erstemal in Dinte gebadet; pfui, wann ich sollt ein so wackerer Mann seyn, wie mein Bruder, wie wollt ich mir weit eine schönere ausklauben, und eine solche Kohlenbrennerinn unterweil' auf die Bleich geben.

Die schöne Gestalt eines Weibs ist gleichwol ein weisses Mehl Elisäi, welches den bittern Kraut-Topf des Ehestands versüsset, und ist dem Abraham unter so vielen Widerwärtigkeiten nit eine kleine Linderung gewest seiner Kummernuß, die so edle Gestalt der Sara, welche in dem 90. Jahr ihres Alters, noch das Prädicat einer schönen Dama konnte anhören.

Jenem Kavalier und vornehmen Edelmann Namens Eugenio aus Irrland, ist nit vor übel zu halten, daß er so inständig bei dem h. Patritio hat angehalten um eine schöne Gestalt, dann es war dieser eines sehr ungeschaffenen Gesichts, es waren ihm die Augen ganz uneinig, und eines gegen Mittag, das andere gegen Mitternacht gerichtet, daß er also auf einmal zwei Bücher konnte lesen; die Nase stund in dem Angesicht, wie ein ungeformter Markstein auf einem Bauern-Grund, die Wangen waren grob, wie eine durchgebrochene Arbeit, und wilde Filagran, daß auch eine geschabene Schwein-Haut gegen dieselben für schön mußte erkennt werden; dessenthalben schmerzete es gedachten Kavalier nit wenig, daß ihm hierinfalls die Natur eine so mißgönnende Stief-Mutter abgeben; dahero stets und immerdar bei dem h. Patritio eifrigst angehalten, er wolle doch, mittelst seines so viel vermögenden Gebets, zu festerer Bekräftigung des Glaubens, ein sauberes Angesicht zu wegen bringen. Patritius durch so inständiges und schier überlästiges Bitten bewogen, fragt mehr gedachten Edelmann, was er dann für eine Gestalt möchte wünschen? worauf der gute Here seufzend geantwortet, er möchte halt so schön seyn, wie sein britanischer Diaconus (dann wohl zu merken, daß dieser Geistliche eines wunderschönen Angesichts gewesen) Patritius befiehlt alsobald, diese zwei sollen in einem Bett unter einem Duchet oder Decken schlafen, unterdessen hat der h. Mann sein eifriges Gebet zu Gott verricht, und siehe Wunder! als diese zu Morgens frühe aufgestanden, und einer dem andern einen guten Tag gewünschen, konnten sich beede nit genugsam verwundern, und sagte einer zum andern, bist du ich, oder bin ich du? dann alle beede, so gleich in der Gestalt, als wären sie in einem Model gegossen, und war der geringste Unterschied nit, außer, daß der Diacon eine Platte auf dem Kopf, der Kavalier Eugen aber keine.

Nit viel ungleich wird von dem David registrirt, daß er einen solchen ungeformten, großkopfeten und übelgestalten Sohn habe erzeugt, daß der ganze königliche Hof in Argwohn gestanden, es sey eine wahrhafte Copei von dem groben Flegelanten dem Nabal, bis endlich der David durch vieles Bitten und Beten dem Sohn von Gott eine schöne Gestalt zu wegen gebracht.

Ist also gar recht, daß dieser so schöne Jüngling, sagt Justinus, mit diesem Larven-Gesicht nicht will sich verehelichen; dann obschon von den Weibern wird ausgeben, als seyen dieselben von Natur säuberer als die Männer, massen dero Ursprung und Herkommen ist von einem weißen Bein; der Männer aber von einem unflätigen Leim. Dahero so ein Manns-Bild auch hundertmal nacheinander die Händ waschet, wird das Wasser jedesmal trüb werden; dafern aber ein Weibs-Bild die Händ' nur zweimal waschet, bleibt nachmals das Wasser in seiner Reinigkeit. Aber von dieser wilden Mufti, und deut' auf die Alte, Justinus mit den Fingern, so man auch in den Papier-Stampf soll schicken, hätt' man nichts saubers zu hoffen.

Die Apostel sahen einst unsern Herrn für ein Gespenst an, putabant, esse phantasma, aber es ist sich dessen so hart nit zu verwundern, dann es war dunkel und finster; aber diesen Widhopf siehet einer beim hellichten Tag für eine Nacht-Eul an, pfui, es kann nit seyn! es soll nit seyn! sagt dieser junge wackere Kerl, lieber will ich zu Hamburg in das Zuchthaus, lieber will ich auf Venedig, und eine hölzerne Schreib-Feder in die Hand nehmen, nachmals ein Passaport über das Meer schreiben nach Levante, als diese heirathen.

Daß an dem Wagen Ezechiels ein Adler und ein Ochs nacheinander gezogen, gehet noch hin, daß aber ich neben einem solchen Unthier soll das schwere Joch des Ehestands ziehen, gefällt mir unmöglich, lieber will ich zu Wien beim weißen Engel, als beim schwarzen Bären einkehren; was aber das schlimmste, so ist sie noch dazu voller Untugenden, und sauft wie der Teufel. Holla! so kanns gar nit seyn!

Heli, der Hohepriester, hat dazumal einen sträflichen Argwohn gehabt von der Anna, wie er sie im Tempel angetroffen; dann weil sie die Lefzen stets bewegt ohne einige Stimm', hat er ganz unbesonnen das Urthl geschöpft, als habe sie einen guten vidimirten Rausch, usquequo ebria es! hierinfalls war der heiligen und gutherzigen Frau eine große Unbild zugefügt, massen sie im wenigsten einen Wein gekost, noch was anders, was da trunken machet, sondern sie betete allein dazumal mit dem Herzen.

Mein lieber hochwürdiger Heli, dieser dein Argwohn ist gar übel gegründet, dann du sollst wissen, wann die Weiber berauscht seyn, und zu scharfe Krüg führen, daß sie nicht stillschweigen, wie diese Frau Mutter des Samuel, sondern sie schreien und lassen sich hören mehr, als ein Uhrausrufer oder Nachtwächter. Der October-Monat sperrt den Fröschen die Gosche; aber der October-Saft eröffnet den Weibern die Mäuler. Wie die Samaritanerinn beim Brunnen war, hat unser liebster Heiland mit ihr eine trostreiche Ansprach gehalten; so lang die Weiber beim Wasser seynd, so ist noch gut mit ihnen zu reden, wann sie sich aber beim Wein einfinden, der Kukuk red't mit ihnen.

Petrus hat es dazumal gar gut vermeint, wie er bei dem gähen Sturm und ungestümen Anfall des hebräischen Lottergesinds so beherzt vom Leder gezogen, und den Malchum, als einen meisten Rädelsführer zwischen die Ohren gehaut, so bald ihm aber der Herr und Heiland geschafft, er soll einstecken, hat er solchen Befehl unverweilt vollzogen; aber die berauschten Weiber-Gefecht lassen sich so bald nicht stillen, dann weil ihr Degen die Zung, das Maul aber die Scheid, so wird es auch auf hundertmal wiederholten Befehl kaum zum Einstecken und Maul halten kommen. O wehe eines solchen armen Manns!

Tobias der ältere, als ein gerechter, gottesfürchtiger und gewissenhafter Mann, kommt einsmals nach Haus, und höret einen Geis-Bock gemekitzen, welches ihm dann sehr fremd vorkommen, daß dergleichen Thier in seiner armen Wirthschaft sich einfindet, dahero geschwind, zu Versicherung seines Gewissens, nachgefragt, obs nit etwann eine gestohlene Geis seye? O lieber Tobias! da hast du wohl einen Bock geschossen, so bald sein Weib das vernommen, was, sagt sie, gestohlen? haltest du mich für eine solche? ei mein schöner, sauberer, blinder Hiesl! jetzt schlagt deine Heiligkeit heraus, es ist dir nit genug, daß du mich um das Meinige gebracht mit deinem verschwenderischen spendiren, ja wohl Almosen geben? es ist nicht genug, daß du eine ganze Zeit nie zu Haus, und dich um die Wirthschaft nichts annimmst, unterdessen einen Beccamorti und schlechten Todtengräber abgibst, daß ich dich mit meiner Hand-Arbeit muß erhalten, und als ich sonst, wie eine gnädige Frau, und gut vom Adel hätt standmäßig mich erhalten können, muß anjetzo eigentlich eine gemeine Strickerinn und Naderinn abgeben, damit ich nur ein wenig Brod ins Haus schaffe, unerachtet alles dieß willst mich noch für eine Diebinn halten? was ich? wer ich? du bist mir wohl, du, du, du ꝛc. Ach Gott, sagte hierüber seufzend der Tobias, laß mich doch sterben, und nimm mich zu dir. Expedit enim mihi magis mori, quam vivere. Der König Sennacherib hat mir meine Güter confiscirt, patientia! die Schwalben haben mich um das Gesicht gebracht, patientia! die Armuth ist mir über den Hals kommen, patientia! die Nachbarschaft hat mich verfolgt, patientia! hab alles mit Geduld übertragen, aber bei einem bösen Weib seyn, das kommt mich schier zu hart an, mein Gott! lieber sterben, als dergestalt leben.

Hat nun Tobias, als ein vollkommener Mann, ein heiliger Patriarch, welcher nach dem Job der Sanftmüthigste, das Ungestümme eines bösen und zänkischen Weibs so hart übertragen, wie soll es dann einen andern armen Tropfen ankommen? O Gott! wie hart ein solcher Ketten-Hund! wie ungestümm eine solche Haus-Posaune! wie teuflisch eine solche Tafel-Musik! wie verdrießlich eine solche Feuer-Glocke! wie schmerzlich eine solche Ehe-Geisel! wie verrucht ein solcher Haus-Blasbalg! wie betrügt solche Stuben-Trummel! wie unleidiglich solcher Kammer-Echo! wie macht einem so bang eine solche höllische Beiszang! Expedit mori, quam vivere.

Es ist in der Wahrheit jenem Mann kein Fehler auszustellen, welcher sein zänkisches Weib auf eine sinnreiche Weise zu recht gebracht, diese hieß Lampert, weil er Lambl fromm, ihr Name aber war Cunegund à Cunis, oder Wiegen, also genannt, wie folgsam zu vernehmen. Bevor er sich mit dieser in eheliche Vermählung eingelassen, ist er von etlichen Treumeinenden gewarnet worden, er wolle ihm doch selbst keine solche schwere Last auf den Rücken bürden, dann von ihr die gemeine Red sey, als hab sie einmal einen Goggl-Hahn geschlukt, der ihr nun allzeit aus dem Hals krähe, und muß sie allemal das letzte Kyrie eleison haben: uneracht dieser prophetischen Ermahnung, hat er besagte Cunegund gleichwohl geheirath, kaum aber daß etliche Tag verflossen, kam ihr gutes Mundstuk schon an Tag, und fangte sie an dergestalten den Fagot zu blasen, murmure, turbine, grandine, fulgure, perstrepit illa, daß er geglaubt, es seye alle Tag bei ihr ein Donnerstag, gemach sagt er, meine Cunegund dem ist nit also, es wird auf solchen Schlag kein gutes hausen erfolgen, wann du allemal das letzte Wort willst haben, und so gar in deiner Musik kein Pausen machen, was? setzt sie hinwider? dem ist also, es muß also seyn, es soll nit anderst seyn, es kan nit anderst seyn; O Gott! sagt der Mann, es ist immer schad, meine Cunegund, daß du kein Trompeter bist worden, du hättest einen hübschen langen Athem gehabt zum Clarin aushalten; was, Clarin? daß dich der rc. schweig, schweig, schweig, ich dir schweigen? dir schweigen? wann auch des Kaisers Nero sein Henker hinter meiner stund, so wollt' ich nit schweigen. Lappische Kundl, er hat nit Ner geheißen, sondern Narr, was? du bist mir wohl selbst ein solcher, schweig, ich dir schweigen? wann auch der Kaiser Heliogabel mir schaffen sollt, so wollt ich nit schweigen. Kinderische Kundl, er hat nit Heliogabel, sondern Herengabel geheißen, ich eine Hex? sagt sie, fahr du zum Belzebub, ich bin keine Ausfahrerinn, schweig, sagt er, und gieng also auf die Seite, und sinnet sehr bedachtsam nach, wie doch solchem Uebel wäre abzuhelfen, fallt ihm letzlich ein, daß, wann die Kinder nit wollen schweigen, sie durch das wiegen können besänftiget werden, läßt demnach eine große, weite, lange, breite, tiefe, feste, starke, hübsche, gefürneißte Wiegen verfertigen, mit aller nothwendigen Zugehör, und als sie mehrmalen den gewöhnlichen Morgen-Ruf angefangen, sprach er zu ihr: meine Cunegund, ich siehe schon, wo der Fehler steckt, du bist nit genug in deiner Kindheit gewiegt worden, dessenthalben kannst du so gar nit schweigen, dahero wohl vonnöthen, daß du länger die Wiegen kostest, Holla! alsobald waren da zwei baumstarke Menscher hierzu bestellt, welche die ungestümme Cunegund zur Erde niedergeworfen, Händ und Füß gebunden, auch wie ein Kindl eingefäschter in die große Wiegen gelegt, mit einem starken Wiegen-Band wohl verwahrt, er aber, der verständige Mann, nahm das Wiegen-Band selbst in die Hände, und fieng an sanft zu wiegen, die aber schrie noch mehr, Schelm, Dieb, Mörder, Umbringer, Satan, Henker, Püffel, Galgen-Schwengl, Bestia, dieser wiegt immer fort, und singt noch darzu, schweig mein Kundl, schweig; ich kauf dir bald ein Mieder-Zeug, schweig mein Kundl, schweig; sie schwört, sie flucht, sie schilt, sie schreit, sie kürrt, sie gront, sie klagt, sie heult, sie donnert, sie wünscht ihm vier und zwanzig tausend Teufel und einen halben auf den Rücken, er, ungehindert dieß, wiegt noch allezeit stärker, singend aja pupeja, willst schweigen, sonst gib ich dir Kundl eine Feigen; In Summa, vierthalb Tag war sie in diesem Wiegen-Arrest verhaft, und wurde ihr, wie einem Kind gepflogen, endlich läßt sie ihren Mann zu sich rufen; O mein Mann, sagt sie, O mein Engel, ich bitt, ich bitt, laß mich doch los, Himmel und Erden sollen Zeugen seyn, daß ich hinfüran allzeit werde schweigen. Zu verwundern ist gewest, wie nachmahls diese Cunegund so sanftmüthige Sitten angezogen, und im geringsten nicht mehr ihren Mann, weder mit einem Wort, noch weniger mit Werken beleidiget, sondern in allweg ihn, als das Haupt (ihr Ehe-Weiber, laßt euch dieß eine Haupt-Lehre seyn, so wird euch der Kopf nie weh thun) bestermassen gehalten und verehrt.

Der Prophet Ezechiel, aus göttlichem Geheiß, verfügt sich einmal auf ein flaches und ebenes Feld hinaus, worauf eine große Menge der dürren Todten-Beiner gelegen, welchen er mit ernsthaften Worten befohlen, sie sollen, aus Anschafung des Allerhöchsten, wieder leben, welches sie dann ganz schleunig vollzogen, und ein jedes zerstörtes Bein zu seinem Glied sich verfügt, unumquodque ad juncturam suam, es ist der Fuß nit zum Kopf, sondern zu den Knie-Scheiben geruckt, die Hüft hat sich nit zum Schulter-Blatt gesellet, sondern ein jedes an sein Ort, wohin es gehörig, ad juncturam suam. Also soll sein auch ein jeder Mensch bleiben, wer er ist, es soll das Weib bleiben, wer sie ist, nemlich unterworfen ihrem Mann, ad juncturam suam, nit für ein Haupt sich aufwerfen, noch weniger sich über dasselbe erheben, sondern sich an des Abrahams stattlicher, und mit allen Tugenden wohlgeschaffener Ehegemahlinn Sara spieglen, als welche den Abraham nit anderst genennt als ihren Herrn, Dominus meus. Wie ungereimt steht es, wann ein Haupt soll von einer Rippe regiert oder geherrscht werden. Dasselbe Gebot, welches Gott im alten Testament gesetzt, hat noch auch bei diesen Zeiten seine Kraft, non induetur mulier veste virili, das Weib soll keine Manns-Kleider anlegen, und sich der Hosen nit anmassen, sonst kann es nit anderst seyn, als daß die liebe Einigkeit und erwünschte Fried muß Schaden leiden.

Aus dem Evangelio ist es sattsam bekannt, daß das tobende und wüthende Meer, auf dem Befehl des Herrn, habe stillgeschwiegen, und sich in Ruhestand begeben, welches nit ein kleines Wunderwerk, daß billig andere hierüber stutzten, und Fug gehabt zu fragen, quis est hic, quia venti, et mare obediunt ei, „wer muß doch dieser seyn, dem die Sturmwind und das Meer den Gehorsam leisten,“ Mare, Mare, etc. Maria, Marina, Margaretha ꝛc., soll nit also wüthen und toben; sondern stillschweigen, ja wohl stillschweigen! so ist aldann sich so fast nicht zu verwundern, wann man das Still mit dem Stiehl muß zu wegen bringen, verstehe Besen-Stiehl, und was solche Zang und Zung verwirkt, der Buckel büssen muß, solches Uebel aber rührt meistens daher, wann sich die Weiber und Weinbeer so wohl vergleichen, wann Kandl und Kundl gute Gespielen seynd, wann Sauphia und Sophia beisammen sitzen, wann die Frau Bibiana den Herrn Calixtum zum buhlen hat, und ist also zwischen der Mühl und Müllnerinn dieser Unterschied, daß die Mühl vom Wasser bewegt wird, und kleppert, die Müllnerinn aber vom Wein.

Höchst wäre zu wünschen, daß ein jeder Ehestand mit jenem Wunder übereins stimmte, welches sich mit obgedachtem großen Propheten Ezechiel zugetragen, der aus göttlichem Befehl zwei Hölzer in die Hand genommen, und auf eines geschrieben: Des Judä, und der Kinder Israel seine Mit-Verwandte. Und auf das andere: Des Josephs, des Baums Ephraim, und des ganzen Haus Israel seine Mit-Verwandten etc. Sobald er nun solche zwei Hölzer zusammen gehalten, ist alsobald wunderbarlich eines daraus worden. O wie wohlständig und ersprießlich wäre es zwischen den Eheleuten, wann sie zwei, der Mann und das Weib, stets Eins wären, und in unzertrennter Einigkeit miteinander lebten, nach dem Beispiel des Noe mit seiner Frau, von dem die göttliche Schrift also registrirt: Nachdem der Sündfluß, und das große Gewässer hundert und fünfzig Tag stund ob der Erden, und dieselbe gänzlich bedeckte, recordatus est Deus Noë cunctorumque animantium etc., alsdann gedachte Gott an den Noe und an alle Thiere, und alles Vieh, so da war mit ihm in der Arche; über diese Wort verwundert sich der hl. Ambrosius, in Erwägung, daß Gott allein gedenkt an Noe, und an alle Thier, nit aber an des Noe sein Weib? soll dann ein muthwilliges Roß, ein fauler Esel, ein karger Fuchs, ein gefräßiger Wolf, ein geiler Stier, ein bissiger Hund, ein furchtsamer Hirsch, ein stolzer Widder, ein stinkender Bock, eine falsche Katze, ein hochtrapender Gockl-Hahn, ein läppischer Affe, ein einfältiger Gimpel, eine barokische Nacht-Eule, eine geschwätzige Schwalbe, ein diebischer Spatz, höher zu achten, mehr zu ehren und besser zu bedenken seyn, als eine fromme, liebe, wakere Frau? ei das nit, warum hat dann der Allmächtige alleinig an Noe gedenkt, und an alle Thier, allwo von der Frau die mindeste Meldung nit geschieht? es beantwortet seine eigene Frag obberührter heiliger Lehrer, sprechend, daß unter dem Namen Noe Gott auch des Noe seine Ehefrau verstanden, dann diese zwei waren ganz Eins miteinander, wo eins, war das andere auch, was Noe wollt, das wollt auch seine Frau, was dem Noe beliebte, daß war auch der Frau recht, erant duo, in carne una.

Aber ein Weib, welches zu stark octoberisch, zinnoberisch ist, das wird auch wollen postoberisch seyn, und vor allen blasen, ein Weib, die zu sehr kellnerisch und muskatellerisch ist, die wird auch dabei bellerisch seyn, ein Weib, die zu viel weinisch und rheinisch ist, die wird auch greinisch seyn, wovon dann die werthe Einigkeit vertrieben wird, die rechte Lieb verrieben wird, die wahre Treu verschrieben wird, und nachmalens mehr im Haus Weh, als ein Winter-Schnee, und ein Frühling-Klee, was ist von einem solchen Weib zu halten? welche vor etlich Jahren eine gar andächtige Kirchfahrt angestellt; unterwegs aber in dem Wirthshaus dergestalten mit der Wein-Kandl duellirt, daß ihr der obere Stock ganz aus den Schliessen kommen, und alles mit ihr um und um gangen, wessenthalben sie in Mitte der Kirche sich an dem Opfer-Stock angehalten und ganz seufzend aufgeschrien: O mein h. Altar! ich bins nit werth, ich bins gar nit werth; es ist ja zu viel für mich alte Huesten, die Ehr, die du mir erweisest, gebührt mir armen Tröpfinn wohl nit, wie muß ich das wieder verschulden? als sie aber von den nächst Anwesenden dessenthalben befragt wurde, massen sie sich alle über diese Worte nit wenig verwundert, gab sie diese Antwort: meine lieben Leut, ich hab wollen, aus Andacht und Schuldigkeit, um den Altar herum gehen, und jetzt geht er um mich herum, es ist ja gar zu viel. Einer solchen konnt man wohl jene Grabschrift machen:

Hier liegt die alte Anna,
Welche die Küchl verbrennt in der Pfanna,
Saufte sich alle Tag voll in Brandwein:
Der Henker mag bei einem solchen Weib seyn.

Justinus, nach so viel angebrachten Beweisen, meistens aber wegen großer Ungestalt, und forderist wegen des weinsüchtigen Magens dieses Weibs, und anderer ihrer Untugenden, blieb ganz fest auf seiner bishero wohlgegründeten Meinung und Aussag: es könn' mit einem Wort nit seyn, daß dieser so ehrliche Gesell mit solcher Megära sich soll verheirathen.

Der Geld-Gott Mammon zeigte schier einen kleinen Verdruß über so bissige Reden und höhnische Wort, gleichwohl zu zeigen, daß er mit weniger Gewalt ein ganzes Gebäu zu Boden fällen könne, hat er dem Kerl einen Beutel voll Dukaten dergestalten an die Brust geschlagen, daß er durch dieses guldene mea culpa gleich Reu und Leid erzeigt über seinen begangenen Fehler, und also ohne ferners Bedenken, weil diese bei stattlichen Mitteln ihr das Jawort ertheilt: Gelt mein Schatz, wir werden einander inniglich lieben.

O du verruchtes Geld! wohl recht fangt das Wort Geld und Gold von dem Buchstaben G an, welcher Buchstab eine Verwunderung in sich hat, G, was richt das Geld nit? G, was thut das Geld nicht? G, was vermag das Geld nicht? Jetzt ist gar leicht zu wissen, warum mit der Leicht des verstorbenen Sohns der Wittib zu Naim eine so große Menge Volk gangen, und ihn zum Grab begleitet; multitudo copiosa, sie war eine reiche und sehr wohlbegüterte Wittib, zwar schon bei Jahren, massen dieser verstorbene Sohn schon vogtbar war, weil so viel Geld vorhanden bei dieser Wittib, deßwegen haben sich gar viel bei der Leicht eingefunden, viel Kammer-Diener, viel Sekretäre, viel Aufwärter, viel Hofmeister, viel junge Advokaten, multitudo copiosa, ein jeder wollt aufwarten, ein jeder wollt der nächste beim Brett seyn, ein jeder wollt bei der gestrengen Frau in Gnaden stehen, und sie heirathen, nit aus Lieb, dann sie war nit mehr schön, nit aus Affekt, dann sie war eine Wittib, nur wegen des Gelds; wann sie schon nit schwarze Augen hat, wann sie nur steif schwarze Pfenning hat, wann sie schon nicht rothe Wangen hat, wann sie nur rothe Fuchsen hat, wann sie schon nit eine weiße Haut, wann sie nur weiße Thaler hat, wann sie schon nit eine schöne Goschen hat, wann sie nur gute Groschen hat, wann sie schon nicht gut ist, wann sie nur Güter hat. O verruchtes Geld! dahero kommt es manchesmal, daß ein solcher mit seiner Manna Anna nit verlieb nimmt, sondern nach egyptischem Zwiebel trachtet, dieß ist die Ursach, daß man nachgehends an eigenen Speisen einen Grausen hat, und mit dem Jonathas den wilden Honig schlecket, da rührt es her, daß eine Dienstmagd Agar wird höflicher gehalten, als eine Sara. O verruchtes Geld!

Wie dem Isaak hat sollen die Rebekka vermählt werden, hat man die Sache nit gleich durch einen Bausch über die Knie abgebrochen, ob man schon häufiges Silber und Gold auf Seiten des Isaaks zeigte, sondern man hat vorhero den Willen der Rebekka wollen erfahren, ob sie diesen reichen Herrn wolle haben, laßt uns die Jungfrau rufen, sagten die lieben Eltern, und nach ihrem Willen fragen, als nun Rebekka gerufen war, und kam, da fragte man sie, willst du mit diesem Mann reisen?

Bei diesen unsern Zeiten fragen die geldsüchtigen Eltern die Töchter nit viel mehr, ob sie diesen und diesen wollen haben, sondern es heißt, du mußt ihn haben, wann er schon alt, was schadet es, die alten Weine hitzen besser, als die neuen, er hat wacker Geld, er ist bei stattlichen Mitteln, wann er schon einäugig ist, du Närrin, wirst schon mehrere Batzen sitzen, wann er schon bucklet ist, was benimmts, du wirst gleichwohl gut sitzen, wann er schon den Sattel auf dem Rücken trägt, wann er schon ganz kupferig im Gesicht, was irrts du Krot, goldgelb im Beutel ist wohl besser, als leibfarb im Gesicht; muß also eine manche junge Tochter wider ihren Willen, wider ihre Neigung einen reichen Batzenhafner heirathen, nur wegen des verruchten Gelds, daß hernach dem guldenen Limmel, dem silbernen Phantasten, dem reichen Narren eine solche Amalthea (ein Cornucopi) spendirt, daß er des Uris seine Barocca aufsetzt, daß er den Durandum auf der Stirn trägt, daß ihm fremde Hahnen auf seinem Mist kratzen, ist Ursache der verteufelte Mammon, das verfluchte Geld, auri sacra fames.

Die Apostel unter der Zeit, als der Herr Jesus mit dem Weib bei dem Brunnen eine heilsame Ansprach gehalten, gehen in Samariam hinein, und kauften um baares Geld die nothwendige Nahrung und gehörigen Victualien, ob welchem sich zu verwundern, daß die Samaritaner mit diesen Hebräern einige Gemeinschaft hatten, dann ihre Gebot legten ihnen stark ob, daß sie mit dem hebräischen Gesind und Unflath (wie sie es nennten) nichts zu thun hätten; aber wo man Geld siehet, da siehet man kein Gebot mehr, wo man Geld greift, da vergreift man sich leicht wider alle Satzungen, wo man Geld zählt, da zählt man die zehen Gebot nicht. O verdammtes Geld! so verderbest du ja alles in der Welt. Quid vultis mihi dare?

Kaum daß dieser wackere Kerl mit seiner abgeschabenen Braut das Theatrum verlassen, stiege mit wohlregulirtem Schritt und halb spanischem Gang herauf ein Herr, allem Ansehen nach ein Edelmann, nach seiner aber gar eine seine Wittib, eines mittlern Alters, mit einer Schöff-Haube auf dem Kopf, und weil sie gar eines traurigen Gesichts war, konnte man schier vermuthen, als hab sie einen Schiffbruch ihrer Güter gelitten. Hochgeehrter Herr Vetter Justine, sagte der Edelmann, und klagte, wie daß er immerzu durch der Wittib vielfältiges Anklagen beunruhiget werde, er habe doch gänzlich bei sich geschlossen, dero angemaßte Schuld auf keine Weise zu bezahlen, die Wittib hingegen konnte vor Weinen kaum reden, und wurden dero Wort von den anstoßenden Seufzern also abgebrochen, daß man sie schwerlich konnte verstehen, aus allem aber hat man allein deutlich vernommen, daß sie das Wort Justiz und Gerechtigkeit mit sonderm Nachdruck ausgesprochen und wiederholt, welches dem Justino dermassen zu Herzen gangen, daß es neben Erwiederung weniger Complementen gedachten Monsieur sein Anbringen rund abgeschlagen, es kann nit seyn, dann die Justiz muß vor allem aufs möglichst erhalten, Wittib und Waisen, bei dero gerechten Anforderungen bestermassen geschützt werden, und muß man hierin nit ansehen die Person, sondern mitten durchgehen.

Nachdem die Philistäer die Archen des Herrn oder den h. Bunds-Kasten wieder zurück gegeben, haben sie solchen auf einen Karren geladen, darein zwei Kühe, welche zu Haus saugende Kälber hatten, eingespannt, und also ohne Fuhrmann, nach einige Handhäb oder Antrieb eines Menschen gen Bethsames fortgeschickt, mit dem Beding, daß, wann die besagten Kühe würden weder auf die rechte noch linke Seite sich wenden, sondern mitten durchgehen, so werde es Glück bedeuten.

Wann man bei Tribunalien und Gerichten auch solchergestalten wird mitten durchgehen, und sich nit lenken auf die rechte Seite noch auf die linke, einem nit aufhelfen, weil er reich ist, dem andern nit abhelfen, weil er arm ist, einen nit befördern, weil er ein Schwager ist, den andern nit verstoßen, weil er ein Schwacher ist, dem andern nicht zulegen, weil er hochgeachtet ist, dem Barthlmä nit ablegen, weil er verachtet ist, nec ad dexteram, nec ad sinistram, sondern mitten durch, ohne Unterschied der Personen, den Bürger sowohl anhören, als den Burggrafen, den Sammel nit vorziehen dem Zwilch, die Waisen gleich halten den Weisen; auf solche Art thut man Gott preisen, und da ist Glück und Wohlstand zu hoffen.

Es kommen auf eine Zeit etliche hebräische Gesellen zu Christo dem Herrn in Tempel, und führten mit aller Gewalt ein Weib mit ihnen, es muß allem Ansehen nach nur eine gemeine Huesten seyn gewest, dann die Vornehmen darf man nit anklagen; diese Erz-Schalken fangen an mit vielen Umständen den saubern Handel zu erzählen, wie daß sie diesen frechen Schleppsack in flagranti ertappt (wo ist dann der saubere Buhler geblieben? O ihr Schelmen! entweder hat er euch müssen in Beutel blasen, oder er ist euer Vetter oder Anverwandter gewest) nun glauben sie, weil er anderst ein solcher ausgeschriener Prophet, er werde seine Meinung hierin beitragen, wie man mit dieser Fettel soll verfahren, massen er von sich selbst ausgeben, er seye nit kommen, die Gesetz Mosis zu brechen, sondern zu rächen, die Gebot nit zu verhüllen, sondern zu erfüllen, weilen dann die mosaischen Verordnungen dahin ergehen, daß die Ehebrecher sollen versteiniget werden, so möchten sie gern dießfalls sein Urthl vernehmen, weil sie dann Christum den Herrn zu einem Richter erkiesen, inclinabat se, also hat er sich ganz tief geneigt, und auf die Erd geschrieben, zu einer Lehr und Beispiel und Nachfolg aller Tribunalien merkt es wohl, ihr Herren Consiliarii, Räth, Richter und vorgesetzte Urthlsprecher, wann man bei euch mit ganz gründlichen Beweisen einen anklagt. Er hat ihm gewaltthätig das Seinige genommen 2c., er woll die rechtmäßige Schuld nicht bezahlen 2c., er sey ihm in einer Sach höchst schädlich 2c., inclinate vos, neigt euch zu der Erden, schaut die Person nit an, welche beklagt wird, sondern nur allein die gerechte Sach, man muß die Person nit ansehen, ob's eine vom Adel oder von der Nadel ist, ob's ein Edelmann oder ein Bettelmann, ob's ein Verwalter oder ein Anhalter, ob's ein Schreiber oder ein Treiber ist, ob's ein Führer oder ein Musquetierer ist, ob's ein Bekannter oder Verwandter ist, ihr müßt nicht ansehen, ob's Reichenau oder Bettelheim, ob's von Hochburg oder Niederalteich, ob's aus Mähren oder Bayren, ob's ein Landsmann oder ein Schanzmann, ob's ein Großer oder ein Bloßer ist, nec ad dexteram, nec ad sinistram.

Es wird für gewiß und wahr geschrieben, daß

in einer vornehmen Stadt ein solcher löblicher Brauch gewest, daß auf dem Rathhaus eine öffentliche Glocke gehängt, wer nun selbige geleutet, war so viel, als hätte er ein schriftliches Anbringen übergeben, und die Justiz begehrt. Einmal kommt ein zaundürrer, alter und ritziger Schimmel daher, welcher sich ungefähr an der Mauer des Rathhauses gerieben, und zugleich den Strick besagter Glocke ertappt, und also dieselbe gezogen, daß sie sehr laut gesprochen; die hochweisen Rathsherrn und Richter fragen alsobald, wer die Glocke berührt, und wie man ihnen des armen Schimmels seltsames Riebeisen erzählt, schaffen sie gleich, man soll emsige Nachfrag thun, wem das Roß zugehöre, dem sie auch gesinnt waren, die Gerechtigkeit zu administriren, dafern auch dem Roß soll eine Unbild zugefügt seyn worden; und weil man unschwer darhinter kommen, daß ein gewisser Herr besagten Schimmel wegen seines Alters, als ein nunmehr unbrauchbares Thier, habe von sich getrieben, wessenthalben solcher dermalen ohne Herrn, und folgsam ohne nothwendige Unterhaltung da und dort ein verdorrtes Gras suche; auf solches ist alsobald gedachtem Herrn ernstlich, und unter Pöhnfall großer Straf, auferlegt worden, dem Schimmel wegen so langwierig treugeleisten Diensten und Arbeit als einem Provisoner mit gehöriger Nahrung auf Lebenszeit die Unterhaltung zu schaffen. Wann dieser Schimmel hätt' reden können, wie des Propheten Balaams Eselin, hätt' er ungezweifelt solchen Richtern ein großes Lob nachgesprochen, um weil sie die liebe Justiz also weislich handhaben und befördern.

O Gott! wann arme Wittiben würden also geschützt bei den Gerichten, wie dieses vernunftlose Thier, so würde der erzürnte Gott nit mancher Stadt, in der Stadt nit manchem Statthalter, in der Statthaltung nit manchen Gerichten zuschreien: usquequo judicatis iniquitatem et facies peccatorum sumitis. Wie oft, leider! siehet man, hört man, greift man, daß arme Wittwen durch langwieriges Rechten an Bettelstab und in die äußerste Armuth gerathen, da doch ihnen in kurzen Tagen hätte können Ausricht geschehen. Von meinem h. Vater Augustino wird glaubwürdig geschrieben, daß er einmal einen Baum oder Traum, so zum Kirchen-Gebäu oder Dachstuhl zu kurz war, mit seinem Gebet habe länger gemacht, das war ein Wunderwerk, aber wann man bei den Tribunalien ein kurzes Recht lang macht, und in viele Jahr ausdehnt, das ist kein Wunderwerk, sondern ein Plunderwerk, wehe solchen Richtern!

Unser lieber Heiland hatte zwei hochwichtige Geschäfte auf dem bittern Kreuz-Baum zu vollziehen, benanntlich seine allerliebste Mutter zu versorgen, nachmals dem rechten Schächer auf sein mündliches Anbringen einen Bescheid zu ertheilen, hat aber ehevor des bekehrten und reuevollen Mörders Sach und bittliche Ansuch befördert, nachmals erst seine liebste Mutter unter den Schutz Johannis befohlen: Hodie mecum eris in paradiso, deinde dicit Discipulo, ecce mater tua. So weiß man auch, daß, wie er zu Jerusalem als ein 12jähriger Knab verloren, und bei den Vettern, Befreundten und Anverwandten ist gesucht nit aber gefunden worden; deßgleichen hat er das höchste Amt des römischen Papstthums nit anvertraut Johanni seinem nächsten Vetter, der beinebens in großen Gnaden stund, sondern dem Petro. Allen Obrigkeiten, forderist denen Richtern zu einer Lehr und Unterricht, wie daß sie kein Absehen sollen haben auf Bruderschaften, Vetterschaften, Schwagerschaften und Freundschaften, sondern nur blos auf die Gerechtigkeit. Einer armen Wittib ein so willfähriges Ohr geben, als einem Anverwandten, ihre gerechte Sach und Anforderung so gut beschleunigen, als eines Bluts-Verwandten, dero Anbringen in so guten und reifen Berathschlag ziehen, als eines nächsten Befreundten, und was sich recht und dem Gewissen gemäß befindet, fest und unbeweglich dasselbe schützen und handhaben, den verlassenen Wittiben mit keinem Fug noch gewaltthätiger Freiheit eine Unbild lassen zufügen; in Erwägung, daß nichts die dickrn Wolken also stürme, den harten Himmel also durchdringe, als die Zähren und Thränen einer bedrängten Wittib, massen die nassen Augen der Wittib zu Nain das Herz des Herrn Jesu also erweicht, daß er ohne Verzug dieselbe mit der Urständ ihres Sohns wieder getröstet.

Wie behutsam und mit was zartem Gewissen man mit den armen Wittiben solle verfahren, ist dessen ein seltsames Beispiel zu ersehen an einem unglaubigen Fürsten. In Persien befand sich ein junger Fürst, Namens Quiffera, sehr mächtig an Geld und Gut; dieser war Vorhabens, einen so prächtigen Pallast, dergleichen in der Welt nit zu finden, aufzubauen, weil nun ein großer Platz dazu gehörte, wurden dessenthalben sehr viel Häuser abgebrochen, und unterschiedliche Gärten mit zugezogen, welches auch die Unterthanen alle gar gern geschehen ließen, weil ihnen dafür baares Geld ausgezahlt wurde. Eine alte Wittib aber konnte durchaus nit dazu gebracht werden, daß sie ihr Häusl dazu verkaufte, Ursach, weil sie darin geboren und erzogen, auch folgsam darinnen sterben wollte. Wollt es ihr (sagt sie) der Fürst nehmen, so könnt sie nit wider Gewalt; der Fürst begehrte dem Weib die Hütte mit Gewalt nit zu nehmen, und doch gleichwohl aber von dem Bau nit abstehen, sondern setzte das Werk dergestalten fort, daß das Haus in dem Pallast mit eingeschlossen wurde. Nach Verfertigung dieses so herrlichen Werks trug sich zu, daß einsmals fremde Gesandte nach Hof kommen, welchen der Bau gezeiget und auch von ihnen gelobt wurde, doch sagten sie daneben, das Häusl schände den ganzen Pallast, und stehe gar ungereimt in einem so herrlichen Pallast ein so geringes altes Weiber-Nest, worauf der Fürst geantwortet: mit nichten kann dieses vorgerupft werden, sondern ich halte diesen so schlechten Wittib-Sitz für die schönste Zierde des ganzen Schlosses, dann aus diesem ist zu sehen und abzunehmen, daß ich Recht und Gerechtigkeit lieb habe und meinen Unterthanen keine Gewalt zufüge.

Es wäre zu wünschen, daß zu unsern Zeiten viel christliche Fürsten und große Herrn von diesem Mahometaner lerneten die armen Wittiben zu ehren, dieselbe, als Gottes Aug-Apfel bestermassen zu schützen, dero verlassene Einsamkeit auf mögliche Weis zu trösten, aber leider! erfährt man oft das Widerspiel. Der hl. Petrus hat nit allein zu Joppen viel weinende Wittwen gesehen um die verstorbene Tabitha herum stehen, sondern es find't sich eine unzählbare Menge noch heutiges Tags betrübter Wittwen, wo nit zu Joppen, wenigist allenthalben in schlechten Joppen und Küttlen, daß sie kaum den Leib bedecken können, aus Ursachen, weil man bei Tribunalien und Gerichten, in Ansehung eines und andern großen Herrn oder Anverwandten ihnen nit an die Hand gangen, sondern viel mehr der lieben Gerechtigkeit einen Respect-Mantel angelegt, welches Kleid ihr doch teuflisch übel ansteht.

Dießfalls hat niemand ruhmwürdiger die Justiz und Gerechtigkeit vollzogen, als der italienische Kriegsfürst Theodosius, welcher auf öffentlicher Gasse einer bedrängten Wittib flehentliches Anrufen gehört, auch dero so lang geführtes Recht inner zwei Tagen zu gewünschtem Ende gebracht, die Richter aber, welche bishero so saumseelig gewesen, mit dem Schwerdt hinrichten lassen.

Sagt also Justinus: Vetter hin, Vetter her, es geschieht nimmermehr, daß ich der armen Wittib nicht soll beifallen. Vetter hin, Vetter her, es fället meinem Gewissen gar zu schwer, wann ich in Ansehung der Freundschaft sollt die Justiz schmälern, Vetter hin, Vetter her, es wär wider Gottes Ehr und Lehr, so ich dießfalls nit sollte mitten durchgehen; In Summa, Herr Vetter, sein Verlangen und Anbringen ist dieß und dieß, aber es kann nit seyn!

Der Mammon oder Geld-Gott reispert sich hierüber, und gedacht den vetterischen Zwiespalt geschwind in einen gütlichen Vergleich zu bringen, wann schon der Vetter hin sey abgewiesen, so werde doch der

Vetter her (verstehe gieb her, schenk her) das Feld erhalten, dessentwegen alsobald mit einem gestrikten Beutel heraus (o wie viel werden durch solche Strick gefangen), und dem Justino in die Hand gedruckt mit einem solchen Nachdruck, daß er dem Justino just recht kommen, als welcher gleich mit andern Saiten aufgezogen, dero Klang der armen Wittib nit die Füß hupfend gemacht, sondern das Herz, welches vor Leid und Schmerzen hütte mögen zerspringen. Mit einem Wort, es kann seyn und es soll auch seyn, sagt Justinus, daß man nit gleich einem jeden weiten Kürbes-Maul soll glauben, dann wohl öfter alter Weiber Aufforderung ohne Grund stehen, es brauche die Sach eine reifere Bewegung und Nachsuch, dann was nit rechte Füße hat, soll man nicht gleich über die Knie biegen rc. O verfluchtes Geld!

Wie der h. Pantaleon hat sollen enthauptet werden hat sich der Degen oder das Schwerdt, wie ein Wachs gebogen. O Wunder! Wie die h. Cäcilia hat sollen sterben, ist der Degen so weich worden, daß er dreimal wie ein Hadern, um den Hals gefallen. Wie der h. Thyrsus mit einer eisernen Säg' hat sollen mitten entzwei geschnitten werden, hat sich die Säg' nit härter als Baumwolle gezeigt. O Wunder! Der h. Franziscus, der h. Georgius, der h. Jacobus Nisibita, die h. Euphemia, die h. Barbara, die h. Leocadia, der h. Eliphus, der h. Romualdus, der h. Wolfgangus und viel andere mehr haben die harten Steine weich gemacht. O Wunder! Aber das verfluchte Geld, der verdammte Mammon kann auch den in fester Meinung und gerechtem Urthl erharten Richter dergestalten erweichen, daß er von dem Manna zu dem Zwibel, von dem Jacob zu dem Esau, von der Esther zu dem Vasthi, von dem Mardochäo zu dem Ammon, von dem Abel zu dem Kain, ja gar von Christo zu dem gottlosen Barrabbä Seiten weicht, und das Ungerechte für gerecht ausleget. O! O! O! verruchtes Geld!

Petrus und Johannes, beede h. Apostel giengen auf eine Zeit in Tempel hinab nach Jerusalem ihr gewöhnliches Gebet allda zu verrichten, gleich aber bei der Kirchen-Thür treffen sie einen armen Tropfen an, der ganz elend und erkrummt, mit seiner bettlerischen Rhetorik und beweglicher Wohlredenheit gar schön um ein Almosen angehalten. Petrus schüttlet den Kopf, Johannes deut mit der Hand, es sey nichts da, allein sagt Petrus, damit dir gleichwohl geholfen werde, weil ich weder Silber noch Gold habe, so stehe du im Namen Jesu auf und wandere, auf solche Wort ist der arme Schlucker frisch und gesund aufgestanden; das war ein groß Wunder, einen Krummen gerade zu machen. O hl. Petre! wie oft und aber oft geschieht dieses Wunder bei Tribunalien und Gerichten, ja es ist dieses Wunderwerk gar nit mehr rar oder seltsam, allein auf besondere Manier, du hast den Krummen gerad gemacht mit dem Namen Jesu; in nomine Jesu, aber da macht man aus einer krummen Sache eine gerade mit Geld. Argento et auro, quod est mihi.

Wie Christus der Herr von Todten sieghaft auferstanden, da seynd die Soldaten, so bei dem Grab die Wacht gehabt, mit gleichen Füssen in die Stadt hinein geloffen, auweh! auweh! Ihr Hochwürden und Gnaden, was ist dann? sagten die Hohenpriester: eine schlechte Post, es ist halt gleichwohl geschehen, was dieser Mensch von Nazareth hat ausgeben, er werde am dritten Tag wieder auferstehen, wahrhaftig dem ist also, ihr werdet des Teufels Händel haben, denkt an uns, wann das wird ruchbar werden unter dem Volk, dann ihr seyd Ursache, daß er also schmerzlich ist hingerichtet worden, es wird sauber heraus kommen. Auf solches Vernehmen lassen die Hohenpriester alsobald zum Rath ansagen, wie dann solche ganz schleunig sich eingefunden, und war ihnen gar nit wohl bei solcher Sach, einer sagte, wann das das Volk und der Pöbel wird erfahren, so schneiden sie uns Nasen und Ohren ab, das wären Schelmstüke. Ein anderer sagt, wird das den Weibern zu Jerusalem kundbar, weil sie ohne das, wie ihr Mit-Collegen selbst gesehen, mit ihm ein großes Mitleiden gehabt, so krazen sie uns die Augen aus, da werden wir erst ohne Augen sehen, was wir gethan: Der dritte sagt, ich fürcht lauter, wann solches die Frau des Pilati wird vernehmen, dann sie ohne das ihn mit Gewalt gesucht durchzuhelfen, so werden wir alle vom Dienst gestossen, sie wird nicht Ruhe geben, bis sie zu wegen bringt. Dann

Wasser-Güß und Feuers-Brunst,
Teufels-Banner und Hexen-Kunst,
Weiber-Zorn und Löwen-Brüllen,
Seynd wohl einmal hart zu stillen.

Der vierte sagt, unsere kühlen Anschläge haben einen heißen Handel geschmied't, wo wir denselben angreiffen, so brennen wir uns. Alle und allesammt spürten handgreiflich, daß sie einen krummen Handel hatten; wie ist dann zu helfen? was zu thun? daß ein krummer

Handel gerad werde? Pecuniam copiosam dederunt militibus, sie haben den Soldaten steif gespendirt, sie gaben den Kriegs-Knechten viel Geld, worauf diese alsobald angefangen zu schwören, der Teufel soll sie hinführen, die Luft soll sie ersticken, der Donner solls erschlagen, die Erd solls verschlucken, wanns nicht wahr sey, daß die Jünger bei nächtlicher Weil ihn haben gestohlen, das heißt das Krumme gerad gemacht. Der Reichthum, Geld oder Gut, werden bei den Lateinern genennt Facultates, das ist so viel, als facilitates, dann dem Geld ist alles leicht zu thun, das Krumme gerad machen, die Berg eben machen, das Schwarze weiß machen, pecuniae obediunt omnia.

Wie unser gebenedeiter Heiland auf eine Zeit einer großen Menge Volk geprediget, bereits aber wahrgenommen, daß die meisten aus ihnen matt und kraftlos, aus Mangel der Speise und Nahrung, also hat er sich zu dem Philipp gewend't, mein Philipp, wo werden wir Brod nehmen? Es giebt hier sehr unterschiedliche Ursachen, welche die h. Väter heftig beibringen, warum der liebste Herr nur den Philipp habe gefragt? warum nit den Peter, den Andreas, den Johannes, mit denen er sondere Freundschaft und Vertraulichkeit gepflogen? warum nicht den Judas? den man schier Amts halber hätte sollen Rath fragen? dann er des ganzen Collegii Einkaufer und folgsam in dergleichen Sachen eine mehrere Erfahrenheit bei ihm, als bei andern? warum gleich den Philipp? dessen, wie oben gedacht, giebt es unterschiedliche Ursachen und Auslegungen, ich laß es in allen heiligen Verständnüssen bewenden, und sag allein, daß auch bei der Zeit, bei der Welt, bei diesem Lauf, in aller beifallender Noth kein besserer zu fragen, als der Philipp, wer will etwas haben, der geh zum Philipp, wer will zu einem Amt kommen, zum Philipp, wer will frei seyn von Straf und Züchtigungen, zum Philipp, wer will, daß er sein Recht gewinne, zum Philipp, wer bei allen Tribunalien will wohl daran seyn, zum Philipp; verstehe mich recht, ein Duzend Philipps-Thaler bringen dir ein Duzend Favor, 30 Philipps-Thaler schaffen dir 30 Affecten, 50 Philipps Thaler machen dir 50 Patrone, hundert Philipps-Thaler machen gleichsam aus einer unmöglichen Sache, eine mögliche. O Teufels-Geld!

Eine adeliche Frau hatte ein bolonesisches Hündel sehr lieb, also zwar, daß sie gewunschen, ihr Hündel möchte nach seinem Tod bei dem Hund in Himmel, welcher die größte Sonnen-Hitz dem Erdboden spendirt, seinen Sitz haben. Nachdem solches durch einen groben Kettenbeisser ungefähr sehr stark verwundet worden, und also wegen dieses zugefügten Schadens hat müssen das Leben lassen, war die adeliche Frau sehr sorgfältig, wie sie doch möchte das liebste Bellerl ehrlich zur Erden bestatten, dahero in eigener Person den Herrn Burgermeister selbigen Orts heftigst ersucht, er wolle doch erstgedachtes ihr liebes Hündel lassen in den mittlern Platz des Rath-Hauses, bei den schönen marmorsteinernen Säulen begraben: ei sagt hierüber der Burgermeister, das laßt sich auf keine Weis' thun, es kann nit seyn, wann es auch der Hund wäre, welcher dem h. Rocho einen Kostherrn abgeben, so kont man dieß nicht zulassen, ein solches vernunftloses Thier gehöre zum Meister Puffenberger, und seye seine gebührende

Begräbniß auf den Raben-Gestädten, es würde seinem Namen ein übler Nachklang erwachsen, dasern er solche Ungebühr sollte zulassen; O Herr Burgermeister, sagte sie, wann er das Hündel hätte gekannt, er würde weit anderst sich lassen verlauten, dann es solche stattliche Gaben an sich gehabt, daß es auch eine Supernumerari-Stelle in dem Magistrat hätte verdient; was? sagt er, das seynd Hunds-Possen, es kann nit seyn, solls nicht seyn können? sagt sie hinwider, indem doch das liebste Närrl so bescheid war, daß es auch kurz vor seinem Tod, in Beiseyn zweier wackern Fleischhacker-Hunde, ein Testament aufgerichtet, auch des Herrn Burgermeisters mit 30 Thaler eingedenk gewest; soll dem also seyn? nit anderst, wann es eine solche Beschaffenheit hat, sagt der Burgermeister, so kanns seyn, gar wohl, pecuniae obediunt omnia, das Geld richtet alles in der Welt.

Eliezer, des Abrahams Bedienter, reist aus, dem Isaak um eine Braut umzusehen, kommt zu dem Haus des Laban, seine Jungfrau Schwester, die Rebekka zu begehren, kaum daß er daselbst angelangt, ist er mit allen höflichen Ehrbeweisungen empfangen worden, ingredere benedicte Domini, „herein mein gesegneter des Herrn,“ herein, willkomm, hat es geheissen zu tausendmal, niedergesessen, tragts auf, schenkts ein, warts auf, ich erfreue mich des Herrn guter Gesundheit, geschieht mir heute die größte Gnade, das Glück hätt ich mir nit eingebildet, der Herr laß ihms schmecken, was ist meines Herrn sein Anbringen? nit bitten, nur geschafft, ist alles zu Diensten, er ist Patron di Casa; ich, sagt der Eliezer, sollt und wollt die Jungfrau

Schwester meinem Herrn Isaak als eine Braut haben, Rebekka, fragte Laban, willst ihn haben? Ja, potz tausend Element, wie sagen die Menscher so geschwind Ja, da war der ganze Heirath-Schluß beisammen, ämen, bonn viaggio. Nach vielen Jahren kommt Jacob, der Rebekka Sohn auch zu dem Laban, auch um eine Braut, und zwar um seine schöne Rachel; aber da ist man sparsam mit den Complementen umgangen, der Willkomm war gar schlecht, das Fiat und Jawort im Arrest, endlich mit harter Mühe ist die Verwilligung geschehen, doch mit dem Beding, daß er sieben Jahre soll dienen, nach verflossenen sieben Jahren muß er noch andere sieben Jahre dazu dienen, in allem 14 Jahr (das ist zu viel um ein Weib), warum daß des Eliezer sein Begehren so geschwind hat statt gefunden? und des Jacobs seine Bitt so große Beschwerniß gelitten? frag nicht lang, such nicht lang, forsch nicht lang, beim Eliezer hat man frisch Silber und Gold gesehen, prolatis vasis argenteis et aureis etc., beim Jacob aber eine pure Armuth, in baculo meo transivi Jordan, ein knopertes Hand-Pferd von einer Haselnuß-Stauden, und weiter hatte Jacob nichts. Darum heißt es, hast was, so setz dich nieder, hast nichts, so bin ich dir zuwider; wer giebt Gut, Geld, Gaben, der kann alles haben.

Jener saubere Richter wollte zwischen zwei streitigen Parteien kein Urthl sprechen, bis rechtmässige Zeugen vorhanden, und der alsdann den besten Zeugen werde haben, dem solle das Recht zugesprochen werden, einer aus diesen hat der Frau Richterinn (Titl Ihr Gestrenng) einen schönen und theueren Mieder-

Zeug demüthigst offerirt, die Sach war gewonnen, dieser Zeug hat durchgedrungen, wer halt gut will bauen, muß mehrer Gibs, als Stein brauchen.

Rebus in humanis Regina pecunia nauta est,
Navigat infelix, qui caret hujus ope.

Ein Advocat, fast wie jener, dem der Teufel die Zung abgebissen, hatte an sein Haus einen Mohren, oder Afrikaner malen lassen, dessen geheime Verständniß fast niemand ergründen können, bis endlich ein witziger Kopf die rechte Bedeutung ersonnen, und gesagt, daß ein Mohr oder Afrikaner in lateinischer Sprach Affer genennet werde, welches Wort auch so viel heißt, als bring her, wordurch er wollte an Tag geben, daß sein Haus nur offen stehe denjenigen, welcher was hergeben, herbringen, herschaffen thue, auri sacra fames. O Gold, dir ist jedermann hold.

Die arme bedrängte Wittib mußte also ohne einigen Trost, ja mit unsäglicher Herzens-Wehmuth von der Bühne oder Theatro abtreten, und weiß der liebe Gott, ob ihr nicht solche große Unbilligkeit den Lebens-Faden abgeschnitten. O Gott! o Gott! wo man Wittwen und Waisen so wenig Schutz haltet, kann Gottes Geißel nit ausbleiben; es hat Gott nit allein erhört das Weinen des armen verlassenen Ismael in der Wüste, sondern auch die Zäher der armen verlassenen Waiseln gehen schnurgerad vor das Angesicht Gottes. Kaum daß die Wittib abgewichen, war ein großes Getümmel und hartes Getös von eisernen Ketten, und sahe man bald von zwei Schörganten daher schleppen einen ungefähr dreißigjährigen Kerl, welcher mit niedergeschlagenen Augen daher gangen, daß ein jeder leicht

vermuthet hat, er sey von guter Schelm-Art. Nachdem ihn Justinus mit allem Ernst befragt, warum er an so starken Ketten und eisernen Bändern gefesselt sey, gab er ganz unverschamt die Antwort, daß er zwar aus Noth habe dem Herrn Pfarrer zu Frommdorf eingebrochen, als er wegen eines Kreuzgangs abwesend war, und ihm alles Geld hinweg genommen; es habe ihn aber nit wenig verdrossen, daß so viel keine Münz darunter gewesen, welche vermuthlich der Bauren Opfer-Pfenning waren. Was? sagt Justinus, was? du das? schau, zeichnet anbei mit der Kreide einen Galgen auf die Tafel; schau, sagt er, dieß ist dein Lohn, den tragst davon, daß man den Dieb an lichten Galgen hänget, Justiz und Gerechtigkeit muß geschehen. Der h. Justus ist ein Martyrer, der h. Justinus ist ein Martyrer, der h. Justinianus ist ein Martyrer, die h. Justina ist eine Martyrinn, aber die Justiz ist und muß und soll keine Martyrinn seyn.

Heilig, herrlich, heilsam, himmlisch seynd die Indulgentien und Abläß, welche Gott mehrmalen mit vielen Wunderzeichen bestätiget, massen in der Kirche S. Mariä de Angelis, insgemein Portiuncula genannt, 7 Bischöf den Ablaß verkündiget, einer nach dem andern hinauf gestiegen, und nur wollen auf 10 Jahr die Indulgenzen ausrufen, gleichwohl alle wider ihren Willen das Widerspiel geredt und mit Francisco übereins gestimmt. Schatzreich, schutzreich, lobreich, liebreich seynd die Indulgenzen. Der heiligmäßige Mann Berchtoldus aus dem Orden St. Francisci hat auf eine Zeit anstatt des Allmosen einem armen Weib auf einem Papier 10 Jahr Ablaß geschenkt, welche er zu

Rom erhalten, und ihr anbei befohlen, sie soll einem reichen Handelsmann diese geben, und davor so viel Gold fordern, als dieses Papier im Gewicht hat, der reiche Rabbiner, neben vielem Hohn und Gelächter, legt das Papier auf eine Wagschale, auf die andere einen Dukaten, welcher aber Gewicht halber dem Papier nit gleichte, bis er endlich einen nach dem andern in großer Anzahl mit höchster Verwunderung auf die Wag gelegt, bis das Gewicht ist gleich worden, und just die arme Haut so viel erhalten, als ihr dazumal nothwendig war.

Zu suchen, zu halten, zu verehren, zu preisen seynd die heiligen Indulgenzen. Als ein Priester, mit Namen Firmus, eine große Menge Volk gesehen nach Aquilum in Abrutio reisen, daselbst in der Kirche St. Mariä Collemario den vollkommenen Ablaß zu gewinnen, hat er solche Andacht nur ausgelacht und gesagt, so wenig sey daselbst ein Ablaß, so wenig als der Pfeil, den er in Willens abzuschießen, in dem Stein werde stecken bleiben; worauf er den Bogen gedruckt und der Pfeil ganz tief in den Stein, als in einen Laib Brod eingedrungen, welches den frechen Priester zur Reu und Buß veranlaßt, der nachmals solchen Stein samt dem Pfeil dahin gebracht, aliwo er noch zu sehen.

Ein Schatten von Gott, eine Gab vom Himmel, eine Portion von den Verdiensten des Leidens Christi, eine Gewalt von der römischen Kirche seynd die Indulgenzen. Die selige Clara de Agolantibus hat zu Arimini einen vollkommenen Ablaß auf einen gewissen Festtag erhalten, dahero ist öfter geschehen, daß den Tag vor dieser Solennität die Glocken sich selber geläutet.

Es seynd Gott eine Glorie, den Heiligen eine Freud, den Teufeln ein Schrecken, den Sündern eine Hülf, den Seelen im Fegfeuer eine Erlösung die heiligen Indulgenzen. Nachdem der h. Bernardus eine bewegliche Predigt gehalten von den Indulgenzen, welche Papst Eugenius ertheilt, hat er gleich hernach solche Lehr mit Gesundmachung 20 Kranker bestätiget.

Diese Indulgentien seynd heilig und aber heilig, und über heilig, entgegen aber seynd andere Indulgentien, welche der Lucifer und mit ihm alle Teufel geschmidt haben, diese seynd nimiae indulgentiae superiorum, das große Nachsehen der Uebertretung, der große Nachlaß der Straf, das zu weichmüthige Schwerdt zucken, die zu gesparsame Züchtigung bei den Obrigkeiten. Fragst du etwann, welche im Königreich die besten König seyen, im Land die besten Landrichter, in der Republik die besten Regenten, in der Gemein die besten Obrigkeiten, in Klöstern die besten Vorsteher? welche? etwann die Wölf heißen? nein; die Lampert heißen? nein; die Leonhard heißen? die Columban heißen? nein; die Aquilin heißen? nein; seynd zwar Namen, die etwas von Thieren haben, sondern wisse, die besten Obrigkeiten seynd, die Ernst heißen, die Severin heißen, die Hartmanni heißen, diese seynd die besten, welche mit allem Ernst das Böse strafen.

Der Hahn krähet nit allein, sondern er schlagt auch mit Flügeln, der Samaritan hat nit allein Oel in die Wunden gossen, sondern auch Wein, der da beißt. In der Arche des Bunds war nit allein das süße Manna, sondern auch die Ruthen Mosis; Christus der Herr hat nit allein jedermann viel Gutes erwiesen, sondern er hat auch die Rabbiner zum Tempel hinaus gepeitscht; der h. Paulus hat nit allein befohlen, in aller Lieb und Sanftmuth mit den Leuten umzugehen, sogar seine Kinder nennend, sondern er hat auch bestätiget, daß die Kretenser grobe Schliffel, verlogene Gesellen, faule Bärnhäuter und üble Bestien seyn, Cretenses semper mendaces, malae Bestiae, ventres pigri etc., also wird nothwendig erfordert, bei den Gerichten die strafende Justiz, sonst kann die Clementia ein Dementia genannt werden.

Auf dem hölzernen Reichs-Tag, sagt die h. Schrift, haben unter andern auch die Herren Bäume ein Ansuch gethan bei dem Oelbaum, ihm durch einhellige Wahl die Kron anerboten, Deo gratias, sagt hinwieder der Oelbaum, meinem herrlichen Stamm, bedank mich höflichst, daß ihr gleichwohl so große Neigung zu meiner Wenigkeit traget, es steht mir nach Möglichkeit zu vergelten, um euch und euere Kinder, Stauden und Belzer, allein resignire ich wieder auf alle Weis, dann ich bin theils klein von Person, schwach in Gliedern, zum andern bin ich gar zu süß und weichherzig und lind, wie die ganze Welt wohl weiß. Eine Obrigkeit aber muß scharf und ernsthaft seyn. Nunquid possum deserere pinguedinem meam?

Wie Petrus den Malchum zwischen die Ohren gehaut, hat der Herr ihm einen keinen Verweis geben, auch beinebens befohlen, er soll einstecken; meistens darum, weil Petrus schon ein Geistlicher war, dem Standes halber nit gebührt, mit Degen und Waffen umzugehen, wann er aber wär ein Lands-Fürst oder Richter gewest, bin gar sicher, daß ihm der liebste Heiland nit hätt befohlen, er soll einstecken, sondern vielmehr das Schwert ausziehen, weil nichts nothwendigeres, als das Schwert in Händen halten, das Böse zu strafen.

In den ersten Jahren regierte der König Saul mit solchem Lob, daß im ganzen Land Israel kein Aufruhr, kein Zwiespalt, keine Zertrennung unter den Eheleuten, unter den Burgern, unter den Bauren, sondern Fried beim ersten, Freud beim andern, Frommheit beim dritten anzutreffen; das Land stund in Sicherheit, die Städte in Einigkeit, die Felder in Fruchtbarkeit, alles im Wohlstand, Ruhestand, Glückstand, derentwegen, weil im ganzen Königreich kein Degen, kein Säbel, kein Spieß, kein Dolch, keine Hellebarden, kein Rappier, kein Piquen, kein Springstock zu finden war, als allein in der Hand des Königs war das Schwert. Non est inventus ensis, ant lancea in manu totius populi, excepto Saul. Wann allerseits die Waffen verborgen, die Degen verhüllt, die Gewehr verdeckt, so muß doch immerzu das Schwert in des Richters Hand schimmern, zur Furcht der Missethäter.

Der Achab hat derentwegen so stark eingebüßt und bei dem Allerhöchsten in Ungnad kommen, weil er einem das Leben geschenkt, der sonst den Tod verwirkt, quia dim sit virum dignum morte. Den

König Saul hat Gott von der Regierung gestoßen, und ihm mit Grimmen den Scepter aus Handen gerissen, um weilen er gütig und barmherzig gewest, wo er hütt sollen strafen, und einen Ernst brauchen.

Einen solchen hat erzeigt in seiner Regierung Petrus König in Portugal, unter welchem das Königreich also aufgenommen, daß, wo andere mit Kriegs-Empörungen und schweren Bedrängnussen überhäuft waren, dieses alleinig in gewünschtem Wohlstand sich befunden, die Ursach dessen war die genaue Justiz, und forderist der scharfe Ernst, welchen König Peter in Abstrafung der Mißhandlung gebraucht; dieser war so eifrig hierin, daß er an seiner Gürtel stets einen Strick getragen, zum Zeichen der Justiz, und konnt er sich mehrmalen nit enthalten, daß er nit gewaltthätige Händ dem Uebelthäter selbst angelegt. Einem Vornehmen aus seinen Hof-Kavalieren, weil er erfahren, daß er mit einer andern Frau in unziemender Lieb stunde, hat er lassen einen solchen Possen reißen, welchen allhier die Feder aus Ehrbarkeit vertuscht; wann auch ein Strick hätte hundert Gulden gekostet, so wär es ihm nicht zu theuer gewest vor ein Hals-Band eines Diebs. Als einmal ein Sohn seinen Vater geschlagen, ruft er alsobald die Mutter zu sich, beschwört dieselbe hart, er könn es nit glauben, sprach er, daß dieses Kind sey nit von einem andern empfangru, und als sie solches ohne weitern Zwang bekanut, hat er alsobald denselbigen Thäter, ob er schon eine privilegirte Person war, lassen erwürgen. Solche scharfe Justiz und großen Erust im Strafen hat Gott ihm stattlich belohnt, dann als er nach dem Tod schon lang auf der Bühn kalt gelegen, und bereits die kostbaren Speccreien beigebracht worden, womit man den Körper ausschoppt, damit er von der Fäule nicht so bald möge ergriffen werden, ist er mit jedermänniglicher Verwunderung wieder lebendig worden, und alsobald einen Priester lassen zu sich rufen, dem er eine vorhin verschwiegene Sünd ganz bußfertig gebeicht, nachmals, als er genugsam bekennt, daß ihm solche Gnad wegen seiner Justiz und Fürbitt des h. Bartholomäi von Gott sey ertheilt worden, wieder selig entschlafen.

Wohl recht hat einmal ein Prediger, gleich als er auf die Kanzel gestiegen, angefangen zu juchitzen, und fast wie die berauschten Bauern pflegen zu schreien, ju, ju, ju, ju; wahr ist es zwar, sagt er, daß ein Prediger, weil er von Christo Sal terrae, ein Salz der Erde, benamset wird, nit solle, weder in Reden noch in Gebehrden abgeschmackt seyn, aber er könn es nicht lassen, und schrie mehrmal ju, ju, ju; es ist nit ohne, sagt er, daß, gleichwie die Arche des Bunds ein- und auswendig verguldt war, also gezieme es sich, daß ein Prediger nit allein einwendig eines guten Gewissens sey, sondern auch äußerlich eines unsträflichen Wandels, aber er könn es dannoch nit lassen, und schrie noch heftiger als zuvor ju, ju, ju, ju; endlich sagt er: ju, ju, Justitia und Gerechtigkeit, diese ist der Triumphwagen, auf dem der Welt Wohlstand prangt, ju, ju, Justitia ist diejenige Saul, auf welcher Kron und Scepter sicher stehen, ju, ju, Justitia ist diejenige Salbe, womit alles geschmiert, damit es sicher gehe.

Josue, der tapfere Kriegsfürst, hat stattliche Victori- und Sieg immerzu gehabt, in seinem Krieg nichts als Glück und Stern erfahren, weil nemlich die Hand Gottes mit ihm, und wo solche ist, kann Menschen-Faust nit geforchten werden. Josue hat sogar mit dem Posaunen-Schall die starken Mauern der festen Stadt Jericho zu Boden geworfen, wie er aber vor das keine Städtl Hai geruckt, da ist er auf das Stroh kommen; bei Hai, da hat es geheißen: ai, ai, kein Glück mehr, gute Stöß dafür hat er und die Seinigen davon getragen; Gott war nit mehr bei ihm, mit ihm, so lang, und so viel, bis er einen Dieb, benanntlich den Acham, zur billigen Straf gezogen, so bald man diesem den Rest (sonst gebührt ihm Restis) geben, aversus est furor Domini ab eis, alsobald ist der Zorn Gottes von ihnen gewichen. Ju, ju, Justitia erhalt das Land, stärkt eine Stadt, reiniget einen Markt, verbessert eine Gemein, rent aus das Unkraut, gefallt Gott, erfreut die Engel, verdrüßt die Teufel, ergötzt den Himmel, erquickt die Erde, vereinigt die Menschen, beglückt die Gewerbe, befördert den Frieden, und macht alles gut.

Sophronius schreibt, daß etliche Schiff nach Konstantinopel, nach Alexandria und andere Oerter mit glücklichen Seglen ganz schleunig fortgefahren, ein einiges Schiff aber konnte nit, auch bei aller angewendter Mühe und Arbeit, fortrucken, sondern bliebe stets an einem Ort ganz halsstärrig in die fünfzehn Tag lang, und konnte man dieses so unglückseligen Arrests rechte Ursach nit ergründen, bis endlich ein frommer Ordens-Mann, welcher in besagtem Schiff sein Gebet verricht, die Stimm vom Himmel gehört: mitte foras Mariam, et bene navigabilis, wirf die Mariam hinaus, alsdann wirst du glücklich schiffen. Es war eine in dem Schiff mit Namen Maria, gar ein lasterhaftes Weibs-Bild; so bald man diese in ein kleines Nebel-Schiffel gesetzt, welches mit ihr von Stund an versunken, ist gleich das große Schiff mit allem erwünschten Wind fortgeseglet.

Meine fromme Stadt N., meine volkreiche Stadt N., meine feste Stadt N., dir fallt ein Unglück über das andere auf den Hals, dich züchtiget Gott bald mit der, bald mit dieser Ruthe, willst du die Ursach wissen? mitte foras meretrices, et benè navigabis, keie die leichtfertigen Weiber hinaus, laß die ärgerlichen Schleppsäck ausstreichen, sodann wird es besser hergehen, das üble muß man strafen, sonst ist Gottes Straf zu fürchten. Der Prophet Michäas hat der Stadt Jerusalem die Wahrheit unter die Nase gerieben, als er ohne Scheu aufgeschrien: Nunc vastaberis filia Latronis etc., anjetzo wirst du zerstört werden, weil du den gerechten Jesum ans Kreuz genaglet, und den Böswicht Barabbam los gelassen, diese so große Unbild bringt dir den Untergang.

Ein Prophet bin ich nit, aber gleichwohl die Wahrheit einem Land, einer Stadt, einer Republik, sing ich auf gleichem Thon, vastaberis, wann man bei dir die Tauben arrestirt, und die Raben privilegirt, vastaberis, wann du die keinen Dieb aufhängest, und den großen Dieben alles anhängest, vastaberis, wann du die kleine Huersten ausstreichest, und die vornehme hervor streichest, vastaberis, wann du der Armen ihre Verbrechen aussiehest, und den Reichen ihre Missethat nachsiehest, vastaberis, wann bei dir das Schwert der Justiz rostig ist, so wird bei dir das Glück in schlechtem Glanz stehen, wann bei dir der Galgen leer siehet, so wird das Land voll mit Dieb seyn, wann bei dir die Keichen und Gefängnuß offen stehen, so wird bei dir Glück und Segen hinten stehen. Ju, ju, Justitia muß geschehen und soll geschehen, sagt Justinus, dieser gottvergessene, ehrvergessene und lehrvergessene Dieb muß gehängt werden; gemach, gemach, sagt Mammon, Herr Justin hätt wohl getaugt für einen Essig, es hätt' ihm an der Schärfe nichts gemanglet, gedacht beinebens, gleichwie man die Apothecker-Pillen kann vergolden, also woll er auch diesen schlimmen Vogel, der des Herrn Pfarrer Geld-Kasten purgiret, vergolden, schiebt dahero dem Justino einen Beutel Geld in Sack, worauf das Wetter gleich nachgelassen, und Herr Justin eine goldene Sanftmuth an sich gezogen; es ist wohl wahr, sagt er, mit Menschen-Blut muß man sparsam umgehen, und ist dem Mosi das Schlagen in Feisen nit wohl aufgenommen worden, auch daß man Gott viele Schlacht-Opfer in Galgalis habe geschenkt, sey im alten Testament geschehen. Man könne mit dem quasi flagello, womit der Herr und Heiland im Tempel einen Ernst erwiesen, auch etwas ausrichten, ja weil des Diebs sein Bruder sich so wohl bei Syclos in Ungarn verhalten, so könn er auch stricklos abgehen, hiemit zu einer Warnung, und bei künftiger großer Straf-Bedrohung soll er 14 Tag im Stadt-Graben arbeiten, jedoch dem Profosen seine gebührende Discretion sey vorbehalten, welcher saubere Unteroffizier, auf Anerbietung 6 Thaler, den henkermäßigen Dieb mit sich in seine ganz ehrliche Wohnung geführt, daselbst den Arrest mit Taback-Pfeifen und Wein-Kandel in aller Strenge vollbracht. O verfluchtes Geld!

Der h. Petrus ist einmal, weil er mit seiner Lehr so viel Seelen zu sich gezogen, gefänglich in Verhaft genommen worden, und war der König Herodes gesinnt, nächster Tagen ihn mit dem Schwerdt hinrichten zu lassen, es wollte aber unser Herr, daß Petrus seiner Kirche noch länger sollte vorstehen, schickt demnach einen Engel, welcher Petrum nach abgelösten Ketten, an denen er gefesselt lag, hinaus geführt, so aber dem frommen Papst vorkommen wie ein Traum, wie er aber zum dritten Thor gelangt, und sich allbereits in aller Sicherheit befunden, so sagt er zu sich selbst, nunc scio vere, „jetzt sehe ich wahrhaftig," daß mich ein Engel erlöset hat; aber mit Erlaubniß mein Peter, wie weist du, daß es ein Engel gewest? vielleicht ists der Stockmeister gewest, der sich deiner erbarmet? oder einer aus seinen Bedienten? oder einer von dem Hofstaat Herodis? scio vere, nein, nein, sagt Petrus, es ist ein Engel gewest, aber woher weißt es? da, da, dahero, wie Petrus zum dritten Thor kommen, so gedacht er, Holla! ich bin gefangen gewest, als ein vermeinter Verführer des Volks, und ist der Sentenz des Tods schon über mich ergangen, keinen Pfenning Geld hat es mich kost, es ist unfehlbar ein Engel gewest, der mir ausgeholfen; dann wär es ein Mensch gewest, so hätt ich müssen spendiren, kein

Geld habich; das heißt fürwahr viel geredt, o mein apostolisches Haupt, so soll dann das Geld auch können einen aus der Reichen salviren? ja, auch vom Galgen erlösen? ja, auch vor dem Rad behüten? ja, auch vor dem Schwerdt? ja, soll dann das Geld einen können redlich machen? ja, ja; o wie viel hätten sollen vom Sailer Halstuch tragen! wann sie nit gespendirt hätten, o wie viel hätten sollen den obern Hauptstock verlieren, wann sie sich nicht mit Geld hätten auskauft; o wie vielen hätt sollen der Henker auf dem Buckel mit grober Fractur schreiben, wann sie nit wären mit Geld aufzogen! du verfluchtes Geld! Tausendgulden-Kraut und Frauen-Münz werden in den Apothecken sehr gelobt; daß sie unterschiedliche Schäden kuriren, aber wann man die Sach besser erwägt, so heilen sie gar alle Schäden, und ob schon vor Zeiten der Abgott Mars für stark von den Heiden ist gehalten worden, so dünkt mich dermalen bei den Christen Marsupium viel stärker und mächtiger zu seyn.

Daß der h. Johannes Chrysostomus, insgemein genannt Johannes mit dem goldenen Mund, sehr viel und große Wunder gewürkt, so gar auch nach dem Tod dem Volk zu Konstantinopel den Segen geben, und überlaut aufgeschrien, pax vobis, ist allbekannt, aber daß ein Michael mit dem goldenen Mund, ein Wolfgang mit dem goldenen Mund, ein Ferdinand mit dem goldenen Mund etc. auch viel Wunder sahe würken, bleibt auch wahr, dann wer Gold im Mund hat, und Gold verspricht, und Gold spendirt, der wird nit suspendirt, das ist ein Wunder! wer Gold auf der Zung, und Gold verheißt, und Gold giebt, dem wird seine Schuld gar vergeben, das ist ein Wunder! wer goldene Reden hat, Gold insagt, und Gold darlegt, dem wird man keine Straf auferlegen, das ist ein Wunder! Mit dem Oel der Genovefä, des h. Eligii, des h. Martini, des h. Raymundi, des h. Tarasii, des h. Niceti, des h. Audomari, des h. Januarii, des h. Sulpitii, des h. Didacii, des h. Cajetani geschehen noch alle Tag große Wunder, aber es ist sich auch nit ein wenig zu verwundern, was die Schmiralien bei Richtern und Gerichten, bei Hof und Hof-Bedienten, bei Aemtern und Amts-Verwaltern, alle Tag, alle Stund auswirken. Der Accusativus gilt nichts, wo der Dativus dazu kommt, die Substanz der Justiz muß vor der Thür warten, wann die Accidentia bei der Audienz seyn, die Gerechtigkeit muß tanzen, wie man auf den Regalien aufspielt, die Frau Billigkeit tractirt man mit dem abesse wann das Interesse bei der Tafel sitzt, o vermaledeites Geld!

Die Hohenpriester haben gesehen, daß Jesus mit dem volo mundare den Aussatz gereiniget. Daß er mit dem respice dem Blinden das Gesicht erstattet, daß er mit dem Epheta den Tauben und Gehörlosen curirt, daß er mit dem surge die Todten erweckt, sie haben gesehen, daß er mit dem bloßen Anblick die Herzen eingenommen, mit der schönen Gestalt die Gemüther zu sich zogen, mit dem Speichel die Blinden sehend gemacht, mit dem Saum der Kleider die Kranken gesund, mit dem Händeauflegen die Todten lebendig, mit dem bloßen Befehl das rasende Meer still, mit dem einigen Schaffen die Teufel flüchtig gemacht ꝛc. welches sie gar handgreiflich konnten zuschreiben einer göttlichen Macht, gleichwohl in Ansehung eines zeitlichen Interesse, welches sie geforchten durch die Lehr Christi zu verlieren, haben sie die Unschuld selbst zum Tod befördert, wider alles göttliches und menschliches Recht, sagt Johannes am 11. Kap. Expedit, ut moriatur unus homo pro populo, ne veniant Romani, et tollant nostrum locum, et loculum sag ich. O Teufels-Geld! du verstoßest alle Gerechtigkeit in der Welt.

So bald obbemeldter Böswicht abgetreten, ist ein gar wackerer, und allem Ansehen nach gar ein tapferer Soldat auf die Bühn' gestiegen, dessen äusserliche Gebärden sattsam an Tag gaben sein Helden-Gemüth und mannbares Herz, kaum daß ihn Justinus ersehen, sagt er zu dem gegenwärtigen Mammon, es mahne ihn dieser tapfere Kriegs-Held an den weltberühmten Kriegsfürsten Rodericum Diez, der ihm auch nach dem Tod nit hat lassen in Bart greifen. Von diesem wird glaubwürdig geschrieben, daß, wie er Anno 1098 in Spanien mit Todt abgangen, dessen er kurz vorhero von dem Apostel Petro bericht worden, habe man seinen Leib nit zur Erden bestättet, sondern mit kostbarem Balsam angestrichen, in der Kirche Petri Cardeniä in einer Seiten-Kapelle beigesetzt; 9 Jahr nach dessen Ableben hat sich was wunderbarliches begeben, da nehmlich in Gegenwart vieler Leut, ein frecher Hebräer zum todten Körper hinzu getreten, und ihm schimpfsweis wollte an Bart greifen, mit beigefügten Hohn- und Spottworten, hui Kerl, sagte er, was ihm weder Christ noch Mohr getraut zu thun, das getrau ich mir, und als er bereits ihn wollte bei dem Bart ziehen, siehe

Wunder! da ergreift der vor 9 Jahren verstorbene gottselige Kriegsfürst Rodericus den Degen, zieht solchen fast eine halbe Spann vom Leder, worüber der Jud solchergestalt erschrocken, daß er fast lebenslos dahin gefallen, und als er die entwichene Geister in etwas wieder erholt, in Erwägung, daß Gott seine Christen also verehre, und sie auch nach dem Tod defendire, hat er inständig um die h. Tauf angehalten, und nachmals seine ganze Lebenszeit in gedachter Peters-Kirche einen Diener abgeben. Und ist wohl zu merken, daß man nachmals auf keine Weiß diesem Roderico den Degen hat können aus der Hand reiben, das war ein tapferer Soldat, der sich auch nach dem Tod noch zu defendiren begehrt. Kaum daß diese kleine Geschich Justinus erzählt, fragt er mit aller gebührender Cur tesi diesen Soldaten, was er begehre? seine Antwor war fast kurz, und trutzig, wie daß er Commendan sey in der Vestung Edelsburg, und solche habe d Feind nach geraumer harter Belagerung aufgeforder er aber sey gesinnt, sich bis auf dem letzten Mann wehren, und also dem Feind hinaus entbieten lasse es kann nit seyn. Recht und aber recht, sagt J- stinus, ist dieses euer tapfers Gemüth, welches eine unsterblichen Namen verdient, und werth ist, daß e in Ceder geschnitzlet, im Stein eingehauen, und i Gold geprägt werde, dann bei einem tapfern Solda stehet nichts ruhmwürdigers, als die Treu, welche r seinem Herrn geschworen.

Jener wackere Hauptmann zu Capharnaum hat so stattliche Soldaten unter sich, daß er selbigen in Gegenwart Christi, grosses Lob nachgesprochen, ich, g

er, Herr, hab solche Kriegs-Knecht unter meinem Comando, daß, wann ich nur einem sag, vade, so geht er, und wann ich sag, veni, so kommt er, entgegen, sagt der Hauptmann, bin ich auch also beschaffen, sub potestate constitutus, was mein General, mein Obrister gebiet', das vollzieh ich bestermassen, und auf das allertreueste, und solls mich auch den Hals kosten, diese Soldaten-Treu hat Christo dem Herrn so wohlgefallen, daß er auf das demüthige Anbringen besagtem Kriegs-Offizier ein Miracul und Wunderwerk gewürkt.

Es sagte einmal einer, ein Sünder ohne Reu, ein Mußquetierer ohne Blei, Karten ohne Säu, ein Pferdstall ohne Heu, ein Metzger ohne Säu, ein schwäbisch Frühstük ohne Brei, ein Soldat ohne Treu, seynd ein pur lautere Fretterei. Von Polliceri kommt Politicus her, deßwegen dieser viel verspricht, und wenig hält, aber bei einem rechtschaffenen Soldaten die Treu, so er versprochen, muß auch mit Verlust des Lebens, mit Vergießung des Bluts unweigerlich gehalten werden.

Den Urias hat der Kriegsfürst Joab, aus geheimer Ordre des Davids, an den Spitz der Armee gestellt, und an ein solches Ort, wo er augenscheinlich den Tod zu gewarten hätte, wie es dann nachmals nit anderst geschehen, man findt aber nit in der hl. Schrift, daß der tapfere Kriegs-Offizier Urias das geringste Wort wider diese Ordre hätte geredt: Ein anderer hätt seine Schwachheit und Leibs-Unpäßlichkeit vorgewandt, ein anderer hätt sich etwann gestellt, als stoß ihn ein gähes Fieber an, Urias aber ganz beherzt, und mannhaft ohne wenigste Entrüstung vor dem Tod, vollzieht den Befehl, und gedachte, daß kein ruhmwürdigerer Tod sey, als das Leben lassen vor seinem Feind.

Jonathas war treu dem David, der Waffenträger war treu dem Saul, aber noch treuer war jener Commendant zu Coimbra seinem König Sanchio, dieser stattliche Kriegsmann hat eine so harte Belagerung ausgestanden, daß die Innwohner bereits, ohne alle Lebens-Mittel, in solche äußerste Noth gerathen, daß sie so gar das Leder von den Schuhen und Stiefeln vor eine Speis brauchten, und den eigenen Urin für einen Trank nahmen! welches sie dann so weit dahin veranlaßt, daß sie willig entschlossen die Vestung zu übergeben, der Commandant aber wollte solchem Begehren in wenigstem beistimmen, sondern sich auf den letzten Tropfen Blut ritterlich zu wehren; unter währender solchen harten Belagerung stirbt der König Sanchius, nach dessen Tod gedachte Vestung seinem Bruder Alphonso, der sie dazumal belagerte, Erb- und rechtmässig zugefallen, obbenannter tapfere Soldat aber wollte gleichwohl die Schlüssel dem Alphonso nit einhändigen, sondern begab sich nach der Stadt Coimbra, trat daselbst zu dem todten Leichnam des Königs Sanchii, überantwortete ihm die Schlüssel, sprechend: allergnädigister König und Herr, ich habe gethan, wie es einem rechtschaffenen Soldaten gebührt, die Vestung, vermög meines abgelegten Eids, ritterlich verfochten, weilen ich dich nunmehr todt siehe, so übergieb ich dir die Schlüssel, von dem ich sie empfangen, daß Alphonsus aus rechtem Zuspruch solche verlangt, kann er sie aus deinen Händen selbst nehmen.

Es kann demnach gar nit seyn, sagt Justinus,

und, gereichte es einem tapfern Kriegsmann zum ewigen Schimpf und spöttlichem Nachklang seines Namens, wann er soll seiner Treu vergessen, hat doch der David seinen Scrupel und Gewissens-Wurm empfunden, um weil er dem König Saul ein Fleckel von dem Mantel abgeschnitten, was soll ihm dann ein solcher für ein Gewissen nehmen, daß er dem Kaiser mit seiner Untreu eine ganze Stadt und Vestung abstiehlt? ei wann auch durch ein Wunderwerk die Mauern und Pasteien um die Vestung zu Boden fielen, wie zu Jericho, und sich der ebenen Erd' gleichten, so muß man sich noch wehren, Guraschi!

Ho! ho! gedacht Mammon, wie ist heut der Justinus mit diesem trutzigen Soldaten ein solcher Eisenfresser worden, ich glaub, die zwei Kerl haben aus des großen Alexanders Mund-Becher die Guraschi gesoffen, aber ich bin vergwißt, daß die gewaffneten Männer auf denen Dukaten werden die Victori erhalten, und ist keine Porte einer Vestung so stark, welche solche guldene Pedarden nit einstoßen, greift hierüber in die nächst gestandene eiserne Truhen, hebt aus selbiger einen schweren Sack voll Dukaten, und wirft sie dem Justino also auf den Schoos, daß er schier kein Athem mehr konnte schöpfen, nachdem er sich aber wieder erholt, hat er alsobald andere Saiten aufgezogen: zweifels ohne wegen des goldenen Calsoni, ja, ja, warum nit? es kann seyn, Menschen-Blut ist mit keiner Münz zu bezahlen, warum soll man so vieler Leben also liederlich verschwenden wegen eines Stein-Haufen, des Kaisers Adler wird gleichwohl noch fliegen können, wann ihm schon diese Feder wird ausgerupft, durch, solche Uebergab der Vestung wird der liebe Fried beschleuniget, man kann nach etlich Jahren diesen Stein schon wieder in des Kaisers Garten werfen, unterdessen erquickt sie sich mit dem himmlischen Bräutigam, qui pascitur inter lilia etc. O verfluchtes Geld! so vermagst du dann alles in der Welt!

Also hat der tirinesische Bernardinus das feste Schloß zu Mailand um Geld verrathen und übergeben. Also hat Entragius viel Städt in Wälschland verrätherischer Weis in kurzer Zeit ums Geld verkauft. Also hat Antonius Gabadäus die schöne feste Motta Ruffa um des Gelds willen in dem neapolitanischen Krieg verrathen. Also haben die Franzosen die schöne Stadt Valentiam durch den untreuen Commandanten Donatum Raffagnini mit Gold erobert. Also haben wollen die Soldaten zu Griechischweissenburg um das Geld die Haupt-Festung übergeben, wofern sie nit Paulus Kinisius hätte erwischt, die er nachmals also gestraft, daß einer den andern mußte fressen und aufzehren; dann alle Tag ließ er einen aus ihnen braten, wovon die andern sich speisten; der letzte aber, so übergeblieben, wurde vom Hunger dahin gezwungen, daß er sein eignes Fleisch angegriffen und geschluckt. Also hätt jenes Frauenzimmer die herrliche Stadt Ephesum dem barbarischen König Brenno verrathen wegen viel Goldes und kostbaren Kleinodien, die er ihr versprochen. Also hat Pipus, ein Florentiner und kaiserlicher General, sich durch das Geld bestechen lassen, daß er in Friaul mit seiner ihm anvertrauten Kriegsmacht nichts gericht, dem aber der Kaiser Sigmund zum schuldigsten Recompens und Vergeltung durch Feuer zerlassenes Gold hat lassen in Rachen giessen, als soll er sich mit dem sättigen, nach welchem ihn also gelüstet. Also hat die weitberühmte Reichs-Stadt Straßburg das herrliche Kleinod ihrer Freiheit verscherzet, und aus einer Frau eine niederträchtige Dienstmagd worden, durch das Geld. Also hat Anno 1686 die mit so vielem Christen-Blut theuer erkaufte Haupt-Stadt Ofen, der meineidige Finkenstein wegen des Gelds, dem ottomanischen Erbfeind wieder wollen einräumen. O verfluchtes Geld! du verursachest alle Untreu in der Welt. Darius hat sich titulirt einen König aller Könige. Sapor, König in Persien, hat sich genennt einen Bruder der Sonne, Mond und Sterne. Attila hat sich genennt einen Schrecken der Welt und Geißel Gottes. Solimanus, der ottomanische Monarch, hat sich genennt einen Austheiler der Scepter, diese seynd lauter hohe und stattliche Titel, aber das Geld kann man fugsam nennen einen allgemeinen Herrscher in der ganzen Welt.

Unser liebster Heiland nennet den Teufel einen Wolf, und gar recht. Der h. Petrus nennt ihn einen brüllenden Löwen, und gar recht. Der h. Joannes nennt ihn einen giftigen Drachen, und gar recht. Der h. Paulus nennt ihn einen Seelenfischer, und gar recht. Der h. Ambrosius nennt ihn einen arglistigen Fuchsen, und gar recht. Der h. Vater Augustinus nennt ihn einen Versucher der Menschen, und gar recht. Der h. Bonaventura nennt ihn einen Schmidt alles Uebels, und gar recht. Ich aber nenne den Teufel einen Handschuhmacher, und glaub auch gar recht, dann diese seine Waaren verhandlet er allen haiben, massen es ganz gemein ist und im steten Schwung gehet. Herr schaut, daß ihr mir diese zu wegen bringt, es gilt ein gutes paar Handschuh, wann der Herr mir die Sach durchdringt, so versprich ich ihm ein gutes paar Handschuh. Will der Herr ein paar Handschuh verdienen, so spar er hierinfalls seinen Fleiß nit, veroblігier mich mit einem guten paar Handschuh einzustellen, wann ich zu diesem werde gelangen; ei Herr, wegen eines paar Handschuh kann es der Herr schon machen, daß die Sach zu einem Aufschub komme, mein Gegentheil wird derenthalben nit an Bettelstab gerathen, ist es, daß der aus dem Sattel gehebt wird, und mir der Herr durch seine Dexterität seinen gehabten Dienst zuspielt, das gute paar Handschuh wird gewiß nit ausbleiben; Parola, solche Handschuh richten alles aus, wann es schon mehrmal wider Gott, wider den Nächsten, wider das Gewissen, wider alle liebe Gerechtigkeit ist. O verdammte Handschuh!

Moses hat vor diesem mit den Schuhen nicht können zu Gott, der damal im feurigen Dornbusch erschienen, kommen; sondern war vonnöthen, daß er dieselbige ausgezogen: Solve calceamentum de pedibus tuis, etc. Noch viel weniger kann man mit obbenenntem mammonischen Handschuh zum wahren Gott gelangen, dann diese Handschuh beleidigen Gott nicht weniger, als jene eiserne Handschuh des frechen Malchi, woron das allerheiligste Angesicht Christi einen harten Backenstreich empfangen.

Morus, der gottselige Kanzler in Engelland, hat seines gleichen gar wenig, bei diesem waren dergleichen

Handschuh gar unwerth. Als ihm einsmal ein schönes paar silberne Flaschen verehret worden, hat er solche mit dem besten Wein aus seinem Keller lassen anfüllen, und wieder zurück geschickt, mit Meldung, er soll nur schaffen, wann ihm solcher Wein beliebig, sey der ganze Keller zu Diensten. Solches hat auch nachgethan jener stattliche Kavalier Don Pietro de Toledo: Als er sein hohes Amt zu Mailand angetreten, und ihm bald hierauf ein Herr sehr stattliches Wildpret zugeschickt, hat er solches auf das beste braten lassen und zurichten, und wieder mit Dank zurück geschickt, wodurch er sattsam zu verstehen gab, daß ihm mit Schankung nit gedient sey. Dergleichen wackere Gemüther seynd fast so rar und seltsam, als die Ratzen zu Augsburg, wohl aber der meiste Theil der verblend'ten Adams-Kinder trachten nach dem Geld wie der Esau nach dem Linsen-Koch. O verruchtes Metall, durch welches der Prophet Baalam verführet worden, durch welches die Dalila treulos worden, durch welches der Giezi bethört worden, durch welches der Benadad meineidig worden, durch welches so viel wackere Leut zu Schelmen worden.

Anno 1213 hat sich in Frankreich bei einem vornehmen Juden, mit Namen Isaak, eine Christinn für eine Dienstmagd aufgehalten, welche mit der Zeit den jüdischen Irrthum also an sich gezogen, daß sie ihre verdammte Laster-Zung schärfer als das andere hebräische Lottergesind wider Christum und seine heiligen Satzungen gebraucht. Als solche zur h. Oster-Zeit unter anderem Christen-Volk auch das höchste Altar-Geheimniß von des Priesters Hand empfangen, hat sie mit aller Behutsamkeit solche heiligste Hostien in ein Tüchel eingewicklet, ihrem Herrn Isaak als eine besondere Schankung nach Haus gebracht, welche er alsobald in ein Büchsel, worin ein ziemliches Geld lag, eingesperrt, und solches genau, weil ihm dazumalen andere Geschäfte vorgefallen, mit seinem eigenen Ring versieglet; als er nachmals in der Rückkehr gedachtes Büchsel eröffnet, hat er mit höchster Verwunderung und Entsetzung gefunden, daß alles Geld in lauter Hostien sich verkehrt hat, welches ihn dahin veranlaßt, daß er seinen Irrthum und hebräische Sekt verworfen, und samt den Seinigen den wahren Glauben Jesu Christi unsers Heilands angenommen.

Ein sonder großes Wunder, wie billig, gedunkt allen dieß zu seyn; aber in der Wahrheit erfahrt man, daß solches Mirakul bei jetzigem verkehrten Welt-Lauf sich öfters ereignet, weil ja fast alle Tag und Stund das Geld zu einer Hostie wird, und gleichsam wie ein Gott bedient und angebetet wird, auch es seine Allmacht nur gar zu häufig an Tag gibt, massen es auch derenthalben Judas in Tempel geworfen, wie er zum Strang eilte, als gehöre das Geld auch dahin, wo der wahre Allmächtige verehrt wird. Non posuit eos in sterquilinio; sed in templo; quia talibus ut Diis suis devoverat.

Nachdem nun alle von der Bühn oder Theatro herab gestiegen, und Justinus allein mit dem Aurelio oder Mammon geblieben, also haben sich auch diese zwei nicht mehr lang (weil es schon spat an der Zeit, und sie durch viel Wortwechslen ziemlich ermattet) daselbst aufgehalten; sondern nach kurzer, beederseits gehaltener Beurlaubung voneinander gewichen. Bevor sie aber das Theatrum verlassen, ist Justinus in diese Wort ausgebrochen:

Nimirum ingenti congesta pecunia cura
Est Deus, humanas nunc regit ipse vices.

Nach diesem hat die liebe Gerechtigkeit dem Geld die Vorhand vergönnt, und mit allem Unwillen müssen bekennen, daß das Geld allmächtig sey in der Welt.

Das höchste, das beste, das vollkommenste, das schönste, das theureste, das herrlichste Gut verkaufest du um ein so geringes Geld, o Schelm!

Nachdem die jüdischen Schörganten und das zusammen gerottete Lottersgesind den gebenedeiten Heiland gefangen genommen, haben sie ihn alsobald in die Behausung des Annä, nit ohne sonders Getümmel geführet, da es sich doch besser geziemt hätt, ihn zum allererst in das Palatium des Hohenpriesters Kaiphä zu liefern, als welcher dazumal das Oberhaupt war der ganzen Synagog. Weil aber der geldgierige Judas wohl gewußt, daß der Annas von der Priesterschaft aus bestellter Schatzmeister und hoher Kirchenprobst sey, unter dessen Gewalt der geistliche Geldleben in Verwahrung hatte, also hat er den geraden Weg dahin gezielet, und begehrt, zu Ersetzung und Schaden des Heilands Jesu die versprochenen dreyßig Silberling von der Hand des Juda empfangen. Nun erinnere ich mich eine geringe Frag, was für eine Münz besagtes Geld seye gewesen? Pecunia heißt, nach vieler Meinung, den Namen haben von dem Wort Pecus, weil bey den Alten das Geld pflegte gepräget zu werden mit dem Bildnuß eines Schafs oder Widders, wie es auch in dem Buch Genesis zu lesen, daß Jakob einen Acker oder Grundstück von den Kindern Hemor um hundert Schaf habe kauft, das ist, um hundert Pfenning, worauf ein Schaf gepräget zu sehen. Numa Pompilius, [illegible] König, hat den ersten Pfenning von Erz und Metall geschlagen, dannenhero das Geld auch Numus genennet wird. Die Alten schlugen unterschiedliche Ding auf ihre Münz, die Dardanier einen Hahn, die [illegible] einen Hasen, die Carthaginer ein Pferd, die [illegible] einen Wolf, die Rhodianer einen Stern rc., wie dann heutiges auch unterschiedliche Bildnisse auf jetzigem Geld zu finden. Auf des römischen Kaisers Geld ist ein Adler zu sehen, der viel solche Adler hat, denn wird man die Federn nicht viel fangen. Auf des spanischen Königs Geld seynd Schlüssel zu sehen, der viel solche Schlüssel hat, der kann alles eröffnen, auch sogar das verschlossene Herz-Schild. Auf des Königs in Frankreich Münz seynd Lilien zu sehen, der viel solche Lilien hat, der wird nur für ein Liebhaber gehalten werden. Auf des Königs in Engeland Geld ist die [illegible] Gottes zu sehen, der viel solche [illegible] hat, der wird nicht bald ein Martyrer werden. Auf des Königs in Schweden Geld ist ein Rößel zu sehen, wer viel solche Rößel hat, den wird man selten auf den Esel setzen. Auf des Churfürsten in Bayren Geld ist eine Welt-Kugel zu sehen, wer solche Welt-Kugel hat, der wird viel bei der Welt gelten. Auf der Chur-Mainzerischen Münz ist ein Rad zu sehen, wer viel solche Räder hat, der kann mit dem Glücksrad trutzen. Es gibt holländische Dukaten, darauf stehen diese Wort: Concordià res parvae crescunt, Discordià dilabuntur. Es gibt hamburgische Dukaten, darauf stehen diese Wort des Erzengel Gabriel: Ave Maria, samt der Bildnuß der Himmels-Königinn Marià. Es gibt straßburgerische Dukaten, mit dieser Ueberschrift: Urbem Christe, tuam serva. Es gibt Königs-Thaler, darauf steht geschrieben: Dominus mihi adjutor. Es gibt braunschweigerisch Geld, darauf seynd diese Wort zu sehen: Unita durant. Es gibt bayerische Dukaten mit dieser Beischrift: Sancta Maria, ora pro nobis. Nun fragt ein andächtiger Vorwitz, was für eine Münz doch seyen gewesen jene dreißig Silberling, um welche der meineidige Iscarioth den liebsten Heiland verrathen? Budäus schreibet, daß einer aus diesen Silberlingen noch zu Paris in Frankreich gezeiget werde, desgleichen auch zu Rom, à sancta Croce in Gierusaleme, mir ist einer von der kaiserlichen Bibliothek neben andern Raritäten gewiesen worden, und wird vor glaubwürdig gehalten, als sey es einer aus jenem Blut-Geld, welches der Erz-Bösewicht Judas von den Hohepriestern und Schriftgelehrten zu Jerusalem empfangen;

kasten in Verwahrung stund, also hat er den geraden Weg dahin geeilet, und daselbst, in Gegenwart und Beiseyn des Heilands Jesu die versprochenen dreißig Silberling von der Hand des Annä empfangen. Nun ereignet sich nicht eine geringe Frag, was für eine Münz besagtes Geld sey gewesen? Pecunia solle, nach vieler Meinung, den Namen ziehen von dem Wort Pecus, weil bei den Alten das Geld pflegte geprägt zu werden mit dem Bildnuß eines Schafs oder Widders, wessenthalben in dem Buch Genesis zu lesen, daß Jakob einen Acker oder Grundstück von den Kindern Hemor um hundert Schaf habe kauft, das ist, um hundert Pfenning, worauf ein Schaf geprägt zu sehen. Numa Pompilius, schreibt Suidas, hat den ersten Pfenning von Erz und Metall geschlagen, derentwegen das Geld annoch Numus genennt wird. Die Alten führten unterschiedliche Präg auf ihrer Münz, die Dardanier einen Hahn, die Reginier einen Hasen, die Cephalener ein Pferd, die Arginer einen Wolf, die Azolaner einen Stern rc., wie dann dermalen auch unterschiedliche Bildnüsse auf jetzigem Geld zu finden. Auf des römischen Kaisers Geld ist ein Adler zu sehen, wer viel solche Adler hat, dem wird man die Federn nicht viel stutzen. Auf des römischen Papstens Geld seynd Schlüssel zu sehen; wer viel solche Schlüssel hat, der kann alles eröffnen, auch sogar das verschlossene Herz-Thürl. Auf des Königs in Frankreich Münz seynd Lilien zu sehen, wer viel solche Lilien hat, der wird nie für ein Unkraut gehalten werden. Auf des Königs in Ungarn Geld ist die Mutter Gottes zu sehen, wer viel solche Jungfrauen hat, der wird nicht bald ein Martyrer werden. Auf des Königs in Schweden Geld ist ein Rößel zu sehen, wer viel solche Rößel hat, den wird man selten auf den Esel setzen. Auf des Churfürsten in Bayren Geld ist eine Welt-Kugel zu sehen, wer solche Welt-Kugel hat, der wird viel bei der Welt gelten. Auf der Chur-Mainzerischen Münz ist ein Rad zu sehen, wer viel solche Räder hat, der kann mit dem Glücksrad trutzen. Es gibt holländische Dukaten, darauf stehen diese Wort: Concordià res parvae crescunt, Discordià dilabuntur. Es gibt hamburgische Dukaten, darauf stehen diese Wort des Erzengel Gabriel: Ave Maria, samt der Bildnuß der Himmels-Königinn Mariä. Es gibt straßburgerische Dukaten, mit dieser Ueberschrift: Urbem, Christe, tuàm serva. Es gibt Königs-Thaler, darauf steht geschrieben: Dominus mihi adjutor. Es gibt braunschweigerisch Geld, darauf seynd diese Wort zu sehen: Unita durant. Es gibt bayerische Dukaten mit dieser Beischrift: Sancta Maria, ora pro nobis. Nun fragt ein andächtiger Vorwitz, was für eine Münz doch seyen gewesen jene dreißig Silberling, um welche der meineidige Jscarioth den liebsten Heiland verrathen? Budäus schreibet, daß einer aus diesen Silberlingen noch zu Paris in Frankreich gezeiget werde, desgleichen auch zu Rom, à sancta Croce in Gierusaleme, mir ist einer von der kaiserlichen Bibliothek neben andern Raritäten gewiesen worden, und wird vor glaubwürdig gehalten, als sey es einer aus jenem Blut-Geld, welches der Erz-Bösewicht Judas von den Hohepriestern und Schriftgelehrten zu Jerusalem empfangen;

jedoch will ich es nit für eine gar unfehlbare Wahrheit verkaufen. Der Werth eines solchen Silberlings wird unterschiedlich gehalten; Maldonatus, Pererius, Franciscus Lucas, Salmero und andere Lehrer seynd der Aussag, als habe solcher Silberling dazumal so viel golten, als vier romanische Julii, und haben in allem die dreißig Silberling nichts mehrers gemacht, als 24 fl., daß aber nachmalens um solches Geld ein Acker eines Hafners vor einen Freithof der Fremden eingehandlet worden, ist es unschwer zu glauben, zumalen selbiger Grund ziemlich unfruchtbar, weil er meistens von lauter Leim, dessenthalben auch nit theuer konnte verkauft werden.

Unweit der berühmten Stadt Cäsar Augusta in dem Königreich Arragonien liegt ein Marktfleck, mit Namen Vililla, allwo der h. Paulinus, Bischof zu Nola, eine schöne Glocke machen lassen, und darein geschmelzt einen Silberling aus denjenigen, womit das unschuldigste Lamm Gottes ist verkauft worden von Juda; diese Glocke ist eine wunderbarliche Prophetinn, dann so oft der lieben Christenheit einiges Uebel herzu nahet, pflegt besagte Glocke allemal, ohne einige Handanhebung, sich selbst zu läuten; also ist geschehen Anno 1527, kurz zuvor, als unter dem Papst Clemens VII. die Stadt Rom geplündert worden; deßgleichen ist mehrmalen geschehen, Anno 1564, worauf gleich die erschreckliche Pest in dem ganzen Königreich entstanden. Item Anno 1601 von dem 13. Juni an bis auf den 30. dito hat sie sich unterschiedlichemalen selbsten geläut, und dazumal seynd große Unheil hin und wieder in der Christenheit entstanden;

kurz zuvor, ehe Carolus V. mit Tod abgangen, hat man gedachte Wunder-Glocke läuten gehört. Ob nun solches Wunder den Verdiensten des h. Paulini, als Stifter dieser Glocke, zuzumessen, oder aber dem Silberling, mit dem das höchste Gut verkauft worden, will ich dermalen nit entörtern, sondern dessen Geheimnuß dem reifen Verstand eines jeden gutmeinenden Christen überlassen.

Etlicher Meinung und Aussag ist, beförderist des h. Anselmi und Antonini, als seyen diese Silberling eben diejenigen gewest, welche von den Madianitern die sauberen Brüder des Josephs empfangen, wie sie ihren Bruder verkauft; und obschon solcher nur um 20 Silberling verhandlet worden, so haben noch die hebräischen Priester die 10 hinzu gesetzt, weil es sich nicht geziemte, daß der Herr nit soll mehrer gelten, als der Diener. Oftbemeld'tes Geld, nach Zeugnuß des h. Maximi, ist dem Tempel zugehörig gewest, und ist viel Zeit in dem Kirchen-Schatz aufbehalten worden; hat demnach sowohl der gewissenlose Judas, als andere Hohepriester ein Sacrilegium der gottschänderischen Sünd begangen, indem sie ein Kirchen-Gut veralienirt, und zu solcher Unthat angewendt, zumalen sattsam bekannt ist, daß der Allmächtige dergleichen Kirchen-Dieb niemalen ungestraft laßt.

Anno 1383, als Carolus der Franken König wider die Engelländer siegreiche Waffen geführt, waren etliche britannische Soldaten nicht allein mit Burger- und Bauern-Beut begnügt, sondern ganz keck und gottlos auch die Kirche des h. Joannis Baptistä zu Burg angegriffen, einer in derselben den Opfer-stock geplündert, aber alsobald von der göttlichen Rach überfallen worden, indem er gleich von dem Teufel besessen, unsinnig und rasend worden, und endlich unter der Kirchen-Thür mitten von einander zersprungen auf gleiche Judas-Art.

Anno 1512 in währendem navaräischen Krieg hat ein deutscher Soldat zu Pampilon in der Vorstadt eine Kirche aufgebrochen, daraus das vergold'te Ciborium, worin das höchste Altar-Geheimniß aufbehalten, geraubt; aber bald darauf den verdienten Lohn empfangen, dann ihn der Leib also aufgeblähet, daß er endlich, gleichwie Iscarioth, mitten von einander zersprungen, und alles Ingeweid heraus geworfen.

Aus den spanischen Historien erhellet, was massen Urraca, eine Tochter des Königs Alphonsi VI. zu Legion die Kirche des h. Isidori geplündert, in Willens, solchen reichen Raub zu den Unkosten des bevorstehenden Kriegs anzuwenden, da sie nun ganz frohlockend mit solcher Kirchen-Beut wollte davon gehen, ist sie unter der Kirchen-Thür, durch sondere göttliche Straf, mitten von einander, gleichwie der Verräther Judas, zersprungen, und also elend zu Grund gangen.

Christus wollt gar nit leiden zu Jerusalem in seinem Tempel die Tauben-Kramer, als die er mit eignen Händen hinaus gepeitscht, wie viel weniger kann er gedulden die Raub-Vögel in seinem Haus. Du verruchter Iscarioth, es war deinem geldgierigen Geiz, und mammonischen Herzen nicht genug, aus der gemeinen Cassa des apostolischen Collegii zu stehlen, sondern hast dich noch vermessen, den Kirchen-Schatz anzugreifen, und wollt der Tölpel durch den Tempel auch reich werden. Auf eine Zeit thäten die Apostel nit wenig untereinander zanken, und sich fast ein jeder um die Kappen reißen, dann sie dermalen noch nicht gar vollkommene Männer waren, sie wollten kurzum Majoriten seyn, da doch Christus nur den Minoriten-Orden liebet, ein jeder aus ihnen wollt der Größte seyn, quis eorum videretur esse Major, ich bin der Größte, sagt Petrus, was zweifelts viel, dann mir der Herr das Pabstthum schon verheißen, Holla! sagt Andreas, still mit solchen Stich-Reden, wer soll dann größer seyn, als ich? hat mich doch der Herr zum allerersten berufen. Was? sagt Johannes, ich glaub, ihr redet im Traum, ich, und kein anderer, wird der Größte seyn, dann ihr habt schon Weiber gehabt, ich aber bin noch ein junger Gesell, und die Jungfrauschaft ist sehr in großem Werth bei Gott dem Herrn; in dem Fall laß ich mir keinen vorziehen, sagt Matthäus, dann was habt ihr um des Herrn willen verlassen? was? ein schlechtes Schiffel, ein altes paar Stiefel, ein geflicktes Fischer-Netz, einen mächtigen Handel, aber ich hab Geld und Gut verlassen, ich hab in einem Tag mehr Geld eingenommen, als ihr ein ganzes Jahr auf dem Fischmarkt gelöst habt, und gleichwohl hab ich alles verlassen, also werd ich Major seyn; mein haltet das Maul, wie ungereimt ist euer Plaudern. Ich, und kein anderer wird der Größte seyn, sagt Bartholomäus, dann ihr nur von gemeinen Leuten und geringem Herkommen, ich aber von königlichem Geblüt. Das würd sich schicken, sagt Thomas, wann ich nit vor allen soll das Prae haben, ihr habt euer

Lebtag nicht gestudirt, und im wenigsten seyd ihr schrift-gelehrt, ich aber bin ein Doctor, ich Thomas soll, und muß, kann und will, und werd der Größte seyn. Weder du, noch ein anderer, sagt Judas Iscarioth; soll mir vorgezogen werden, bin ich nit euer Procurator, muß ich nit euch die Unterhaltung schaffen? habt ihr nit durch diese meine Händ' die Lebens-Mittel? pfui, schamt euch, daß euch nur sollt einfallen, daß mir jemand soll vorgehen. Quis eorum videretur esse Major. Du ehrvergessener Iscarioth, ich bin ganz und gar auf deiner Seite, ich gieb dir meine Stimm, und sag Ja, du bist der Größte, aber mit Ehren zu melden, der größte Dieb. Der babylonische König Balthasar war ein großer Dieb gewest, indem er die goldenen Geschirr aus dem Tempel zu Jerusalem geraubt, und selbige zu Mahlzeiten mißbraucht, auch derentwegen von Gottes-Hand, an der Wand, solche Schand, mit dem ewigen Brand mußte bezahlt werden.

König Eduardus III. in Engelland, hat nit weit von Sandinton in Schottland ein unser Frau-Kapell polirt, und als einer aus denselben mit der h. Beut nit wenig in der Kirche prangte und prahlte, ist unversehens ein groß geschnitzletes Krucifix-Bild, so daselbst in der Mitte herab hangte, dem Bösewicht auf den Kopf gefallen, und augenblicklich den Hals gebrochen, dieser war ein großer Dieb.

Jener war ein großer Dieb, welcher bei nächtlicher Weil in die Kirche des h. Antonii eingebrochen, viel kostbare Sach' daraus entfremdt, er konnte aber die ganze Nacht die Thür nit mehr finden, durch welche er eingangen, bis er zu Morgens von der ehrwürdigen Priesterschaft ertappt worden.

Dieselbe war eine große Diebinn, welche aus der Kirche des h. Remaci ein Altar-Tuch entfremdt, und als sie den ersten Tag hernach den Kopf gewaschen, und mit besagtem Tuch abgetrocknet, seynd ihr dergestalten alle Haar ausgangen, daß sie einem geputzten Kalbskopf nit ungleich sahe.

Jener war ein großer Dieb, welcher verstohlener Weis aus der Kirche des h. Felicissimi bei Nnceria viel kostbare Sachen enttragen, und da er der Meinung gewest, als seye er dieselbe Nacht über 4 Meilen entrunnen, ist er doch Frühemorgens bei der Kirche angetroffen worden.

Aber Judas Iscarioth noch ein größerer, und zwar der größte Dieb, welcher von dem Annas das aus dem Tempel genommene Geld erpreßt, und vor dasselbige Geld, welches hätte zu Gottes Ehr sollen angewendt, oder wenigst für ein Rarität in der Schatz-Kammer aufbehalten werden, zumalen es jene Silberling sollen gewest seyn, um welche Joseph in dem 17. Jahr seines Alters, den Madianitern, wie oben gemeldt, verkauft worden; noch darüber den wahren Gottes-Sohn und gebenedeiten Welt-Heiland meineidig und mehr als schelmisch verrathen, und verkauft. Billig sagen die h. Lehrer, hat der verruchte Judas wegen solcher dreissig Silberling den Fluch, welche der Harfenist David in dem 108 Psalm eingesetzt, über sich und allen seinen Anhang gezogen.

Judas der verruchte Bösewicht ist dem allerliebsten Heiland so aufsätzig und mißgünstig worden, daß er so gar dessen allerheiligsten Namen gehasset.

Freiwillig, von niemand überredt, gutwillig, nit hierzu veranlaßt, gern und ungezwungen, nit von andern angespornt, ist Judas von dem apostolischen Collegio gewichen, die heilige bischöfliche Würde auf die Seiten gesetzt, ganz alleinig, außer daß ihm der Teufel Gesellschaft geleist hat, sich bei der Rathstube der Hohenpriester an einem Mittwoch lassen ansagen, und ohne weitern Wort-Wechsel, oder vieler Reden Umschweif, gleich alsobald in diese Wort ausgebrochen: Hochwürdige, und gnädige Herren, ich kann mir leichtlich einbilden; wessenthalben ihr anheut in gesamten Rath habt lassen ansagen, ungezweifelt wegen meines Meisters, dessen neue Lehr', erst ersonnene Satzung euer hochlöbl. Synagog höchst schädlich fallet, was braucht es viel Nachsinnens? wie ihr Ihn möcht aus dem Weg räumen: Quid vultis mihi dare et ego vobis eum tradam? „Was wollt ihr mir geben, so will ich Ihn verrathen." Er sagt nicht, ich will euch Jesum verrathen, sondern Ihn, dann seinen allerhöchsten Namen konnt der Schelm nicht mehr leiden, und ist glaublich, wie Euthimius in Marcum glossirt, daß der leidige Satan dem Judä schon die Zung also gebunden, daß er den süßesten Namen Jesus nit mehr konnte nennen, weil diese höllische Larve in Furcht gestanden, es möchte der Iscarioth, in Aussprechung dieses göttlichen Namens verkehrt werden, dann die Kraft dieses allerheiligsten Namens den verdammten Geistern sattsam bekannt ist.

Jesus! O wie süß! Jesus, o wie sauer! süß ist der Namea Jesus denen Menschen, sauer ist der Name Jesus den bösen Feinden. Gleichwie die Purpur-Rosen den Bienen spendirt das Honig, den Koth-Käfern aber ein Gift ist, also finden die Menschen in diesem allerheiligsten Namen das Süß, die Teufel aber ein Spieß. Jesus, o wie süß! zu verwundern ist jener tapfere Heldenmuth, welchen der keine David wieder den großen Goliath erwiesen, da er nemlich in Gegenwart zweier Kriegs-Heere, in Beiseyn des Königs Saul, sich gewagt hat wieder diesen großen Schädel; Goliath ein ungeheurer Ries, ein ganzer Fleisch-Thurm, mit Eisen über und über verhüllt, und also ein ganz eiserner Kerl, der David aber klein von Person, schwach von Gliedern, schlecht in Kleidern, aber gut vom Gemüth, hat gleichwohl in diesem so ungleichen Duell den großen Lümmel mit einem Stein an die Blasen getroffen, daß er hiervon zu Boden gesunken, worauf der gute Schaf-Hirt alsobald nach dem Säbel gegriffen, und ihm den Kopf abgehauen; nach solcher Ritters-That und Victori hat der David mit sondern Ceremonien den Säbel in dem Tempel zu Jerusalem aufgehängt, gleichwie bei uns annoch der Brauch ist, die von dem Feind eroberten Fahnen in die Kirche zu geben, wie dann dergleichen in großer Menge und Anzahl ober der lauretanischen Kapelle in unser wienerischen Hof-Kieche zu sehen. Es konnte aber jemand mit gutem Fug eine Frag thun, wessentwegen der David den Säbel in dem Tempel aufgehängt, warum nicht viel mehr den Stein? mit dem er diesen ungeheueren Kerl zu Boden geworfen? es wär nit übel gestanden, wann solcher in Silber und Gold gefaßt, zu einer ewigen Gedächtnuß in dem Tempel wär aufbehalten worden. Es fügen andere sehr glaubwürdige Ursachen bei, ich aber meinestheils halt darvor, weil nach vieler Lehrern Aussag auf demselben Stein geschrieben war der Name Jehova, welches so viel, als Jesus, also hab er solchen Stein nit wollen von sich geben, der liebste David, so er denselben alle und jedesmal bei sich tragen, dann er glaubte, es könne einem Menschen in einer Gefahr nichts heilsamers, in einem Streit nichts stärkers, in einer Drangsal nichts trostreichers seyn, als der süßeste Namen Jesus, darum soll es der Mensch für kein so großes Wunder aufnehmen, daß der seraphische Franciscus, so oft er in seinem inbrünstigen Gebet den Namen Jesus ausgesprochen, allemal seine Lefzen abgeschleckt, weil er vermerkt, daß ihm dieser allerheiligste Namen Jesus wie lauter distillirter Honig im Maul worden. Dem Samson hat wohlgeschmeckt das Honig aus des todten Löwen Rachen. Den Israëlitern hat wohlgeschmeckt das süße Manna, oder Himmel-Brod. Dem Volk des Mosis hat wohlgeschmeckt der helle Brunnquell, so aus dem harten Felsen geflossen, aber nit so gut, bei weitem nit so lieblich, unendlich nit so süß, wie da der Namen Jesus auf der Zung eines Gerechten.

Daß der h. Paulus in dritten Himmel verzuckt worden, ist eine grundfeste Wahrheit, was er aber allda für Wunder-Ding gesehen, ist bereits unbekannt, glaublich ist es, daß er daselbst gelehrt, und unterricht sey worden, wie er den süßesten Nämen Jesus soll verehren, weil man hernach nichts öfters vom ihm, diesem Apostel gehört, als den Namen Jesus. In seinen Epistlen allein, die er zu unterschiedlichen Zeiten geschrieben, ist dieser allerhöchste Nam' 219 mal zu lesen, wie er durch das tyrannische Schwerdt entleibt worden, und anstatt des Bluts eine weisse Milch geflossen, zu einen sattsamen Zeugnuß, daß er viel in Christo geboren, dazumal ist das heiligste Haupt drei unterschiedlichmalen von der Erden aufgehupft, und zu einem jeden Sprung den süßen Namen Jesus ausgesprochen, worauf auch zugleich drei klare Brunnquellen wunderbarlich entsprungen, die noch auf den heutigen Tag allen ankommenden frommen Pilgrimmen das Wasser spendiren, zu wahrer Zeugnuß, daß solcher allerheiligste Namen nichts, als Süßigkeit verursache.

Jesus, o wie süß! nit alle Memorial, welche Christo dem Herrn seynd eingereicht worden, haben das erwünschte Fiat erhalten. Ein frommes Weib kommt zu unserm Herrn mit einer Supplication, dieses Inhalts, daß sie nemlich gern sehen wollt, daß ihre zwei bereits erwachsene Söhn' möchten versorgt seyn, und einer zu der rechten, der andere zu der linken Hand in seinem Reich sitzen, solches ist ihr rund abgeschlagen worden. Ein andersmal wollt einer Christo dem Herrn nachfolgen, und dieser war ein Schreiber, ein Kanzelist, der schlägt ihm aber solche Bitt rund ab, eine wunderliche Sach', als wann aus einem Kanzelisten nicht auch konnt ein Apostel werden? was schadet es, wann man schon sagt ein Kanzelist, ist so viel, als ganz voll List, kurz dadurch zu gehen, dieser hat auch nichts bei unserm Herrn erhalten. Entgegen seynd etliche gewest, welche der liebste Heiland alsobald erhört, als da war der Blinde auf dem Weg, solcher sagte nur fünf Wort, und ist gleich darüber sehend worden. Gedenk einer! ein cananeisch Weibl lauft unserm Herrn nach, bittet um das Heil ihrer Tochter, welche auch alsobald gesund worden; Gedenk einer! die Teufel selbst suppliciren, daß ihnen doch der Herr möchte Erlaubnuß geben, in die Heerd Schweine zu fahren, und sie bekommen das Fiat. Gedenk einer! wie kommt es dann? was muß doch die rechte Ursach seyn? daß einige unser Herr so bald, und so gütig erhört, einige aber auf oft und vieles Anhalten, nichts erhalten können? Lese jemand das Evangelium von Wort zu Wort, alsdann wird er sehen, daß, welche in ihrer Bitt den Namen Jesus nicht ausgesprochen, selten etwas erhalten haben, die aber in dem Namen Jesu, wie das cananeische Weibl, wie der Blinde, wie die bösen Feind, Jesu, filii David, gebeten, dem ist niemalen etwas abgeschlagen worden, dann es ist dieser allerheiligste Nam' so süß, daß er den zuweilen erbitterten Gott zu einer Barmherzigkeit erweicht.

Jesus, o wie süß! in dem Namen hat Petrus zu Jerusalem einen krummen, armen Tropfen die geraden Glieder geben. In dem Namen hat er zu Lida einen Gichtbrüchigen gesund gemacht, in diesem Namen hat er zu Joppe die Wittib vom Tod erweckt, in diesem Namen hat er zu Rom einem Verstorbenen das Leben geben, in diesem Namen hat er den Simon Magum von einem grausamen Hund errettet, in dieſem Namen hat Paulus zu Lystris einen Krummen gerad gemacht, in diesem Namen hat er in Macedonia eine besessene Tochter erlöst, in diesem Namen hat er zu Rom und Troadä die Todten erweckt, in diesem Namen ist Johannes in einem Kessel voll mit siedheißem Oel ohne Verletzung gesessen, in diesem Namen hat er die verstorbene Trusina vom Tod erweckt, in diesem Namen hat er das Gift ohne Schaden getrunken, in dem Namen Jesu haben alle Apostel so viel, so große, so herrliche Wunderwerk in der ganzen Welt gewürkt.

Wie der h. Bernardinus Senensis in einer großen und volkreichen Stadt in Welschland geprediget, seynd die Leut also durch einen apostolischen Eifer und Lehr bewegt worden, daß sie ganz schnell nach Haus geloffen, Würfel und Bretspieler auf öffentlichen Platz zusammen getragen, und selbige verbrannt, dann dazumal ein sehr großer Mißbrauch des Spielens eingerissen. Als solches ein Burger daselbst, welcher mit Machung dergleichen Spiel sich erhalten, wahrgenommen, daß ihm hierdurch sein Interesse und Gewinn merklich ist geschmälert worden, hat er sich mit vielen Worten bei dem h. Mann beklagt, wie daß er nunmehr an Bettelstab und äußerste Noth müsse gerathen; worauf der h. Vater ihn befragt, ob er dann sonst kein anders Handwerk gelernt? und als solcher mit Nein geantwortet, darauf macht der h. Bernardinus mit einem Circul auf eine Tafel einige Rundung, malt darein die strahlende Sonne, und in dero Mitte den süßen Namen Jesus. Gehe hin, sagt er, mach dergleichen, das Stückl Brod und nothwendige Unterhaltung wird dir nie manglen, dieser Burger ist nachgehends mit lauter Bilder des Jesus Nam zu großem Reichthum gelangt.

Erst gedachter apostolische Mann war fast allemal vor lauter Süßigkeit verzückt, so oft er von dem Namen Jesus geprediget, und weil er jederzeit mit sich auf die Kanzel eine Tafel getragen, worauf mit Gold der Name Jesus gezeichnet, haben ihm solches etliche für eine Unmanier und übellautende Neuerung ausgelegt, aber Gott wollte zeigen die Glorie seines Namens. Dann als er auf eine Zeit zu Rom von besagter Materie geprediget, da ist der Name Jesus mit einer hellstrahlenden Sonne umgeben ober seiner in der Luft von männiglich gesehen worden. Jesus! wie süß ist dieser Nam'!

Wem ist verborgen oder nit bekannt, was Moses mit seiner Ruthe für Wunder über Wunder gewirkt hat in Egypten? Wunder im Wasser, Wunder im Feuer, Wunder in der Luft, Wunder auf Erden, Wunder vor dem König, Wunder vor dem Pöbel, Wunder beim Tag, Wunder bei der Nacht, Wunder allerseits, was muß dieß für eine Ruth' gewest seyn? Virga Dei, Gottes Ruthe ist sie wohl genennt worden; aber woher ist so wunderliche Kraft und Wirkung? daher, merkt es wohl, auf dieser Ruthe war geschnitten der göttliche Name Jehova, welcher eine Vorbildung und Bedeutung gewest des süßesten Namens Jesus; hat also dazumal der Schatten von diesem allerheiligsten Namen schon Wunder gewirkt, was soll nit jetzt der allerheiligste Name selbst wirken? O süßester Name Jesus!

Wirst du Mensch, wie der Job versucht, wirst du verfolgt, wie der David, wirst du häßlich verläumd't, wie der Abimelech, wirst du veracht, wie der Gedeon, wirst du verrathen, wie der Amasa, wirst du beraubt, wie der Jeremias, wirst du geschlagen, wie Michäas, wirst du gefangen, wie Joseph, kommst du in alles Unglück, so nimm deine einige Zuflucht zu dem Namen Jesus, alsdann wirst du handgreiflich wahrnehmen, daß dir alle Bitterkeit süß wird, welches die lieben Apostel selbst nit nur einmal, sondern allemal erfahren. Ja sich absonderlich für glückselig gehalten, wann sie um den Namen Jesus willen eine Schmach thäten leiden.

Ein König in der Regierung, ein Soldat in der Schlacht, ein Kaufmann in dem Gewerb, ein Handwerker in der Arbeit, ein Student in der Schul', ein Wirth in der Haushaltung, ein Armer in der Noth, ein Fremder auf der Reis', ein Geistlicher in dem Stand, ein Bauer auf dem Acker. Ein Fremder auf der Reis' wird zum besten fortkommen, wird ihm alles nach Wunsch einkommen, wird ihm nichts bitters ankommen, wann er nur seine Sach anstellet in dem Namen Jesu. Dem Kranken zu Jerusalem bei dem Schwemm-Teich seynd die 5 Schupfen eine Zuflucht gewest. Dem hungerigen Volk in der Wüste seynd die 5 Gersten-Brod aus den Händen des Herrn eine Sättigung gewest. Den 5 weisen Jungfrauen seynd ihre 5 brennenden Amplen ein Glück gewest.

Jenem Knecht seynd die 5 Zentner, welche er von seinem Herrn empfangen, ein Gewinn gewest. Dem eingeladenen Gast zur Mahlzeit seynd die 5 Joch Ochsen eine Wirthschaft gewest. Demselben Knecht im Evangelio seynd die von seinem Herrn ihm anvertraute Städt' eine Ehr' gewest. Die von Ozia versprochenen 5 Tag seynd den belagerten Burgern in Bethulia eine Hoffnung gewest. Den Kindern Dan seynd die 5 tapferen Ausspäher des herrlichen Lands ein Trost gewest. Aber dir und mir seynd die 5 Buchstaben in dem süßesten Namen Jesus alles und alles.

Unser gebenedeiter Heiland und Seligmacher wollt an dem bittern Kreuz-Stamm nit anderst sterben, als inclinato capite, mit geneigtem Haupt, und zwar derentwegen, damit er also mit Neigung des Haupts dem Tod die Licenz ertheile, als welcher sich sonst nicht an den Herrn des Lebens getraut. O gütigister Herr! dir sey unendlich gedankt um diesen so urbietigen Tod!

Inclinato capite, er starb mit geneigtem Haupt, darum, er wollt noch seinen allerheiligsten Leib beschauen und umsehen, ob noch ein Oertl vorhanden, welches da unverwundt wäre, und als er ein solches auf der Seite wahrgenommen, gab er ohne Verzug dem Longinio das Zeichen, er soll ihm mit dem Speer oder Lanze die Seite eröffnen, damit er uns männiglich ein offenes Herz zeige. O gütigister Heiland, dir sey unendlich gedankt um diese größte Barmherzigkeit!

Inclinato capite, er starb mit geneigtem Haupt, weil dazumal Maria, seine gebenedeite Mutter, unter dem Kreuz stund, also wollt er durch Neigung des

Haupts, weil er mit den Fingern nit konnte deuten, gleichsam sagen: weil ich die Welt werde verlassen und zu meinem himmlischen Vater gehen, so nehmet hinfüran eure Zuflucht zu Maria, meiner gebenedeiten Mutter, diese wird eure Patroninn verbleiben. O gütigister Herr, dir sey unendlich gedanket um diese größte Gnad'!

Inclinato capite, er starb mit geneigtem Haupt, darum, weil daselbst, nach gemeiner Aussag, der Adam solle begraben seyn, also wollt' er diesem ankünden, nunmehr soll er getröst seyn, die Schuld, so er am Baum gemacht, sey bereits auf dem Baum bezahlt worden. O treuester Gott, dir sey unendlich gedankt um diesen größten Favor und Lieb.

Inclinato capite, er starb mit geneigtem Haupt, darum, weil dazumal etliche fromme Weiber und Matronen unter dem Kreuz stunden, bitterlich weinten und seufzeten, also neigte er sein heiligstes Haupt, solche Weiber-Andacht desto besser anzuhören. O gütigister Gott, dir sey unendlich gedankt um diese allzugroße Demuth!

Inclinato capite, er starb mit geneigtem Haupt, darum, (laßt uns solches wohl in Obacht nehmen, und fein fest in unser Gedächtnuß eindrücken) darum starb er mit geneigtem Haupt, weil ober seiner stund geschrieben in dreierlei Sprachen der süßeste Name Jesus, I. N. R. I. dem wollt er erstlich mit Neigung des Haupts selbst Reverenz machen. Zum andern wollt er sein heiligstes Haupt neigen, damit männiglich ober seiner den Namen Jesus könne lesen, und seine einzige Zuflucht schöpfen zu diesem süßesten Namen. Kommet und sehet, ihr getrösten Adams-Kinder, alles, alles hat Gottes Sohn verschenkt am Kreuz, seinen Geist hat er geben dem himmlischen Vater, seine Mutter dem Joanni, seinen Leib dem Joseph von Arimathäa, seine Kleider den Soldaten, sein Paradies dem Schächer, seinen Namen Jesus aber hat er öffentlich auf die Höhe des Kreuzes lassen aufsetzen, I. N. R. I. als bleibe dieser ein Trost des gesamten menschlichen Geschlechts.

Das hat erfahren der h. Gregorius Turonensis, welcher schon in seiner Jugend von dem Himmel ist unterrichtet worden, er solle seinem kranken Vater unter das Hauptkiß eine Tafel legen, worauf der Name IHS verzeichnet, sobald solches geschehen, ist der Kranke von Stund an zur vorigen Gesundheit gelangt.

Das hat erfahren jener ungläubige Heid und Saracener, welcher die Flucht genommen in Lusitania, willens, daselbst den katholischen Glauben anzunehmen; weil er aber etliche Tag bei gewester Sommer-Hitz ohne Trank war, und derenthalben bereits sich auf die Erde niedergeworfen und den harten Tod erwartet, so fallt ihm aber noch ein, daß er öfters von den gefangenen Christen den Namen Jesus gehört, sprach hierauf den süßesten Namen drei- oder viermal aus; siehe Wunder! da war ihm nit anderst, als thue ihm einer seinen ausgedorrten Schlund mit dem besten Brunnenquell erquicken, welches er nachmals öfter probirt.

Das hat erfahren jener Mörder und Straßen-Räuber, welcher viele Jahr nichts als Mordthat begangen, wie er auf eine Zeit bei finsterer Nacht einen reisenden Priester angefallen, und ihn befragt, wer er seye? und dreimal keine andere Antwort erhalten, als diese: ich bin ein Diener Jesu Christi, was ist, sagt hierauf der Mörder, Jesus, alleweil Jesus, Jesus? und geht hiemit davon; dieser allerheiligste Name auch mit Unwillen von solchem Straßen-Räuber ausgesprochen, hat also viel gewirkt, daß er den anderen Tag sich von ganzem Herzen bekehrt, einen frommen und gottseligen Wandel angefangen, und ein seliges End genommen.

Das hat erfahren jener verbeinte Sünder, der also in Rachgier gegen seinen Nächsten entzündt war, daß er ganz gewissenlos sich hören lassen, er woll' ihm weder um Gottes willen, noch um des Teufels willen verzeihen, wann er schon wußte, daß er ewig dessenthalben solle verloren werden. Sobald aber solchem ergrimmten Menschen ein frommer Priester den Namen Jesus auf die Stirn gezeichnet, ist er also augenblicklich besänftiget worden, als hätte er eine Lämmels-Natur angezogen.

Das hat auch schon erfahren im alten Testament ein beschreites und unzüchtiges Weibs-Bild, mit Namen Rahab, wohl ein Raben-Vieh, welche dessenthalben aus allen Inwohnern mit samt dem Hausgesind salvirt worden, weil sie dem Josue, welcher Nam eine Figur des Namens Jesu, eine Ehr angethan.

O Jesus! ein Name über alle Namen! Abraham ein hoher Nam, Bariona ein freundlicher Nam, Cephas ein starker Nam, David ein lieblicher Nam, Elias ein herrlicher Nam, Salomon ein trostreicher Nam, Gedeon ein siegreicher Nam, Heli ein großer

Nam, Moses ein schöner Nam, Laban ein sauberer Nam, Noe ein werther Nam, Obed ein demüthiger Nam, Raphael ein heilsamer Nam, Tobias ein guter Nam, aber Jesus ist ein Nam über alle Namen.

Streit ich, wie Josue, wider die Madianiter, so soll Jesus mein Schild seyn. Reis' ich, wie Eliezer in Mesopotamien, so soll Jesus mein Geleitsmann seyn. Schlaf ich, wie Jakob auf dem Feld, so soll Jesus mein Traum seyn. Arbeit ich, wie Tubalcaim in seiner Werkstatt, so soll Jesus mein Gewinn seyn. Schreib ich, wie David, dem Joab, so soll Jesus mein Concept seyn. Bin ich krank, wie Ezechias auf seinem Bett, so soll Jesus meine Labniß seyn. Bin ich zu Wasser, wie Jonas, so soll Jesus mein Anker seyn. Bin ich zu Land, wie Booz, so soll Jesus meine Wohnung seyn. O süßester Name Jesus! kein Geruch kann die Nase, keine Stimm kann die Ohren, keine Farb kann die Augen, keine Speis kann die Zunge, kein Schatz kann die Hand also ergötzen, wie du das Herz der Menschen. Der Zimmet von Zeylon, die Nägele von Moluza, die Muskatnuß von Molucha, der Bisam aus Bego, der Weihrauch aus Arabia, der Zucker aus Candia, ist unendlich nit so lieblich, wie der süßeste Name Jesus, welchen der Erz-Engel Gabriel von dem Himmel gebracht. Probier es nur jemand, so er dieser meiner geringen Feder nit glauben will, und sprech bedachtsam mit reiner Zunge den Namen Jesus aus, so wird er sehen, wird es spüren, daß eine sondere Ergötzlichkeit das Herz einnehme, und mit einem süßen Trost die Seel' erfüllet werde.

In dem Augustiner-Kloster zu Badaia, bei St. Catharina genannt, werden Stein angetroffen, die also wachsen, welche eine Figur und Gestalt haben wie ein Herz, und auf demselben ein Rad, daß also Augustinus und Catharina zusammen stimmen, das seynd schöne Stein'.

Unterhalb des Bergs Calvariä seynd 4 steinerne Säulen, welche das ganze Jahr das Wasser von sich geben, als thun sie noch beweinen das bittere Leiden Christi, das seynd mitleidige Stein.

Zu Uscnah in Hibernia hat der h. Patritius die Stein vermaledeit, welche dann auf den heutigen Tag noch diesen harten Fluch tragen, massen von selbiger Zeit an diese Stein zu keinem Gebäu tauglich, und so man sie zu einer Mauer braucht, fällt dieselbe alsobald ein, das seynd üble Stein.

In dem Bach Cedron bei dem Gestad des tyberischen Meers, auf dem Berg unweit Nazareth, allwo die Juden unsern lieben Herrn haben stürzen wollen, zu Rom in der Kirche St. Sebastiani und an vielen anderen Orten zeiget man Steine, worin die Fußstapfen Christi eingedruckt zu sehen, das seynd wunderliche Stein.

Wie Anno 787 von den Mahomedanern die herrliche Stadt Corduba eingenommen worden, ist ein gefangener Christ in dero Tempel, so sie Moschee nennen, eintreten, daselbst zum Schimpf dero Irrthum mit dem Nagel auf einen harten Marmor das Bildnuß des gekreuzigten Christi gemacht, welche auf den heutigen Tag zu sehen, und auf keine Weis' kann ausgeätzt werden; das ist ein heiliger Stein.

Zu Cöln zeigt man einen Stein, worauf ein Priester die heiligsten Hostien fallen lassen, welche ihre ganze Rundung samt der Bildnuß eingedruckt, als wäre der Stein zu einem Wachs worden, da es doch der härteste Marmor gewesen; das ist ein Wunder-Stein.

Aber ein Stein über alle Stein, dem alle Edelgestein müssen weichen, dem der kostbare Diamant selbst den Vorzug lasset, ist zu Wien in der unbeschreiblichen Schatzkammer des römischen Kaisers zu finden; daselbst zeigt man eine steinerne Taza aus Agath, sehr groß, in welcher von Natur durch gewisse weiße Adern der süßeste Name Jesus zu sehen, als wäre er von der besten Hand geschrieben worden. Dieses Steins halber kann füglich das durchlauchtigste Haus Oesterreich Steinreich genennt werden; wie es dann allen kostbaren Sachen daselbst diesen Stein vorziehet, und in höchstem Werth haltet, und ist wohl zu glauben, es habe Gott aus sondern Gnaden diesem höchsten Haus solchen Stein in Garten geworfen. Salomon hat sich vor diesem gerühmt, er habe zu Jerusalem so viel Silber als Stein; dermalen rühmt sich unser gnädigster Kaiser Leopoldus, er habe Stein, die ihm lieber seynd als Gold. O wohl glückseliges Haus, du kannst ja nit zu Boden fallen, weil du einen stattlichen Eckstein hast, worauf der süßeste Name Jesus. Zu wünschen wäre, daß alle Menschen solche steinerne Herzen hätten, worauf der Name Jesus gezeichnet, wie da gewest das Herz des h. Martyrers Ignatii, in welchem nach seinem Tod solcher süßeste Name mit Gold geschrieben gefunden worden.

Jesus, o wie süß dieser Nam! als die übergebenedeite Jungfrau Maria von dem himmlischen Gesandten Gabriel den Gruß empfangen, ist sie nit wenig hierüber erschrocken, turbata est, sie hat sich nit wenig entsetzt, und hat das jungfräuliche Herz ob solcher ungewöhnlicher Sach stark angefangen zu schlagen; sobald aber der Erzengel mit dem süßesten Namen Jesus aufgezogen, vocabis nomen ejus Jesum, gleich und unverzüglich ist alle Furcht entwichen, das Gemüth mit höchstem Trost erfüllet worden, das Herz vor Lieb entzünd't, die Zung mit einer demüthigsten Antwort dem Engel begegnet, daß also der süßeste Name Jesus, gleich einem hellstrahlenden Sonnen-Glanz, alle trüben Wolken von dem Herzen vertrieben.

Hätt' Jonas im Wallfisch, hätt' Joseph im Kerker, hätt' Susanna im Garten, hätt' Jeremias in der Tiefe, hätt' Noe in der Arche, hätt' Daniel in der Grube, hätt' Job auf dem Misthaufen um den Namen Jesus gewußt, wär ihnen all ihr Trübsal und Drangsal gar leicht vorkommen. Aber der gütigste Gott hat diesen Trost dem alten Testament entzogen, und erst nach so viel Zeiten diesen Schatz durch den Erzengel Gabriel der Welt geschenkt, wofür wir unendlich sollen danken. Es war eine besondere Anstalt des Himmels, daß solches Kleinod durch keinen andern Engel oder Erzengel sollte der Welt überbracht werden, als durch den Gabriel, welcher verdolmetscht wird, Fortitudo Dei, die Stärke Gottes, auf daß wir Adams-Kinder sollen erkennen, daß uns durch den Namen Jesus alle Stärke und Kraft sey mitgetheilt worden.

Es ist gar wohl zu glauben, daß die löbliche

Societät Jesu so grosen Progreß, so herrlichen Fortgang in so kurzer Zeit fast in der ganzen Welt genommen, meistens durch nichts anders, als durch den Namen Jesus, welchen sie von ihrem Patriarchen Ignatio, als eine reiche Erbschaft und väterlichen Verlaß erhalten; wessenthalben ihre Collegia und Häuser in allem gleich seyn dem Haus, worin Magdalena die kostbaren Salben ausgossen, daß also das ganze Haus davon den Geruch bekommen. Domus repleta est odore. Was ist anderst der heiligste Jesus-Nam, als ein kostbarer Balsam und herrliches Oel. Oleum effusum nomen tuum, dessen liebster Geruch in allen Orten der Societät gespürt wird, massen bei ihnen allerseits nichts mehrers gesehen, noch gehört, noch geehrt wird, als der heiligste Jesus-Nam'; und scheint, als haben sie ihr schönes Sigill von der himmlischen Braut selbst zu leihen genommen: Pone me, ut signaculum super cor tuum.

Wie der h. Edmundus als ein keiner Knab noch in seiner h. Unschuld zu Paris sich aufgehalten, ist ihm ein holdseliger Knab erschienen, und ihn mit diesen Worten angeredt: Salve dilecte mi! „willkomm mein Liebster!" Edmundus verwunderte sich hierüber nit wenig, mit Meldung, er kenne ihn nicht, dem aber dieser holdseligste Knab befohlen, er solle seine Stirn wohl betrachten, was darauf geschrieben seye, und siehe, Edmundus lieset auf der Stirn folgenden Namen, Jesus Nazarenus, wird anbei ermahnt, er solle diesen Namen möglichst verehren, denselben fleißig an die Stirn zeichnen, und sey nachmals solcher ein gewisses Mittel vor dem gähen und unversehenen Tod.

Jesus, o wie süß ist dieser Namen uns Menschen! Jesus, o wie sauer ist dieser Nam' den bösen Feinden! Eine sehr große Battaglia und grausames Gefecht ist vorbei gangen im Himmel, allwo der Erz-Engel Michael mit seinen Alliirten wider den hochmüthigen Lucifer, und seinen gesamten Anhang gestritten, der Kampf war bederseits hart und ernstlich, zumalen der streitenden Anzahl sich in viel Millionen erstreckt, weil aber der Erz-Engel Michael, als ein herrlicher Kriegsfürst, seinem ganzen Heer hat vorgetragen, daß ein jeder mit treflicher Guraschi, und gutem Heldenmuth soll in dem Namen Jesus den Angriff thun, diesen allerheiligsten Namen anrufen, nachdem solches geschehen, ist unverweilt der Lucifer in die Flucht geschlagen, und samt den Seinigen zu ewiger Schand und Spott aus dem Himmel verjagt, und in Abgrund gestürzt worden, von welcher Zeit an allen höllischen Larven der Namen Jesus noch sauer, und erschrecklich vorkommt; dahero ich mit andern, und andere mit mir dem Teufel können ein Trutz bieten. Truz-Teufel, vor diesem hast du der Evä einen Apfel gezeigt, jetzt zeig ich dir die Feigen. Trutz! dem h. Antonio bist du erschienen, wie ein Bär, du Bärnhäuter, dem h. Wolfgango bist du erschienen, wie ein Hund, du Hunds-Nasen, dem h. Romualdo bist du erschienen, wie ein Ochs, du Ochsen-Kopf, dem h. Martino bist du erschienen, wie ein Wallfisch, du Stockfisch, dem h. Remigio bist du erschienen, wie ein Esel, du Esels-Kopf. Trutz! du kannst kommen mit Brüglen, mit Striglen, mit Stöcken, mit Blöcken, mit Schleglen, mit Keglen, mit Stangen, mit Zangen, mit Gablen, mit Sabien, mit Steiner, mit Beiner, mit Knechten, mit Fechten, mit allen Teufeln, gleichwohl trutz! Trutz dir und allen den Deinigen, dann deine Stärke wird schwach, dein Zorn wird vernicht', deine Gewalt wird ohnmächtig, dein Versuch wird verlacht, wann ich allein den süßesten Namen Jesus aussprich. O wie sauer ist dieser Namen der Höll!

Der selige Joannes Capistranus hat einmal eine eifrige Predigt gehalten von dem allerheiligsten Namen Jesus; und damit er dem Volk unter dem freyen Himmel, welches in die hundert zwanzig tausend stark war, desto kräftiger hervor streiche, wie derselbe dem Engel eine Freud', dem Menschen eine Hülf, dem Teufel ein Schrecken sey, hat er in Kraft und Namen Jesu den höllischen Larven ernstlich befohlen, sie sollen sich gegenwärtig stellen, und den süßesten Namen Jesu, welchen er dazumal auf einer Tafel gemalt in der Hand gehalten, mit gebührender Reverenz anbeten und verehren, worauf in Gegenwart des ganzen Volks eine unzählbare Anzahl der bösen Geister, mit unterschiedlichen wilden Gestalten in der Luft erschienen, und neben jämmerlichem Heulen und erschrecklichen Stimmen den Kopf geneigt, und wieder verschwunden.

Ja, man kann es probiren, wie es dann die vielfältige Erfahrnuß gibt, wann man einen bösen Feind in einer besessenen Person beschwören thut, daß meistentheils dieser höllische Gast sich widerspenstig zeige, sobald man aber befiehlt, er soll den Namen Jesus verehren, alsobald wider seinen Willen wird und muß der Besessene die Knie beugen. Es werden die Juden und hartnäckigen Hebräer selbst bekennen, daß sie in gewissen Aengsten und großen Gefahren mit keinem Namen, deren sie sehr viel Gott zueignen, so viel richten, als mit dem Namen Jesu, und glauben, daß die Wirkung und Kraft aller göttlichen Namen und Titel seye ganz und gar in dem Namen Jesu übersetzt worden

Zu Pergamo in Wälschland war eine junge Tochter, welche bey nächtlicher Weil in der Schlaf-Kammer ihres Vaters zu Venedig ganz nackend gefunden worden, nachdem man solche in der Frühe, als eine Befreundte erkennet, und mit Kleidern ehrlich bedeckt, ist sie hernach befragt worden, wie und was gestalten sie dahin kommen sey, welches sie mit vielem Weinen und starkem Bedauren ganz umständig erzählt, diese Nacht, sagte sie, hab ich wahrgenommen, daß meine Mutter, der Meinung, als schlafe ich, vom Bett aufgestanden, und den Leib mit einer Salbe, welche sie aus einem verborgenen Geschirr genommen, ziemlich angeschmiert, nachmals sich auf einen Stecken oder Besenstiel gesetzt, und zum Fenster hinausgefahren, nach solchem hat der Vorwitz mich unbehutsames Mädl auch dahin veranlaßt, daß ich gleichmäßig solche Salben gebraucht, und folgsam wider meinen Willen eben daher geflogen, allwo ich meine Mutter angetroffen, welche sich nit wenig ob meiner Gegenwart entsetzt, als ich aber sahe, daß sie diesem neuen feinen Knaben im Bettl gefährlich nachgestellt, und mir mit dem Finger zu stillschweigen gedrohet, hab ich den Namen Jesu ausgesprochen, worüber die Mutter verschwunden, und ich also allhier verlassen worden. Unzählbar viel dergleichen Begebenheiten könnten dabey gebracht werden, woraus klar erhellet, wie erschrecklich denen bösen Geistern falle der Name Jesu, wie geschwind solcher all dero Macht zu Rauch mache, und weit besser dem Satan die Stärke genommen werde durch den Namen Jesu, als dem Samson durch die schöne Dalilä.

Der heiligmäßige Mann Thomas Kempensis ist von dem Teufel und höllischen Satan bei nächtlicher Weil über alle Massen geplagt worden, zumalen diese verdammte Larve in abscheulicher Gestalt zu seinem Bettl hinzu getreten, worüber er den englischen Gruß angefangen eifrigst zu beten, und sobald er zu diesen Worten: gebenedeit ist die Frucht deines Leibs Jesus, da haben sich die verdammten Geister in die Flucht geben, daß also wahr ist, was zu Apostel Zeiten geschehen: In dem Namen Jesu werden sie Teufel austreiben.

Mit dem Stein hat David den Goliath, mit dem Nagel hat Jahel den Sisara, mit dem Schwert hat Judith den Holofernes, mit der Lanze hat Joab den Absalon überwunden, aber mit dem Namen Jesus überwinden wir den höllischen Feind. Samson jagt in die Flucht die Philistäer, Josue die Amalechiter, David die Ammoniter, Jesus aber die bösen Feinde; dahero soll man bei den Sterbenden, allwo der bösen Feind Ernst und größte Macht sich einfindet, den süßen Namen Jesus für einen Schild und geistliche Waffen ergreifen. O was harter Kampf ist dieser letzte in dem Sterb-Stündl, weil dazumal die verdammte Larve allen möglichen Versuch thun, den armen, schwachen, und mit dem Tod ringenden Menschen zu übervorthlen und in ihre Klauen zu bringen; wer solches wohl zu Gemüth führt, der wird alle Tag, wo nit alle Stund den gütigisten Gott mit aufgehebten Händen um die Gnad bitten, daß er doch bis auf den letzten Abdruck möge den Namen Jesus mit Mund und Herzen aussprechen, sich wider solchen abgesagten Feind damit zu schützen.

Wie Jesus Christus, unser Heiland, in dem Garten Gethsemani die Tods-Aengsten ausgestanden, hat er dergestalten gelitten, daß die häufigen Bluts-Tropfen am ganzen Leib aus allen Schweiß-Löchern wie die runden Kügerl herab geflossen, und spricht der h. Paschasius, daß solche Aengsten verursacht habe die erschreckliche Erscheinung der höllischen Geister, nit als hätte der Herr und Heiland sich so stark entsetzt ob diesen höllischen Larven, sondern weil er vorgesehen, daß alle Menschen in ihrem Sterbstündl einen so harten Streit und gefährlichen Kampf mit solchen verdammten Geistern werden haben.

Der große h. Mann Vincentius Ferrerius erwägt wohl dasjenige Geheimnuß, als der gebenedeite Heiland seinen Geist mit großem Geschrei und Weinen aufgeben, cum clamore valido, zumalen es natürlicher Weis' fast nicht konnte seyn, daß er wegen so langer und grausamer Marter ganz abgematt, hätte laut schreien können; müsse demnach eine sondere Ursach dessen gewesen seyn, und zwar diese, wie der böse Feind Christum den Herrn verursacht hat in der Wüste, und damalens nach allem angewendten Fleiß und Arglist nichts richten können, reliquit eum ad tempus, so hat er ihn auf eine Zeit verlassen, und gedacht, er wolle warten bis auf sein Tod-Bettel, so bald nun Lucifer vermerkt, daß Christus auf dem Kreuz bereits dem Tod nahete, hat er alsobald einen schnellen Aufbot an alle Teufel ergehen lassen, welche dann unverzüglich von Luft, von Wasser, von der Erd, von der Höll sich auf den Berg Calvariä verfügt, daselbst Million tausendweis in den schrecklichsten Gestalten und Larven erschienen, Lucifer aber in eigner Person und dem rechten Zwerch-Holz des Kreuzes sich eingefunden, und drei ganze Stund, als damalen eine Finsternuß worden über den ganzen Erdboden, mit aller-Macht und Kräften und Gewalt gesucht den sterbenden Christum zu stürzen und in seine Gewalt zu bringen; wie dann solches der Satan selbst bekennt dem h. Martino, als dieser h. Bischof in das Tod-Bettel gerathen, und ihn der böse Feind zu schrecken, zu versuchen sich unterstanden, hat ihn der h. Mann mit harten Worten angefahren, quid astas cruenta Bestia? was stehest du da, du grausame Bestia? du findest nichts tadelhaftes an mir, worauf der Satan ganz trutzig geantwortet: astiti Christo, cur non tibi? ich bin in Christo Tod gegenwärtig gewest, warum nicht bei dir? In herzlicher Erwägung dessen, daß ein jeder Mensch in seinem Sterbstündl von höllischen Feinden unbeschreiblich angetast und geplagt werde, hat Jesus mit lauter Stimm aufgeschrien, und aus Mitleiden gegen uns bitterlich geweint. Also bezeugen über die Wort, tunc reliquit, Matth. 4. Kap. August. Gregor. Athanasius, Theodoretus.

In der Chronik St. Dominici wird von dem

seligen Joanne Taulero gelesen, was solcher für Versuchung und Streit in seinem Sterbstündel ausgestanden; der war jederzeit ein Mann eines sehr heiligen Wandels, also daß er mehrmalen in seinen Predigten verzückt worden, welches nicht ein geringes Zeichen seiner Heiligkeit. Dieser gottselige Diener Gottes Taulerus kommt in das Tod-Bettl, in die letzten Tods-Aengsten, in welchen er einen solchen heftigen Streit und Kampf ausgestanden, und von den unsichtbaren Feinden also geängstiget worden, daß viel aus seinen umstehenden Ordens-Leuten und Geistlichen vermeint, dieser Mann seye aus gerechtem Urthl Gottes verdammt worden, nachdem er aber in diesem erbärmlichen Kampf mit Hitz und Schwitz die Seel aufgeben, so ist er nächtlicher Weil einem seiner guten Freund, einem Religiosen erschienen, welcher anfangs an solchem Gesicht erschrocken; nachdem er aber von ihm getröst worden, unterstehet er sich zu fragen, wer er seye? Ego sum Joannes Taulerus, war die Antwort, ich bin Joannes Taulerus, dein gewester guter Freund. Der andere fragt ferners, in was Stands er sich befinde, zumalen er in seinem Tod-Bettl solche verzweifelte Gebärden gezeiget, daß viel hierdurch vermuthet haben, er sey verdammt, darauf Joannes Taulerus geantwort, liebster Frater, sprach er, die bösen Geister aus der Höll haben mich also mit ihren Gestalten gequält in meinem Tod-Bettl, mit solcher List mich angegriffen, mit so großer Ungestümmigkeit mich umgeben, daß, wann mir die göttliche sondere Gnad nicht wäre beigesprungen, wäre ich bald in eine Verzweiflung gerathen; liebster Frater, wann ich in meinen letzten Todsnöthen hätt können reden oder schreien, so hätt ich dermassen geheult und geschrien, daß meine Stimm weit und breit wäre erschollen.

Dieses ist begegnet einem gottseligen Religiosen, einem, der ein Spiegel war der Vollkommenheit, einem, der sein Leben im Dienst Gottes zugebracht, einem, der nichts um die Sünd gewust, was wirst du zu gewarten haben, du Sünder? der nach der Welt Regel lebt, strebt und schwebt? du? der weniger gute Werk als Blumen zählt, der rauhe Februarius! Dieß ist begegnet Christo dem Herrn selbst, welcher der Brunn und Ursprung aller Heiligkeit, wie wird es dann dir gehen, o sündiges Adams-Kind? der du alle Tag, alle Stund, und fast alle Augenblick entweder die Gebot Gottes, oder die Gebot der Kirche, oder die Gebot der Natur überschritten. Mich wundert nit, daß Philippus III, großer Monarch in Spanien, in seinen Todsnöthen aufgeschrien: wollte Gott, wollte Gott, ich wäre diese 22 Jahr, in denen ich die Kron und Scepter geführt, ein armer Einsiedler gewest in einer wilden Wüste! Warum Philippe? darum, diese verruchten Geister ängstigten ihn wegen so viel Millionen Seelen, von denen er allen soll bei Gott Rechenschaft geben. Mich wundert nit, daß der h. Ludovicus Bertrandus öftermals mitten in einem Discurs und Reden davon geloffen, sich in eine Zell eingesperrt, geheult und geweint, und den Kopf auf die Erd gestoßen; und als er dessenthalben wurde befragt, gab er die Antwort: wie kann ich ruhig seyn, weiß ich doch nit, was ich in meinem letzten Stündl für eine Sentenz werde empfangen. Mich wundert nicht, daß der h. Einsiedler Hilarion, dessen Leben mehr einem englischen Wandel gleichete, in seinem Todbettl am ganzen Leib gezittert, und seiner Seel endlich selbst zugesprochen: meine Seel, was fürchtest du dich dann? 80 ganzer Jahr hast du Gott gedient, und fürchtest noch den Tod? Mich wundert deren aller nit, zumalen der h. Thomas von Aquin ausgesagt, daß ein solcher Streit und grausamer Kampf in eines jeden Sterbstündl wegen der höllischen Feind entstehe, daß, wofern nit eine sondere große Gaad Gottes zu Hülf komme, keiner, oder gar wenig selig werden.

Absalon, schöner als frömmer, liebreicher als lobreicher, holdseliger als gottseliger, zumalen seine Haar dem gezogenen Goldfaden gleichten, dem Trutz geboten, wurde einsmals von seinen Feinden verfolgt, daß er Noth halber mußte die Flucht nehmen, und als er unter einem Eichbaum wollte mit seinem Maulthier durchsprengen, ist er mit seinen Strobl-Haaren hangen geblieben, dahero ihn der Joab mit einer dreifachen Lanze ermordt; Rabbi Salomon spricht, daß, wann Absalon dazumal hätte geschwind die Haar abgeschnitten, hätt er sich gar leicht können erretten, so Absalon zur selben Zeit hätte Baroka getragen, wär es gut für ihn gewest. Warum aber daß Absalon, welcher ohnedas ein bescheider und verständiger Prinz war, damal ihm nicht mit dem Degen, den er auf der Seite getragen, die Haarlocken abgeschnitten, wäre es doch leicht und geschwind geschehen gewest? Tostatus mit gedachtem Rabbi Salomon spricht: daß Absalon dazumal wegen des herbei nahenden Tods seye also erschrocken, daß er nicht gewußt hat, was er soll anfangen, der balde Tod, die offene Höll, der Teufel auf der Seite, das verletzte Gewissen, die herzu nahende Ewigkeit, die ungewisse Sentenz entrüsten den armseligen Menschen dazumal, daß er nit weiß, was er soll anfangen, förderist die unsinnige Gewalt, die grausame Ungestümm der verdammten Larven ängstigen den elenden Sterbenden dermassen, daß leider gar viel in den letzten Zügen in Verzweiflung gerathen.

Mit meinem Gewissen bekenn' ich es, daß ich einsmal zu Wien (geschweige die Zeit und Gelegenheit) einem Sterbenden beigestanden, welcher dergestalten getobt, als wie ein brüllender Löw, es stunden ihm die Augen ganz offen, feurig ausgetrieben, die Zung gar wohl eine halbe Spannlang aus dem Rachen heraus gestreckt, die Haar über sich, wie man zu sagen pflegt, gen Berg, der häufige Schweiß auf dem Angesicht, in allem eine so abscheuliche und entsetzliche Gestalt, daß mein Bruder Laicus, der vorhin ein beherzter Soldat etlich Jahr gewesen, samt andern 6 Personen die Flucht aus der Kammer genommen, und mich allein in diesem erschrecklichen Kampf verlassen; wie es mir um das Herz gewest, ist leicht zu erachten, und hat es gar nit viel gefehlt, daß ich ihm nit das Geleit zum Tod geben. Ich konnte aus allem diesen unschwer abnehmen, was Angst und Gewalt er von den höllischen Geistern erlitten, der barmherzigste Gott gebe es, daß er in solchem strengen Kampf überwunden habe (an welchem ich stark zweifle), es ist weder dieß noch andere ein Gedicht, sondern bleibt noch als ein Glaubens-Articul gewiß und wahr, daß der Satan all seine Macht und Stärke gebrauche in dem Sterbstündl eines Menschen.

O Gott! o Gott! viel hat gelitten jener arme Reisende von Jerusalem nach Jericho, als er unter die Mörder und Straßen-Räuber gerathen, die ihn erbärmlich haben verwundet und zugericht; aber noch mehr und unbeschreiblich mehr leidt der Sterbende in seinem Ruhebettl, wann er reisen will in die Ewigkeit, wie grausam und unbarmherzig tractiren ihn die höllischen Straßen-Räuber, die mehrmalen in einer unzahlbaren Anzahl sich einfinden. P. Joan. Gregorius à Jesu Maria, Theologus de propaganda fide, zu Neapel aus meinem Orden, als er zu St. Dominico de Soriano in einer besessenen Person den Teufel beschworen, hat ihm solcher gedrohet, er wolle ihn auch ängstigen in seinem Todbettl, worauf der fromme Mann gefragt, wie viel ihrer werden seyn, più che sono fogli, in quel bosco di Soriano etc., mehr, sagte der Satan, mehr werden unser bei deinem Tod seyn, als Blätter in dem großen Wald zu Soriano.

Gleichwohl, mein Adams-Kind, sey getröst in diesem größten Streit, in dieser unbeschreiblichen Angst, in diesem letzten Kampf, in Mitte der Tods-Schmerzen, in Mitte der höllischen Geister, in Mitte der Zeit und Ewigkeit nimm deine Zuflucht zu dem süßesten Namen Jesu. Aber verehre solchen vorhero bei deinen Lebzeiten, damit du die große Gnad habest, dazumalen in deinem Sterbstündl solchen öfter auszusprechen. Diese Gnad hat gehabt der h. Ignatius Lojola, Stifter der Societät, welcher mit dem süßesten Namen Jesu im Mund seinen Geist ausgeben. Solche Gnad hat auch gehabt der h. Franciscus Xaverius, welcher zu Sancion mit diesen letzten Worten selig verschieden: „O Jesu, du Sohn Gottes, erbarm' dich meiner.“ Diese Gnad hat auch gehabt der selige Aloisius Gonzaga, dessen letzte Worte und Lebens-Athem war: „O Jesus! o Jesus!“ Solche Gnad haben noch viele andere mehr gehabt, und solche wirst du auch in deinem Sterbstündl erlangen, wann du bei Lebszeiten den Namen Jesus mit Andacht verehrest, wann bei deinem Aufstehen das erste Wort wird seyn Jesus, wann bei deinem Schlafengehen das letzte Wort wird seyn Jesus, wann all dein Thun und Lassen wird in dem Namen Jesu den Anfang nehmen und das End, wann aus deinem Herzen unter Tagszeiten bisweilen in einem Schußgebetl ein Seufzer mit dem Namen Jesus ausbricht, wann du in deiner Behausung auf der Thür und Wand den gezeichneten Namen Jesus-Nam in Ehren haltest, sodann fasse eine steife und feste Hoffnung, dein letzter Abdruck im Sterbstündl werde nit anderst seyn, als Jesus und Maria.

Die Naturkundigen schreiben von den Gänsen, wann sie über das Meer fliegen, damit sie durch ihr angebornes Schnattern nit unter die Greife und nachstellenden Raubvögel gerathen, also pflege ein jeder aus ihnen ein Steinl in Schnabel zu nehmen, wodurch sie der Gefahr und dem Untergang entgehen, und folgsam aus des Feindes Klauen entgehen. In unserem Sterbstündl und letzter Lebenszeit müssen wir alle Menschen bereit seyn, über das bittere Meer des

Todes in ein anders Land, und zwar in die Ewigkeit zu fliegen; auf daß wir aber den höllischen Raub-Vöglen, welche in unzahlbarer Anzahl uns nachsetzen, mögen entweichen, ist nichts rathsamers, als ein Steinl in das Maul zu nehmen, aber was für eins?

Vernehme meine andächtige Seel, was dem gottseligen Mann Alphonso a Spina, Franciscaner-Ordens, widerfahren, als erst gedachter eifrige Religios geprediget, und sein apostolisches Absehen war, der Seelen Heil zu befördern, weil er aber gar einen geringen Nutzen durch seine Predigen gespürt, ist er derenthalben mit sehr melancholischen Gedanken überhäuft worden, und als er einst dessentwegen sehr traurig bei dem Convent-Brunn des Klosters zu Valesolet gesessen, vernimmt er eine Stimm vom Himmel, er soll den Amper in den Brunnen hinunter lassen, und Wasser herauf schöpfen; als er solches gethan, fand er auf dem Boden des Ampers 24 weiße Steinlein, in welchen der heiligste Name IHS ganz natürlich gezeichnet war, wegen der 24 Predigen, welche alle er daselbst von dem Namen Jesu gehalten.

Solche Steinl, eifriger Christ, befleiß' dich, in dem Sterbstündl in das Maul zu nehmen, damit du sicher in die glückselige Ewigkeit reisest; den Namen Jesu behalt auf der Zung, der soll das beste Kraft-Zeltel seyn; den Namen Jesu zeichne auf die Stirn, der soll dein bester Umschlag seyn; bitt, und bitt alle diejenigen, welche sich bei deinem letzten Abdruck und Hinscheiden werden einfinden, sie sollen nicht aufhören, den Namen Jesus und Maria dir in die Ohren zu schreien, damit das Herz, wann die

Zung schon kraftlos, möge noch Jesus, Jesus aussprechen.

Eins ist, wessenthalben viele Menschen eine Unterrichtung brauchen; benanntlich, es steht nit wohl, wann man in allen auch ungereimten Begebenheiten den süßesten Namen Jesu so leicht und unbedachtsam ausspricht, wie dann bereits bei vielen der üble Mißbrauch eingewurzlet, daß er zu allen auch lasterhaften Dingen und Spottworten den heiligsten Namen Jesus zusetzet, welchem doch Himmel und Erd und Höll die größte Ehr anthun, und die Knie biegen. Man soll wohl erwägen, wie einmal der Satan aus einer besessenen Person zu Kapharnaum Christum den Herrn angeredt: Jesus von Nazareth bist kommen, uns zu verderben. Worauf alsobald der Herr dem Teufel befohlen, obmutesce, er soll das Maul halten. Eine unverschamte Goschen, worin meistens lauter Unflath, soll sich nicht unterstehen, den Namen Jesus auszusprechen; zu einem jeden Kinder-Possen und Affenspiel soll man nit so leicht dieses herrlichste Kleinod hinzu werfen. Die großen Glocken in vornehmen Stift-Kirchen läutet man nit alle Tag, sondern bei solemnen Festtägen, auch der Hall und Schall des heiligsten Namens Jesu soll nit zu allen geringfügigen Dingen gehört werden. Jenes Weib in dem Evangelio, wie sie die Mutter Gottes und dero liebsten Sohn wollte loben, hat allein diese Wort hören lassen: „Selig ist der Leib, der dich getragen, selig ist die Brust, welche du gesogen.“ Sie hat ihr nicht getraut zu sagen: selig ist der Leib, der Jesum getragen rc., soll also nit ein jeder Kuchel-

Schlamp; nicht eine jede Gassen-Kehrerinn so leicht den Namen Jesus aussprechen, dann der allzuöftere und unbedachtsame Ausspruch dieses heiligsten Namens mehr zu einer Unehr gereicht, und einer Verachtung und Geringschätzung nicht ungleich ist, welches dann dem Himmel höchst mißfallet. Es war Pilatus so scrupulos, daß er vorher die Händ gewaschen, ehe er den Namen Jesus auf das Kreuz geschrieben.

Es kann einen wohl schrecken jenes, was da erzählt Hadrianus Lyräus, daß nemlich zwei Schiffleut von den Meer-Räubern ausgeplündert, jedoch ihr Leben in einem kleinen Schiffel salvirt, und als sie zu spater Abendzeit in einer Insul, de Re genannt, angelandet, und da sie von Haus zu Haus um eine Herberg gebeten, kommen sie ungefähr zu dem Haus eines Ketzers, wie sie denselben bittlich um eine Nachtherberg ersucht, dieser aber in grobe Wort ausgebrochen, sie für Dieb und Mörder gehalten; Jesus, Maria, sagten sie, solche seynd wir nit. Kaum daß sie solche heiligste Wort hören lassen, eben dessenthalben, widersetzt der Böswicht, behalt ich euch nit über Nacht, gehet gleichwohl zu Jesus Maria, daß sie euch einen Unterschleif geben. Wurden also die zwei gezwungen, die Nacht hindurch bei einer Kirchthür unter dem freien Himmel zu liegen, weil anderwärts kein Plätzl ihnen vergönnt worden; selbige Nacht ist gedachter schlimmer Gesell, welcher die heiligsten Namen also geschimpft, frisch und gesund und wohlgesättiget schlafen gangen, zu Morgens aber todt, kohlschwarz in einem Sautrog, in Mitte des Stalls gefunden worden, welches allen daselbst einen ernstlichen

Anlaß geben, einen frömmeren Wandel zu führen, in Gottesfurcht leben, und die heiligsten Namen Jesus und Maria nit entunehren.

Judas der lasterhafte Gesell wird durch Einrathung, Anspornung, mit Hilf und Anlaß des Satans zu solcher Verrätherei und größter Untreu angetrieben.

Lucas der evangelische Maler dunkt seinen Pemsel in eine schwarze Farb und Kienruß, entwirft damit den garstigen Satan und bissigen Höllhund, wie solcher Schmutzengel den gottlosen Iscarioth eingenommen, folgenden Lauts: „Es nahete das Fest des ungesäurten Brods, welches Ostern genannt wird, und die Hohenpriester und Schriftgelehrten trachteten, wie sie Jesum tödten möchten, sie fürchteten sich aber vor dem Volk, es war aber der Satan in den Judam gefahren, der mit dem Zunamen Iscarioth genannt wird." Wobei zu merken, daß der leidige Satan nit auf solche Weis' sey in den meineidigen Apostel gefahren, als wolle er dessen Leib besitzen, wie jenen elenden Tropfen in der Gerasener Landschaft, in welchem eine ganze Legion, das ist so viel als 6666 unreine Geister wohnhaft waren; noch auf solche Weis', wie er in dem König Saul getobet, welchen er ganz unsinnig und rasend gemacht hat, sondern nach Aussag und Lehr unsers h. Vaters Augustini, auch nach Lehr des h. Thomä, ist der Satan nur in den Iscarioth gefahren mit seinen bösen Einrathungen, lasterhaften Gedanken und gottlosen Anleitungen, wodurch der verkehrte und vorhin schon diebische Judas zu mehreren Bosheiten angehetzt, und endlich gar zur Verrätherei des gebenedeiten Messiä angefrischt worden, was Uebel und Schaden in der ganzen Welt verursache.

Nachdem der allmächtige Gott mit dem keinen Wort Fiat Himmel und Erd, mit diesen 4 Buchstaben die 4 Theil der Welt so wunderlich erschaffen, und aus dem puren Nichts erhebt, ist eine fast einhellige Meinung der h. Lehrer, daß dazumal der Allerhöchste auch die lieben Engel erschaffen, als reineste Geister, vollkommene Geschöpf und überherrliche Creaturen, weil aber Lucifer der fürnehmste wegen seiner so hohen Gaben sich übernommen, und kurzum wollte gleich seyn dem Allerhöchsten, also ist er, nachdem er die Güte des Himmels gar kurz genossen, mit allem seinen Anhang durch den Erzengel Michael und dessen gesamten Alliirten von dem Himmel verstoßen worden, wovon der meiste Theil in den Abgrund, als in ein ewiges Gefängnuß und Kerker, welcher die Höll genennt wird, verbandisiret. Einer unzahlbaren Anzahl aber dieser abtrünnigen Engel seynd auf der Welt, jedoch nicht ohne bei sich habender höllischen Pein verblieben, von welchen verdammten Larven und teuflischen Abentheuern so viel Uebles in der Welt erweckt wird.

Die katholische Kirch unter andern löblichen Segnungen schreibt auch die Weis und Manier, wie man solle den bösen Feind beschwören in einem bessessenen Menschen, und zwar anfänglich wird dem Priester auferlegt, daß er gleich den Namen des Teufels soll erforschen mit diesen Worten: „Ich befiehl dir unreiner Geist, durch die Geheimnuß der Menschwerdung, des Leidens, der Auferstehung, der Himmelfahrt unsers Herrn Jesu Christi, durch die Sendung des h. Geistes, und durch die Ankunft unsers Herrn zu dem letzten Gericht, sag mir deinen Namen." Woraus dann folgt, daß die verdammten Geister gewisse Namen haben, die ihnen zwar nit wegen ihrer Natur, sondern wegen ihrer Operation und Wirkung geschöpft worden. Aus göttlicher h. Schrift und anderer Lehrer kann man wenig Namen finden solcher bösen Gespenster, außer diese: Lucifer, Leviathan, Mammon, Asmodäus, Belzebub, Belphegor, Baalberit, Astaroth, Abaddon, Merim, Reschepth, Beemoth, Belial, Lillit rc., welche alle, nach Beweisthum der Lehrer, lauter Fürsten und Regenten der anderen verdammten Engel seyn sollen; dann zu wissen, daß auch unter dem höllischen Geschwader und unreinem Kriegs-Heer eine Ordnung gehalten werde, und also einige Befehlshaber, andere Untergebene, dieser zu dem, der zu diesem verordnet, doch alle unter dem Lucifer, als einem Oberhaupt, welcher in Person Christum Jesum dreimal in der Wüste versucht hat, insgemein aber wird der böse Feind genannt ein Rebell Gottes, ein abtrünniger Engel, ein Betrüger der Menschen, ein Entunehrer des Himmels, eine Pest der Erde, ein

Schlücker der Seelen, ein Erfüller des Uebels, ein Verwüster des Guten, ein Aufbringer des Tods, ein Verschwender des Lebens, ein Feind des wahren Glaubens, ein Anhänger des Irrthums, eine Wurzel aller Fehler, ein Verwirrer des Friedens, ein Aufwiegler des Zwiespalts, ein Verfolger der Wahrheit, ein Vater der Lugen, ein Kind des Verderbens, ein Mörder zu Land und Wasser, ein Haupt der Gotteslästerer, ein Meister der Zauberer, eine Gebnrt der Sünd, eine verdammte Kreatur, ein schwarzer Mohr, ein grausamer Höllhund, ein Abgrund des Elends, ein wildes Abentheuer, eine alte Schlang, ein vergifter Drach, ein schädlicher Basilisk, ein unbändiges Vieh, eine ungestalte Larve, ein höllischer Raubvogel, ein blutgieriger Tieger, ein unersättlicher Wolf, ein brüllender Löw, ein giftiger Scorpion, ein stinkender Kothkäfer, eine abscheuliche Krot, ein verstohlener Rab, ein ungestalter Aff, und (so ihn meistens verdrießt) ein s. v. Sau-Zucker. Ich aber bleib bei dem Namen allein, und sag: der Teufel sey ein Schelm.

Anbelangend die Anzahl der bösen Feind ist solche unermeßlich groß, also daß auch etliche aussagen, weil der dritte Theil der Engel gefallen, daß sich die Zahl der Teufel in die hundert tausend Millionen erstrecke, da doch eine Million zehenmal hundert tausend in sich begreift; eigentlich aber, und mit wohlgegründtem Beweisthum, kann man die genaue Anzahl derselben nicht wissen, wohl aber ist aller Lehrer feste Meinung, als sey der Ort, so zwischen Himmel und Erd, ganz voll mit solchen verdammten Geistern. Lactantius halt gleichfalls darvor, sofern die verdammten Geister sollten Leiber haben; würden solche höllische Mucken wegen ihrer unbegreiflichen Menge beim hellen Tag den allgemeinen Sonnenschein verdunklen, deßwegen ist kein Ort fast in der Welt, worin die verfluchten Mameluckensich nicht aufhalten, und ihr einiges Absehen auf des Menschen Untergang haben, und du sagest noch: hol mich der Teufel!

Es bleibt nun wider die bethörte Lehr und grundlose Fabel des Alkoran, in rechter katholischer Wahrheit-Geschloß, daß die abtrünnigen Engel in ihrer verdammten Halsstärrigkeit auf ewig verharren, und nit, wie die in Irrthum verblendeten Arianer und Nestorianer vorgeben, daß die Teufel sich noch vor dem jüngsten Tag durch wahre Buß und Reu werden bekehren, und zur Gnad gelangen, sondern dero Willen und verbeintes Gemüth ist also wider den allmächtigen Schöpfer erbittert, daß sie auf ewig dessen Huld und Gnad gänzlich und hartnäckig ausschlagen, und weil sie dem höchsten Gott keinen Schaden können zufügen, also suchen sie ohne Unterlaß den Menschen, welcher zum göttlichen Ebenbild erschaffen, in allweg und unaussetzlich ins Verderben zu ziehen, gleichwie mancher von Rachgier angetriebene Böswicht, wann er sich an jemand nicht rächen kann, wenigst sucht, dessen Behausung in Brand zu stecken; also, weil der verdammte Satan nicht bemächtiget ist, seinen Grimm an dem allmächtigen Gott auszulassen, bemühet er sich allerseits, den Menschen als eine Behausung und Wohnplatz Gottes in das ewige Feuer zu werfen.

Die Gerasener waren gar übel zufrieden, wie bei ihnen Christus der Herr die Teufel mit Speck tractirt, zumalen was anders für sie hätte gehört, die Sach hat sich also zugetragen: Dazumalen seynd zwei besessene Männer zu unserem Herrn gelassen, aus welchen die bösen Geister mit ungeheurem Geschrei den Herrn gebeten, er woll' doch ihnen die Licenz ertheilen, daß sie möchten in die nächste Heerd Schwein fahren. O ihr Sau-Narren! wollt ihr denn keine bessere Wohnung für euch, als diese wilden, gerießleten, stinkenden Thier? Es ist aber zu wissen, daß kein Thier einwendig wegen Lungel, Leber, Herz, Ingeweid dem Menschen so gleich, als wie die Schwein; indem nun diese höllischen Larven wußten, daß sie die Herberg bei dem Menschen müßten quittiren und verlassen, haben sie aufs wenigst begehrt, in dasselbe zu fahren, welches in etwas dem Menschen gleichet, dadurch ihren unersättlichen Haß und größten Neid gegen den Menschen zu zeigen, in welchem sie fast die Art und Eigenschaft haben eines grausamen Thiers, mit Namen Pardal, welches dem Menschen dergestalten auffätzig, daß es dessen Contrafet und Bildnuß, auf das Papier gezeichnet, zu viel tausend Stuck zerreißt. Es ist nit so feind ein Napellus dem Leben, ein Raubvogel der Taube, ein Wolf dem Lämml, ein Fuchs der Henne, eine Krot dem Wiesel, ein Hund der Katze, ein Schneck dem Affen, ein Adler der Schildkrot, ein Storch der Fledermaus, eine Otter der Nachtigall, ein Maguet dem Knoblauch, wie der Satan dem Menschen.

Der h. Margaritä, wie sie nach ausgestandenen größten Tormenten in Kerker gestoßen worden, ist der Teufel wie ein grausamer Drach erschienen, und mit aufgesperrtem Rachen sie verschluckt, nachdem sie aber das Zeichen des h. Kreuzes gemacht, ist solcher Drach mitten von einander zersprungen, und also Margaritta so unverletzt wie Jonas aus dem Wallfisch kommen. Ein andersmal ließ sich dieser Erbfeind wieder sehen in Gestalt eines Menschen, den aber die h. Jungfrau bei den Haaren auf die Erd niedergerissen, und ihn gezwungen zu sagen, warum er doch den Leuten, welche dem wahren Gott dienen, also auffätzig sey? worauf der Teufel bekennt, wie daß er solches aus lauter Neid thue, dann er könn' es gar nicht sehen, noch gedulden, daß die Menschen, welche von schlechten Erdschrollen zusammen gepappt, sollen erhebt werden in Himmel, woraus sie auf ewig verstoßen werden.

Aus einer andern besessenen Person hat er neben vielen Sachen auch dieß bekennt: nachdem er durch so harte Beschwörung dahin getrieben worden, er solle sagen, was für eine Buß er wollte ausstehen, dafern er wieder möchte zur Seligkeit gelangen; ich, sagte der Teufel, wann es anch in meiner Gewalt stünde, wollte lieber mit einer Seel, die von mir verführt worden, in den Abgrund der Höll steigen, als in die himmlischen Freuden aufgenommen werden.

Des frommen Job seine Kinder seynd wohl mühe-selig zu Grund gangen, und ist ihnen ihr eigenes Haus zu einem Grab worden, und wo sie vermeint haben in guter Ding zu essen und trinken, seynd sie den Würmern zu einer Speis worden, damal war es wohl recht verhaust; aber wo? wie? wer? wer hat das Unglück angestift? wie hat es sich zugetragen? wo ist es geschehen? in dem Haus der Eltern, sonst waren die anderen Brüder und Schwestern lustig, wohlauf, in aller guten Vertraulichkeit eins gezecht, die Jungfrauen auch? was dann, es gibt wohl mehr dergleichen Vibiana; wie nun die gesamten Gäst lustig und wohlauf waren, die Gesundheiten im besten Schwung, da erhebt sich ein gäher Sturmwind, welcher so stark getobt, daß er die vier Eck angegriffen, und das ganze wohlgebaute Haus zu Boden geworfen, mit dem war der armen Gäst ihre Zech bezahlt. Origines spricht, daß nit nur ein Wind sey gangen, weil alle vier Eck seynd angegriffen worden, sondern die Teufel geschwind wie der Wind haben auf allen Seiten zugeblasen, und wollt ein jeder der erste seyn zu diesem Verderben, ja sie empfinden hierin nit einen geringen Schmerzen, wann einer dem andern vorkommt in Peinigung der Menschen. Ingentem reputant dolorem, si prior illo alius praecedat ad ejus perditionem.

Zwei und siebenzig Jünger kommen mehrmalen zu unserem Herrn voller Freuden und Jubel, bringen zugleich die gute Zeitung, daß ihnen alles sehr wohl von statten gangen, was sie für ansehnliche Wunderwerk hätten gezeigt, sogar, welches ja zu verwundern, sogar, mein Herr, sagten sie, in deinem Namen seynd uns die Teufel unterworfen; worauf alsobald der Herr diese Antwort geben: Ich sahe den Satan vom Himmel fallen wie ein Blitz. Will nun jemand wissen, warum der göttliche Mund den Satan einem Blitz oder Donnerkeul verglichen? der erwäge wohl des Donners seltsame Eigenschaft, wie daß derselbe mehrmal nur das beste treffe; wie dann schon öfters geschehen, daß der Donner das Herz im Leib, den

Degen in der Scheid, das Geld im Beutel, den Wein im Faß, den Fuß im Stiefel, die goldene Kette am Hals, das Mark im Bein, den Kern in der Nuß getroffen, zerpulvert, zernichtet, und weder Schalen, noch Bein, noch Hals, noch Stiefel, noch Faß, noch Beutel, noch Scheid, noch Leib verletzt worden. Also ist auch der höllische Feind beschaffen, wie der Donner oder Blitz, nur das Beste aus allen Geschöpfen suchet er, nemlich den Menschen, und in dem Menschen die Seel, und in der Seel das Heil zu verderben und zu stürzen.

Dem h. Dominico hat der Teufel einsmal bekennt, daß ihm Gott habe vorgetragen, er soll ihm etwas erwählen aus seinen Geschöpfen; willst haben, sagt Gott, den Erdboden? der Teufel antwortet mit nein, ich bin nie ein Gartner oder Bauer gewest, will auch noch nicht anfangen; willst haben das Wasser oder Flüß, Meer, Teich, Bach ꝛc., nein, sagt der Teufel, was ist mir das Baden nutz, ich werd doch nit weißer, zudem mag ich kein Fischer seyn; willst haben die Luft? auch nit, sagt der Satan, die Luft gehört für die Vögel, ich mag sie nicht aus ihrer Herberg verstoßen; willst haben den Himmel des Firmaments, worin und woran die schönen Stern und Gestirn? das laß ich wohl seyn, sagt der Teufel, da wär ich ein Narr, daß ich sollt diese runden Scheiben allzeit um und um treiben. Quid ergo vis, o mala Bestia? was willst du dann haben, o böse Bestia? nil aliud, nisi animas; nichts anders, antwortet die verdammte Larve, nichts anders, als Seelen.

Ein abgedruckter Pfeil trachtet nit also nach dem Ziel, ein starker Stein nit also nach seinem Centro, ein durstiger Hirsch nicht also nach dem Brunnquell, ein Rab nicht also nach dem Aas, wie der Satan nach dem Menschen; er sichet, er sucht, er wüth, er flucht, er malt, er schreibt, er jagt, er treibt, er liebt, er lobt, er wüth, er tobt, er wacht, er sorgt, er wart, er borgt, er hupft, er springt, er pfeift, er singt, er fahrt, er reit, er kämpft; er streit, er fliegt, er geht, er kriecht, er steht, er löst, er paßt, er ruht, er rast, er schenkt, er schmiert, er kraust, er ziert, er grabt, er wuhlt, er kußt, er buhlt, er ruft, er winkt, er holt, er bringt, er gehet, er lauft, er beisset; er rauft, er macht, er bricht, er denkt, er dicht; er hockt, er sitzt, er schnauft, er schwitzt, er schaut; er fragt; er hetzt, er jagt, er kehrt, er butzt, er lacht, er schmutzt, er siedt, er brat, er mahnt, er rath, er weicht, er flieht, er schiebt, er zieht, er zährt, er zuckt, er stoßt, er druckt, er bellt, er beißt, er flickt, er reißt, er rehrt, er brüllt, er zecht, er spielt, er führt, er fahrt, er kratzt, er scharrt, er thut alles, alles; alles auf Erden, damit nur der Mensch soll sein werden, und du unbedachtsamer, elender, gewissenloser, unbehutsamer Mensch, rufest ihn noch, er soll dich holen? Wann dich Gott nicht behüt hätte, und sonders geschirmet hätte, so wär es schon längst geschehen.

Jene Gäst in dem Evangelio, nachdem sie eingeladen worden, seynd nit erschienen bei der Mahlzeit, sondern sich lassen mit unterschiedlichen Ausreden und Vorwand entschuldigen; ja, sagt einer, ich wär gern kommen, aber ich hab einen Kauf eingangen wegen eines Majerhof, und dessenthalben hab ich dießmal nit können aufwarten. Der andere wendete vor, daß er Ochsen um sein baares Geld habe eingehandlet. Der Dritte war gar stark verhindert, dann er hab ein Weib genommen; seynd also diese drei eingeladenen Gäst ausgeblieben. Aber der Teufel ist gar nit vonnöthen einzuladen, es braucht kein Rufens, er kommt ungeladen, und wann es die Güte Gottes zuließe, so wäre dieser verdammte Geist augenblicklich und urplötzlich auf den Fluch und bethörten Wunsch da, und thät dich holen, und gib Acht, damit nit der so oft beleidigte Gott einmal über dich elendes Geschöpf verhänge, wie es schon mehrmalen geschehen ist.

In Sachsen hat eine junge und reiche Tochter einem wackeren, jedoch wenig begüterten Jüngling die Ehe versprochen, der Jüngling bedankt sich dessen bestermassen, sagte aber, weil er dieses Geschlechts Wankelmuth wohl wußte, er glaub schier, sie werde ihr Wort nit halten; ich, sagte sie, ich soll einen anderen heirathen? wann ich einen andern nimm, als dich, so hol mich der Teufel am Hochzeittag. Was geschieht? mittler Zeit hat ein anderer ein Ansuchen gethan, und diese für eine Braut begrüßt; weil nun April und Weiberwill sich bald ändern, also hat sie diesem, weil er bei stattlichen Mittlen, das Jawort ertheilt; wessenthalben sie der erste öfters ermahnt, sie soll sich ihres Versprechens und harten Schwurs erinnern, ungeacht aber alles dieß mußte der erste mit dem Korb befriediget seyn, und führte der andere die Braut heim.

Der Ehrentag wird gehalten, die Mahlzeit ist herrlich, die Befreundten seynd wohlauf, die Gäst lustig, die Spielleut fleißig, die Gemüther fröhlich, der Wein häufig, aber die Braut wegen des nagenden Gewissens-Wurms war etwas traurig, man sucht aber auf alle Weis' solche aufzumuntern. Unterdessen kommen zwei, dem Ansehen nach edle junge Herren, in das Zimmer, welche man höflichst empfangen, auch sogar zu der Tafel gesetzt, haben es für ein sonders Glück aufgenommen, daß solche Gäst das Haus würdigen mit ihrer Gegenwart. Nach der Tafel ging der gewöhnliche Tanz an, man trug einem aus diesen Herren Ehr halber die Braut an, welche er mit aller Cortesi angenommen, und zweimal gar wacker und hurtig herum getanzt, nachmals in Gegenwart der Eltern, Befreundten, Benachbarten und anderen Gästen, die Braut mit einem erschrecklichen Heulen und Geschrei in die Luft geführt, und aus aller Menschen Augen entzogen; als den andern Tag mit höchstem Wehklagen von den Eltern die Braut gesucht wurde, seynd ihnen eben die gestrigen zwei Herren begegnet, der Braut Kleider und guldene Ketten eingehändiget, mit diesen Worten: in solche Ding haben wir von dem Allerhöchsten keine Gewalt gehabt, aber wohl in die Braut, worüber sie verschwunden.

O, wie oft würde solches traurige Spectacul zu sehen seyn, wann nicht Gottes Barmherzigkeit dem Satan einen Zaun einlegte, wie oft würde dieß Wildschwein den göttlichen Weingarten verwüsten, wann nit der Höchste einen Zaun darum führte, wie oft würde dieser Feind die Stadt Gottes, welche der Mensch ist, zerschleifen, wann nit der Allmächtige sie verschanzte, wie oft würde dieser höllische Raubvogel die Tauben des Herrn mit seinen Klauen zerreißen, wann nicht von obenher ein Schutz käme. Wär es ihm, diesem abtrünnigen Geist, erlaubt, so würde er auf einmal, wie Nabuchodonosor die drei Knaben, also er das gesamte menschliche Geschlecht in höllischen Ofen werfen, er thät auf einmal, wie der Engel des Senacheribs Kriegsheer, alle Menschen erwürgen, er thät auf einmal, wie der Ammon gesinnt war, die Hebräer, alle Adams-Kinder ausrotten, er thät auf einmal, wie Titus Vespasianus Jerusalem, die ganze Welt zu Boden stürzen, er thät auf einmal, wie die Hund das stolze Frauenzimmer Jezabel, alle Menschen zerreißen, er thät auf einmal, wie die Erd den Daton und Abiron, alle Menschen erschlucken, er thät auf einmal, wie Joab dem Absalon, allen Menschen den Rest geben, er thät auf einmal, wie der Engel den Habakuk, nit in die Löwengrube, sondern in Abgrund der Hölle führen, und getraust dir noch zu wünschen: er soll dich holen.

Es seynd die verdammten Geister also erbittert über die Menschen, daß sie eine Freud und sonders Wohlgefallen empfinden, wann sie dieselbe verführen. Allhier ereignet sich nit eine geringe Frag, ob auch ein solcher von Gott und dem Himmel vertriebener Engel eine Freud oder eine Ergötzlichkeit könne haben, dann gleichwie ein Seeliger im Himmel auch von dem allermindesten Leid oder Traurigkeit nit kann ergriffen werden, also folgt, daß auch ein Verdammter und ewig Verlorener von der wintzigsten Freud nit kann beglückt werden. Wie es dann zu verstehen, was der gekrönte David spricht: Quid tribulant me, exultabunt, si motus fuero: „Die mich plagen, werden frohlocken, wann ich sollte bewegt werden." Auch schreibt Venerabilis Beda, daß es seye offenbart worden, wann die Teufel einige Seelen mit sich in die Höll führen, entstehe ein grosser Jubel, ein unsinniges Lachen, ein allgemeines Frohlocken unter den Teufeln.

In dem hohen böhmischen Gebürg gegen Schlesien, hat sich vor wenig Jahren ein Teufel aufgehalten, welcher mehrmalen in unterschiedlichen Gestalten, auch gar oft wie ein Mönch den Reisenden daselbst das Gleit geben, und wann solche in der Wildnuß sich stark vergangen, und derentwegen wacker gescholten, hat sich dieser Böswicht augenblicklich auf die höchsten Bäume, wie ein Vogel reterirt, und allda ein grosses Gelächter, und höhnisches Frohlocken verbracht.

In der Grafschaft Horn ist ein Frauen-Kloster, worin der Teufel einen unbeschreiblichen Uebermuth erzeigt, neben anderen Dingen, die sich nit wohl schreiben lassen, hat er den Kloster-Frauen daselbst öfters anstatt Zucker Salz in die Zucker-Büchsen geschütt, die armen Frauen bei nächtlicher Weil dergestalten an die Fuß-Sohlen gekitzlet, daß sie, wann man ihnen nit wär beigesprungen, sich müssen zu todt lachen, er hat ihnen öfters das Bett mit Unflath besudlet, und noch darüber in allen Winklen ein Gelächter verbracht.

Es giebt auch die öftere Erfahrenheit, daß die Teufel aus den besessenen Personen ein grosses und helles Gelächter über ein oder die andere vorgebrachte

Frag hören lassen, aus welchem dann vermuthlich zu schliessen, daß diese abtrünnige Bösewicht einer Freud und Ergötzlichkeit fähig seyn; alles dieß mit sicherer Wahrheit zu entörtern, muß man wissen, daß die verdammten Geister, wo und wie sie sich immer in der Luft, oder auf Erden aufhalten, stets an sich, bei sich, in sich die Höll tragen, und von der Pein nit einen Augenblick befreit seyn, weil aber solche Pein ab- und zunimmt, also kann wohl zugelassen werden, daß in Abnehmung der Pein sie eine kleine Ergötzlichkeit geniessen, dann ihre große Quàl bestehet in dem Neid, wann sie nemlich sehen, daß ein Mensch, ein schlechter Erdschrollen in Himmel steigt, woraus sie so spöttlich verstoßen worden. So oft aber einige Seelen in das ewige Verderben durch sie kommen, ist folgsam der Neid nit mehr gegen diesen, die mit ihnen bereits verdammt und verloren seyn, dahero solcher entfallene Neid gegen diesen ein keiner Nachlaß der Pein, massen solche im Neid bestehet, und dieses kann ein Contento, oder Freud der höllischen Geister genennt werden, also ist der Meinung der h. Thomas de Aquin.

Dannenhero nicht mit Unfug kann gesagt werden, des Teufels seine eigene Freud bestehe in Stürzung der Menschen, Verschwendung des Heils und Verlurst der Seeligkeit, und ist seine einige Freud, wann er dem Menschen zu Seel und Leib kann schaden, seine Freud war ihm, wie er den Adam und Eva hinter das Licht geführt, und ihnen vorgelogen, sie werden, wie die Götter werden, wessenthalben, spricht Procopius, cachinnabatur Daemon, hab der Teufel dazumal überlaut gelacht im Paradeis, seine Freud war ihm, wie er in dem Hans Noe den Cham, in dem Haus Abraham den Ismael, in dem Haus Isaak den Esau, in dem Haus Jacob die sauberen Brüder, in dem Haus Putiphars sein sauberes Weib zum Bösen angestift; seine Freud war ihm, wie er den Pharao wider den Mohren, die Jezabel wider den Eliam, ganz Samaria wider den Elisäum, den Achab wider den Michäam, den Nabuchodonosor wider den Daniel, den Senacherib wider den Tobiam, die Phenenna wider die Anna, die Agar wider die Sara, den Saul wider den David, den Antiochum wider die Machabäer, den Herodem wider den Joannem, den Simon Magum wider den Petrum, die Juden wider Hat angesetzt, angefrischt, angespohrt: seine Freud ist ihm, wann er dir deinem Leib, deiner Seel, deinen Kindern, deinem Haus, deiner Wirthschaft kann einen Schaden zufügen, und hierzu ist er so geschwind, wie der Wind, in solcher Eil, wie ein Pfeil, und du rufest ihn noch, er soll dich holen.

Des Teufels bin ich. Wann man zuweilen die keinen Kinder fragt, wem gehörst du? so geben sie mehrmal die Antwort, meinem Vater, nit übel geredt. Aber große Limmel, ungeschlachte Schieferníkl, ungeberdige Phantasten (ich kanns nicht Christen nennen) geben ohne fernere Nachfrag an Tag, wem sie zugehören, des Teufels bin ich, wann ich ihm das Ding schenk, des Teufels bin ich, ich hab es selbst um einen höhern Werth kauft, des Teufels bin ich, wann dem nit also ist rc. O ihr unbehutsame Adams-Kinder, ihr wißt ja gar zu wohl, wie die Pharisäer Christo dem Herrn ein Geld gewiesen, da sie ihn mit

Worten begehrten zu fragen, ob man dem Kaiser soll einen Zins geben? hat der Heiland alsobald gefragt, was vor ein' Bildnuß auf der Münz? und wie sie gesagt, des Kaisers, wohlan, sagt der Herr, so gebt dem Kaiser, was des Kaisers ist. Was tragt ihr sterbliche Menschen für ein Bildnuß an euch? Gottes ohne Zweifel, ad imaginem Dei, dann zu dessen Ebenbild hat er euch erschaffen, so gebt dann Gott diese Bildnuß, und laßt euch nit hören, des Teufels bin ich. Wißt ihr nit, was ihr in der h. Tauf durch den Göthen habt Gott versprochen? nemlich, ich widersag dem bösen Feind. Dannoch ist aus manchem ungewascheuen Maul nichts mehrers zu hören, als des Teufels bin ich; vernehmt ein wenig, wie der Teufel beschaffen.

Leopoldus, damalen Herzog in Oesterreich, welcher mit Ludovico aus Bayern, römischen König, viel Krieg geführt, begehrte auf eine Zeit von einem Schwarzkünstler und Hexenmeister, daß er ihm soll den Teufel zeigen, dieser entschuldiget sich dessen, vorwendend, wie daß solches ohne merklichen Schaden nit könne geschehen; weil aber der Herzog noch inständiger verlangt, also hat er darein verwilliget, und in Gegenwart anderer den Teufel in so abscheulicher Gestalt in das Zimmer gebannt, daß Leopoldus alsobald aufgeschrien, satis est, es ist genug, worüber er krank in das Bett geführt worden, und bald darüber gestorben. So häßlich ist dieser Geist, und du willst noch des Teufels seyn?

Der Teufel hat die sieben Männer der Sara, einer Tochter Raguelis, jämmerlich erwürgt.

Der Teufel hat die Pest über Israel gebracht.

Der Teufel hat den Job um alles das Seinige gebracht, und zum elendesten Menschen auf Erden gemacht.

Der Teufel hat den Corinthium erschrecklich gepeiniget.

Der Teufel hat den Saul unsinnig gemacht.

Der Teufel hat den besessenen Menschen im Evangelio bald ins Wasser, bald ins Feuer geworfen.

Der Teufel hat die Apostel gereuttert, wie das Traid durch ein Sieb.

Der Teufel ist der Vogel gewest, welcher den guten Saamen in dem Evangelio hat aufgefressen.

Der Teufel hat die Tochter des Cananäischen Weibls erschrecklich gepeiniget.

Der Teufel hat, in Gestalt eines Bettlers, die erschreckliche Pest nach Ephesum gebracht, von Haus zu Haus das Almosen gesammelt, und vor das Deo gratias die Pest an Hals gehängt, bis er sich nachmals in einen großen Hund verändert, und die Stadt verlassen.

Der Teufel hat Anno 465 in Gestalt eines alten Weibs, die Stadt Constantinopel dergestalten in Aschen gelegt, daß vier ganzer Tag aneinander gebrunnen.

Der Teufel hat Anno 558 unter Regierung Ludovici II. die Stadt Mainz 3 ganze Jahr mit allen unbeschreiblichen Plagen beunruhiget.

Der Teufel hat Anno 1160 durch Zulassung und göttliche Verhängnuß, die ganze Stadt Freysing in Bayern verbrennt, wie er sich dann in unterschiedlicher Gespenstern Gestalt bei Tag und Nacht hat sehen lassen.

Anno 1551 in der Vigil Simonis und Judä, haben 5 Böhmen die ganze Nacht geschlempt, gesoffen, gespielt, und etmal dem Teufel, welcher an der Wand dem h. Ertz-Engel Michael unter die Füß gemalt war, eins aus dem Bier zugebracht, zu Morgensfruhe hat man gefunden, daß ihnen allen der Teufel den Hals umgewürgt.

Der Teufel hat Anno 1585 in dem polnischen Marktfleck Podlah, einen Menschen, um weil er frecher Weis am Freitag Fleisch geessen, dergestalten grausam besessen, daß er ganz unsinnig worden, ihn endlich auch gar erwürgt.

Anno 1595 hat der Teufel einen Prädikanten in Schweizerland, weil er wider das Gnaden-Bild der Mutter Gottes zu Moute Real spöttlich geredt, in Gegenwart aller Leut von der Kanzel geholt.

Im Mainzerischen Gebiet hat ein junges Mädel einen Trunk begehrt, worüber ihr die Mutter zu trinken geben, jedoch mit dem Fluch, trink, daß du den Teufel trinkest! welcher alsobald in sie gefahren, und sie, wie ein glühender Brand, im Leib gepeiniget.

Zu Wien in Oesterreich unter dem Landhaus, zu Prag in Böhmen, zu Rom in Italia, zu Lnea in Wälschland, zu Paris in Frankreich, zu Neapel in Sicilia, und an vielen andern unterschiedlichen Orten wird man noch zeigen die Wahrzeichen, wie der Teufel einige geholt hat, oder sie erschrecklich gepeiniget, und du willst noch des Teufels seyn?

Es gibt Wald-Teufel, die heißen Fauni und Silvani, es gibt Garten-Teufel, diese heißen Dusii, es gibt Gassen-Teufel, die heißen Tulii und Sarpedones, es gibt Straßen-Teufel, und diese heißen Alastores, es gibt Stuben-Teufel, und diese heißen Manes,

Lemures, Genii, es gibt Kammer-Teufel, und diese heißen Aschamad, es gibt Pest- und andere Krankheiten-Teufel, und diese heißen Ameus, Magalesius, Ormenus, Lico, Nison, Mimon rc., es gibt Seiten-Teufel, diese heißen Poredri, es gibt Zorn- und Furi-Teufel, und diese heißen Catabolici, es gibt Wahrsag-Teufel, und diese heißen Pithones, es gibt Fopp-Teufel, und diese heißen Euricleä, es gibt Freß-Teufel, und diese heißen Eurynomi rc. Ja, es ist kein Ort, wo nit die Teufel in Luft, im Feuer, im Wasser, auf Erden, in der Erden, in unzahlbarer Menge sich aufhalten, sie stehen, sie sitzen, sie kriechen, sie fliegen, sie gehen um dich, sie seyn ober deiner, unter deiner, bei dir, um dich, auf dem Löffel, auf der Gabel, auf der Feder, auf dem Gläßl, auf dem Kleid, auf der Nasen, auf den Ohren, auf dem Maul, auf dem Kopf rc., oft in Gestalt der Mucken oder Fliegen, oder Würmel, oder Sonnen-Sträubl, oder Luft, oder Rauch, oder Nebel, oder ganz unsichtbar, und er wart nur auf die Licenz, Erlaubniß und Verhängnuß Gottes in dich zu fahren, dich zu zerreißen, dich mit Leib und Seel in das Verderben zu bringen, und willst noch des Teufels seyn?

Des Teufels sein einiger Gedanken ist, dich zu foppen.

Dieser elende Fürst der Finsternuß ist sehr arm und dürftig, hat weniger Geld als ein Bettler auf der Straße, Gold und Silber findt sich in seiner Habschaft nit, seine Groschen münzen ihm die Gaißböck, seine Thaler die Roß, und seine Dukaten die Esel; Schatz und Reichthum gehören dem allmächtigen Schöpfer zu, wie er selbsten bekennt durch den Propheten Hagäum: Meum est argentum, et meum est aurum etc. Der Teufel aber hat nichts, und ist dieses verruchten Schlampen sein Heirath-Gut die Armuth, und so er den bethörten Menschen etwas spendirt, ist selbiges meistens eine verblendte Sach. Desgleichen hat gethan der böhmische Zauberer Zitho, welcher durch des Teufels Kunst einem Bäcken dreissig Schwein verkauft, und als er solche durch einen Bach getrieben, seynd anstatt der Schwein dreissig Stroh-Schüppel daher geschwommen.

Was für wunderseltsame Aussagungen und Erkanntnuß seynd nit ergangen verwichenen Jahren allhier im Steyermark von dem Hexen- und Zauber-Gesind? daß man hiervon ein großes Buch kounte verfassen. Nur von Anno 1675 bis in dieses laufende Jahr 1688. Eine bekenute, daß sie über 800-mal in einem mit zweien Rossen bespannten Kobel-Wagen oder Kutschen sey ausgefahren in der Höhe über Berg und Thal, nachmals an einem bestimmten Ort sehr herrlich tractirt worden; nach vollendter Mahlzeit mit ihrem Liebsten, dem Teufel, welcher in schwarzem Sammet aufgezogen, und ausländerisch geredt, in allen Wohllüsten gelebt, und als sie ein großer Durst überfallen, auch derentwegen einen guten Trunk begehrt, sey alsobald ein schwarzer Gaißbock vorhanden gewest, welcher sein s. v. unreines Wasser in eine silberne Schale fallen lassen, so ihr nit anderst vorkommen, als wäre es der alleredleste spanische Wein. Ei, daß dir es der Teufel gesegne!

Eine andere sagte aus, daß sie sehr oft, die Zahl

wär ihr eigentlich nicht bewußt, samt vielen ihren Benachbarten und Bekannten in Gestalt großer Vögel, als da seyn: Raben und Alstern, seyen ausgeflogen, und an einem gewissen Ort ihren gewöhnlichen Gespäß vollzogen, und weil dazumal eine neue Braut darbei, welche das erstemal mit dieser Gesellschaft ausgefahren, indem sie ihrer Gedanken nach gar stattlich tractirt wurde, sagte sie aus unbehutsamer Weis' Jesus Maria, so hab ich mein Lebtag nie so wohl gelebt! worauf der Teufel sie alle verlassen, und seynd ihrer 18 Person sitzen geblieben, unweit einer Schinder-Hütte bei einem verreckten Schimmel, der bereits schon halbentheil von ihnen verzehrt war. Der Teufel sey da ein Gast!

Ein Mann mit zwei und achtzig Jahren hat bekennt, daß er bereits ein und sechzig Jahr bei diesem saubern Handwerk, aber niemalen ein größern Gespäß gehabt, als dazumalen, wie bei einer nächtlichen Zusammenkunft am Tag vor St. Veits-Tag, der Teufel ein altes Weib, weil dazumal ein Leichter abgangen, auf den Tisch geworfen, und ihr s. v. eine große Kerze in den hintern Leib gesteckt, welcher gestalten sie dritthalb Stund müßte leuchten, und haben alle Anwesende gänzlich darfür gehalten, als seye es von guter getriebener Arbeit ein silberner Leuchter. Der Teufel butz das Licht!

Ein Mädl von 14 Jahren hat ohne Tortur bekennt, wie daß sie aus Befehl des Teufels zu Loukowitz die allerheiligste Hostie aus dem Maul heraus gezogen, selbige nachmals bei der Zusammenkunft in eine Grube geworfen, allwo solche unmenschliche Schand-Thaten vorbei gangen, welche keine ehrliche Feder getraut zu beschreiben. Unter andern hab sie einmal von ihrer gehabten Mahlzeit eine ganze Pastete mit sich nach Haus getragen, des Willens, ihrem jüngern Brüderl den andern Tag etwas darvon zu spendiren, und siehe, zu Haus habe sie befunden, daß sie nichts anders mit sich gebracht, als einen alten halb verfaulten Stiefelbalg, worin drei verreckte Ratzen und etliche Erdmäus lagen. Der Teufel freß solche Bißl!

Einer dieses Handwerks, hat ausgesagt, ein Weber, wie daß er aus Kleinmüthigkeit und äußerster Armuth seine Zuflucht genommen habe zum bösen Feind, welcher ihm dann in Gestalt eines vornehmen Kavaliers mit roth und grünem Federbusch auf dem Hut erschienen, ihm allen Reichthum und Beihilf verheißen, dafern er die allerheiligste Dreyfaltigkeit wolle verwerfen, die Tauf, und alle h. Sacramente verachten, der Mutter Gottes und allen Heiligen absagen (welche Ceremoni bei allen Hexen gewöhnlich) und ihn für einen Gott und Herrn erkennen. Nachdem nun der elende Tropf alle diese verruchten Ding ringangen, und mit dem Teufel bei unterschiedlichen Hexen-Tänzen erschienen, hat er einest gar inständig von dem Satan verlangt, er wolle ihm doch mit Geld-Mittlen verhilflich seyn, worauf der Teufel ihm eine ganze Truhe voll mit Reichs-Thaler und Silber-Kronen vorgestellt, daraus nach Belieben zu nehmen, er aber habe die beeden Säck also gestrotzt angefüllt, daß ihm unterwegs der Hosen-Nestl zerrissen, und also den Hexen und altem Geflügelwerk, welche stracks nach seiner geflogen, ein großes Gelächter verursacht; nachdem er aber nach Haus kommen, hab er nichts anders gefunden, als Blätter und zerbrockte

Dannzapfen. Der Teufel hol die Münz! Hundert und aber hundert, und über hundert dergleichen Begebenheiten könnten beigebracht werden, woraus nur sattsam erhellet, daß des bösen Feinds sein Gedanken nur ist, dich zu foppen. Er tractirt wenig mit kälbernem Brätl, wie Abraham die Fremdling, wenig mit gebratenem Kitzl, wie Rebecca den Isaak, wenig mit gutem Koch, wie der Habacuk den Daniel, wenig mit feisten Wachtlen, wie Gott die Israeliten, wenig mit Linsen-Koch, wie Jakob den Esau, wenig mit Milch, wie Jahel den Sisaras, wenig mit Bratfisch, wie Christus die Apostel, sondern anstatt Feder-Wildprät, gibt er Mistfinken, anstatt Speck, gibt er Schwamm, anstatt Rebhünnl, gibt er Rabenhünnl, anstatt Confect, gibt er Kuhfect, anstatt Lerchen-Fleisch, gibt er Mörchen-Fleisch, anstatt Allòbatritta, gibt er Ollam putridam, anstatt Auer-Hahn, gibt er Mauer-Hahn, anstatt Wein von hieraus, gibt er Wein von Brunn-aus. Pfuy Teufel! anstatt Reichthum, gibt er Irrthum, anstatt Batzen, gibt er Bötzen, anstatt Seiden, gibt er Kotzen, anstatt Geld, gibt er Blätter, ist das nit ein armer Fretter?

Des Teufels sein einziges Ziel ist, dich zu betrügen.

Er verheißt viel, und halts schlecht, er verspricht viel, und giebt wenig, er verlobt viel, und zeigts gering; wie dann von einem lasterhaften Bösewicht geschrieben wird, daß solcher nicht allein in allen Sünden und Unflath herum gewühlet, sondern er war noch des verdammten Vorhabens, noch größere Missethaten zu begehen, wann er nur möchte der Straf bei Obrigkeiten und Gerichten befreit seyn; worauf ihm der Teufel erschienen, alle Hülf und Beistand versprochen, wie daß er ihn aus allen Keichen und Gefängnussen erledigen wolle, wessenthalben der gewissenlose Mensch in allen erdenklichen Muthwillen und Laster sich eingelassen, Mordthaten und Schandthaten mehrmalen begangen, alle und jedesmal frei durchpassirt; nachdem er aber einst einen sondern Meuchelmord begangen, wessentwegen er in eiserne Band und finstere Keichen gefänglich geworfen worden, worin er den Teufel vermög seines gethanen Versprechens um Erledigung angesucht, welcher sich dann alsobald eingefunden, ihm eine große verschlossene Schachtel oder Gestadel dargeboten, mit Beding, er solle diese bei Leib nit eröffnen, damit dasjenige, was darin, nit gleich seine Kraft verliere; diese Schachtel soll er ganz beherzt dem Richter präsentiren, und sobald er solche werde eröffnen, sodann könn er ihm nit mehr abhold seyn, viel weniger ihn zu einer Straf ziehen. Allegro war dieses Bürschl und voller Freuden, scherzte auch immer mit der Wacht und Stockknechten, dessen sich diese Schörganten nit wenig verwunderten. Nachdem endlich die Sentenz des Tods über ihn gefällt worden, begehrte er kurzum mit dem Richter zu reden; und als solcher erschienen, reicht er ihm dar obgedachte Schachtel, mit Bitt, er woll sie eröffnen, dann hierin werde er finden, was ihn beim Leben erhalten werde; das wär viel, sagte der Richter, und wie er solche eröffnet, fand er nichts darin, als einen guten, starken, dicken, kräftigen Strick; wohlan Kerl, waren die Wort des Richters, du willst mich etwann noch foppen und schimpfen, es soll aber diese Schankung dir zu Theil werden, und ließ ihn bald hierauf mit diesem Strick aufhängen, dessen sich der elende Tropf sehr beim Teufel beklagt, aber dieser verdammte Geist lachte seiner bis zum Galgen.

b. Des Teufels sein einiges Vorhaben ist, dich zu bethören.

Majolus erzählt, daß ein gottloser Soldat dem Laster der Unlauterkeit über alle Massen ergeben war, sogar, daß der Teufel in Gestalt eines schönen Weibsbilds ihm erschienen, mit dem er allen Muthwillen getrieben, und als er zu Morgens glaubte, er hätte die ganze Nacht eine adeliche Helena bei sich gehabt, so hat er aber, wie der Tag angebrochen, eine alte verreckte und bereits halb verfaulte Kuh in den Armen gefunden.

Vor 7 Jahren hat eine alte Hex gerichtlich ausgesagt, wie daß sie nunmehr dreißig ganze Jahr mit dem Teufel wohne, wie Mann und Weib im Ehestand, und sey die ersten Jahr dieser höllische Geist ihr meistens vorkommen, wie ein schöner, wohlgestalter, junger, adelicher Herr und Kavalier, nachdem sie aber nunmehr zu alten Jahren kommen, und alle Gestalt verloren, so thue er ihr gar nit mehr schön, sondern zeig sich mehrmalen in sehr wilder Gestalt, auch wann er schon bei nächtlicher Weil ihr beiwohne, so pfleg er zum öftesten das Bett also unflätig zuzurichten, daß sie alle Morgen eine frische Wäsch brauche. Pfui, du wilder Teufel!

In dem Kapuziner-Kloster zu Monte Real ist ein Pater zur heißen Sommerszeit nach der Metten im Garten spazieren gangen, woselbst ihm der böse Feind in Gestalt seines bekannten Vetters erschienen, wessenthalben sich der fromme Geistliche nit ein wenig entrüst, und alsobald befragt, wie er doch daher komme? dem er diese Antwort gab: liebster Vetter, ich bin über die Mauer herein gestiegen, was ich dem Herrn Vetter so genöthig zu vertrauen hab, ist dieses: Ihr Ehrwürden Herr Vetter wissen wohl, was sie für arme Freund haben, daß sie kaum das Brod zu essen, und dieß nicht genug; nun aber wär der Sach leicht zu helfen, daß sie ihren Unterhalt weit besser hätten, ja zu guten Mittlen gelangten; sehet, unweit dieses Klosters ist ein Schatz begraben, und ich weiß den Ort, weil aber bei solchen Dingen sich meistens die Teufel aufhalten, also kann ohne Gegenwart eines Priesters dieser Schatz nit erhebt werden. Mein Herr Vetter, sie erbarmen sich über ihre armen Befreundten; ja antwortet der Pater, dieß kann nit seyn ohne Erlaubnuß des Quardian; was? Quardian, sagt hinwieder der saubere Vetter, wann die Sach wird mehrern offenbar werden, alsdann wird auf unserer Seite ein keiner Gewinn ausschlagen. Der gute unbehutsame Pater laßt sich überreden, folgt diesem vermascherlrten Teufel, welcher ihn bei eitler Nacht auf einen hohen und gähen Felsen geführt, derenthalben etlichemal er sehr schwer gefallen; als er aber gar auf einen hohen Gipfel mußte hinauf steigen, also sagte der Pater: Jesus-Maria! wo führt mich der Herr Vetter hin? worauf der Teufel die Larve abgelegt, und diese Wort hören lassen: nisi hoc dixisses, de monte te praecipitassem: wann du dieses nit hättest gesagt, so hätt ich dich von diesem höchsten Felsen herunter gestürzt. So ist dann des Satans sein einiger Will und Gedanke, sein einiges Ziel und Absehen, seine einige Meinung und Trachten, dich zu foppen, dich zu verblenden, dich zu betrügen, dich zu bethören, und du willst noch des Teufels seyn?

Der Teufel zerreiß mich, wann ich das würd' ungerochen lassen. Holla! der h. Sebastianus ist mit Pfeilen erschossen worden, der h. Marcellianus ist mit einer Lanze durchbohrt worden, der h. Julius ist mit Brügel zu todt geschlagen worden, der h. Florianus ist in das Wasser versenkt worden, der h. Strato ist von zweien Bäumen in der Luft zerrissen worden, der h. Chrysanthus ist lebendig begraben worden, die h. Appollonia ist verbrennt worden, der h. Laurentius ist auf einem glühenden Rost gebraten worden, der h. Eustachius ist in einen glühenden metallenen Ochsen gesetzt worden, der h. Zephirinus ist im siedheißen Oel gebacken worden, der h. Modestus ist in zerlassenes Blei geworfen worden, der h. Silvanus ist von Löwen zerrissen worden, der h. Julianus ist von Schlangen und Ottern zerbissen worden, dem h. Andeollo ist das Haupt kreuzweis durchgehackt worden; dem h. Fusciano seynd große Nägel in die Augen, Ohren, Nasen geschlagen worden, dem h. Fausto seynd Ohren, Nasen, Lefzen abgeschnitten worden, der h. Basilissä ist die Zunge ausgeschnitten worden, der h. Dorothäus ist lebendig geschunden und nachmals mit Salz und Essig gerieben worden, dem h. Benigno seynd unter den Näglen der Finger und Zehen spitzige Nadel und Dörner eingedrungen worden, der h. Jacobus, mit dem Zunamen Intercisus, ist zu viel tausend Stuck zerhackt worden, der h. Victor ist in einem Stampf völlig zerquetscht worden, die h. Tarbula ist mit einer Säg durchschnitten worden. In Summa, alle Peinen, die diese gelitten, alle Qualen, welche die 11,000 Jungfrauen zu Cöln, die 20,000 Martyrer zu Nicomedia, die 300,000 zu Rom, ja die 11,000,000 der Blutzeugen Christi haben ausgestanden in der ganzen Welt, alle diese thät dir der Satan gern, über gern, ja ganz begierig an, und überdieß alles noch in die ewige Gefängnuß und Verdammnuß ziehen, dafern Gottes Gewalt ihn nit abhielte, und du wünschest noch: er soll dich zerreißen?

Es ist ein Thierl, welches nicht erschaffen worden, solches hat Adam das erstemal, als er im Schweiß seines Angesichts mußte das Brod gewinnen, auf die Bahn und zugleich auf die Bein gebracht; dieses Thierl in einem Buchstaben-Wechsel heißt Saul, sonsten in seinem Namen lateinisch Laus etc., dieß soll man auf keine Weis in Belz setzen, dann es kriecht selber daran; solche Beschaffenheit hat auch der leidige Satan, diesen schädlichen, schändlichen, schinderischen Gast soll man nicht rufen, noch weniger bitten: er soll kommen und dich zerreißen, weil er wohl ungeladen eindringt. Er hat die Eigenschaft jener Vögel, welche immerzu das Opfer des Patriarchen Abrahams wollten angreifen, und hat der h. Mann genug zu schaffen gehabt, daß er dieselben mit Prügel und Stöcken abgetrieben. Er hat die Art jenes Diebs, der da nit kommt, dann daß er stehle und würge und verderbe; er hat die Manier jener Straßenräuber, welche den armen Reisenden von Jerusalem nach Jericho so übel und grausam traktirt. Es wässern ihm mehr die Zähn nach deiner Seel, als den Egyptiern nach den Knofsken, und du rufest noch?

Leo IX., römische Papst, schreibt selbst, daß seine Bas oder Maim in einem Kloster einen sehr heiligen und unsträflichen Wandel habe geführt, und habe in ihrer Zell eine Zwerginn bei sich gehabt, mit welcher sie pflegte Tag und Nacht zu psaliren; einmal bei Mitternacht wollt diese ihre Zwerginn nach Gewohnheit zur Metten aufwecken, aber die keine Person hatte dazumal einen so großen Schlaf, daß sie gar nicht zu erwecken war, wessenthalben sie in diese unbehutsamen Wort ausgebrochen: du Teufel, so stehe auf; überdieß ist alsobald der böse Feind in Gestalt der Zwerginn erwacht und aufgestanden, nachgehends mit ihr das Brevier gebet, da sie nun zu diesem Versicul kommen: Exurgat Deus, et dissipentur inimici ejus et fugiant a facie ejus etc. „Es stehe Gott auf, so müssen seine Feind zerstreut werden, und müssen fliehen vor seinem Angesicht, die ihn hassen." Auf welche Wort der Teufel alsobald verschwunden, und die Flucht geben, und diese gottselige Dienerinn Gottes nit ohne sondere Reu erkennt, daß man gar nit soll den Satan rufen, noch laden, weil er ohnedas ganz willkürlich ist, uns zu schaden.

Der h. Gregorius erzählt von einem frommen

Priester, Namens Stephan, welcher ganz matt und müd von der Reiß nach Haus kommen, und seinen Diener mit diesen unbedachtsamen Worten geruffen: komm Teufel, zieh mir die Schuh aus; siehe! den Augenblick lösten sich die Schuh-Riemen selbst auf, und sprang der Schuh vom Fuß, worüber der fromme Mann sehr erschrocken, alsobald dem bösen Feind befohlen, er solle von dannen weichen, dann er habe ihn nit gemeint; aus welchem allen nur gar zu klar erhellet, und augenscheinlich wahrzunehmen ist, vorurbietig er sich einfinde, dahero auf keine Weis zu rufen ist.

Es ist wohl zu glauben, daß unter anderen fast die meiste Ursach sey, wessentwegen Gott der Allmächtige verhängt, daß durch den Teufel und sein anhängerisches Zauber-Gesind so viel Schäden den fruchtbaren Aeckern und Weingärten zugeführt wird mit so ungeheurigem Schauer und Rieswurf, alldieweil schon der allgemeine und sehr üble Mißbrauch eingeschlichen, daß man fast zu einem jeden Wort den Teufel rufet, und weilen diesem Erzfeind der Allerhöchste die Gewalt zaumet und bindet, daß er der Seele nicht allemal kann schaden, so vergunnt ihm doch das unerforschliche göttliche Urthl die Gewalt, in die zeitlichen Güter und Habschaften; wie leider dessen viel tausend Exempel konnten beigebracht werden.

Es hat diese Jahr hindurch das werthe Herzogthum Steyer einen unglaublichen Schaden erlitten durch dieses verruchte Zauber-Geschmeiß, wie es die eigene Aussagung der Hingerichteten zu Feldbach, zu Radkersburg, zu Voitsberg, zu Grauwein und anderen Orten, sattsam bezeugen. Dieß tausend sechshundert acht und achtzigste Jahr, im Monat Junio, haben sie einen so großen Schauer herunter geworfen, daß deren etliche Stein auf 5 Pfund schwer gewogen, und hat man unweit der Hauptstadt Grätz gewisse große Vögel wahrgenommen, welche in der Höhe vor diesem grausamen Schauerwetter geflogen, und selbiges hin und her geführt. Einige bekennten, so nachmals verdienter Massen im Feuer aufgeopfert worden, wie sie das höchste Gut und die allerheiligsten Hostien s. v. in Sautrög geworfen, selbige mit einem hölzernen Stößel nach Genügen zerquetscht, daß auch mehrmalen ihrem Gedanken nach das helle Blut hervor gequellt, dannoch ganz unmenschlich und unbeweglich in ihrer Bosheit fortgefahren, gedachtes höchste Geheimnuß mit unflätigem Wasser begossen, und nachdem sie es mit einem alten Besenstiel gerührt, sey alsobald der klare Himmel verfinstert worden, und allerseits, wo es ihnen gefällig, der häufige Schauer herunter geprasselt. Andere haben gesagt, daß sie mit dem bösen Feind seyn ausgeflogen, und nachdem sie bey einer Eiche, woraus allerlei Wein gerunnen, eines guten Muths gewesen, haben sie hin und her etliche Händ voll Arbes aus einem schwarzen Topf oder Hafen ausgestreut, woraus ein solcher jämmerlicher Schauer worden, daß solches alles, auch ihr eigenes Treid und Erdfrüchte in Grund erschlagen. Einige haben freiwillig ausgesagt, wie daß an einem Ort, welches sie gezeigt, eine alte kleine Mauer stehe, so oft sie von besagter Mauer etliche Steinl in die Höhe werfen, so oft erstehe allemal ein großer Schauer, den sie nachmalen nach Belieben austheilen. Man hat diese Mauer dergestalten zerstört, daß nit ein Stein geblieben, ja die Benachbarten haben die Steinl in Butten hinweg getragen, aber den andern Tag stund allezeit die Mauer wie zuvor, massen sie noch heut zu sehen.

Vater, Mutter, Bruder, Schwester, Tochter, und Dienstboten in einem Haus, nach geschehener gerichtlicher Frag haben ausgesagt, daß sie gar oft vom Teufel gezwungen worden, ja sogar mit Prügel und harten Stößen gedrungen zum Schauer machen, wessenthalben sie den Schauer in Körben, im Zecker, in Säcken, im Wändl und anderen Geschirren geführt, daselbst ausgestreut, alsdann wie Storchen oder andere Vögel heimwärts geflogen; haben beinebens bekennt, daß, wann man mit geweihtem Pulver schießt, es ihnen auf der Seite sehr große Schmerzen verursache, und das Wetter sich bald zertheile. Es ist nit zu widersprechen, daß nit sehr viel große Ungewitter, schädliche Schauer und ungewöhnliche Platzregen von natürlichen Ursachen herrühren, hingegen aber ist und bleibt gar zu wahr, daß gleichwie derjenige erschreckliche Schauer, welchen Gott der Allmächtige über die Amoräer geschickt, ist durch der bösen Engel Mitwirkung geschehen, also mehrmalen durch die Teufel und dessen Hexengesind solches Uebel verursacht werde, und ist meine wohlgesteifte Meinung, daß solches der gerechte Gott unserer Sünden halber zulasse, meistens aber, weil wir sogar des Satans Namen öfter im Maul und auf der Zunge, als den Namen des wahren Gottes; ja hätt ich so viel Groschen, als diesen Jahrmarkt allhier zu Grätz, da ich solches schreibe, nur der Teufel hol mich! gehört wird, sodann wollt ich gar leicht eine große Herrschaft einkaufen. Hätt ich so viel Scheiter Holz, als in einem Dorf den Sommer durch des Teufels bin ich! gesagt wird, so hätt ich mein Lebentag genug Holz im Winter. Hätt ich so viel Ellen Leinwand, als in einem Jahr der Teufel zerreiß mich! unter der Gemein in Deutschland geschworen wird, so wollt ich fast einen Vorhang machen vor der Sonn, daß aus dem Tag eine Nacht würde; fast zu allen Worten gesellt man diesen leidigen Feind, alle Schwüre muß bereits der Teufel versieglen, und glaubt man, die Wahrheit könne nit gehen, sie muß dann auf dem Teufel reiten.

Er ist wohl ein armer Teufel.

Tobias wollte auf der Reis' in dem Fluß Tigris seine bekothigten Füß' waschen, und als er zum Gestad hinzu nahete, da sprang unversehens ein großmächtiger Fisch in die Höhe, als wollt er ihn verschlucken, wie er dann dessentwegen überlaut aufgeschrien: Auweh! er frißt mich! Der Engel aber ermahnt ihn, er soll ihn nit fürchten, sondern ganz beherzt den Fisch ergreifen, welchem Rath er fleißig nachkommen, den Fisch auf das Land heraus gezogen, auch nachmals, aus Befehl des Azariä, selbigen eröffnet, und alles Ingeweid heraus genommen, darauf schafft der Engel dein Tobiä, er soll drei Ding für sich behalten, das Herz, die Gall und die Leber, weil sie sehr trefflich und heilsam zur Arznei; wie nun alles dieß geschehen, und sie beede nach der vornehmen Stadt Rages ankommen, also unterfangt sich der Tobias den Engel zu fragen: mein lieber Bruder Azaria, mein sag mir doch vor, für was seynd dann diese drei Ding gut? der Engel antwortet ihm also: wann du mit dessen Gall die Augen anschmierst, welche mit einem Fell überzogen, so werden sie wieder gesund. O gedacht der Tobias, das taugt vor meinen Vater. Zum andern, sagt der Engel, wann du ein Stücklein von dem Herz dieses Fisches auf eine glühende Kohle legest, so vertreibt der Dampf die Teufel, welches nachmals mit der Sara in der Wahrheit geschehen, dero sieben Männer nacheinander der Teufel den Hals umgerieben, solche aber mit diesem Mittel verjagt worden.

Nunmehr kann man dem Teufel den Trutz bieten, ihn auslächen, ja gar soppen und bei der Nase ziehen, weil ihn zu verjagen, zu vertreiben, zu überwinden eine keine Particul von einem Herz mächtig genug; Guraschi und Herz wider ihn, er ist gar ein armer Teufel, ein schwacher Teufel, ein blöder Teufel, ein plumper Teufel, ein kranker Teufel, ein furchtsamer Teufel, ein verlassener Teufel, ein ohnmächtiger Teufel, ein kühler Teufel, ein geschreckiger Teufel, ein lethfeigerischer Teufel, ein flüchtiger Teufel, er ist ein Hund, der bellen kann, aber nit beißen, er ist ein Dieb, der steigen kann, aber nit stehlen, er ist ein Feind, der das Schwert zucken kann, aber nit verwunden, er ist ein Gesell, der führen kann, aber nit verführen, er ist ein Vogel, der locken kann, aber nit zwingen, er ist ein Böswicht, der drohen kann, aber nit schlagen ohne Gottes Willen und Zulassung;

Nur ein Herz wider ihn! Dem h. Hilarion ist er auf eine Zeit erschienen wie ein großes ungeheures Kameel, welchen aber der gottselige Mann nur ausgelacht, du einfältiger Narr, sprach er, du magst erscheinen wie ein Kameel oder wie ein Füchsel, wie ein Ries oder wie ein Zwergel, wie ein Drach oder wie ein Würmel, non terres me; du wirst mich nit schrecken.

Das Wort Teifl, in einem Anagrama oder Buchstaben-Wechsel, heißt Feitl. Du Teifl bist wohl ein närrischer Feitl, daß du also prahlen magst mit deiner Macht, schau, nit ein Haar! wann du so groß wärest, als ganz Holland, du sollst mich nit holen: wann du einen Rachen hättest so groß, als ganz Frisland, du sollst mich nit fressen; wann du eine Faust hättest, so groß als ganz Sclavonien, du sollst mich nit schlagen; wann du einen Degen hättest so breit, als Sabaudia, du sollst mich nicht säbeln, wann du ein Biß hättest so groß, als Pisana, du sollst mich nicht beißen, wann du Klauen hättest so groß, als ganz Kroatia, du sollst mich nicht kratzen, ich fürcht dich nit ein Haar. Wohl recht ist der Teufel im Paradeiß in die Schlangen, in dieses kriechende Thier eintreten, dann er muß sich verkriechen mit aller seiner Stärke und Macht. Der obriste Teufel Lucifer ist mit sechzig tausend der allerärgsten Teufeln wider den einigen halb nackenden und ausgemergleten Diener Gottes Franciscum aufgestanden, und ihn bekriegt, aber mit Schand und Spott müssen abweichen.

Der Teufel ist so furchtsam, daß er wie ein Staub von dem Athem, oder Rauchen eines Priesters verjagt wird; dann der Priester unter anderen pflegt in der Tauf das Kind dreimalen kreutzweiß anzukauchen, wobei er diese Wort ausspricht: Exi ab eo immunde spiritus, weiche von ihm du unreiner Geist; ja dieser höllische Feind ist also schwach, daß ihn auch ein Esel kann vertreiben, und fein recht die Esel-Ohren zeigen, also schreibt Vincentius. Wie der h. Regulus aus einem Besessenen den bösen Feind verjagt, wollt solcher alsobald fahren in den Esel des h. Manns, der ihm schon viel Jahr gedient, wie solches der arme Langohr (welches ungezweifelt den Verdiensten des h. Manns zugeschrieben) vermerkt hat, machte er gleich mit dem Fuß ein Kreuz auf die Erd, und erhebt ein ungewöhnliches Schreien, wodurch er etwann seinen Schöpfer angerufft, oder vielleicht den Teufel ausgelacht, weil sich solcher alsobald in die Flucht begeben. O Lethfeigen!

Dem armen Samson, nachdem er seine Stärke durch ein schwaches Weibs-Bild verloren, haben die Philistäer seine Augen ausgestochen, und auf einem solenen Festtag, mehr aber Freßtag, in ihren Tempel führen lassen, allda mit ihm, weil sie schon ziemlich bezecht, eine Kurzweil zu treiben, und ist wohl glaublich, daß sie ihn durch muthwillige Leut, und schlechtes Schörgen-Gesindl über die massen werden gefoppt haben, wie dann dessenthalben mit ihm ein herzliches Mitleiden zu haben gewest, dann es gar wohl eine ungereimte und höchst beschwerliche Sach scheinet, wann man einen ehrlichen Mann, wie da Samson war, so spöttlich foppet und durchlast, aber den Teufel foppen, ist schon recht, deßgleichen haben gethan viele Heilige.

Der h. Dominicus, nachdem er aus Spanien

wieder zuruck kommen, hielte in einem Frauen-Kloster den frommen Schwestern eine sehr geistreiche Sermon, weilen aber der Satan und leidige Teufel dem Wort Gottes gar nit hold ist, also suchte dieser Feind in allweg den Nutzen und Frucht dieser Predigt zu verhindern, zu welchem End er sich in Gestalt eines Spatzen sehen lassen, und dergestalten unter den Kloster-Frauen hin- und hergeflogen, daß sie hierdurch nicht wenig in Anhörung des göttlichen Worts verhindert worden, Dominicus gedachte bald, daß er müßte dem Teufel die Spatzen ausnehmen, dahero er einer aus obbenannten Schwestern, mit Namen Maximilla, befohlen, sie soll den Spatzen fangen, und nur ihm überliefert, nachdem solches geschehen, hat der h. Mann diesen Vogel lebendig geropft, eine Feder nach der andern, nit ohne großes Geschrei und Toben ausgezogen, welche alle Anwesende zu einem Gelächter veranlasset, nachmals hat er diesem federlosen Schelmen geboten, nunmehr soll er hinweg fliegen, und forthin nit mehr das Wort Gottes verhindern, dieser Erz-Vogel hat sich alsobald davon gemacht, und aus Zorn die daselbst hangende Lampe um und um gekehrt, jedoch ohne Vergießung eines einigen Tropfen Oels.

Der unverschamte Feind wollt die angethane Schmach auf alle Weis rächen, erscheinet demnach die andere Nacht, als Dominicus beim Licht geschrieben, in Gestalt eines Affen, welcher mit seinen lächerlichen Possen und possirlichen Gebärden auf alle Weis gesucht, den h. Mann in diesem seinen gottseligen Werk zu verhindern. Dominicus vermerkte unschwer solche Arglist, sagt also geschwind zu ihm: Schelm, halt mir

die Kerze, und thue mir recht leuchten, ich will dir das Hupfen vertreiben, der arme Teufel mußte hierinfalls den Gehorsam leisten, welches über alle massen ihm hart ankommen, daß er, als ein Fürst der Finsternüß, hat müssen das Licht halten, er unterließ gleichwohl nit, so viel es ihm möglich war, allerlei närrische Scherz-Sachen zu treiben, welches ihm aber der h. Mann ziemlich eingetrenkt, dann dieser saubere Aff mußte die Kerze so lang in der Bratze halten, bis sie ganz abgebrunnen, er hat zwar derentwegen mit großem Mürren die Bratzen geschüttlet, weil ihn das Licht sehr gebrennt, es hat aber der arme Teufel so lang müssen einen Leuchter abgeben, bis ihm ein ganzer Finger von der Bratzen verbrunnen, worauf ihm, nicht ohne Gelächter und Schimpf, Dominicus abzuweichen befohlen.

Da sieht man des Teufels Macht und Pracht, er wollte vorhin dem Allerhöchsten gleich seyn, ein Gott seyn, und jetzt soppt man ihn, wie einen Narren, man halt ihn vor einen Limmel, man nennt ihn einen Gimpel, man schielt ihn eine Trampel, man heißt ihn einen Maulaff, man jagt ihn wie eine Lethfeigen, man treibt ihn wie einen Esel, man trillt ihn wie einen Hund, man brüglet ihn wie ein Lamm, man tritt ihn wie einen Wurm, man schimpft ihn wie einen Simpel, man bindt ihn wie einen Dieb, man schafft ihm die nächste Arbeit.

Jener Hauptmann und wackere Soldat zu Kapharnaum, unter anderen, was er bei Christo dem Herrn vorgetragen, hat auch Meldung gethan von seinen untergebenen Soldaten und Landsknechten, was gestalten dieselbigen so gehorsam seyn, dann wann er einem nur sagt, veni, komm, so kommt er. Der Teufel ist vielen heiligen Leuten noch mehr unterworfen gewesen, daß er also auf das hurtigste mußte vollziehen, was sie ihm auferlegt; dem h. Bernardo hat er müssen anstatt eines Wagen-Rad seyn, dem h. Wolfgango hat er müssen Stein zu der Kirchen tragen, dem h. Furseo hat er müssen auskehren; dem h. Francisco Olympio hat er müssen den Ranzen tragen, dem h. Patritio hat er müssen ein Feuer aufmachen. In einem Kloster, schreibt Majolus, hat er müssen einen Kuchl-Buben abgeben, und weil ihm ein Bedienter daselbst gar oft ein siedheisses Wasser, oder gar einen wilden Ausguß mehrmalen auf den Kopf geschütt, hat er denselben bei den Füßen aufgehenkt, jedoch ohne Schaden.

Der h. Erz-Bischof Dunstanus, wie seine Lebens-Verfassung bezeugt, hat dem Teufel gar einen groben Possen und Schimpf versetzt, dann bevor dieser hl. Mann zu solcher Hoheit gelangt, hat er ein Kloster-Leben geführt, und weilen auch zu gewissen Zeiten die Ordens-Leut, zur Vermeidung alles Müssigangs, sich gar löblich pflegen in einer oder anderer Hand-Arbeit zu üben, also hat auch der h. Dunstanus deßgleichen gethan, dem Teufel machte dieß nit wenig Verdruß, dahero er auf eine Zeit bei dem Fenster seiner Zell in Gestalt eines Nachbarn erschienen, und weiß nicht was von ihm um Gotteswillen begehrt, es war der h. Mann urbietig, aus christlicher Lieb, ihm hierin zu helfen, weil er aber vermerkt, daß dieser vermäscherte Teufel bald wie ein Kind, bald wie ein Mann, bald wie ein Weibs-Bild allerlei Possen getrieben, so gedacht er dem Schelm eines zu versetzen, nimmt deswegen die Zange, so dazumal im Feuer lag, ganz glühend, faßt damit den Teufel bei der Nasen, und halt ihn eine lange Zeit bei dem verfluchten Schmecker, bis andere Leut wegen des ungeheuren Geschrei zugeloffen, den Teufel ausgelacht, und beinebens Gott gepriesen, daß er seinen Dienern so große Gewalt geben über die höllischen Feind.

Aus diesem erheilet klar, wie wahr da seyn jene Wort des gekrönten Harfenisten Davids, welcher in seinen Psalmen und Liedern auch dem Teufel einen Spott anthut, mit diesen Worten: Draco iste, quem formasti ad illudendum: Da ist der Drach, den du gemacht hast, darmit zu spielen. Was kann doch dem Teufel für ein größerer Spott seyn, als den ihm zur Faßnachtzeit etliche berauschte und wohlbezechte Bauern angethan; also wird glaubwürdig geschrieben, daß Anno 1589 den 19. Martii einen besessenen Menschen etliche Bauern, so dazumal von dem Wein ein Herz gefaßt, also geplagt, und den bösen Feind mit dem Namen Jesus also gepeiniget, daß er endlich mußte vor diesen berauschten Gesellen die Flucht nehmen, dann sie dem besessenen Tropfen sehr viel Weihbrunn eingoßen, und ihre Rosenkränz an Hals gehängt, worüber er sich gebrochen, und einen solchen Gestank von sich geworfen, daß die Bauern fast alle in Ohnmacht gefallen, der arme Mann aber von dem höllischen Gast erlediget worden. Pfui, pfui, pfui, pfui, einen solchen armen Teufel, der sich auch von berauschten Bauern laßt in die Flucht jagen! Der h. Benedictus hat so gar mit einer guten Ohrfeige, welche er einer besessenen

Person versetzt, den Teufel ausgetrieben. Also wird registrirt von einem frommen Religiosen, welcher die Gewohnheit hatte, allenthalben zu beten, welches den Satan nit wenig verdrossen. Als gedachter Religios einmal auf einem geheimen Abtritt ebenfalls andächtig psalirt, ist der Teufel ihm erschienen, und mit scharfen Worten seine Frechheit verwiesen, er soll sich schämen, daß er an einem so unreinen Ort das Gebet und heilige Wort mißbrauche, Tempel und Kirchen seynd gebührende Oerter mit Gott zu reden, und nit solche wilde Winkel rc. Ho, Ho, sagt der fromme Mann, was hast du viel Fug mir solches Kapitel zu geben, weißt du was? dasjenige, was von meinem Mund und Herzen ausgehet, benanntlich das Gebet, schenk ich meinem Gott, was aber unterhalb durchfallt, das ist ein Opfer vor dich, weil du ohne das ein unreiner Geist bist, solches hat den hoffärtigen Narren also verdrossen, daß er mit großem Heulen und Kürren verschwunden.

Jenes Abscheuen oder natürliche Grausen, welches sehr viel Leut an einer, oder anderen Sach haben, pflegen die Philosophi oder Weltweisen Antipathia zu nennen, welches eine gesamt angeborne Entsetzung von einer Sach ist, und innerliche angesamte Feindschaft gegen derselben. Also werden Leut gefunden, die gewisse Speisen nicht können ansehen, dergleichen nur gar viel allenthalben anzutreffen. Zu Wien war vor kurzen Jahren ein bekannter Maurmeister, der keinen rothen Wein leiden können, ein anderer noch im Leben daselbst berühmter Geistlicher kann keine Ruben leiden, ein anderer ist allhier zu Grätz, der kein Butterstritzl kann ansehen, und dafern er solches vermerkt, wird er ganz entfärbt, so bald man aber dasselbige anschneit, so vergeht ihm aller Widerwillen. Ein anderer, ist noch im Leben, der kann nit leiden, so man ihm bei der Tafel vorlegt, und so oft solches geschieht, wird er ohnmächtig; ein vornehmer Herr allhier kann keinen Aal sehen. Ich hab einen zu Ingolstadt gekennt, der kein Wasser konnte leiden, dahero sich auch niemalen mit Brunn-Wasser, oder Fluß-Wasser gewaschen, sondern allemal mit Bier oder Brandwein, auch sein Lebtag keine Suppen geessen, und wann es Regenwetter war, so empfand er sehr große Schmerzen im Magen. Im Algei, unweit der Stadt Rieding, war ein Bauernknecht im Dorf, der konnte von Natur kein unehrliches Weib sehen, und da auch zwanzig Weiber oder junge Mägd in einer Gesellschaft beieinander versammlet waren, und nur eine darunter, welche in aller Geheim ihre Ehr verloren, so wurde gedachter junge Mensch also ohnmächtig und krank. Einer ist in Mähren gewest, der kein gespitztes Messer auf keine Weis konnte anschauen. Scaliger schreibet von einem Edelmann aus Frankreich, wie daß selbiger ein solches Abscheuen getragen an einer Leyer, daß, wann er diese Musik nur ein wenig angehört, gleich und alsobald die Natur sich entsetzt, und aus Schrecken alles von ihm gangen. Zu Florenz war vor etlich Jahren ein deutscher Soldat, aus des Groß-Herzogs seiner Leib-Garde, welcher gar nicht von Natur konnte leiden einen Krug oder Kandl mit einer Handhab, dahero er alle Handhäb voran gebrochen, ehe er getrunken, ja er wäre vor Durst gestorben, als daß er aus einem solchen ganzen Krug getrunken hätt. Es bezeuget der gelehrte Abt Hieronymus Hiernhaim, daß einer die Speck-Knedl, mit beigelegtem geselchten Fleisch nit habe leiden können, sondern dergestalten wider seinen Willen jederzeit zum Lachen bewegt worden, daß, wann man diese nicht hätte hinweg getragen, er vor lauter Gelächter wäre gestorben. Ein Schlosser-Gesell, meiner Zeit zu Neu-Oetting in Bayern, kounte keinen viereckichten Speck sehen, und hat man ihn mit einem keinen Stückel, besser, als mit einem bloßem Schwerdt können jagen; vor einem runden oder dreieckichten Speck hat er sich auf keine Weis' entsetzt. Solcher seltsamen Antipathien ist fast eine unzahlbare Anzahl, nit allein unter den Menschen, sondern auch unter den bösen Feinden, massen solche eine sondere Antipathia oder Haß tragen gegen etliche Dinge, und will ich dermalen nit viel Meldung thun von unterschiedlichen Kräutern, Wurzlen, Rauch und andern natürlichen Sachen, welche dem Teufel zuwider seynd: Hypericum, Adianthum, Pervica, Palma Christi, Ramnus, Abrotanum etc. So findt man ebenfalls in dem Buch, worin die Exorcismi oder Teufels-Beschwörung verfaßt seyn, daß ein gewißer Rauch von Schwefel, Esel-Klauen, Rauten, Asa foetida die Teufel vertreibe; das leichteste Mittel aber, welches ein jeder hat, oder haben kann, ist das h. Kreuz-Zeichen.

Ein frecher Jüngling, Namens Theodoricus, begab sich nach Lübeck, daselbst eine junge Tochter zu besuchen, gegen die er sehr heftig entzündt war, weilen aber ein anderer ihm vorkommen, ist er dessenthalben so ergrimmt, daß er aus ungezähmtem Zorn in diese Wort ausgebrochen: „Der Teufel, welcher mich allhero geführt hat, der führ mich wieder hinaus." Der eingeladene Fuhrmann war alsobald da, und führte bereits den armen Tropfen in die Lüft, ganz über die Stadt, aliwo er ihn gar nit sanft in eine Kothlacke niedergesetzt, mit diesen Worten: nisi te signasses, periisses, wann du dich nit hättest gezeichnet, so wärest du zu Grund gangen, dann zu wissen, daß er dazumalen aus größter Furcht das Kreuz, ob zwar ganz unvollkommen gemacht habe.

Sonsten fürchtet sich das Wachs vor dem Feuer, wie nun allzubekannt, aber es ist schon dahin kommen, daß sich das Feuer vor dem Wachs fürchtet, will hierdurch verstanden haben die verdammten feurigen Geister, denen einen sondern Schrecken einjagt jenes Wachs, worauf das Lamm Gottes gestaltet ist, so da insgemein genannt wird Agnus Dei. Das allererste Agnus Dei hat uns gespendirt der h. Joannes der Täufer, als er dieses Wort zu den Hebräern gesprochen: Ecce Agnus Dei, sehet das Lamm Gottes ꝛc., die andern Agnus Dei, in und aus Wachs, spendirt der päpstliche Stuhl, dann dergleichen runde Wachs mit der Bildnuß eines Lamms pflegt der römische Papst und Statthalter Christi das erste Jahr seines Papstthums solenniter in Beyseyn der Kardinäle zu weihen, nachmals nur alle sieben Jahr; diese seyad eine sehr stattliche Hülf wider die Teufel und dero Nachstellungen, wie es aus so vielen wunderbarlichen Begebenheiten sattsam bekannt ist.

Anno 1585 ist im trierischen Gebiet ein Kaab

mit 8 Jahren durch die Hexen verführt worden, daß er sich auch bei dero Zusammenkunft eingefunden, und aus Befehl des Teufels mußte er einen Spielmann abgeben, und die Trommel schlagen, wann dieses Zaubergesind getanzet; da er aber dessen verwiesen worden, und der Erzbischof in allweg gesucht, diesen so zarten Bissen aus dem Rachen des bösen Feindes zu reißen, auch unter anderen angewendten geistlichen Mitteln ihm das Agnus Dei an Hals gehängt worden, hat ihm solches bei nächtlicher Weil der Teufel sehr scharf verwiesen, mit Bedrohung harter Schläg, dafern er solches nit wollte beiseits legen, und sobald der furchtsame Knab diesem nachkommen, hat ihn alsobald der leidige Satan auf einen schwarzen Bock gesetzt, und mehrmalen zu der versammelten Zauber-Bursch geführt.

Anno 1586 hat zu Trier ein Zauberer durch öffentliche Bekanntnuß bestanden, wie daß die Hexen eine lange Zeit dem Erzbischof daselbst haben nachgestellt, ihm aber niemalen schaden können, außer dazumalen, als er schlafen gangen, und aus Vergessenheit sein Agnus Dei auf dem Tisch liegen lassen, zur selben Zeit sey ihm durch das Hexen-Gesind ein Trunk eingegeben worden, welcher, so er mehr gewest wäre, ihm das Leben hätte genommen, worauf der Erzbischof sich entsonnen, und bekennt, daß er bei keiner Zeit sich also übel habe befunden, als in selbiger Nacht, auch derenthalben etliche Tag müssen im Bett liegerhaft verbleiben.

Anno 1595 ist zu Jamada eine besessene Person durch ein Agnus Dei am Hals vom bösen Feind erlöst worden, welches nt mehreren bestätiget Ludovieus Froes.

Fast erschrecklich ist, was ganz umständig erzählt Augustinus Castanus, wiedaß eine junge Tochtee wider ihren Willen von de Eltern in ein Kloster sey gesteckt worden, und weil sie nun vermerkt, daß ihr nimmermehr das Heirath werde zugelassen, also hat sie sich mit Leib und Sel dem bösen Feind verschrieben, und ihn zu einem Liebhaber und Bruder anserkiesen, welcher dann i Gestalt eines vorhin gewünschten Jünglings durc zwölf Jahr ihr beigewohnt, nach solcher Zeit ist sie i eine tödtliche Krankheit gerathen, und weil sie in Furcht stund, als werde bald ihre ewige Straf einen Anfang nehmen, hat sie eine große Angst und häufige Betrübniß überfallen, und wollte beinebens dem sorfältigen Beichtvater ihre so schweren Wunden auf kein Weis' entdecken, bis endlich der fromme Pater ih ein Agnus Dei an Hals gehängt, worauf sie alsoald mit reuvollen Seufzern ihre Sünden bekennt, au viele Zeit der leidige Satan sie nit berühren dürft, so lang sie das Agnus Dei bei sich getragen; w oft sie aber nachmals selbiges hindann gelegt, so oft ist sie unter des Bösen Gewalt gewesen, bis enach durch grundlose Barmherzigkeit Gottes sie auf keine Weis' mehr besägtes Agnus Dei, anch durc Hülf des Teufels, weder mit Zangen noch Reissen hat können vom Hals bringen, worüber der Satan zu Schanden worden, und sie nachgehends einen bußfertigen Wandel geführt, auch endlich eines seligen Tods verschieden.

Wie der Kriegsfürst Gedeon mit großer Macht

und Armee wider den Fein ausgezogen, hat ihm der Allmächtige anbefohlen, er oll unter dem Volk aus-rufen lassen, wer da furchsam sey, der soll wieder zurück kehren, und gedenk mer, da seynd zwei und zwanzig tausend gefunden nrden, welche nach Haus gemarschirt, das war eine gße Anzahl der Lethzeigen.

Aber noch mehr seynd nzutreffen unter den Teufeln, ja alle und jede höllchen Larven seynd furchtsam und verzagt, und kat sie der Name Jesus und Maria, das kleinste .reuzl, das kürzeste [illegible]betl, ein schlechtes Bildel, ogar ein Tropfen Weihwasser in die Flucht jagen. O wohl ein armer Teufel, der von Gott und seiner Geschöpfen gefoppet wird.

Großen Dank [illegible]err Teufel.

Dem ist nit also, mne fromme Kana[illegible]ärinn, die Frau irret sich, die Wet[illegible]-Reden seynd [illegible] alle-mal an dem rechten Probste gerieben, Zangen und Zungen beißen oft ihnen se[illegible] eine Scharte, [illegible]derlich bei dem Frauenvolk, welches mehrmalen redet, was da gesichtig, und doch nicht gewichtig, [illegible] gewichtig, doch nit richtig, as da richtig, doch [illegible] schlichtig; mit Erlaubniß, [illegible] Kana[illegible], [illegible] Memorial ist nicht gar [illegible] ger[illegible]mt, [illegible], [illegible] Bitt geht auf Stelzen, euer Anbringen [illegible] [illegible]deologisch als theologisch, [illegible] erlöst worden, welches mit mehreren bestätiget Ludovicus Froes.

Fast erschrecklich ist; was ganz umständig erzählt Augustinus Castanus, wie daß eine junge Tochter wider ihren Willen von den Eltern in ein Kloster sey gesteckt worden, und weil sie nun vermerkt, daß ihr nimmermehr das Heirathen werde zugelassen, also hat sie sich mit Leib und Seel dem bösen Feind verschrieben; und ihn zu einem Liebhaber und Bruder auserkiesen, welcher dann in Gestalt eines vorhin gewünschten Jünglings durch zwölf Jahr ihr beigewohnt, nach solcher Zeit ist sie in eine tödtliche Krankheit gerathen, und weil sie in Furcht stund, als werde bald ihre ewige Straf einen Anfang nehmen, hat sie eine große Angst und häufige Betrübniß überfallen, und wollte beinebens dem sorgfältigen Beichtvater ihre so schweren Wunden auf keine Weis' entdecken, bis endlich der fromme Pater ihr ein Agnus Dei an Hals gehängt, worauf sie alsobald mit reuvollen Seufzern ihre Sünden bekennt, auch viele Zeit der leidige Satan sie nit berühren dürfen, so lang sie das Agnus Dei bei sich getragen; wie oft sie aber nachmals selbiges hindann gelegt, so oft ist sie unter des Bösen Gewalt gewesen, bis endlich durch grundlose Barmherzigkeit Gottes sie auf keine Weis' mehr besägtes Agnus Dei, auch durch Hülf des Teufels, weder mit Zangen noch Reissen hat können vom Hals bringen, worüber der Satan zu Schanden worden, und sie nachgehends einen bußfertigen Wandel geführt, auch endlich eines seligen Tods verschieden.

Wie der Kriegsfürst Gedeon mit großer Macht

und Armee wider den Feind ausgezogen, hat ihm der Allmächtige anbefohlen, er soll unter dem Volk ausrufen lassen, wer da furchtsam sey, der soll wieder zurück kehren, und gedenk einer, da seynd zwei und zwanzig tausend gefunden worden, welche nach Haus gemarschirt, das war eine große Anzahl der Lethfeigen.

Aber noch mehr seynd anzutreffen unter den Teufela, ja alle und jede höllischen Larven seynd furchtsam und verzagt, und kann sie der Name Jesus und Maria, das kleinste Kreuzl, das kürzeste Gebetl, ein schlechtes Bildel, sogar ein Tropfen Weihwasser in die Flucht jagen. O wohl ein armer Teufel, der von Gott und seinen Geschöpfen gefoppet wird.

Großen Dank Herr Teufel.

Dem ist nit also, meine fromme Kananäerinn, die Frau irret sich, die Weiber-Reden seynd nit allemal an dem rechten Probstein gerieben, Zangen und Zungen beißen oft ihnen selbst eine Scharte, absonderlich bei dem Frauenvolk, welches mehrmalen redet, was da gesichtig, und doch nicht gewichtig, was da gewichtig, doch nit richtig, was da richtig, doch nit schlichtig; mit Erlaubniß, Frau Kananäerinn, euer Memorial ist nicht gar wohl gereimt, stilisirt, eure Bitt geht auf Stelzen, euer Anbringen scheint mehr deologisch als theologisch, ihr schreit mit erhobner

Stimm unsern Heiland an, er soll euch bedrängtem Weibsbild helfen, um weil ihr eine junge Tochter habt, die übel vom Teufel geplagt wird, male a Doemonio vexaretur etc., übel! ei, das ist übel geredt, meine Frau, die Plag, so einem der Teufel anthut, ist nit übel, sondern gut; wessentwegen der Mensch nicht unfüglich sagen kann, großen Dank Herr Teufel; zumalen keine Kron im Himmel, die der Satan nit geschmiedt hat, also bezeugt es der H. Vincentius Ferrerius: es thut uns dieser abgesagte Feind wider seinen Willen nutzen.

Wie geht es Ihr Gnaden Hoch- und Wohlgeborner Herr ꝛc., übel, sehr übel, male a Doemonio vexor, der Teufel hat mich vor 6 Wochen vom Pferd herunter geführt, also hab ich mir den linken Fuß recht gebrochen, welcher zwar durch Fleiß des Wundarztes wieder geheilt worden, allein hab ich mehrmalen unleidige Schmerzen, und gewiß nimmermehr einen gesunden Tag; daß dieß der Teufel gestift habe, und ein Unglück über den Hals gebracht, glaub ich gern, massen er dergestalten nit viel anderst umgangen mit dem Job, dem er die völlige Gesundheit genommen, allein das Wort Uebel in einem Buchstabenwechsel heißt so viel als Blüe, das Uebel ist eine Blüe, aus welcher viel Gutes wachset. Vorhin war bei diesem Monsignor das Beichten so rar, wie in einer Juden-Kuchel der Speck, es war bei ihm die Andacht so inbrünstig, wie die Eiszapfen im Januario, er ist die Woche einmal über das Vater unser kommen, wie die Gäns über den Haber, obenhin, ohne Gewinn, wie er aber in besagtes Unglück gerathen, hat er sich alsobald mit einem stattlichen Opfer nach Zell verlobt, auch, sofern ihm Gott das Leben werde fristen, hinfüro alle Monat wenigst einmal eine reuevolle Beicht verrichten, das Officium oder Tagzeit von der unbefleckten Mutter Gottes täglich beten, ja von selbiger Zeit an, weil ihm die Gesundheit nicht mehr in voriger Vollkommenheit, pflegt er sich von allen vorhin gewöhnlichen Gesellschaften abzusondern, und da er sich vorhin in stetem Hetzen und Jagen, auch an heiligen Tagen geübt und verliebt, dermalen läßt er Fuchs und Hasen seyn, und ergötzt sich mit dem Lamm Gottes, welches hinweg nimmt die Sünden der Welt; auf solche Weis ist ihm der Teufel nutz gewest, und gleichwie aus dem Gift der Medritat wird, also weiß der vorsichtigste Gott aus dem Bösen etwas Gutes zu schmieden.

Sattsam ist bekannt der wunderbarliche Schwemmteich zu Jerusalem, bei dem sich eine große Menge der armen, kranken und presthaften Menschen hat aufgehalten, zumalen besagtes Wasser diese Eigenschaft hatte, daß, wann es der Engel bewegt, der erste, so darein gestiegen, von allem seinem Zustand erlöst und kurirt worden, hat demnach nicht das klare, sondern das trübe Wasser die Gesundheit gebracht.

Gar viel Menschen seynd also gesittet und gesinnt, so lang es ihnen klar und wohl gehet, daß sie wenig an Gott denken, macht sie also das klare Wasser nit gesund; sobald ihnen aber der allmächtige Gott durch böse Engel, massen diese Gottes Schörgen und Henker seyn, ihren Wandel betrübt macht, da werden sie an der Seele gesund; Jonas der Prophet hat

Gott dem Herrn den Rucken zeigt, unterdessen sein Predigtamt resignirt, den Befehl Gottes als wie nichts geacht, und sein guter Ding also fortgeseglet, keine harte Straf im weichen Wasser ihm eingebildet, sobald ihn aber drei W überfallen, W Wetter, W Wasser, W. Wallfisch, Domini est recordatus et clamavit etc., da hat er angefangen zu Gott schreien, gelt es lernt dich beten?

Ein mancher Studiosus befleißt sich mehr auf die 7 Todsünden, als auf die 7 freien Künste, und gilt bei ihnen mehr eine Sophia als die Philosophia, lebt und liebt, und labt, und lobt nach allem Wohlgefallen, schaut weniger an Himmel oder in Himmel, als ein blinder Maulwurf, dem seine einige Freud ist, in der Erde herum zu wühlen und buhlen; Gott der Allmächtige erlaubt, der schafft dem bösen Feind, daß er diesem perdocto, seducto, perito, parito, parato becca et boccalaureo eine Krankheit über den Hals bringt, welches der Satan, vermittelst natürlicher Wissenschaft, gar leicht richten kann, sobald nun mehrgedachter Federhans in dem Federbett liegerhaft wird, und der Kopf anfangt zu schmerzen, die Puls zu laufen, der Durst zu plagen, das Herz zu kopfen, die Knie zu zittern, die Händ zu zappeln, die Brust zu raßlen, die Aengsten zu quälen, die Ohren zu sausen, der Magen zu grußlen, und der Doktor zu zweiflen, Domini est recordatus et clamavit, da fangt er an zu Gott zu seufzen: O Gott! O Erlöser! nur dießmal auf, nur dießmal nit sterben, ich will einen bessern Wandel führen, ich will Cauponas und Capones meiden, ich will Vino et

Veneri absagen, ich will Cupidini und Cupediis absagen, ich will Trapplen und Tramplen verlassen, ich will ein heiliges Leben führen, ich will nimmer zum grünen Kranz ins Wirthshaus, sondern lieber zum Rosenkranz gehen, ich will nit mehr gassaten gehen, sondern den Weg Gottes, was mehr ist, mein Gott und Herr! ich will ein Geistlicher werden, und dir mein Lebtag in einem strengen Orden dienen. Mala, quae nos hic premunt, ad Deum ire compellunt, also geschieht gar oft, daß dasjenige Uebel, welches uns durch göttliche Zulassung der böse Feind anthut, uns zum Guten bringt, ja solche Unglück, welche der Satan schnitzlet, seynd mehrmal Sporn, welche uns zur Furcht Gottes antreiben, seynd Magnet, welche uns zur Andacht ziehen, seynd Fuß-Bänder, welche uns vom Uebel und Unrecht gehen abhalten, seynd Praeceptores, welche uns lernen beten rc., ist also nit wahr, male a Doemonio vexor, sondern bene, großen Dank Herr Teufel, du nutzest uns viel.

Wie geht es, gestrenger Herr Junker? übel, sagt er, sehr übel, der Teufel hat meine Feind geritten, so lang, bis sie mich vom Dienst gebracht. Holla! das Wort Ibel heißt in einem Buchstabenwechsel so viel als Blei, das Blei ist der Uhr viel mehr nützlich als schädlich, massen das schwere Gewicht machet, daß die Uhr recht gehet. Der Prophet Daniel hatte auf eine Zeit eine sehr geheimnußreiche Erscheinung, er sahe erstlich ein wildes Thier, nit ungleich einer Löwinn: Quasi leaena et alas habebat aquilae, aspiciebam, donec evulsae sunt alae ejus, et sublata est de terra, et super pedes quasi homo stetit, et cor hominis datum est ei: Dieses Thier hätte Flügel wie ein Adler, nachdem ihm aber die Flügel ausgerissen worden, wurde es von der Erde erhebt, und nachmals zu einem Menschen worden. Herr Junker, dieser Spiegel ist für euch gemacht, so lang ihr in diesem kaiserlichen Dienst seyd gewest, habt ihr gelebt wie eine Bestia, euere Accidentia seynd kommen von des Kaisers Substanz, was den Deutschen Stilum anlangt, war euch keiner gleich, des Kaisers Silber leidt wohl öfter von dergleichen Erz-Dieben; im Evangelio steht nichts vom Nehmen, sondern vom Geben, date, quae sunt Caesaris, Caesari, gebet dem Kaiser, was des Kaisers ist; bei euch aber hat es geheißen: nehmts dem Kaiser rc., so lang ihr in dieser Schmalzgrube seyd gesessen, habt ihr euch aus Hoffahrt und Uebermuth gar nit mehr gekennt, habt euch eingebildet, der babylonische Thürm sey um drei Spannen niederer als ihr. Euer Adjutorium simile, und Frau Gemahlinn rauschte im Taffet daher, daß sie mit dem seidenen Schweif eine ganze Gasse auskehrte, alle Tag hat man Panquet und Mahlzeiten gehalten, daß also furari und vorare selten ohne einander; nachdem aber der Teufel, nach eurer eigenen Aussag, eure Feind geritten, daß sie euch um den Dienst gebracht, und also die Flügel gestutzt worden, wie der danielischen Bestiä, sodann habt ihr euch von der Erde erhebt zu Gott, jezt seyd ihr demüthig, aus einem Oberländer ein Niederländer worden, nach verlorenen Flüglen kein so großer Federhans mehr, und schmeckt euch recht wohl, wann euch der Bauer einen guten Morgen gibt, nunmehr führt ihr einen frommen und guten Wandel, anstatt der Mahlzeiten liebt ihr den Gottesdienst, und hat sich euer Leben ganz umkehrt, wann ihr wäret beim Dienst verblieben, so wäret ihr den geraden Weg samt den eurigen zum Teufel gefahren, auf solche Weis', durch wunderliche göttliche Anordnung hilft wider seinen Willen der Teufel vielen in Himmel, er hält die Leiter selbst in Himmel, er schmiedt die Kron in Himmel, bene, non male a Dœmonio vexor.

Es geschieht wohl öfter, daß uns das Böse etwas Guts ausbrütet. Plinius schreibt von Ferreo Jasone, wie daß solcher eine lange Zeit an einem Apostema oder einwendigen Geschwür unsägliche Schmerzen habe gelitten, wessenthalben er sich gänzlich entschlossen, in den Krieg zu ziehen, und an der Spitz der Armee zu stehen, damit er nur einmal den besagten Wehtagen ein Ende mache; wie es dann nit gar lang angestanden, daß gedachter Jason von einem Degen eine große Wunde empfangen, die allem Gedunken nach tödtlich scheinte, wovon er aber nit allein nit gestorben, sondern es ist ihm durch solche Wunden das so gefährliche Apostema geöffnet worden, und solchergestalten er zu gewünschter Gesundheit gelangt, dant vulnera vitam, die Wunden machen einen Gesunden.

Kaiser Paleologus, in dem vierzigsten Jahr seines Alters, hat einen so schweren Zustand bekommen, daß er ein ganzes Jahr mußte zu Bett liegen, auch war nach Aussag der Leibärzte keine Hoffnung mehr seines Aufkommens, bis endlich ein verständiges Weib sich angemeldt, und der Kaiserinn einen zwar seltsamen, jedoch heilsamen Rath geben, wofern sie wolle, daß Ihre Majestät der Kaiser wieder zur vollkommenen Gesundheit komme, soll sie ihn öfter zum Zorn und Unwillen erwecken, damit hierdurch die Phlegmatici Humores und allzuschweren Feuchtigkeiten vom Haupt sich abschälen, und in die Nieder sinken. Der Kaiserinn thät solches Weiber-Recept nit mißfallen, sondern alsobald solche Curam an die Hand genommen, den guten Kaiser dergestalten geplagt mit Stich-Reden, mit Vich-Reden, mit Trutz-Reden, mit Stutz-Reden, mit Fopp-Reden, mit Topp-Reden, mit Schmach-Reden, mit Lach-Reden, daß er schier vor Zorn aus der Haut gefahren; für ja sagte sie nein, für Wasser reichte sie Wein, für Messer gab sie Löffel, für Hansl verstund sie Stephel, für Becher setzt sie Schißlen; für Fleisch kocht sie Fischlen, Summa, in allem thät sie ihm zuwider. Das hat dem Kaiser eine solche Cholera erweckt, daß er mehrmalen feuerroth im Angesicht vor lauter Gift worden, aber solches hat in kurzer Zeit so viel ausgewirkt, daß alle kalten Feuchtigkeiten vertrieben, und er zu völliger Gesundheit mit höchstem Trost des ganzen Reiches gelanget. Majolus colloq. de contigen. Hat also diesem großen Monarchen das Plagen nit wenig genutzt, dem Gold nutzt der Hammer, dem Menschen nutzt der Jammer, der verlorne Sohn wär wohl nit gut worden, wanns ihm nit wär übel gangen; dem Weinstock nutzt das Schneiden, dem Menschen nutzt das Leiden. Ignatius Lojola hat niemalen so heilige

Gedanken geschöpft, als da er im Feld stark verwundt worden, dem Ballen nutzt das Schlagen, dem Menschen nutzt das Plagen; Augustinus hat niemalen gedacht, von seinem Irrthum abzustehen, als wie er von einer gefährlichen Krankheit überfallen worden, der Mensch pflegt meistens gut zu thun, wann es ihm bös gehet; wann demnach der Satan dir und mir was Böses zufügt durch göttliche Zulassung, so kann ich fugsam sagen: hab Dank, Herr Teufel!

Wie geht es Jungfrau Rosina? übel, sagt sie, eine Hex hat mich also verzaubert durch ihre Teufels-Kunst, daß ich schon drei Jahr muß ganz bucklet daher gehen, und fahrt mir ein Geschwür um das andere im Gesicht auf; ich glaub, unsre Nachbäurin sey diese Bestia gewest, dann sie war mir wegen eines jungen Kerls, welcher mir wohlgewogen, erschrecklich neidig, das Teufels-Vieh; gemach meine Jungfrau, daß sie nicht in Graben fallt, das Wort Ubel in einem Buchstabenwechsel heißt so viel als Beul, das Ubel ist ein Beul und ein Hacken, welche manchem Menschen die Gelegenheit zum Sündigen abstutzet, wann ihr Jungfrau Rosina durch des Teufels Nachstellungen nit wäret zu solchem Elend und Ungestalt kommen, so wäret ihr schon eine de communi non Virginum, der lateinische Freitag hat bei euch viel golten, und schon längst der Schnee in Schön verkehrt worden, hat euch also der Teufel sehr viel genützt.

Eine junge Tochter eines sehr ungestalteten Gesichts und häßlicher Gestalt ist auf eine Zeit in einen Wald hinaus gangen, ihr Elend daselbst ganz alleinig zu beweinen, um weilen ihr die Natur so ungnädig und ihr eine solche Larve gespendirt, wovon alle Augen sich entsetzen, indem sie nun also herzlich ihr Elend betrauert, nimmt sie wahr, daß der nächste Baum von freien Stucken sie anrede, mein Miedl, sagt er, warum so kleinmüthig? du mußt dir solches Unglück nit also zu Herzen nehmen; schau, da neben meiner seynd die schönsten Bäume gestanden, welche alle wegen dero guten und geraden Gestalt seynd erbärmlich umgehäuen worden, und da gleich auf der nächsten Brücke liegen sie, und seufzen allezeit, so oft ein schwer geladener Wagen über sie geht; ich aber, weil ich krump, knopert und wurmstichig, bin unverletzt geblieben; also mein Miedl, wann du eine schöne Gestalt hättest gehabt, du wärest schon längst zu Grund gangen, du wärest bei Zeiten eine Zeitige, und mit einem Wort eine lautere Unlautere worden, du verstehest schon; weil du aber schändlich und wild, also bist du von schlimmen Ansuchungen befreit, und folgsam nit viel Gelegenheit zum Bösen.

Wäre der Widder des Abrahams nit mit den Hörnern in einer dicken Dornhecke hangen geblieben, vielleicht wär er nit zu einem göttlichen Opfer worden, vielleicht hätte ihn der Wolf gefressen; steckte mancher Mensch nit unter den Dörnern der Trübsalen und Widerwärtigkeiten, würde er sich etwann übernehmen, und von einem Laster in das andere fallen, der Teufel samt seinem Hexenbrut hat alle deine Aecker und Weingärten zu Grund gericht durch Schaur und Hagel, und Ungewitter? beklag dich dessenthalben nit, dann es dir sehr viel Nutzen bringt, dann anjetzo vergeht dir das Spielen, dermalen thust nicht mehr so übermässig sausen, gelt es lernt dich die Flügl henken. Hätte der Teufel den weltkündigen Apostel Paulum nit also geplagt, und unaufhörlich beunruhiget, wäre derselbe vermuthlich zu Grund gangen, hat ihn also der Satan bei seiner Heiligkeit erhalten. Hab Dank Herr Teufel!

Die Esther war das allerschönste Juden-Mädl, wessenthalben sie so werth worden in den Augen des Königs Asueri, unter anderen ihren schönen Stucken seynd gewest die rothen Wangen, und rosenfarbenen Lefzen, roseo colore vultum perfusa, die christliche Kirche ist die allerauserwählteste und schönste Braut Christi, aber mit keiner Farb prangt sie also, wie mit der rothen Farb so vieler und fast unzahlbarer Martyrer, zumalen Causinus glaubwürdigst behauptet, daß über die eilf Millionen der h. Martyrer und Blutzeugen Christi gezählt werden. Wie prangt nit Rom mit dem h. Martyrer Stephano, welcher um Christi willen sich versteinigen lassen, damit man nit allein die Armen für seelig ausschreie, beati pauperes, sondern auch die Steinreichen, wie prangt nit diese Welt-Stadt mit dem h. Martyrer Laurentio, welcher um Gottes willen sich auf einem glühenden Rost hat braten lassen, damit ihm der Himmel nit könne vorrupfen, er sey weder gesotten noch gebraten. Wie prangt nit Armenia mit dem h. Apostel Bartholomäo, welcher sich wegen des wahren Glauben hat lassen lebendig schinden, damit ihm der Himmel nit könne vorwerfen, er steck in keiner guten Haut. Wie prangt nit die Mutter aller Städt mit dem h. Martyrer Sebastiano, welcher sich Glaubens halber hat lassen mit gespitzten Pfeilen durchschießen, damit ihm der Himmel nicht könne nachsagen, er sey nit spitzfindig gewest. Wie prangt nit Alexandria mit der heiligen Martyrinn Apollonia, welche ihres himmlischen Bräutigams halber ihr hat lassen alle Zähn ausreissen, damit der Himmel sehe, daß ihr die Zähn nit wässern nach dem Zeitlichen, sondern nach dem Ewigen. Wie prangt nit Cathana mit der h. Martyrinn Agatha, welche ihr hat lassen um Christi Ehr und Lehr willen ihre jungfräulichen Brüst ausschneiden, damit es der Himmel sehe, daß sie ganz offenherzig gegen Gott sey. Wie prangt nit Siracus mit der h. Martyrinn Luria, welche ihr hat lassen Glaubens halber die Augen ausgraben, damit sie nachmals desto besser könne Gott auf ewig anschauen. Wie prangt nit Würzburg mit dem h. Martyrer Kiliano, Augsburg mit dem h. Martyrer Quiriano, Trier mit dem h. Martyrer Crescentio, Prag mit dem h. Martyrer Wenceslao, Costnitz mit dem h. Martyrer Paterno, Mainz mit dem h. Martyrer Albano, Regensburg mit dem h. Martyrer Emerano, Oesterreich mit dem h. Martyrer Colomano und Floriano rc., ganz Deutschland mit so vielen Martyrern und streitbaren Blut-Zeugen prangt nit wenig, dahero kein katholischer Staat anzutreffen, wo nit die h. Gebein der Martyrer Christi verehrt werden. So viel streitbare Kämpfer und Martyrer Albani, Bassiani, Datiani, Eutychiani, Feliciani, Gordiani, Herculani, Juliani, Luciani, Marciani, Nemesiani, Oceani, Pontiani, Quintiliani, Romani, Sabiniani, Tornani, Valeriani rc., seynd sie nit purpurfarbe Rosen in dem Garten der katholischen Kirche, seynd sie nit kostbare Rubin in der

Kron Christi, seynd sie nit schönste Korallen um den Hals der göttlichen Braut, seynd sie nit ritterliche Kämpfer unter den Fahnen Christi? ihr christlicher Heldenmuth, ihre unüberwindliche Starkmüthigkeit, ihre ruhmwürdigste Tapferkeit hat die Tyrannen getrutzt, die Pein und Tormente verlacht, den wahren Glauben befestiget, die katholische Kirche vermehrt, das Kreuz Christi begleit, die Engel ergötzt, die Welt auferbaut, und den Himmel erfüllt, wer ist Ursach? der Teufel, dieser, dieser, dieser hat die Tyrannei erfunden, die Tyrannen Diocletiani, Martiani, Maximiani, Valeriani, Aureliani, Juliani, seynd alle vom Teufel angespohrt, angefrischt, angehetzt worden, die Christen zu verfolgen, die Christen zu martern mit aller erdenklichen Grausamkeit, mit aller unmenschlichen Tyrannei, wann also der Teufel nit wäre, so hätte die christliche Kirch nit so viel Martyrer: deren, nach Causini Aussag, in die eilf Millionen gezählt werden; hab Dank Herr Teufel!

Robertus, Herzog in Normandia, war auf der Reis' begriffen in das h. Land, unterwegs aber ist er von einem so harten Zustand überfallen worden, daß er weder zu Pferd, noch weniger zu Fuß seine Reis' konnte fortsetzen, wessenthalben er Noth halber hat müssen in einer Senften und Tragsessel getragen werden, und zwar durch und von zwölf Saracenern oder armen Türken, welche in der Arbeit umwechselten, indem er nun also seinen Weg fortgenommen, hat er ungefähr einen aus den seinigen Unterthanen, welcher bereits in der Ruckkehr war aus dem h. Land angetroffen, welcher, nach abgelegter demüthiger Reverenz, den Herzog befragt, ob er nit was zu befehlen habe in seinem Land. Ja, antwortet hierüber der Herzog, sag du meinen Unterthanen, wann du wirst nach Haus kommen, daß du mich allhier habest angetroffen, wo mich die Teufel in das Paradeis getragen; er wollte so viel sagen, daß die unglaubigen Türken, als dem Teufel nit ungleich, ihn nach Jerusalem tragen. Aber in aller Wahrheit kann ernstlich gesagt werden, was dieser große Fürst scherzweis geredt, daß nemlich einen die Teufel in Himmel und Paradeis heisen, dann all dero Verfolgungen, Versuchungen und Uebel, was sie dem Menschen anthun, seynd ein gewißer Tragsessel in Himmel. Leiden, meiden hier auf Erden, ist ein Zeichen seelig zu werden.

Jacob wollte ein Weib nehmen, aber eine schöne, reist demnach zu dem Laban, welcher zwei erwachsene Töchter zu Haus hatte, eine hat geheißen Rachel, die andere Lia, diese war ungestalt, jene aber wohlgestalt. Laban fragt den Jacob, welche ihm gefalle? ob er die Lia haben wolle, ei, so behüt mich Gott, sagt Jacob, hat sie doch stets triefende Augen, wie ein Schleif-Kübel, pfui! seynd ihr doch die Fenster angeloffen, wie in einer steyerischen Rauchstube, Auweh! hat sie doch ein paar Aug-Apfel, wie zwei Juden-Kerschen, nur diese nit, aber ihre Schwester wohl die Rachel, die ist ein hübsches Dirnl, da Laban, hast die Hand darauf, sieben Jahr will ich dir treu und redlich dienen um die Rachel, Parola! nach verflossenen sieben Jahren wollt Jacob die Braut heimführen, das Hochzeit-Mahl wurde sehr stattlich zugericht, die gesamte große Freundschaft thät sich einfinden, die Spielleut waren sehr emsig, der Tag war in allen Freuden zugebracht, Jacob geht schlafen, und hofft seine schöne Rachel, aber der vortlhafte Laban führt ihm in der Finster die schändliche Lia in die Schlaf-Kammer, wie nun frühe die schöne Morgenröth das Licht in die Kammer geworfen, und Jacob die vom Schlaf verdunkelte Augen gewischt, so hat er anstatt des Hui ein Pfui gefunden, ei der Laban hat mich wie ein anderer betrogen. In dieser Geschicht steckt ein großes Geheimnuß verborgen, welche uns zu einer guten Lehr und Unterricht dienet: es wollte Gott haben, daß der Jacob erstlich die Lia heurathe, nachmals die Rachel, das Schlechte gehet vor dem Guten, die Arbeit vor dem Lohn, die Vigil vor dem Fest, der Streit vor der Victori, das Leiden vor den Freuden, der Getümmel vor dem Himmel, Müheseeligkeit vor der Seeligkeit, Trübsal vor dem Himmelsaal; zwei Paradeis gehen nit aufeinander, es heißt patiar, ut potiar, mit Kreutzer hat Gottes Sohn den Himmel erkauft, so wird mans dir auch nit kiechlen, oportet pati, man muß leiden, laß dir das Muß schmecken, nimm nur einen Löffel voll, wer in Trübsal und Drangsal lebt, der hat ein Zeichen an sich der ewigen Auserwählung. Der Widder des Abrahams hat Gott gefallen, die Widerwärtigkeit des Menschen, die er geduldig aussiehet, gefallet nit weniger dem Allmächtigen, nutzet demnach der Teufel sehr viel, als welcher dem Menschen viel Widerwärtigkeiten zufüget, bene a Doemonio vexor, non male.

Wie ist Elias in das Paradeis kommen? wie? es antwortet die h. Schrift, daß er auf einem feurigen Wagen durch einen Sturmwind sey dahin getragen worden, per turbinem. Wer in Himmel will kommen, der muß vorhero einen Sturm ausstehen, und etwas leiden; das Himmelreich ist gleich, sagt Christus der Herr, einem Saurteig, und nicht einem süssen Biscotten-Teig. Unser Herr hat seine himmlische Glori auf dem Berg Thabor seinen Apostlen gezeigt, also heißt es Bergauf, mit Mühe und Arbeit kommt man in Himmel: der h. Petrus ist durch einen Engel aus seinem Arrest und harten Gefängnuß erlediget, und nach Jerusalem geführt worden, aber er mußte vorhero gehen per portam ferream, durch das eiserne Thor, willst in die obere Stadt Jerusalem, allwo der Platz und Schatz der Auserwählten ist, einmal kommen, so ist nothwendig den Weg zu nehmen durch das eiserne Thor, durch einen harten Wandel, durch Kreuz und Trübsal, dann

Mit essen und trinken,
Mit faullenzen und stinken,
Mit schlenklen und spazieren,
Mit leflen und galanisiren,
Mit springen und tanzen,
Mit liegen und rantzen,
Mit jagen und hetzen,
Mit complementiren und wetzen,
Mit Räppel und Schimmel,
Kommt man, weiß Gott, nit in Himmel.

Sondern durch leiden. Die Braut in dem hohen Lied Salomonis hat ihren liebsten und himmlischen Bräutigam im Bettl gesucht, aber nicht gefunden, nachdem sie aber von dem Nacht-Wachter brav ist abgeschmiert worden, und schmerzlich verwundt, sodann hat er sich gar bald finden lassen, woraus abzunehmen, daß ohne Kreuz und Leiden man nicht könne zu Gott kommen. In dem Leben des h. Dominici wird registrirt, daß dieser h. Patriarch gar oft eine fromme Dienerinn Gottes, mit Namen Bona, habe heimgesucht, deroselben Beicht angehört, und sie mit dem höchsten Altar-Geheimniß gespeist, weil besagte Bona einen sehr schrecklichen Zustand hatte, also daß ihr die halbe Brust von dem Krebs verfressen, verlangte einsmals der h. Dominicus solche Wunde zu sehen, und nachdem er wahrgenommen, daß bereits die Brust verfault, und voller Würmel, sie aber gleichwol eines fröhlichen Angesichts, hat er von ihr ein einiges Würmel verlangt, welches sie ihrem h. Vater nit wollt abschlagen, allein er mußte das Bedieng eingehen, daß er solches wieder wollte zurück geben, nachdem er bereits das Würmel auf seine flache Hand gelegt, hat er samt allen Anwesenden wahrgenommen, daß dieses Würmel in das schönste orientalische Perl verkehrt worden, viel thäten es ihm widerrathen, daß er solches nit mehr zurück soll geben, aber Bona wollt kurzum ihr Perl haben, und nachdem solches Dominicus ihr wider eingehändiget, und sie solches auf ihr voriges Ort gelegt, ist es mehrmal in ein Würmel verwandelt worden. Dieser Bona, und vielen unzählbaren Servis bonis, und Dienern Gottes seynd alle Trübsal und Widerwärtigkeiten höchst angenehm gewest, ja die Apostel haben gefrohlockt, daß sie um Jesu willen zu leiden gewürdiget worden, die seraphische Theresia wollte entweders sterben oder leiden, Xaverius konnte nit ersättiget werden mit Leiden, weil sie wohl wußten, daß leiden hier auf Erden, sey ein Zeichen seelig zu werden.

Großen Dank dann Herr Teufel, daß wir von dir so viel leiden, daß du uns so viel Uebel authust, großen Dank, dann dieß Uebel baut uns einen Weg und Steg in Himmel.

Das babylonische Feur hat den drei Jünglingen, Sidrach, Misach und Abdenago nit allein nit geschadt, sondern sie weit herzlicher und preiswürdiger gemacht, das baberlonische Feuer, welches der Teufel mehrmal anzündet durch Versuchungen in den Herzen der frommen Diener Gottes, thut nit allein keinen Schaden, sondern gereicht ihnen zum höchsten Lob, wann sie den Satan überwinden. Joseph ist durch die Versuchung der egyptischen Frau viel glorreicher worden, Franziscus ist durch die Versuchung, welche er zu Assis gelitten, viel herrlicher worden, dann als er solche zu dämpfen, sich nackend und bloß in einer Dornhecke herum gewalzt, seynd alsobald an den Dornstauden, mitten im Januario die schönsten Rosen gewachsen, und noch auf heutigen Tag tragen gedachte Rosenstauden keine Dörner, die da verwunden.

Durch die Versuchung ist Thomas von Aquin weit angenehmer bei Gott dem Herrn worden, also zwar, daß auch die Engel, aus Befehl des Allerhöchsten, ihn mit der Gürtel einer ewigen Jungfrauschaft umgeben.

Der h. Bischof Ludovicus ist durch die Versuchung, die er durch des Teufels Antrieb von einer Königinn in Frankreich gelitten, viel glorreicher worden, dann weil er besagte Königinn, welche einen unziemenden Ansuch hätte, mit scharfen und grimmigen Augen angeschaut, hat Gott der Allmächtige zu einer zeitlichen Belohnung solche Augen 400 ganze Jahr unverjehrt erhalten.

Der h. Dominicus ist durch die Versuchung viel preiswürdiger worden, nachdem ihm ein frecher Schleppsack zum Bösen alle Anleitung geben, hat er sich ganz ausgezogen, und auf glühende Kohlen sich gelegt, damit er dergestalten Feuer mit Feuer lösche.

Hab Dank Herr Teufel, weil du mit deinen Versuchungen der frommen Diener und Dienerinn Gottes ihre Verdienste nur vermehrest, ihre Tapferkeit im Streiten an Tag gibst, ihnen die Glori vergrößerst, ihnen die Gelegenheit zu der Geduld spendirest: Nescit diabolus, quomodo illo et insidiante et furente utatur ad salutem fidelium suorum, excellentissima sapientia.

Ein armer reisender Handwerks-Gesell nahm seine Herberg bei einem sehr gewissenlosen Wirth, welcher den Gästen mehrmalen mit der weissen Kreiden es gar zu braun machte, als nun auch dieses besagter arme Tropf erfahren, und sich hierüber in etwas beklagt, der Wirth woll doch nit sub ritu duplici mit der Kreide umgehen, sein Beutel ertrag nicht solche schwere Contributiones, ist solcher dergestalten in den Harnisch kommen, daß er nit allein gedachten Handwerks-Gesellen mit groben und harten Worten angetast, sondern ihm noch darüber drei Maultaschen dergestalten versetzt, daß ihm allemal der Kopf an die Wand geprellt, welches ungezweifelt dem armen Lappen ein unwerthes Echo gewesen, und dieses war der saure Schlaf-Trunk, welchen ihm der Wirth hinterlassen. Nachdem der tolle Wein-Jud auch sich zur Ruhe begeben, ist dem armen Gesellen eingefallen, als habe er jedesmal wahrgenommen, so oft ihm der Kopf an die Wand der Mauer anprellt, daß dieselbe hohl sey, massen aus dem Hall oder Klang leicht abzunehmen, fangt demnach an das Malter in aller Stille von der Mauer zu schaben, hebt nach Möglichkeit die Ziegl heraus, und findt in aller Wahrheit, daß alldort etlich tausend Gulden vermauert, das war ihm ein gefundener Handel, wormit er sich bei der Nacht davon gemacht, damit aber der Wirth dessen einige Nachricht habe, also schrieb er mit der Kreiden auf den Tisch folgende Wort:

Hab Dank Herr Wirth um die Flaschen,
Welchs bereicht meine Taschen,
In dem Haus seynd theuer die Goschen,
Weil sie kosten viel tausend Groschen.

Fast auf gleiche Art widerfahrt es dem leidigen Satan, welcher in allweg fichet und suchet dem Menschen zu schaden, unterdessen aber mit seinen Verfolgungen verursacht er den größten Nutzen; er hat gesucht durch den Cain dem Abel zu schaden, durch den Cham dem Noe, durch den Esau dem Jacob, durch die Schwalben dem Tobiä, durch den Pharaon dem Mosi, durch die Jezabel dem Eliä, durch die Knaben dem Eliſäo, durch die Gefängnuß dem Jeremiä, durch die Löwen dem Daniel, durch den Antiochum denen Machabäern, durch den Herodem dem Joanni, durch den Simon Magum dem Petro, durch Neronem dem Paulo, durch Marcimonem dem Joanni, durch Itacum dem Matthäo, durch Astiagem dem Bartholomäo, durch Justinam dem Ambrosio, durch die Donatisten dem Augustino, durch Eudoxiam dem Chrysostomo rc., und gleichwohl hat er ihnen hierdurch nit geschadet, sondern dero Glori vermehrt, dann zu wissen, daß seine Verfolgung oder Versuchung auf keine Weis' zu förchten, alldieweil dieselbe uns eine Ursach der Glori und Materei des Triumphs ist; also bezengt der h. Ambrosius.

Hab Dank Herr Teufel!

Judas vom Geiz eingenommen.

Unter den Ehrsüchtigen ist Zechmeister Absalon, unter den Säufern ist Ober-Vogt der Holofernes, unter den Gleißnern ist Amtmann der Joab, unter den Undankbaren ist Vortreter der Mundschenk Pharaonis, unter den Zornigen ist Commandant der Herodes, unter den Gailen ist Ansager der Aimmon, unter den Lugnern ist Schulmeister der Ananias mit Saphira, unter den Stolzen ist Kapell-Meister der Nabuchodonosor, unter den Schlemmern ist Fändrich der reiche evangelische Prasser; aber unter den Geizigen ist ein Haupt-Narr der Geizhals Judas, welcher von dem Geld-Geiz dahin veranlaßt worden, daß er ganz ehrlos, gewissenlos, gottlos seinen Herrn und Heiland verrathen und verkauft.

Wann ich zu Wien in der Haupt-Stadt und Residenz sollte und wollte einem jeden sein gebührendes Quartier überlassen, so thät ich erstlich die Gelehrten einlosiren in der Schuler-Strassen, die Ungelehrten im Stroh-Gässel, die Forchtsamen bei den drei Hasen, die Faulen, wo der Esel in der Wiegen liegt, die Prediger bei den 12 Apostlen, die Stolzen beim gulden

Pfauen, die Zornigen beim Hahnenbeiß, die Buhler beim blauen Bock, die Dieb auf der Sailer-Statt, die Soldaten beim blauen Säbel, die Saufer beim golden Fässel, die Groben im Sauwinkl, die Musikanten in der Singer-Straße, die alten Männer bei den drei Schimmlen, die alten Weiber auf dem alten Fleischmarkt, die Simpel in der Einfalts-Straßen, die Knaben beim gulden A B C, die Kinder im Milch-Gässel, die Wucherer auf dem Juden-Platz rc., wo aber die Geizigen? solche Welt-Narrn, Feld-Narrn, Zelt-Narrn, Geld-Narrn wollt ich einquartieren auf dem Heiden-Schuß zu Wien, dann in aller Wahrheit die Geizigen rechte Heiden seynd, und darneben nit wenig geschossen.

Numen und Nummus, Dives und Divus, Geiz und Götz, Gold und Gott, Aurum und Ara, seynd sowohl Namens als That halber nit weit von einander, dann das Gold ist des Geizigen sein Gott, den er wie ein Heid pflegt anzubeten und verehren. Der gottlose König Jeroboam, nachdem er durch Gottes Gnad die Kron und Scepter in Israel bekommen, hat er alsobald solche große Gnaden in Vergessenheit gestellt, und noch darüber zwei verguldte Kälber verfertigen lassen, damit dieselben das gesamte Volk Israel für ihre Götter erkenne; diese Ochsenköpf haben die guldenen Kälber für ihre Götter verehrt; die Geizigen aber halten das Gold für ihren Gott. Von dem wahren Gott schreibt und schreit die h. Schrift, daß wir ihn lieben sollen aus ganzer Seel, aus ganzem Herzen rc., liebt dann nit ein Geiziger Geld und Gold aus ganzem Herzen?

Der h. und wunderthätige Antonius Paduanus bezeugt es, welcher in seinen Predigen gar nit schmeichlen konnte, der allzeit zu Verona und nit zu Florenz wohute; dieser wird höflichst ersucht, er möchte doch eine Leich-Predigt machen für einen verstorbenen Herrn. Eine Leich-Predigt machen ist oft gar nit leicht, absonderlich wann man den Verstorbenen solle loben, der doch nichts Lobwürdiges gethan; der Tag wird bestimmt, die Freundschaft bekleidt sich ganz schwarz, die Erben weinen; aber solche Leut seynd gar oft beschaffen, wie die grünen Scheiter, wann sie auf den Heerd gelegt werden, auf einer Seite treiben sie Wasser, auf der andern Seite thun sie brennen; also haben oft die Erben die Wassersucht in den Augen und die Geldsucht im Herzen, singen mit dem Maul das Miserere und mit dem Herzen das Lätare. Die Kirche war mit lauter schwarzem Tuch überzogen, daß also die harten Steine auch sollen trauren, daß dieser so weichherzig gegen den Armen (scilicet) gestorben; es war die Kirche angefüllt mit lauter Zuhörer, welche ganz begierig die Predigt Antonii erwartet. O, hat ihm einer eingebildt, Antonius wird gar gewiß predigen, daß der verstorbene Herr sey gewest wie die 5 weisen Jungfrauen, dann gleichwie diese mit brennenden Lampen seynd in Himmel eingelassen worden, also ist auch dieser ein Kind der Seligkeit worden, weil er alle Samstag eine Lampe hat lassen brennen zu Ehren unser lieben Frau; ein anderer hat gehofft, Antonius werde predigen, daß der verstorbene Herr sey gewest so mäßig bei der Tafel, wie die Propheten-Kinder bei dem Elisäo, welche mit lauter Kraut vorlieb genommen. Mit wenig seynd gewest, welche geglaubt haben, Antonius werde den Verstorbenen loben, daß er weit emsiger sey gewest, als die Hebräer, welche im Jahr nur dreimal nach Jerusalem in die Kirche gangen, der Vorstorbene aber alle Tag. Alle, alle aus den Anwesenden hofften großes Lob von diesem großen Herrn, eine reiche Eloquenz wegen dieses reichen Herrn; aber die gebenedeite Zung Antonii konnte nit schmeichlen, sondern brach in diese ernsthaften Wort aus: ubi thesaurus tuus, ibi et cor tuum, wo dein Schatz, dort ist dein Herz; dieser verdammte Mensch hat nichts Werthers gehabt, dann das Geld, Gold war sein Gott, wessenthalben seine Seel bei dem Teufel, das Herz aber bei seinem Geld zu Hans; gehet hin, ihr werdet es also finden. Man gehet, man sucht, man schaut, man findt das Herz ganz zitternd und zapplend in dem Kasten auf dem Geldsack, woraus jedermänniglich konnte abnehmen, daß dieser verruchte Geizhals das Gold, wie einen Gott, aus ganzer Seel, aus ganzem Herzen geliebt habe. O bethörter Heid!

Die Israeliter, in Abwesenheit des Mosis, haben mit aller Gewalt den Hohenpriester Aaron dahin gebracht, daß er ihnen ein guldenes Kalb für einen Gott hat aufgesetzt, nachdem solches der eifrige Mann Gottes wahrgenommen, hat er diese Unthat und strafmäßigen Muthwillen seines Volks nit allein mit harten Worten stark gezüchtiget, sondern auch das guldene Kalb zu Pulver verbrennt, besagtes Pulver in das Wasser geworfen, woraus das abgötterische Volk mußte trinken, und ist auf solche Weis' an Tag kommen, wer ein Schelm aus ihnen gewest; dann denjenigen, so unschuldig waren, hat man im wenigsten nichts angesehen, welche aber strafmäßig das Kalb angebetet, dieselben seynd ganz gulden um das Maul gewest, guldene Goschen, guldene Bärt, guldene Mäus-Köpf rc.

Die Geizigen haben nit allein guldene Mäuler, weilen sie stets vom Gold reden, guldene Zungen, weilen sie immerzu nach Gold schlecken, guldene Zähn, weil ihnen solche alleweil nach Gold wässern, sondern auch ein guldenes Herz, weil solches das Gold wie einen Gott verehrt und liebt; ein Geiziger ist mehr goldselig als gottselig, sein Gebet ist immerzu per omnia Säckla Säcklorum, sein Glauben ist klauben, sein Mammerl ist Mammon, sein Schutz-Engel heißt Schatz-Engel, sein Namen heißt nehmen, sein Salben heißt Silber, sein Verhalten heißt behalten, sein Guraschi heißt Lagi, sein Wachs heißt Wechsel, sein Gewohnen heißt gewinnen, seine Woche heißt wuchern, sein Scheiben heißt schaben, seine Semmlen heißen sammlen, sein Viertel heißt Vortel, seine Kammer heißt Kummer, sein Gold heißt Gott, das ist ja ein Spott. O Heid!

Die Burger zu Gerara hatten eine Heerd Schwein von 2000 Stuck, große, dicke, schöne, schwere, feiste, und treffliche Säu; dann ob sie schon, vermög ihres Gesatz, sich von solchem Fleisch enthielten, so thäten sie dannoch wegen der guten Waid und umliegenden Eichel-Wäldern sehr viel Schwein halten, damit sie solche den angrenzenden Heiden und andern Glaubens-Genossen in der Stadt verhandlen, und hierdurch einen ziemlichen Gewinn und Beschores finden konnten. So- bald aber der Herr Jesus in dieselbige Gegend angelangt, und aus den armen besessenen Leuten die Teufel getrieben, welche nachmals mit seiner Licenz in besagte Heerd Schwein gefahren, und folgends selbige alle in das tiefe Meer gestürzt, alsobald seynd die Burger haufenweis aus der Stadt zu Christo dem Herrn hinaus geloffen, ein jeder hat sich in Haaren gekrazt, und nit wenig sich beklagt des erlittenen Schadens, auch beinebens höflichst den Herrn ersucht, er wolle sich doch nit länger in ihrer Gegend aufhalten, sondern mit nächster Gelegenheit seinen Weg weiter nehmen. O ihr Sau-Narren! warum das? sollt ihr dann nit mit Händ und Füßen demüthig bitten und erhalten, damit Christus der Herr bei euch verbleibe; wie hat sich der Zachäus so glückselig geschätzt, daß ein solcher Gast bei ihm einlosirt? Herr, mein Herr, und großer Prophet, sagten die sauberen Gerasenner, gehe doch um ein Haus weiter, wir haben dich schon lieb, wann du nur weit von uns bist, rogabant, ut transiret. Warum? darum, diese gedachten, wann der Herr sollte länger bei ihnen verharren, so konnten sie nit mehr mit Säu handlen und ihren Gewinn suchen, dann wann sie wieder sollten einen Zügel anfangen oder andere einkaufen, möchten die Teufel mehrmalen aus seiner Erlaubniß diese Schwein hinführen; also ist es besser, der Herr quittier unsre Nachbarschaft, und gehe hin, wo er herkommen, damit wir wiederum unseren Handel treiben, und Geld lösen. O ihr Geld-Angl, Geld-Ygl, Geld-Egl, Geld-Engl, Geld-Bengl, so ist euch lieber das Geld lösen, als

Gott der Erlöser? ihr Geizhäls! so wollt ihr lieber Gott lassen, als Gold lassen? ihr Geiz-Narren; so habt ihr in grösserem Werth die gelbe oder weiße Erde, als denjenigen, der Himmel und Erde erschaffen? ihr seyd mehr als Heiden.

Zu Venedig war bei Mannsgedenken ein reicher Gesell, welcher dermassen dem Geld ergeben, daß, wann man einige Meldung von Silber oder Gold gethan, ihm alsobald die Puls geloffen aus lauter Begierlichkeit, als würde er von einem starken hitzigen Fieber angegriffen. Es hat ihn der Mammon und Geldgeiz dergestalten eingenommen, daß er Frühe, wann er aufgestanden, Abends, wann er schlafen gangen, allezeit das Kreuz-Zeichen mit einem Dukaten oder Zechin gemacht, seine Küsten und Kästen waren voller Geldsäck, und hatte einem jeden den Namen eines Heiligen also ausgetheilt, daß die vornehmere Münz den Titul hatte der vornehmern Heiligen, einen großen ledernen Sack voller Gold nannte er seinen Gott, welchen der verruchte Mensch zu heiligen Zeiten, als Weihnachten, Ostern, Pfingsten, mit Kränzel, Blumen, Ehrentitel und anderem Gepräng auf sondere Weis verehrte; nachdem dieser Narr dem Tod auch zum Theil worden, welcher solche goldgelbe Ammerling zum besten weiß zu rupfen, hat er kurz zuvor das beste Geld ihm lassen vortragen, alle Gegenwärtigen mußten auf eine viertel Stund abtreten, unterdessen hat er Geld und Gold in das Maul, in die Ohren, in die Nase, (und was ehrlichen Ohren zuwider) sogar in andere offene Orte des Leibs gesteckt, auch nachmalens, wie andere fromme Christen pflegen mit erhebten Augen gegen einem Krucifix, als er mit stets gewendten Angen gegen dem Geld seinen elenden Geist aufgeben, solche wunderliche Geschicht hat man wollen dem öffentlichen Druck anvertrauen, wofern die frommen Anverwandten solches nit hätten hintertrieben. Jedoch hat er sogar nicht können verhüllet werden, daß nit auf einer und andern Kanzel hiervon einige Meldung eingeführt worden. O Narr! noch größer, als der Caligula, welcher sich ganz nackend ausgezogen, und sich also nach Genügen in dem Geld herum gewälzt. O Bestia! noch ärger, als jener Narr zu Costniz, der kurz vor seinem Tod das Geld anstatt des Brods in ein Koch oder Muß eingebrockt, und also am ersten Löffel voll erstickt. O Esel, noch bethörter, als jener geizige Goldschmied, welcher in seinen Todsnöthen, als man ihm ein silbernes Cruzifix zu küssen gab, noch gefragt hat, wie viel Mark Silber es doch möchte haben? O Heid! und Abgötterer! und Blut-Schelm! weil du den Pluto für deinen Gott haltest, diesem deinen mammonischen Gott gebührt keine andere Ehr, als jene, welche die schöne Rachel den guldenen Götzenbildern, die sie heimlich ihrem Vater Laban entzogen, erwiesen hat, indem sie darauf gesessen; gar recht, dann auf einen solchen Kopf gehört kein anderer Hut, auf einen solchen Heerd gehört keine andere Glut, auf einen solchen Acker gehört kein anderer Pflug, auf einen solchen Tisch gehört kein anderer Krug, auf eine solche Nase gehört keine andere Brille, auf ein solches Bett gehört keine andere Hülle, auf einen solchen Fuß gehört kein anderer Schuh, auf ein solches Pult gehürt kein anderes

Buch, auf einen solchen Degen gehört keine andere Scheid, auf eine solche Wiese gehört keine andere Weid, und auf einen solchen Gott gehört kein anderer Spott.

Gleichwie Gott will, daß die Seinigen die zehen Gebot sollen halten, also will auch das Gold, daß die Seinigen die zehen Gebot sollen emsig beobachten und vollziehen. Das erste Gebot, sagt das Gold dem Geizigen: Du sollst allein an einen Gott glauben. Und in aller Wahrheit hat und halt und behalt der Geihzals sein Geld für einen Gott, dem er Tag und Nacht dient. Nachdem der Erz-Schalk Judas meineidiger Weis' den Herrn verrathen, konnte er nicht mehr den nagenden Gewissens-Wurm ertragen, sondern wollt bei Zeiten ganz verzweifelt ihm selbst das Leben nehmen; bevor aber hat er die aus der Kirchen-Kassa erlegten dreißig Silberling in den Tempel hinein geworfen, und nachgehends der henkermäßige Böswicht zum Strang geeilt, aber sag her Tölpel, warum das Geld in Tempel? warum nicht viel mehr das verruchte Geld in eine Kothlacke oder wilden Misthaufen? allhier antwortet Drogo Ostiensis de Pass. derentwegen habe Iscarioth das benannte Geld in den Tempel und nicht anderstwohin geworfen, weil nemlich das Geld sein Gott war, Gott aber im Tempel forderist verehrt werde.

Das andere Gebot: Du sollst den Namen Gottes nit eitel oder umsonst nennen. Dieß halt der Geizige gar genau, dann er mit seinem Gott sobald nit umsonst hervor kommt; wie der Job um alles das Seinige kommen, und ganz nackend und bloß auf dem Misthaufen gesessen, haben sich endlich die vorhin gewesten guten Freund eingefunden, und ihm die Visita geben, aber von weitem gestanden voller Furcht. Warum voller Furcht? ihr fürcht gewiß, ihr möcht auch kretzig werden? ihr fürcht vielleicht, Gott möcht euch auch also heimsuchen? nein, nein, dessenthalben hat sie keine Furcht angegriffen, sondern sie fürchteten, der arme Tropf möchte etwas von ihnen begehren; einer hat ihm eingebildt, der Job werde sagen, mein Schwager, gib mir doch etliche Gulden, damit ich mir wieder kann etwas schaffen, weil ich alles verloren; ein anderer gedacht, der Job werd ihn ansprechen, mein Vetter, du siehest, in was Elend und Noth ich gerathen bin, gehe mir doch an die Hand mit einer Beihilf; der dritte hat ihn geforchten, der Job möcht sagen, mein Bruder, du weißt, wie oft ich dir habe das Maul ausgewaschen, und ist kein Zahn in deiner Gosche, der mich ein Dutzend Thaler kost, jetzt erkenns doch ein wenig, und greif mir auch mit etwas unter die Arm, derenthalben seynd sie von weiten gestanden, dessenthalben haben sie ihnen geforchten, dann es waren große Geizhäls, sie wollten nicht gern in vanum, umsonst geben, vermög des anderten Gebots.

Das dritte Gebot: Du sollst den Feiertag heiligen. Das befiehlt auf alle Weis das Gold den Seinigen. Die drei frommen und gottseligen Frauen, Maria Magdalena, Maria Jakobi und Maria Salome, waren so scrupulos und gewissenhaft, daß sie ihnen nit getraut, am Sabbath die Salben und Spezereien zu kaufen, wormit sie den Leichnam Jesu möchten verehren, sondern haben gewart, bis der Sabbath vorbei gewest, cum pertransiisset Sabbathum. Also gebiet das Gold sehr stark den Seinigen, sie sollen doch den Feiertag heiligen; nicht alles, was sie die Woche hindurch gewunnen, am Sonntag wieder durch die Gurgel jagen, sondern denselbigen Tag fein heiligen, und das Geld ersparen.

Das vierte Gebot: Du sollst Vater und Mutter in Ehren haben. Dieß will das Gold kurzum, daß er soll gehalten werden. Ein Jünger hat einsmals von Christo dem Herrn begehrt, er wollt ihm doch licentiren, damit er könne seinen Vater begraben, welches aber der Herr ihm rund abgeschlagen, aus Ursachen, der Vater war dazumal noch nit todt, aber bei einem sehr hohen Alter, dahero hat der Jünger, welcher ziemlich interessirt war, gedacht, der Vater, weil er bei großem Vermögen, würde etwann ein Testament machen, so ihm präjudicirlich möchte seyn, derenthalben wollt er zum Vater, ihm gute Wort geben, auf alle Weis' bedienen, damit er den Rogen ziehe. Das Gold sagt also, thue Vater und Mutter in Ehren haben, damit sie dich nit enterben, thue dem Vater schön aufwarten, damit der Alte dich zum völligen Erben mache, gib der Frau Mutter gute Wort, damit auch ein gutes Trum ihrer Parapharnalien auf dich springe, honora!

Das fünfte Gebot: Du sollst nicht tödten. Dieß verbiet das Gold über alle Massen. Wie die Israeliter aus Egypten und aus der harten Dienstbarkeit des Pharaons gezogen, haben sie in der Wüste ganz unsinnig gemurrt wider Gott und wider den Moses, auch sich nicht wenig beklagt, daß sie mit Fleisch nit tractirt wurden. Ei, ihr ehrvergessenen Leut und leichtfertiges Lumpengesind! habt ihr nicht eine unzahlbare Menge und Anzahl Ochsen, Kühe, Schaf und anders Vieh mit euch aus Egypten geführt, warum schlacht ihr nit etliche Ochsen? ja das Gold sagt, du sollst nicht tödten, non occides, der Geizige frißt lieber Haber-Stroh, der Haber-Narr! ehe daß er ein Kälbel absticht, er getraut ihm nicht ein Hündel abzuwürgen, er litt lieber den bittern Hunger, als daß er sollt ein 7-Wochen altes Lämml tödten lassen, Kraut und Ruben gehören vor solche Buben. Non occides.

Das sechste Gebot: Du sollst nit Ehe brechen. Bei Leib, sagt das Gold, thue nit Ehe brechen, dann es kost gar viel Geld. In der Stadt Babylon wurde ein falscher Gott mit Namen Bel verehret, dem der König alle Tag 40 Schaf, sechs große Krüg Wein, und eine ziemliche Anzahl der Semmel geopfert, welches bei nächtlicher Weil alles verzehrt worden, und war des Königs bethörte Meinung, daß solches alles der Gott Bel aufesse, damit aber der Daniel solche Thorheit an Tag bringe, hat er den Tempel dieses Abgotts einwendig über und über mit Aschen gestreuet, nachgehends mit des Königs Petschaft des Tempels Thür versieglet. Fruhe Morgens, wie der König samt dem Daniel in den Tempel getreten, und alles aufgezehrt gefunden, hat er vor Freuden aufgeschrien, und seinen Gott Bel aufs höchste gepriesen, der Meinung, als habe er so stattlich geessen und trunken, dem aber der Daniel bald das Widerspiel gezeigt, da, sagt er, sehen Ihr Majestät unterschiedliche Fußstapfen in Asche, was bedeuten diese? video wahrhaftig vestigia virorum, mulierum etc., in der Wahrheit, diese seynd Fußballen der Weiber, der Männer, der Kinder; eben recht, antwort der Daniel, diese, diese fressen alles auf, wie er augenscheinlich hernach gezeigt, daß bei nächtlicher Weil die Götzen-Pfaffen samt ihren Weibern durch eine verborgene Thür einschleichen, und solches aufgesetzte Traktament verzehren.

Der Herr Joan. Amandus von Frauhofen hat sehr stattliches Einkommen, zu bestimmten Zeiten das gewisse Interesse 6 pr. Cento, was tragen ihm die Regalia nit ein wegen seiner schönen Scharschi, mit der ersten Frau hat er einen ziemlichen Rogen gezogen, was schöne Baarschaft im Geld hat er nit ererbt von seinem Herrn Vater? so hat er nicht ein geringes Patrimonium davon tragen von seinem Vetter, der gar ein karger und arger Jud war, und gleichwohl, ich weiß nicht, gleichwohl findt man nichts übriges im Haus, ja es verschwindt alles, weiß kein Mensch, wo die Sach hinkommt, er muß noch Gelder darzu zu leihen nehmen; weißt du nicht, wo die Sach hinkommt? so zeige ich es dir mit dem Daniel, vestigia mulierum etc., die Fußstapfen der Weiber, fremde Weiber, fremde Buhlschaften, fremdes Naschen nimmt ihm das Geld aus der Taschen, die bringen ihn zu solchem Ruin, dann dieses kost Geld; wie die Hebräer eine Ehebrecherinn zu Christum den Herrn geführt, und ihn um Rath gefragt, ob man soll mit dieser verfahren nach laut dem mosaischen Gesetze? sag mir einer, wo dann der Ehebrecher hinkommen? wann sie in flagranti, wie sie aussagen, ertappt worden, wo ist dann dieser saubere Complex? rath nit lang, er hat sich mit Geld salvirt, er hat ihnen ziemlich müssen in Beutel blasen, so braucht es dann nit viel Probirens; solche Buhlschaften verderben die Wirthschaften, dahero das Gold auch den Seinigen scharf auferlegt, non maechaberis, du sollst nit Ehe brechen.

Das siebente Gebot, non furtum facies: Du sollst nit stehlen. Das verbiet das Gold sehr stark den Geizigen, aber dergestalten, er soll nit etwas weniges stehlen, sondern viel; dann gleichwie Gott ohne Maaß verlangt, geliebt, also begehrt auch das Gold verehrt zu werden. Unser erster Vater Adam hat nit allein den Gedanken gehabt, den Apfel, als eine kleine Pakatell zu stehlen, sondern auch dem Allerhöchsten seine Gottheit, eritis sicut Dii, lieber etwas rechtschaffenes, saget das Gold, zumalen nur die kleinen Dieb in excelsis, mit den Storchen ihr Nest in der Höhe machen, und Luftspringer müssen abgeben, die großen aber in sondern Ehren und Reputation erhalten werden, fast auf diese Weis, wie die keinen Mucken und Fliegen in dem Spinnen-Geweb hängen bleiben, die großen Vögel aber alles durchreißen.

Das achte Gebot: Du sollst nit falsche Zeugnuß reden. Das Gold will auf alle Weis, daß man soll die Wahrheit brauchen, wann hierdurch ein Interesse zu hoffen. Petrus kommt nach Hof, will sehen, was es vor einen Ausgang werde nehmen mit Christo; gleich im ersten Eingang schnarchet ihn ein Weib an, wann es noch eine gnädige Frau oder adeliche Dama wär gewesen, so konnt man den Spott nicht so groß machen, aber es war nur ein schlechtes Dienstmensch, Ancilla, ein Estherl, oder ein Sarl mit einem rupfenen Küttel, diese hat den großen Apostel also kleinmüthig gemacht, daß er gleich seinen Herrn verläugnet, er kenne ihn nicht, coepit jurare, es soll ihn der und der hinführen, wann er ihn kenne. Pfui, das heißt fliegen ohne F. Ein andersmal aber hat Petrus mit größter Auferbaulichkeit und sonderm Lob die Wahrheit gesagt, als er den Herrn demüthigist angeredt: Domine exi a me, quia homo peccator sum: Herr gehe doch von mir weg, dann ich ein sündiger Mensch bin. Warum aber gehet dermal Petrus so genau auf die Wahrheit? diese Frag wird ohne Beschwernuß aufgelöst, dann dazumal hat er die ganze Nacht umsonst gefischt, und mit dem Nihil allein das Netz angefüllt, sobald er aber auf des Herrn Wort das Netz eingeworfen, und eine solche Menge allerlei Fisch, zwar es gibt nur dreierlei, große, keine und mittelmäßige, heraus gezogen, daß er allein hierzu nit stark genug, sondern auch andere seiner Mitfischer um Hülf ersuchen müssen, adesto, gedacht Petrus, jetzt ist die Zeit, die Wahrheit zu reden, weil es so viel einträgt. Domine exi a me, etc.

Das neunte Gebot: Du sollst nit begehren deines Nächsten Hausfrau. Nur das nit, sagt das Gold, dann du gar zu wohl weißt, daß dich dein eignes Weib viel kosten thut. Siehe, jener Bediente in dem Evangelio ist seinem König 10 tausend Talente chuldig worden, um Gottes willen, wie muß er so viel Geld anworden haben? wie? frag ein. Weil, seine Frau hatte alle Wochen ein neues Modi-Kleid, und gleichwie in dem Mantel Eliä ein doppelter Geist, also in diesem Kleid eine doppelte Cresa, weil sie um den Kopf wollt allezeit steinreich seyn, also muß er blutarm werden, der vielfärbige Regenbogen ihrer Kleider hat dem Mann wohl öfter ein nasses Wetter in den Augen gemacht; der vornehme Procat an ihrem Manto hat verursacht harte Brocken an ihrem Mann, ihre kostbaren Spitz haben nit ein kleines Loch bohrt in seinen Beutel, ihre theuren Arm-Bänder haben der Armuth die Thür eröffnet, ihr stattlicher Aufzug war der guten Mittel Abzug, ihre Musch und Mäschen um den Kopf machten ein Gemisch Gemäsch in der Wirthschaft rc., geht ein solcher Unkosten auf sein eigenes Weib, bei Leib verbiet das Gold dem Geizigen, er soll nit begehren auch seines Nächsten Hausfrau, damit die Spesa nit wachsen.

Das zehente Gebot: Du sollst nit begehren deines Nächsten Gut. Allhier ist zu merken, daß eigentlich nichts auf der Welt sey, welches da konnte den Namen haben eines Guts, außer die Gnad Gottes, alle anderen zeitlichen Habschaften verdienen solchen Namen nit, in diesem Verstand befiehlt das Gold den Seinigen, sie sollen dieses Gut nit verlangen, wie dann jener bethörte Tropf in Niederland sich also verliebt in seinen köstlich erbauten Garten, daß er sich halb todt in besagten Lust-Ort tragen lassen, und mit zornigen Augen gen Himmel in diese gottslästerigen Wort ausgebrochen, du bist mir ein ungerechter Gott, dann ich weder dich, noch das Deinige jemal verlangt, und anjetzo vergunnst du mir die Erde nit. Weil dann der Geizige pro suo Deo Diabolum und Diobulum hat, das Gold wie Gott anbetet und verehrt, dessen 10 Gebot auf das emsigste haltet, also kann er mit gutem Fug ein Heid genennt werden.

Weil ich dann die Geizigen auf dem Heiden-Schuß zu Wien logirt hab, also erkenne ich sie nicht allein für Heiden, massen mir dieses beilegt der h. Paulus: Omnis avarus, quod est Idolorum servitus. Sondern ich sag noch darüber frisch und frei aus, daß sie geschossen seyn, und zwar großmächtige Narren. Zumalen ihnen Gott selbst dieses Prädikat zumesset: Stulte hac nocte repetent animam tuam, et quae parasti, cujus erunt?

Wie sparen, scharren und verwahren die geizigen Narren?

Wie? mit lauter Sorgen, Kummernuß, Arbeit, Drangsal, Leiden, Wachsamkeit, Abbruch, Widerwärtigkeit, Elend, Betrübniß, Hitz, Kälte, Hunger, Durst, Furcht und Schrecken, fressen sie ihre Brocken. O ihr Narren! Nachdem der reiche Prasser mehr beschaid als bescheid gethan, öfter beim Willkomm als vollkomm sich eingefunden, lieber zu todt gesoffen, als zu todt geloffen, man tragt nit so viel Blattern darvon; nachdem dieser Schmer-Bauch und Weinschlauch von dem gähen Tod überfallen worden, und den geraden Weg zum Teufel gefahren, hät er sich der großen und übermäßigen Pein daselbsten heftigst beklagt, forderist kam ihm unerträglich an der harte Durst, weil der Sau- und Sauf-Narr des Debuschirens schon gewohnt, wessenthalben er zu dem großen Abraham aufgeschrien um einen Trunk, auch schmeichlerischer Weis' ihn einen Vater genennt, Pater Abraham! O-O! x! es wird gewiß der Abraham einen solchen Schlenkelium zu einem Sohn haben? gleichwohl war der h. Patriarch so höflich, und hat ihn ebenfalls einen Sohn genennt, Fili, recordare, mein Sohn, sagte er, gedenk doch, was für gute Täg du allzeit gehabt hast, entgegen Lazarus so mühselig sein Leben zugebracht, jetzt muß er getröst seyn, du aber leiden, als wollte Abraham zu verstehen geben, daß zwei Himmel nit auf einander gehen, deßgleichen auch nit zwei Höll, rc.

Was Abraham dazumal dieser Schmier-Wampe von Schlampampen hat vorgeworfen, das konnt er in der Wahrheit nit objiciren einem verdammten Geizhals recepisti bona in vita tua, als habe solcher bei seinen Lebzeiten gute Tag empfangen, sondern mit besserm Fug konnte er einem solchen sagen, stulte recepisti mala, du Narr, du hast in der Welt gelitten, anjetzo mußt du auch ewig leiden. Alle anderen Sünder empfinden wenigst eine Lust und Gust auf der Brust in ihren Lasterthaten, aber der Geizige weiß nichts zu sagen, als von Pein und Marter.

Durch Fasten und Abbruch überwinden andere den bösen Feind, und erhalten nachmals die ewige Seligkeit. Samson wurde auf eine Zeit von sehr vielen feindlichen Truppen der Philistäer überfallen, der aber befand sich ganz allein, und was ihm die mehreste Angst verursachte, hatte er kein einiges Gewehr beihanden. O wie froh wäre er gewest, so er einen solchen spitzfindigen Scepter von Holz hätte gefunden, dergleichen die Bauern in Ober-Oesterreich in ihrem Feldzug gebraucht; er wendete seine Augen hin und her, konnte aber nichts ersehen, als einen dürren Esels-Kinnbacken, welchen er ganz behend und voller Guraschi ergriffen, damit die feindlichen Truppen so beherzt und löwenmüthig angriffen, daß ihrer tausend Mann wohlbewaffneter Soldaten auf dem Platz geblieben, durch ein dürres Bein eine so feiste Victori erhalten, war ein großes Wunder.

Noch größern und preiswürdigern Sieg haben erhalten so viel und unzahlbare Diener Gottes wider die unsichtbaren Feinde und Fürsten der Finsternuß, mit lauter dürren und durch Fasten ausgemergelten Kinnbacken; dann gleichwie, nach Aussag des h. Petri Damiani, ein nüchterner Speichel allen Schlangen und Ottern den Tod bringt, also nicht weniger jagt ein nüchterner und dem Fasten ergebener Mensch die höllische Schlang in die Flucht. Jene Soldaten, deren viel tausend waren, hat Gott durch den Kriegs-Obristen Gedeon auf dem Muster-Platz zu Harad hinweg geschafft, und als untüchtige Gesellen abgedankt, um weil sie sich auf ihre Wampen niedergelegt, und solchergestalten aus dem Fluß getrunken. Wordurch der Allmächtige genugsam wollte andeuten, und zu verstehen geben, daß alle diejenigen, welche zu sehr ihre Wampen versorgen und den Schmerbauch contentiren, nit zum Streit taugen wider die bösen Feind, wohl aber dieselbigen, so mit dürren Kinnbacken, wie Samson, will sagen, mit ausgedürrten, und durch Hunger und Abbruch ausgemergleten Angesicht wider besagte Feind streiten und kämpfen.

Es werden freilich wohl nur gar zu viel angetroffen, welche fast gesitt und gesinnt seyn, wie der Tobias dazumal, als er von dem Raphael geführt worden zu dem Fluß, woraus sich ein großer Fisch gäh erhebt, welcher mit dem aufgesperrten Maul den Tobias also erschreckt, daß er überlaut aufgeschrien: Domine, invadit me! helft mir um Gottes willen, der Fisch wird mich fressen. Viel und nur gar zu viel seynd anzutreffen, welche ob dem Fisch, so ein Sinnbild des Fasttags, erschrecken, und machen krummere Mäuler über die Fastenspeisen, als die Propheten-Kinder im Beiseyn Elisäi, über ihren Kraut-Topf; indem sie doch wissen sollten, daß ein enges Thürl in Himmel, und feiste angeschoppte Wampen nit hinein können, angusta Porta etc., wissen sollten, daß auf einer feisten Saite übel zu geigen, also ein feister Bauch taugt zum Gebet auch nit; wissen sollten, daß gleichwie der Altvater Noe nach 40 Tagen das Fenster der Arche eröffnet, also nach 40tägiger Fasten der himmlische Vater die Thür des Himmels eröffne; wissen sollten, daß Christus der Herr die drei und dreißig Jahr auf Erden niemal ein Fleisch gekostet, außer des gebratenen Osterlamms; wissen sollten, daß ehe und bevor der Moses die 10 Gebot aus Gottes Hand empfangen, vorhero eine strenge Fasten vollbracht hat, als könne man die 10 Gebot so leicht nit halten, ohne vorgehende Fasten und Leibs-Kasteiung; wissen sollten, daß Castitas und Castigatio zwei leibliche Schwestern seyn, und eine von der andern sich hart lasse absondern; wissen sollten, daß die bösen Feind heftig den Herrn um Erlaubnuß ersucht haben, in die Schwein zu fahren, woraus erhellet, daß speckfeist der Teufel ihr Fressen sey; wissen sollten, daß Macer und Sacer nur mit einem Buchstaben unterscheiden, derentwegen sich der Heiland auf dem Berg Thabor in die Gesellschaft eingelassen des Mosis und Eliä, welche beede dem Fasten, nach laut der göttlichen Bibel, sehr ergeben waren; wissen sollen, daß die drei Knaben von dem feurigen babylonischen Ofen dessenthalben keinen Schaden erlitten, weilen sie sich vorhero von der verbotenen Speis' enthalten, und ein Fasttag angestellt, als könne einer so bald nit von einer mit unziemendem Feuer entzündten Baberl verletzt werden, welcher im Fasten sich übet; wissen sollen, daß gleichwie der Hausvater im Evangelio einen schönen Weingarten gepflanzt, und damit selbiger von aller Gefahr und Schaden sicher sey, einen guten Zaun darum geführt, et sepem circumdedit ei etc., also könne ein frommer Christ den Weingarten seiner Seele in keine größere Sicherheit stellen, als wann er ihn mit einem guten Zaun einschränkt, und den Leib mit Fasten zaundärr abmerglet; wissen sollen, daß der Mond nie eine Finsternuß leide, außer er sey im Vollschein, also der Mensch sich so leicht nit in die Werk der Finsternuß einlasse, außer er sey voll, und mit Speis' und Trank zu viel angefüllt; wissen sollen, daß Löffel und lefflen, essen und vermessen, Speis und Gespäß, Tafel und Teufel, Nachtmahl und Nachtmaul, Gula und

Gail, Fraß und Frauen, sitzen bei einander im besten Vertrauen.

Dahero die frommen Diener Gottes, so sich aller Vollkommenheit beflissen, nichts höhers, und einem christlichen Wandel nichts nothwendigeres gehalten, als die Fasten, und bescheidenen Abbruch der Speis und Trank, wie dann der Allmächtige mehrmalen solches mit großen Wunderwerken bestätiget. Ich will geschweigen, daß der h. Einsiedler Konrad einen geselchten Schunken in einen Fisch, der h. Franziskus von Assis, wie auch Antonius von Padua, einen gebratenen Kapaun in einen Bratfisch, der h. Udalrikus von Augsburg ein kälbernes Brätl in eine Forelle, die h. Agnes Politiana ein eingemachtes Fleisch in einen abgesottenen Fisch, der h. Augustinus Prediger-Ordens zwei Rebhünnl in zwei Blatteißl, wunderbarlich verkehrt haben, damit sie nur die Fasten nit möchten brechen: Ich will nit herbeifügen jenes lustige Trauerspiel, so sich Anno 1592 unweit der Stadt Breslau zugetragen, indem dazumal, zum Schimpf und Hohn des katholischen Glaubens, ein verbainter Ketzer an einem gebotenen Fasttag nit allein Fleisch gespeist, sondern noch darüber einem katholischen Bauern mit Gewalt einen guten Brocken um das Maul geschmiert, und auch zum Essen übermüthig angereizt; nachdem er aber in dem gemeinen Menschen einen frommen Widerstand erfahren, allo, sagte er dem Bauern, siehe, wie wohl dieses Bißl mir wird schmecken, Kraut aber für die Papisten, reißt beinebens das Maul in alle Weite auf; über welches alsobald Gottes gerechte Straf erfolgt, daß er auf keine Weis das offene und weite Maul konnte zusperren, umsonst war aller angewendte Fleiß und Arbeit der Doktoren und Aerzte, sondern es mußte dieser Bösewicht ein steter Maulaff seyn; und war kein Mittel zu finden, solches offene Gefriß zusammen zu schließen; hätte er sein vorhero das Maul gehalten. Alle diese seynd große Wunder wegen des Fastens, aber folgende seynd größere Wunder in dem Fasten.

Simeon Stillites hat öfters, als einmal neben andern harten Kasteiungen vierzig ganzer Tag aneinander gefast, weder Speiß noch Trank zu sich genommen. Das heißt gefast!

Die h. Katharina von Senis hat einmal vom Ascher-Mittwoch an, bis auf die Himmelfahrt unsers Herrn, ohne einige Speiß zugebracht. Ja durch etliche Jahr hat sie keine andere Nahrung zu sich genommen, als eine wenige und wintzige Portion von Kräuter-Saft. Das war ein Fasten!

Die wunderbarliche Lidwina aus dem Marktfleck Schiddam in Holland, um das Jahr 1424 hat dergstalten ein strenges Fasten und Abbruch gehalten, daß sie inner acht und zwanzig Jahren nichts anders genossen, als allein das allerhöchste Sacrament des Altars. Das soll ein Fasten genennet werden! Die seelige Coletta durch vierzig Täg. Die seelige Elena Encelmina durch drei Monat. Der h. Abt Faustinus durch zwanzig Täg. Die seelige Clara de A g o l a n t i b u s durch ein halbes Jahr, haben dergestalten gefastet, daß sie nit die geringste Speis zu sich genommen, soll das nit ein Fasten seyn? Alle diese und viel unzahlbare mehr haben durch ihr Fasten und Abbruch große Verdienste im Himmel gesammelt, Gott dem Höchsten ein großes Wohlgefallen verursacht, und eine sondere Kron im Himmel geschmidt.

Entgegen die geldgierigen Geizhäls fasten ebenfalls, und dannoch samt ihrem strengen Abbruch, und harter Kasteiung fahren sie noch zum Teufel. O Narren! Wohl recht Pazen und Pazo, gar gut Matto und Matthäus (dann dieser anfangs ein Geizhals war) nit übel-Denari und Närrisch, stimmen Namen halber übereins, zumalen kein bessers Prädicat verdient der Geizige, als daß er einer mit dem Klafterlangen N. soll benamset werden. Der Geizige sieht so dürr und mager aus, als wäre er erst neulich von einem Nürnbergerischen Bein-Drechsler in einer Staffeta überschickt worden, seine Augen stecken im Kopf, wie zwei gläserne Knöpf in einem Flecksieder-Wammes, seine Stirn ist so glatt, wie ein alter Feuer-Kübel, den man in der Brunst zu Troja gebraucht hat. Die Wangen seynd dergestalten ausdorrt, daß sie tauglich, dafern sie an einem Stängel wären, zu einem Fliegen-Täschl, die Haar sehen so matt, wie das alte Gemieß auf einem Bauern-Dach, das Maul ist so kleinmüthig, daß es schier nit mag ausgehen, wie ein alter verrosster Thür-Angel, die Stimm ist so schlecht, daß sie auch eine Glocke an dem Hals einer Schweizer-Kuh überschreit, der ganze Leib ist also dürr und ausgemerglet, daß der Bauch einer zusammen gefallenen Sackpfeife nit ungleich, mit dem Ellen-Bogen konnt er ohne sondere Mühe ein eichenes Bret durchbohren, der Narr ist dem König Pharao nicht viel ungleich, dann jener verharrt, dieser aber verbeint, und schaut ihm der Hunger bei den Augen aus, wie vor diesem in Samaria aus den

Fenstern, warum? etwann hat er keine Mittel? ja, ja, Mittel satt, der Sau-Narr hat bald mehr Schwein im Stall, als die Gerasener zu Christi Zeiten. Der Widerwärtige Narr hat bald mehr Schaaf auf der Weid, als der Laban. Der Ochsen-Kopf hat fast so viel Kühe, als Jacob seinem Bruder Esau geschenkt, und geschickt hat. Der Gimpel hat schier mehr Geflügelwerk, als der Hohepriester Caiphas, in dessen Behausung der Hahn dem Peter die Buß geprediget. Der Häber-Narr hat weit mehr Korn und Waizen, als Joseph seinen Brüdern in das Land Kanaan mitgeben, allein aus lauter Geiz frißt er nichts, aus lauter Geiz zehrt er nichts, aus lauter Geiz braucht er nichts. Bei Leib nit ein gebratnes kälbernes Schlegel, wie Abraham seine Fremden tractirt, sondern eine blinde Wasser-Schnallen für diesen Schlegel. Bei weitem nit ein guter Brat-Fisch, wie die Apostel unserm Herrn aufgesetzt, sondern ein Linsen-Koch für diesen Stockfisch. Nur gar nicht feiste Wachtlen, wie Gott den Israeliten geschickt, sondern ein Kraut diesem Narren, dann aus Geiz traut er ihm nichts anders zu essen.

Der wackere Hof-Prediger Daniel hat ihm kein Blättl fürs Maul genommen, sondern ganz keck und beherzt den babylonischen Monarchen Nabuchodonosor unter die Nasen gerieben seine große Vermessenheit, indem er sich für einen Gott hat aufgeworfen, und beinebens angekündt die große Straf, welche bald die göttliche Gerechtigkeit über ihn werde schicken, benanntlich werde er von Leuten verstoßen werden, seine Wohnung werde seyn unter den wilden und vernunftlosen Thieren, er werde das Gras wie die Ochsen fressen: Foenum, ut bos comedes etc., jedoch, sagt Daniel, Ihre Majestät folgen meinem Rath, sie geben reichliches Allmosen den Armen, etwann wird ihnen Gott diese große Straf gütigst nachsehen rc. Haec omnia venerunt super Nabuchodonosor etc. Aber alles ist über Nabuchodonosor, diesen so großen König, kommen. Sieben ganze Jahr mußte er auf allen Vieren in der Wildniß gleich anderem Vieh kriechen, und Gras fressen, aus welchem sonnenklar erhellet, daß dieser geizige König, nach Einrathung des Daniels, nicht habe Allmosen geben, sondern lieber hab wollen wie ein Ochs Gras fressen, als das Geld ausgeben, oder das Seinige verlieren. O Narr!

Seines gleichen gibt es noch viel, welche aus purem Geiz lieber wollen, wie ein Vieh leben, Hunger leiden, wie ein Hund, Gras fressen, gleichsam wie ein Ochs, als ein Geld ausgeben. Ich habe selbst einen gekennt, welcher nach seinem Tod über die siebenzig tausend Gulden in lauter Baarschaft verlassen, der aus Geiz ihm nie getraut satt zu essen, das Brod hat er Stücklweis von den armen Schülern, welche dergleichen Proviant von dem Kapuziner-Kloster daselbst getragen, um leichten Werth erhandlet, die Beiner auf der Straße (wer weiß, ob sie nit von des Schimmel guter Gedächtnuß gewesen) hat er gar begierig aufgehebt, und ihm hiervon, welches vielen als unglaublich gedunkt, eine Suppe gekocht. Nach seinem Tod hat man ein einiges paar Schuh gefunden, in welchem fünf und zwanzig eiserne Nägel gezählt worden, sonst sagt man, die Schuh ab, und der Höll zu! aber diese hätt der Phantast wohl können mit sich tragen.

Ein anderer ist gewest, den man sonst Ihr Gnaden titulirte, der also vom Geiz eingenommen worden, daß er in der Woche nit einmal zu Haus gespeist, sondern da und dort einen unverschamten Schmarozer abgeben, seine Kleider und Schuh hat er allemal auf dem Tändlmarkt eingehandlet, und also in dreissig Jahren kein neues Kleid angelegt, sein Bett war so schlecht, daß, wann es jener beim Schwemmteich zu Jerusalem gehabt, ihm vermuthlich der Herr nit hätte befohlen, er soll es mit sich tragen, tolle grabatum etc. Sein Geld, welches in 50 tausend Gulden bestanden, hat er monatlich gewaschen, dazumal aber mußte den ganzen Tag die Haus-Thür gesperrt bleiben, auch der Diener und die Magd (dieß war das ganze Hausgesind, weil er nit verheirathet) zur selben Zeit sich anderwärts müssen aufhalten, seine besten Dukaten hengte er im ledernen Säckl in einen alten Rauchfang; sein gemeiner Spaziergang war auf der Gänsweid, woselbst er die von Gänsen ausgefallenen Federkiele fleißig aufgeklaubt, und nachmals den Schülern um etliche Pfenning verhandlet; die Holz-Birn, womit die muthigen Hirten-Buben scherzweis einander geworfen, hat er gar emsig zusammen gesucht, und für ein sonders Schlecker-Bißl kochen lassen, viel andere Sachen und Thorheiten hat er begangen, welche, so sie sollten beschrieben werden, schier dem Leser einen Argwohn der Unwahrheit möchten verursachen: O Narr! Als dieser alberne Geizhals von einem gähen und tödtlichen Zustand überfallen worden, und der Medicus heilsame Arzneyen in der Apotheke vorgeschrieben, hat er dem Diener ernstlich verboten, solche abzuholen, um weil es zu viel möchte kosten, sondern darfür begehrt ein halb verschimpeltes Medritat-Büchsel, so bereits in die 12 Jahr auf einem wurmsüchtigen Kasten gelegen, wovon er eine solche Kraft empfunden, daß er gleich darauf vom Schlag getroffen, ohne Buß gestorben, und allem Vermuthen und Urthl nach zum Teufel gefahren, nach ferner hat man über die 50 tausend Gulden allerlei schönster glanzender und wohlgewaschener Münz gefunden, so alles in fremde Händ und fremde Beutl, in fremde Gewalt kommen. O Narr!

Andere mit Fasten und Abbruch erlangen die Gnad Gottes, die Nachlaß der Straf, die ewige Belohnung, der Geizhals aber verdient durch sein Fasten die Höll, das höllische Feuer, des Feuers Ewigkeit. O Narr! Viele seynd bereits in dem obern Vaterland, in Gesellschaft der Engel, im himmlischen Paradeis, welche nit halbentheil sich also gekasteiet, wie du Geizhals, dahero bist du ein Martyrer des Teufels, dessen Mutter dir einen Schein auf den Kopf setzen wird. In dem Evangelio seynd jene Arbeiter um ihrer gehabten Mühewaltung willen nach Contento belohnt worden, aber der Geizige um seine ausgestandene Fasten und Arbeit hat er des Teufels Dank. O Narr! Andere mit guter Tafel und wohlgeschmackem Bißel erreichen noch das ewige Heil, aber der Geizige mit Fasten und Schnarrmaul, mit Abbruch und Leiden fahrt noch zum Teufel. O Narr!

Christus der Herr hat zu Cana Galiläa auf der Hochzeit den besten Wein lassen austragen, der h. Vincentius Ferrerius hat in einem Wirthshaus zwei tausend Personen mit wenig Brod gespeist, und weil der

Wein so sauer, auch fast halb Essig, hat er denselben wunderbarlich in den edlesten Wein verkehrt. Siehe! unser liebe Herr, und seine Heilige setzen guten Wein auf, und da heißt gesegn Gott, du aber aus Geiz saufst einen sauern, der halb Wasser, da heißts, der Teufel gesegn dirs, o Narr! Der Heiland Jesus hat sich in der Wüste erbarmt über das Volk, daß selbiges schon drei Täg wegen seiner Hunger leidt, daß du aber aus Geiz und eingewurzleter Kargheit einen Hunger aussteheſt, da kann sich der Teufel darüber erbarmen. O Narr! Auf solche Weis' ist die Höll viel theuerer, als der Himmel, die Gesatz des Satans viel schwerer, als die Gebot Gottes, das Leben des Sünders viel härter, als des Gerechten, der Weg zum Verderben viel knoperter und steiniger als zum Leben, die Laster viel bedränglicher, als die Tugenden, auf solche Weis' ist Essen und Trinken viel besser, als dein Fasten. O Narr!

Wie sparen, scharren und verwahren die Narren?

Wie? mit stetem Last und Unruhe, dann der Geizige thut bald schaffen, bald schiffen, bald danken, bald denken, bald schaben, bald scheiben, bald schwäzen, bald schwitzen, bald haben, bald heben, bald suchen, bald sochen, bald trauen, bald drohen, bald grapplen, bald gripplen, bald legen, bald liegen, bald tauschen, bald tuschen, bald holen, bald hüllen, bald rechten, bald richten, bald zählen, bald zielen, bald spüren, bald sperren, bald bergen, bald borgen, voller Kummer und Sorgen. O Narr!

St. Gotthard, Bernhard, Gerhard, Medhard, Richard, Leonhard, Quinhard, Eberhart, Adelhart, seynd nit allein hart in dem Namen gewest, sondern forderist in dem Leben, indem sie ihrem Leib tractirt, wie der Baalam die Eslinn, mit ihrem Leib umgangen, wie der Gedeon mit dem Treid, ihren Leib carisirt, wie Christus die Verkäufer in dem Tempel, insonderheit haben sie ganze Nächt in dem eifrigen Gebet zugebracht, oft nit ihrem Leib eine Stund vergunnt zu schlafen, welches ihnen Gott höchst und ewig belohnt hat. Ein Geiziger vor lauter Sorgen, aus lauter Kummer, weil er stets nach mehrers wacht und tracht, schlaft oftmals nit eine Stund, schließt die ganze Nacht nit ein Aug zu, vergunnt dem Leib keine Ruh, und dieß alles belohnt ihm noch der Teufel mit der Höll, o Narr!

Pharao, König in Egypten, wurde durch so vielerlei schwere Strafen von Gott gewarnet, gleichwohl nicht gebessert, sondern noch mehr erhart, deßwegen vonnöthen gewest, daß solcher harte Stockfisch nachmals im Meer eingewässert worden; unter anderen Plagen, wodurch ihn der Allmächtige begann, zu sich zu ziehen, war nit die mindeste die große und häufige Menge der Mucken durch das ganze Königreich, dieser wär eine solche Anzahl und Ungestümm, daß kein einiger Mensch weder Schlaf noch Ruhe konnte haben; dann ob sie schon kleinwinzige Thierl und kaum sichtbare Mucken waren, so plagten sie doch die Leut mit ihrem subtilen und scharfen Stahel, daß Niemand, wie er sich immer verhüllt oder eingesperrt, konnte den nothwendigen Schlaf nehmen. Das waren schlimme und wohl verdrießliche Mucken, aber worvon seynd diese gewachsen? siehe, höre, liese, der Prophet Aaron hat aus Befehl Gottes mit seiner Wunder-Ruthe auf die Erde geschlagen in den Staub, percussitque pulverem terrae etc., und daraus seynd diese unruhigen Mucken augenblicklich kommen.

Was ist Gold und Silber anderst, als eine bleiche, weiße Erde? von welcher da die allerunruhigsten Mucken wachsen. Warum schlaft der Geizige mehrmal eine ganze Nacht nit? darum, er macht ihm allerlei seltsame Mucken durch das Geld, so er hat, so er haben will aus dieser Erd, kommen ihm so unterschiedliche Mucken, welche den süßen Schlaf verbieten.

Jener geizige Phantast in dem Evangelio hat die ganze Nacht hindurch nit ein Aug zugeschlossen, sondern stets Mucken gemacht, auf dero Flügel diese Wort gestanden: quid faciam? was muß ich thun? ich hab dieß Jahr des Treids so viel, daß ich es gar nit kann in die Scheuer bringen? quid faciam? was muß ich thun? dermal seynd die Erdfrüchte in geringem Werth, ist also gar nit rathsam, das schöne Treid so schlecht zu versilbern; quid faciam? was muß ich thun? leihe ich es einem Müllner, Gott weiß, wie mich etwann der Gesell wird bezahlen, dann bei ihnen ohnedas weiße Kleider und schwarze Gewissen gefunden werden, und probier es einer, wann er hinter einem Müllner und Becker auf der Gasse geht, so sag nur: da geht ein Dieb, sodann wird gleich der Müllner umschauen; quid faciam? was muß ich thun? derweil einen fremden Stadel im Bestand nehmen, will mir gar nit eingehen, dann fremd und entfremden seynd gar nah verwandt, und kann einer in sein eignes Haus kaum die Salve Quardi vor den Dieben erhalten; quid faciam? was muß ich thun? vertausch ich das Treid um Wein, so verschwindt solcher nach und nach aus dem Keller, und wird mein Weib alle Tag einen wohl protokollirten Rausch haben, dann sie ohnedas nicht viel besser, als jene, die sogar die Woll aus ihrem Pelz geschnitten, und solche um einen nassen Brustfleck vergeben; quid faciam? was muß ich thun? laß ich es ausdreschen, und gibs in das kaiserliche Proviantshaus, lieber Gott, was muß ich spendiren, bis ich wieder bezahlt werd, es seynd jetzt der Beamten so viel, und will ein jeder ein guter Christ seyn (Christus heißt so viel, als unctus oder gesalbt.) Quid faciam? was muß ich thun? schick ich es in ein anders Land, allwo es freilich um einen theueren Preis verhandlet wird, was kosten mich aber die Fuhrleut? welche ohnedas schlimme Vögel, der Henker rupf sie, was halt mit Wägen umgeht, ist gemeiniglich verwegen. Quid faciam? was muß ich thun? laß ich das Treid abschneiden, und raum's nit bald aus dem Weg, so kommen die Soldaten vom furbischen Regiment, und verfuttern mirs, dann sie sonst so vertraulich, daß sie öfters mit samt ihren Pferden zu unserm Tisch sitzen. Quid faciam? was muß ich thun? fallt ein schlimmes Wetter ein, und ist das Treid nit unterm Dach, so verdirbt es, und ein solcher Wassermann thät machen, daß ich mit der Zeit in das Zeichen des Krebs käm, und folgsam meine Wirthschaft und guter Gewinn zuruck gienge. Quid faciam? was muß ich thun? ich bin mir selbst nit gescheid genug, ins Spital schicken, das mag ich nicht, wann mancher Bärnschneider hätt besser auf das Seinige geschaut, dürfte er auch nit in solchem alten Weiber-Convict seyn, allein bei solchen nassen Brüdern thut zuletzt gemeiniglich der Weinzeiger auf nichts zeigen. Quid faciam? was muß ich thun? laß sehen, das ging an, wann dieß und dieß nit wär, aber auf solche Weis' ließ es sich schier praktiziren, doch ist nicht allzuviel zu trauen, ich mag meine Sach nit an Spitz setzen, wie der David den Uriam. Mit dergleichen Mucken hat er die ganze Nacht zugebracht, nit eine viertel Stund geschlafen, und als er endlich bei sich entschlossen, die Sach zum besten einzurichten, da fallt ihn unverhofft ein Steckkathar, an welchem er elend erstickt. Stulte hoc nocte repetent animam tuam. O Narr!

Die lieben und frommen Hirten seynd wohl trefflich belohnt worden auf den bethlehemitischen Feldern, weil sie daselbst gewacht haben, dann sie derentwegen die allerersten gewest, welche durch den himmlischen Kurier die neue Zeitung erhalten, daß Gottes Sohn in dem Stall geboren; aber ein solcher Geizhals durch sein Wachen und Schlafbrechen verdient noch die Höll, o Narr! Auf Wälsch heißt Ricco ein Reicher, und Riccio ein Igl, die Namen kommen mit der That übereins, dann ein Reicher voller Stahel, wie ein Igl, von dem er selbst geplagt wird. Wie unser gebenedeiter Heiland die hebräischen Geizhäls und Wucherer aus dem Tempel hinaus gepeitscht, hat er die kleinen Strickl, womit sie ihre Waaren gebunden, anstatt der Geißel gebraucht. Warum daß unser Herr, der dazumal einen gerechten Zorn gefaßt, nit ein gutes Lattentrum, oder einen starken Stuhlfuß genommen, und diese schlimmen Gesellen über die Köpf damit geschlagen, es hätt besser ausgeben, als die kleinen Strick? Meiner einfältigen Meinung nach hat ihm etwann der liebe Herr gedenkt, was er sie lang wolle stark schlagen, indem sie ohnedas geschlagen genug seyn, dann in aller Wahrheit die Geizigen mehr leiden und ausstehen, als die Geistlichen in dem Kloster, die Einsiedler in der Wüste, und wird am jüngsten Tag offenbar werden, daß mancher Geizhals mehr gefast, mehr gewacht, mehr gelitten wegen des Golds, als mancher Karthäuser wegen Gott, o Narr! Siehest du diesen Bettler, welcher dort auf dem grünen Wasen mit dem Kopf auf einem Scheerhaufen liegt, und so sanft schlaft? ihn hindert keine Fliege, wer weiß, ob ihm nicht Gott im Traum eben die Leiter zeigt, wie dem Jakob, und du bethörter Tropf thust so manche Nacht wegen deiner Mucken, welche der Geiz macht, ohne Schlaf zubringen, und in steter Unruhe dein Leben führen. Die Soldaten, so bei dem Grab des gekreuzigten Herrn und Heilands haben gewacht, seynd mit Geld derenthalben bezahlt worden, dich aber wegen deines steten Wachen und Sorgen bezahlt der Teufel. O Narr!

Der gelehrte Jesuit Stengelius erzählt eine wunderliche und beinebens lächerliche Geschichte von einem solchen Geld-Narren, welcher vom Geiz mehr, als Tobias vom Schwalben-Koth verblendt worden. Dieser stund in immerwährender Furcht, daß ihm ein

Dieb möcht über das Geld kommen, dahero er denselben guldenen Schatz bald da und dort verborgen, wie ein Hund ein Bein, war dannoch seines Sinns nie recht versichert vor dergleichen Raubvögel; einsmals fallt ihm ein, es wäre kein besserer und hierzu bequemerer Ort, solches Geld zu verbergen, als ein Baum im Garten, zumalen die Dieb ihren Raub und Beut nur in Häusern, Kästen und Küsten zu fischen pflegen, zu diesem End besiehet er ganz genau, sowohl die in seinem als auch in dem benachbarten Garten großen Bäume, worunter er einen, seines Gedunken nach, sehr tauglichen auserkiesen, welchen er nachmals in aller Geheim bestiegen, und ganz daroben, unweit vom Gipfel, wahrgenommen, daß der Baum etwas hohl sey, so da war nach seinem Wunsch; nachdem er sehr behutsam vorhero umgeschaut, ob er von jemand nit vermerkt werde, hat er geschwind den ledernen Sack voll Dukaten in besagten hohlen Baum hinein gesteckt, und mit der alten Rinde gar sauber zugedeckt, und verhüllt, darauf ganz trostvoll herab gestiegen, als sey sein Schatz bester massen verwahrt. Eben zur selben Zeit befand sich dieses Geizhals nächster Nachbar in sehr großer Drangsal und Betrübnuß, um weil er ein Haus voll Kinder, die immerzu eine Stadt in Ungarn belagern, die heißt Brod, und noch darzu die Kreditores und Schuldenforderer stets um das Haus prozessionweis gehen, das Kreuztragen aber allzeit auf ihn komme, welches alles den armen Tropfen in solche Kleinmüthigkeit gestürzt, daß er endlich beschlossen, ihm selbst lieber das Leben zu nehmen und abzukürzen, als ferners in solchem Elend verharren, wie er dann un=

statt der Geißel getaucht. Warum daß unser Herr, der dazumal einen grechten Zorn gefaßt, nit ein gutes Lattentrum, od einen starken Stuhlfuß genommen, und diese schlmmen Gesellen über die Köpf damit geschlagen, es ätt besser ausgeben, als die kleinen Strick? Meir einfältigen Meinung nach hat ihm etwann der liet Herr gedenkt, was er sie lang wolle stark schlagen, indem sie ohnedas geschlagen genug seyn, dann in ller Wahrheit die Geizigen mehr leiden und ausstehe als die Geistlichen in dem Kloster, die Einsiedler i der Wüste, und wird am jüngsten Tag offenbar wrden, daß mancher Geizhals mehr gefast, mehr gewach, mehr gelitten wegen des Golds, als mancher Karthäser wegen Gott, o Narr! Siehest du diesen Bettr, welcher dort auf dem grünen Wasen mit dem Kpf auf einem Scheerhaufen liegt, und so sanft schla? ihn hindert keine Fliege, wer weiß, ob ihm nic Gott im Traum eben die Leiter zeigt, wie dem Ja[illegible], und du bethörter Tropf thust so manche Nacht [illegible]gen d[illegible] welche der Geiz macht, ohne [illegible] steter Unruhe dein Lebe[illegible] bei dem Gr[illegible]en [illegible]
n[illegible]

Doch mehr über das Geld kommen, dahero er denselben andern Schatz bald da und dort verbergen,
nur ein Hund ein Baum, war annoch seines Sinns
nicht mehr versichert vor dergleichen Raubvögel: einsmals
fiel ihm ein, es wäre kein sicherer und hierzu bequemerer Ort, solches Geld zu verbergen, als ein
Baum im Garten, zumalen die Dieb ihren Raub und
Beut nur in Häusern, Kästen und Kisten zu suchen
pflegen, zu diesem End besiehet er ganz genau, sowohl
die in seinem als auch in dem benachbarten Garten
großen Bäume, worunter er einen, seines Gedunkens
nach, sehr tauglichen auserkiesen, welchen er nachmals
in aller Geheim bestiegen, und ganz daroben, [illegible] auf,
vom Gipfel, wahrgenommen, daß der Baum [illegible]
hohl sey, so da war nach seinem Wunsch; [illegible]nder
er sehr behutsam vorhero umgeschaut, ob er von [illegible]zwei-
nit vermerkt werde, hat er geschwind den ledernen [illegible], der
voll Dukaten in besagten hohlen Baum [illegible]
und mit der alten Rinde gar sauber zugedeckt [illegible] eine Apo-
hüllt, darauf ga[illegible] voll [illegible], sie sollen
sein Sch[illegible]ermaß. [illegible] Aber der
[illegible]en, daß er
[illegible]; der Herr
[illegible]raden auf dem
[illegible]chen: Non po-
[illegible]? aber der Geiz-
[illegible]e eine ganze Nacht
[illegible] weit leichter in Him[illegible]
Ju-
[illegible]g)
deine
[illegible]ene Güter,

säumlich um einen guten Strick umgesehen, womit er sich selbst möcht erdroßlen; mit solchem harten Flor vom Sailer; begibt er sich eilfertig, jedoch in der Stille, in seinen Garten, willens, daselbst dieß verzweifelte Werk zu vollziehen, und siehe, wie Gottes Vorsichtigkeit so wunderlich auf Erden spielet, er steigt eben denselben Baum, worin kurz vorhero der Geiz-Narr sein Geld verborgen, nachdem er bereits den Strick um den starken Ast geflochten, wollt er vorhero umsehen, ob nit einige Leut ihn wahrnehmen, im währenden Umschauen vermerkt er was in dem hohlen Baum, schaut, greift, findt, hebt den Sack voll Dukaten heraus, was für Freuden in seinem Herzen entstanden, ist leicht zu erachten; er gedacht nicht anderst, als habe ihm die göttliche Vorsichtigkeit zu Unterhaltung seiner armen Kinder dieses so stattliche Vögelnest zugeschickt; dahero ohne weiters Nachsinnen mit dieser so unverhofften Beut den Baum verlassen, den Strick aber hangen lassen, laß Strick Strick seyn, gedacht er, mir ist lieber dieß Glück als der Strick, mir ist weit angenehmer dieß Heil als das Sail, es mag sich ein anderer daran hängen, mich lust heut nit nach dergleichen Spagat-Salat rc. Unter solcher Zeit machte ihm der obbenannte Geizhals tausend Mucken und Sorgen, also daß er manche Nacht nit eine halbe Stund konnte schlafen, war immerza in Angst und Furcht, es möcht ihm eine Maus übern Käs, oder ein Mauskopf über die Kassa kommen. O Narr! So du nur halbentheil wegen Gott so viel thätest wachen, ich glaub, du kämst auf die Eremiten-Bank im Himmel. Die Furcht hat ihn endlich so stark getrieben, daß er frühe Morgens, so bald der Tag anbrach, beschlossen, seinem liebsten Schatz eine Visita zu geben, so auch geschehen; wie nun dieser geizige Baumhäckl hinauf geklept, und leider! gefunden, daß seine Dukaten Federn bekommen, auweh! ach! das Gesicht erbleicht, das Herz fallt in die Strümpf, die Seufzer brechen, die Augen schwimmen; nun ist es aus, sagte er, trösten kann mich niemand, ist mein Geld hin, soll das Leben auch hin seyn, ist mir nur leid, daß ich nicht gleich einen Strick bei Handen hab, die Verzweiflung wollt ich mit einem Knopf auflösen; wie er also ganz entrüstet umgeschaut, da nimmt er wahr, daß gleich neben seiner ein Strick hange, den unlängst zuvor der glückselige Schatzfinder hinterlassen, diesen erwischt ganz gierig der verzweifelte Geld-Narr, und bindt also den Hals zu, der als ein Geizhals lebte. O Narr!

Unser lieber Herr war so gütig gegen seine Aposteln und Jünger, daß er ihnen selbst befohlen, sie sollen ein wenig ruhen: Quiescite pusillum. Aber der Geiz-Teufel plagt die Seinigen dergestalten, daß er ihnen weder Schlaf noch Ruhe vergunnt; der Herr hat von dem Peter und zweien Kameraden auf dem Oelberg nur eine Stund begehrt zu wachen: Non potuistis una hora vigilare mecum? aber der Geiz-Teufel will von den Seinigen, daß sie eine ganze Nacht nicht schlafen. Auf solche Weis' ist weit leichter in Himmel zu kommen, als in die Höll, auf solche Weis' darf niemand nit so viel leiden um die Seeligkeit, als um die Verdammnuß, auf solche Weis' setzt Gott den Seinigen auch in der Welt süssere Bißl auf, als der

Satan. Es hat zwar der h. Paulus in der achten Epistel zu den Römern ausgesprochen, daß er und die Seinigen den ganzen Tag wegen Gott leiden: Propter te mortificamur tota die, aber die Geizigen müssen über Willen bekennen, daß sie nit allein den gänzen Tag, sondern mehrmalen auch die ganze Nacht leiden wegen des Gelds. O Narru!

Der König in dem Evangelio, wie er wahrgenommen, daß ein Limmel und grober Gesell ohne hochzeitliches Kleid unter den Gästen sich eingefunden, hat sich dergestalten darüber erzürnt, daß er alsobald befohlen, dem frechen Kerl die Händ und Füß zu binden, und in die äußerste Finsternuß zu werfen. Ein anderer Bedienter und gemeiner Haus Knecht im Evangelio untersteht sich, dem König spöttliche Wort unter das Gesicht zu sagen, man kenne ihn wohl, was er für ein König sey, er bereich sich mit fremden Gütern, er schneidt ein, wo er nit gesäet hat, und bring den Nächsten um das Seinige rc., ei du unverschamter Gast, du wärst werth, daß dich alle Schörgen zum Galgen hinaus begleiten sollen, diesem Lottersknecht ist gleichwol keine andere Straf angethan worden, als daß man aus königlichem Befehl ihm das gegebene Geld, benanntlich ein Pfund, aufert ab illo Mnam etc., soll wegnehmen. Warum daß der erste so hart gezüchtiget worden, der weniger Uebels gestift? mit dem andern aber ist man so glimpflich verfahren, der ein größerer Schelm war? ich antwort, wie daß der Letztere eine schärfere Straf ausgestanden, als der erste, dann dem Letztern hat man das Geld genommen, der gar ein karger Vogel war, einem Geizigen aber kann nichts ärgers widerfahren, als wann er das Geld verliert, Tag und Nacht, fruh und spat, Sommer und Winter, Herbst und Frühling, Werktag und Feiertag, zu allen Zeiten fürcht er, wie ein Haas, zittert wie ein Bachstelzen-Schweif, fruszet wie ein ungeschmierter Garn-Haspel, grimmt sich wie ein Dax, schnauft wie ein Post-Klepper, und sorgt immerzu, es komm ihm einer über das Geld, wie die Rachel über die Götzenbilder des Labans, es stutz ihm einer den Beutel, wie der Hanon die Kleider den davidischen Gesandten, es zwack ihm einer vom Schatz, wie der David dem Saul vom Mantel, und so er etwas verliert, das dringt ihm durch das Herz besser, als der Nagel der Jachel dem Sisara durch den Schlaf. O Narr! was leidest du nit um die Höll!

Wem sparen, scharren und verwahren die Narren?

Wem? quae congregasti cujus erunt? wem hast gespart so viel Kühe mit so viel Mühe? wem hast gesammelt so viel Batzen mit so viel Kratzen? wem hast gesucht so viel Treid mit so viel Leid? wem hast aufgehebt so viel Wein mit so viel Pein? wem hast geschächert so viel Metallien mit so viel Travalien? wem hast gelassen so viel Häuser du Kahlmäuser?

Ich, also laut dein Testament, ich Johannes Zacharias Batzenecker, verlasse hiemit sowohl meine wenige Baarschaft, als Aecker, Gründ, samt allen Mobilien meinem Sohn, als einigem Erben Franz Jucundo etc., (das ist eine s. v. große, bloße Lug) ich verlaß, das ist nit wahr, du verlaßt nit deine durch Geiz und Kargheit zusammen geschabene Güter, sondern du wirst von ihnen verlassen, das Geld, o Phantast! verlaßt dich 2c., setz also deinen letzten Unwillen (dann dein Wille ist nit das Geld zu verlassen) stell dein Testament also: Ich Narr aller Narren, habe bishero mit so viel Sorgen, Mühe, Arbeit, Kummernuß, Drangsal, Wachsamkeit, Fasten, Abbruch, Leiden, so und so viel zusammen gespart, wem? meinem Sohn ohne Zweifel, und jetzt fahr ich wegen seiner zum Teufel. Bon viaggio. Wie thut der Sohn das geerbte Gut nachmals anwenden? wie? Achan unter der Armee des großen Kriegsfürsten Josue, aus angebornem Geiz konnte sich nit enthalten von der verbotenen Beut zu Jericho, sondern das Silber und Gold hat dem Gesellen also in die Augen gestochen, daß endlich die Händ darüber kommen, welches dem allmächtigen Gott dergestalten mißfallen, daß er ohne Barmherzigkeit mußte versteiniget werden. Wann man bei unseren Zeiten alle Dieb müßte steinigen, so wär vonnöthen, daß man alle Pflaster aufhebet; so bald der Achan, wohl voller Ach, unter den Steinen gelegen, hat man all das Seinige zusammen geraspelte Gut verbrennt: Cuncta, quae illius erant, igne consumpta sunt: Alles Geld ist durch das Feuer verzehrt worden. Also geschieht wohl mehrern Geiz-Narren.

Ein mancher Gispel ist wie ein Espel, diese Frucht, so lang sie frisch ist, thut keinem Menschen nutzen, wohl aber, wann sie faul, also der Geld-Narr, so lang er frisch und gesund ist, so lang bringt er dem Nächsten keinen Nutzen, wohl aber wann er faul und im Grab liegt, da freut sich und frohlocket nit wenig der hinterlassene Sohn, daß er eine so schöne Erbschaft antritt, aber wie? als Achan unter Steinen gelegen, ist sein Geld durch das Feuer verzehrt worden, wann der Vater unter dem Grabstein liegt, sodann verzehrt der Sohn Franz Jucundus das verschaffte Geld durch das Feuer gar oft, vivendo luxuriose, verjagt viel durch die Venus-Brunst, verschwendt die Baarschaft auf die Buhlschaften, was der Fraus des Vaters gewunnen, das thut der Sohn mit den Frauen widerum anbringen, was der alte Narr mit und durch Wachen erworben, das thut das junge Bürschl mit und durch ungiltigen Beischlaf wieder anwerden; des alten Gecken seine Mittel, fressen anjetzo die Weiber-Küttel, o Narr! was sagst du zu diesem in der Höll?

Der tapfere Kriegsfürst Gedeon mußte aus Befehl Gottes sein Volk, welches er wider die Madianiter ausgeführt, vorhero mustern, aber wo? beim Wasser zu Harad: Der alte Zacharias Batzenecker hat viel tausend Dukaten in baarem Geld hinterlassen, worauf lauter gewaffnete Männer, gelt der Junge kann sie jetzo mustern, wo? beim Wasser auch? ja wohl nit, sondern beim Wein. Der Alte hat ihm eine ganze Woche nit getraut ein Mässel Wein zu trinken, der Sohn panquetiret jetzo die ganze Wochen; des Alten sein Wirthshaus war nur beim gulden Greif, aber der Sohn jagt jetzt den schwarzen Büren; was eine Spinnerinn viel Zeit in einem Winkel ausgemerglet, ausgearbeitet und ausgesponnen, das thut oft auf einmal der Besen einer Magd zu nicht machen; was der Vater viel Jahr mit Mühe und Arbeit erhaust, das pflegt gar oft nit ein Besen, sondern ein böser und ungerathener Sohn auf eine Mahlzeit zu verschwenden. Jener Vater hat seinen Sohn, der anderwärts im Studiren war, gar ernstlich ermahnet, er soll doch gesparsamer seyn, und fein mit Speisen sich vertragen, die nit gar theuer seyn, ja antwortet hierüber der saubere Sohn, das hab ich bishero immerzu beobacht, und fleissig gehalten, mich meistens mit Rebhünnl und Fasanen contentiret, weilen solche nit so theuer, als ein Ochs oder eine Kuh. Dieß geschieht gar oft und vielmal, daß die Eltern aus Geiz ihnen nit getraut haben bei Lebs-Zeiten einen ungeschmalzenen Haber-Brei satt zu essen, anjetzo aber der Sohn wagt fünfzig Thaler auf eine Mahlzeit, was hilft nun euer sparen ihr Narren in der Höll?

Daß ein Stein Wasser gibt, ist ein Wunder, und dieß ist geschehen zu Zeiten Mosis, daß ein altes Weib mit achtzig Jahren Milch gibt, und die Stell einer Amme versieht, ist ein Wunder, und dieß ist geschehen Anno 1228 in der Sabinensischen Diöces, durch Vorbitt des h. Seraphischen Francisci. Daß es ein Eis-Feuer gibt, ist ein Wunder, und dieß ist geschehen durch die Vorbitt des h. Sebaldi. Daß ein verstohlner Knab Brod gibt, ist ein Wunder, und dieß ist geschehen dem großen Eliä. Daß aber ein Geiziger von seinem Geld und Gut etwas gibt, das ist noch ein größers Wunder, und dieß geschieht gar selten. Dahero der Geizige einer Sau, einer Viper, und einem Baum nit ungleich, dieser tragt vor andere die Früchte, also sammelt der Geizhals nur andern die Reichthümer. Eine Viper ist bei Lebs-Zeiten schädlich, aber nach dem Tod ist sie sehr nützlich, forderist in dem Medritat; ein Geizhals die Zeit seines Lebens ist seinem Nächsten mehr schädlich, als nützlich, weil er mit Betrug und Unfug viel Geld zusammen scharrt, aber nach dem Tod ist er sehr nützlich, absonderlich den Erben. Eine Sau, so lang sie lebt, ist zu keiner Sach zu brauchen, dann man kanns nit melken, wie eine Kuh, sie tragt nit Woll, wie ein Schaaf, sie zieht nit wie ein Pferd, sie tragt nit wie ein Esel, sie wacht nit wie ein Hund, sie fangt nit Mäus, wie eine Katz, zu nichts taugt sie, so bald sie aber todt ist, so ist sie in Allem zu brauchen, desgleichen ist ein Geizhals, so lang er lebt, dient er keinem, kein Mensch tragt einen Nutzen von ihm, so bald er aber hinab ins Grab, schabab kommt, da nutzt er über alle massen, absonderlich selbigem, dem sein Erbschaft zu Theil wird. Was hilft dann euer Sparen, ihr Narren?

Hugo, Cardinal, schreibt eine wunderliche Geschichte. In der Stadt Remis, sagt er, befand sich ein großer Wucherer, welcher bei nächtlicher Weil fast nichts anders gethan, als Geld gezählt; wie er einmal beim hellen Tag eine Truhe eröffnet, zu sehen, ob noch alle Dukaten darin seyn, so hört er diese klaren Wort aus den Geld-Säcken: „Wir seynd alle hier, aber gehören dem Gualtero Budello zu." Der Geizhals ist hierüber fast in Ohnmacht gefallen, theils aus Schrecken, weil sein Geld ist redend worden, theils aus Kummer, daß dieser guldene Schatz ihn für seinen Herrn nit mehr erkennen will. Was geschieht, nach etlichen Tagen stirbt dieser Wucherer, ein gewisser Kerl aber, mit Namen Gualterus Budellus, heirath die hinterlassene Wittib, und erhalt zugleich mit ihr eine große Summa Geld, worbei er stattlich Allegro, und guter Ding war, herrlich lassen ausgehen, und das so lang vom Geizhals arrestirte Geld wieder unter die Leut gebracht.

Ein anderer Geld-Narr hatte in dem Eingang seiner Haus-Kapelle unter dem Fußschamel verborgen einen grossen Hasen aus Kupfer, welcher bereits schon halb voll mit den auserlesensten Dukaten; so oft nun besagter Wucherer die h. Meß daselbst gehört, hat er allemal den allmächtigen Gott inständig gebeten, er woll ihm doch so lang das Leben vergunnen, bis der Topf oder Hasen voll ist; nachdem solches Geschirr endlich durch so viel Fleiß und Gesparsamkeit ange- füllt worden, hat der geizige Narr auch sein Leben geendt, nach dessen Tod die Wittib bald zu einer fri- schen Heirath geschritten, auch ihrem neuen Mann ob- bemelten Schatz angedeut, welcher sich dessen höchstens erfreut, und Gott den Herrn inbrünstig gebeten, er woll ihn doch so lang leben lassen, bis der mit Dukaten angeschopte Topf möcht leer werden.

Wem thut ihr dann sparen, ihr Narren? wem? mehrmalen einem unbekannten Menschen, einem un- dankbaren Gesellen, einem leichtsinnigen Verschwender, welcher so liederlich das Gut durchjagt, was ihr mit euerem Schweiß und Fleiß habt zusammen gejagt; ei- nem manchen Geld-Limmel begegnet, was da geschieht einem Obstbaum, welcher auf einem hohen Felsen stehet, wozu kein Mensch kommen kann, dessen Frucht nur die Raben genießen, es ihren Jungen zutragen, also mancher Geiz-Narr sammelt das Seinige nur dem Raben, dann sein Weib kein lustiges Raben-Vieh, die gute Verlassenschaft, das zusammen gescharrte Geld, nach des alten Narren Tod einem jungen Mann anhängt, der es weiß gar gut zu reuttern.

In Aethiopia oder Mohrenland werden Ameisen gefunden, welche so groß, wie die Wölf, auch beinebens einer so ungeheuern Stärke, daß sie einen Menschen können niederreissen; diese sammlen in den hohen Gebürgen eine große Menge Gold zusammen, welches sie dermassen emsig hüten, daß kein Mensch sich getraut, um selbige Gegend zu erscheinen, bei hoher Sommers-Zeit aber, wann die Hitz zu übermässig groß ist, und sie solche nit können übertragen; pflegen sie in die tiefen, hohlen Löcher und Erd-Kluften zu schliefen, sich allda eine Zeitlang zu erfrischen, unterdessen kommen die Leut dahin, und tragen das gesammlete Gold hinweg. Ein Geizhals ist nit viel anderst beschaffen, zumalen man aus ihm hart kann etwas erpressen, wie jener gewest, der in eine tödtliche Krankheit gefallen, wessenthalben er mit den h. Sacramenten, nach katholischer Gewohnheit, versehen worden, da man ihm aber die h. letzte Oelung geben, wollt er nur eine Hand aus dem Bett hervor bieten, und auf keine Weis' konnte überredt werden, daß er auch die andere hervor streckte; nach dem Tod endlich hat man gefunden und wahrgenommen, daß der Geiz-Narr den Schlüssel zum Geld in der andern Hand behalten; so lang ein geldgieriger Limmel bei Leben ist, kann man schwerlich etwas von ihm erhalten, so bald er aber, wie besagte äthiopische Ameisen, in die Erd schliest, und in das tiefe Grab gelegt wird, alsdann finden sich unterschiedliche Erben, welche so arg und karg das zusammen gescharrte Gold mit vollen Freuden hinweg tragen, und den Geld-Narren gleichwohl in der Höll lassen trauern, o Narren! wem thut ihr sparen? gedenkt noch anbei, daß solches durch Wucher und Unrecht erworbene Geld fast allemal bei dem Erben verschwinde.

Die Weiber seynd gemeiniglich dem Geiz mehr ergeben, als die Männer, zumalen das Evangelium sagt von einem Weib, die mit so großer Emsigkeit den verlornen Groschen gesucht, daß sie auch derenthalben das ganze Haus auskehrt; ein Mann hätt es wohl unterlassen, daß er eine so große Mühe dessenthalben auf sich genommen. Ueberdas weiß man wohl, daß Martha gar nit gern gesehen, daß ihr Bruder soll wieder zum Leben erweckt werden, in Erwägung, daß sie die von ihm erhaltene Erbs-Portion müsse zurück geben. Von einem dergleichen kargen Weib schreibt Joannes Bromiardus, daß solche auf alle Weis' gesehen, wie sie doch möge Geld zusammen rasplen, zu solchem End muß gemeiniglich der Betrug anstatt des Vortheils dienen, wie dann diese in Verkaufung der Milch allzeit das Drittel Wasser darein gossen, wodurch sie nit einen geringen Gewinn davon getragen; mit solchem ersparten Geld ist ihr Mann über das Meer gefahren, in Willens, eine andere Handelschaft zu treiben; als er nun in dem Schiff einmal sanft eingeschlafen, hat ein Aff ihm gar manierlich den Beutel Geld unvermerkt aus dem Sack gezogen, und damit ganz schleunig auf den hohen Segelbaum gestiegen, daselbst den Beutel eröffnet, und durch Anstalt der göttlichen Weisheit, um weilen das Weib jemalen das Drittel Wasser in die Milch geschütt, der

Aff das ganze Geld heraus gezählt, und allezeit zwei Groschen lassen in das Schiff fallen, den dritten aber ins Meer geworfen, daß also der Pfenning, so unrecht gewunnen, wieder also zerrunnen.

Wie mancher karger Phantastikus frißt auf Spatzen-Art, grabt auf Ratzen-Art, schaut auf Luren-Art, betrügt auf Fuchsen-Art, durchsucht auf Schaben-Art, stiehlt auf Raben-Art, und sammlet also eine Summa Geld zusammen, damit er einen reichen Sohn nach sich lasse; es verfließen wenig Jahr nach dem Tod des Herrn Vaters, da ist der Sohn schon verdorben, wie die Kürbes-Blätter Jonä, da ist der Beutel eingefallen, wie das Gesicht des Ammon, da seynd die Mittel verschwunden, wie Moses und Elias auf dem Berg Thabor, da hinkt die ganze Wirthschaft, wie der Jakob, nachdem er mit dem Engel gerungen, da seynd Küsten und Kästen leer, wie die Ampien der thorrechten Jungfrauen, und kommt der reiche Mopsus von Federn aufs Stroh, wie die Rachel mit ihren Götzen, Ge! Ge! Ge! wo ist der große Verlaß hinkommen? verschwunden, was zusammen geschunden, wo ist das schöne Geld hinkommen? zerrunnen, weil es also gewunnen; wo ist der große Schatz hinkommen? weil er war durch ungerechten Gewinn, also ist er hin. O Narren! wem thuts dann sparen? das hat vor meiner schon längst gesagt und klagt der Ecclesiastikus: Divitiae conservatae in malum Domini sui, pereunt enim in afflictione pessima, generavit filium, qui in summa egestate erit.

Als auf eine Zeit Christus der Herr an einem

Sabbath nach gehaltener Predigt aus dem Tempel gangen, hat man ihm ein Weib zugeführt, welche einen sehr schweren und elenden Zustand hatte, dann sie vom bösen Feind also zusammen gedruckt worden, daß sie 18 ganze Jahr bucklet daher gangen, und nit hat können übersich sehen, sondern immerzu mit dem Angesicht gegen die Erde; achtzehen Jahr ist viel, aber ich hab eine alte Frau von Schimmelhofen kennt, welche 80 Jahr nit gen Himmel geschaut, sondern der Geiz-Teufel hatte sie dergestalten eingenommen, daß sie alleweil nur die Erd und das Irdische betracht, von Kindheit an all ihr Gehen, Sehen, Stehen war aufs Geld. Von dem Heiland liest man, daß er nur einmal bei dem Gazophilazio gestanden, diese aber war allzeit bei dem Gazophilazio zu finden, ihre Kleidung bestund in einem Rock, der von 29 Fleck, fast wie ein eiserner Panzer, gestrickt war, ihre alte Feghaube hatte weniger Haar, als eine alte Bruthenn, wann sie mausen thut, sie brauchte einen Lüffel vom schlechten Holz bei Tisch, dessen abgebrochener Stiel mit einem eisernen Draht zusammen gebunden, das Bröd hat sie ihrem Menschen und Dienstmagd so dünn vorgeschnitten, daß schier eine Gefahr gewest, es möchtens einmal die Fliegen wegtragen; diese alte Trutt ist durch einen gähen Zustand in eine tödtliche Krankheit gerathen, daran sie auch gestorben; nach dero Tod seynd zwei von dem Magistrat ausgeordnet worden, welche den Verlaß sollen inventiren, die aber nach aller angewendter Mühewaltung und Fleiß nichts anders gefunden, als einen geringen hölzernen Hausrath, weil sie aber im billigen Argwohn gestanden, die alte

Lutzel müsse doch Geld verlassen haben, also haben sie alles und jedes durchsucht, und endlich in einem großen Schmalz Kübel, nachdem sie das obere Schmalz hinweg geschöpft, gefunden in baarem Geld, meistens lauter Dukaten und Silber-Kronen, über die 30 tausend Gulden; weil kein Testament vorhanden, und sich kein Anverwandter eingefunden, außer ein weitschichtiger Vetter, der mit einem ziemlichen Theil sich lassen contentiren, das Uebrige aber alles in fremde Händ und Handschuh geschlossen. Et quae congregasti, cujus erunt?

Was sparen, scharren und verwahren die Narren?

Was? eine gelbe Erde, ein bleiches Metall, eine Geburt des allerniedersten Elements, ein glanzendes Koth, einen ausgekochten Dalken, eine zergängliche Sach, ein eitles Wesen, einen zusammen gestockten Faim, eine schimmernde Narrheit, rc.

Esau befand sich in einem glückseligen Stand, ein Erbprinz des großen und berühmten Patriarchen Isaaks, die väterliche Wohlgewogenheit und guten Afsekt hatte er auf seiner Seite, Fug und Recht zum hohen Priesterthum konnt ihm Niemand absprechen, das Dominium über die Güter und Herrschaften gebührte ihm. Es stund mit einem Wort der Esau in Mitte des Glücks und alles gewünschten Wohlstands; endlich weil das Glück aus Flandern, und von einem geht zum andern, ist besagter Herr Esau um sein Fide Commiß kommen, alle Ehr und Hohheit und Güter verloren, ein Diener seines Bruders Jakob worden. Aber was hat ihn um all sein Glück gebracht? ein schlechtes Linsen-Koch, ist ungewiß, ob es geschmalzen oder gesalzen gewest, um einen so liederlichen Bissen hat er alles das Seinige verschwendt, wie er solches nachgehends reifer erwägt, und besser zu Herzen genommen, hat er angefangen zu weinen, die Händ ober dem Kopf zusammen geschlagen, unbeschreiblich geheult und lamentiret: Ejulatu magno flevit, mehr beweint und betrauert seine begangene Thorheit, als den verlornen Glückstand, was bin ich nit für ein unsinniger Narr gewest, daß ich so eine herrliche Sach um ein spöttliches Linsen-Gefräß vertändlet.

Ich höre viel tausend Geizhäls und Wucherer in dem tiefen Abgrund der Höll, in Mitte der aufsteigenden Schwefel-Flammen, in diesem feurigen Kerker, auch wie den Esau, ejulatu magno, erbärmlich aufschreien und lamentiren. Zu Konstantinopel ist dergleichen Geld-Egel des gähen Tods gestorben, und von den hinterlassenen Erben in ein sehr prächtiges von Marmor verfertigtes Grab in der Kirche gelegt worden, des andern Tags aber ist er samt dem steinernen Gebäu weit von der Kirche gefunden worden, ejulatu magno, dieser schreit und heult in der Höll, und wird ewig nicht aufhören. Jakob de Victriac. Als einst ein öffentlicher Wucherer und Geiz-Narr mit Tod abgangen, und vorhero das ungerechte Gut auf keine Weis, auch bei vieler Ermahnung, wollte zuruck geben und erstatten, derenthalben der Pfarrherr daselbst den Leichnam dieses Bösewichts in keine geweihte Erde legen wollen, indem aber die Befreundten und Anverwandten des Verstorbenen um eine ehrliche Begräbnuß so inständig angehalten, auch durch harte Bedrohung solche erzwingen wollten, hat der Geistliche so weit eingewilliget, daß man solle den todten Körper auf ein Pferd laden, und wo selbiges werde hingehen und stehen bleiben, auch auf einem Freithof oder Gottesacker, dort soll man ihn zur Erd bestatten, womit die gesamte Freundschaft auch zufrieden, aus dero etliche mit aller Gewalt sich bemühet, das Pferd auf den Freithof zu bringen, aber dieses ist den geraden Weg mit schnellem Lauf dem Galgen zugeloffen, und daselbst stehen blieben. Dieser, dieser, ejulatu magno, weint und heult auch in der Höll, und wird dessen auf ewig kein End seyn.

Ein anderer, so Tag und Nacht durch Geiz und Wucher nach Geld getracht, ist unverhofft mit Tod abgangen, als man aber dessen Leichnam zum Grab wollte tragen, war es nicht möglich, auch nach aller angewendter Gewalt und Mühe die Todtenbahr von der Erd zu erheben, bis endlich der Pfarrer allda für rathsam gehalten, daß solchen verstorbenen Geizhals andere seines Gleichen sollen zum Grab tragen, welches sie dann ohne merkliche Beschwernuß vollzogen, hat also ein Schelm den andern müssen begraben. Dieser, dieser sitzt, schwitzt, brennt, schreit, weint, heult, ejulatu magno, daß er, wie der Esau, die ewige Kron um einen so schlechten Brocken Metall, um einen so geringen Erdschrollen, um eine so liederliche Sach auf ewig verschwendt hat.

Er hat gefischt, wer? der Petrus, wo? im Meer, wann? bei nächtlicher Weil, mit wem? mit seinen Kameraden, warum? damit er möchte die Fisch verkaufen, oder selbige verzehren, wie lang? die ganze Nacht hindurch, was gestalten? mit großem Fleiß und Arbeit, aber was hat er gefangen? nihil, mein Michl, nichts; sie zogen das Netz bald hinauf, bald herab, bald hinum, bald herum, bald tief, bald seicht, bald link, bald recht, aber schlecht, was ist im Netz? nihil. Sie fischten 1. Stund, 2 Stund, 3 Stund, 4 Stund, 5 Stund, 6 Stund, 7 Stund, 8 Stund, 9 Stund, 10 Stund ꝛc., wie viel Zentner? wie viel Pfund? wie viel Fisch haben sie gefangen? etwann 10, oder 9, oder 8, oder 7, oder 6, oder 5, oder 4, oder 3, oder 2, oder 1, nihil, gar nichts. Dem h. Abt Hermelando in Frankreich, dem h. Francisco in Italia, dem h. Bischof Ludgero in Friesland, dem h. Bischof Malachiä in Hibernia, dem seligen Joanni Lohelio in Böhmen, seynd die Fisch gar zum Gestad geschwummen, gar in das Schiff gesprungen, und sich freiwillig fangen lassen. Aber die ganze Nacht hat Petrus gefischt, und nit eines Nagel groß gefangen, gratis hat er gearbeit, nit ein Gratten hat er gefangen, nihil, nichts.

Ein Geizhals sorgt, sucht und bemühet sich nit allein eine ganze Nacht, sondern viel Jahr aneinander, schnappt nach dem Geld, wie der Wallfisch nach dem Jonas, sucht das Geld, wie die salomonische Braut ihren Liebsten, schleckt nach dem Geld, wie der Saul nach dem Honig, greift nach dem Geld, wie die Rachel nach den Götzen ihres Vaters, sammlet das Geld, wie die Ruth die Kornähre ꝛc., nach so häufiger Arbeit, langer Arbeit, harter Arbeit, was ist sein Nutz? sein Nutz ist, wie des Petri sein Netz, nihil, nichts tragt er darvon. Ich hab selbst eine kennt; welcher ihr Mann durch vieles Schaben und Graben etlich tausend Gulden hinterlassen, nachdem solcher Geiz-Narr mit Tod abgangen, und aus Unachtsamkeit dazumal (wie leicht pflegt zu geschehen) einer aus seinen Schuhen verloren war, oder wenigst nit kounte gefunden werden, ehe daß sie ein neues paar Schuh in das Grab mitgeben, hat sie ihm einen aus seinen alten Schuhen, an den andern Fuß aber einen alten Weiberschuh angelegt, wormit der arme Narr einen so weiten Weg bis in die Höll mußte marschiren; Jakob, indem er die Ruthen halb und halb geschunden, ist bei dem Laban reich worden; aber dieser Veitl ist durch sein Schinden so arm worden, daß er gar nit ein gutes paar Schuh darvon getragen, das heißt ja nihil! Wenig Zeit hernach ist sie zu der frischen andern Ehe getreten, und als ich ihr solches in etwas verwiesen, daß es nicht gar wohl, ja ziemlich ungereimt stehe, indem sie so bald wieder heirath, da ihr voriger Mann noch warm im Grab liege, was? sagt sie, warm? warm? wann er noch warm, so soll ich ihn blasen, damit er kalt werde. O Bestia! Ein solcher Egel kommt mir vor, wie ein Igel, dieser bei fruchtbarer Herbstzeit kriecht aus seiner tiefen Herberg hervor, steigt auf einen vollen Apfelbaum, und wirft das beste Obst herab, nachmals wälzt er sich unter dem Baum hin und her, daß also die Aepfel alle an seine ausgestreckten Stachel angespießt werden, mit welchem Raub und reicher Beut er sein Loch zufällt, dieß Willens, mit diesem

Proviant den Winter hindurch zu bringen, wann er aber zu dem engen Loch will hinein schliefen, alsdann streift er alle gestohlenen Aepfel herab, und bringt folgsam nichts mit sich in die tiefe Erd, nihil. Wenzeslaus, König in Böhmen, ist also auf das Geld gangen, daß er derentwegen die hussitische Ketzerei in seinem Königreich gestattet, dann er pflegte zu sagen, daß ihm diese Gans (Hus heißt in deutscher Sprach eine Gans) guldene Eier lege. Wenzeslaus, was hast du mit dir in das Grab getragen? nihil, nichts. König Ferdinandus zu Neapel war dem Geldgeiz also ergeben, daß er in der Stadt Capua sogar einen Tribut gelegt (salva venia) auf den Urin. Ferdinand, was hast du mit dir in die Erd gebracht? nihil, nichts. Crafto Gaßlariensis hat einen unbeschreiblichen Schatz zusammen gescharrt, und wie er einmal nach vollbrachtem Mittagmahl in die Kammer getreten, seinem Geld die Visita zu geben, hat man gefunden ihn mit umgeriebenem Hals, kohlschwarzem Angesicht und erbärmlicher Gestalt. Crafto, Crafto, was hast du aus so großem Reichthum mit dir in das Grab getragen? nihil, nichts. Reginerus, Bischof in Meissen, hat mehr und emsiger gesucht Mnam, quam animam, ist mehr goldselig als gottselig gewest, massen er Tag und Nacht nichts anders gethan, als seine silberne und guldene Münz von einem Sack in den andern gezählt, welches dann den göttlichen Augen dergestalten mißfallen, daß er von dem urplötzlichen Tod überfallen, und mit aufgesperrtem Maul auf dem Geld gefunden worden. Reginere, sag an, was hast du aus allem diesen Schatz mit dir genommen? nihil, nichts.

Weil ihr dann wißt, daß ihr allen Reichthum, Geld und Gut müßt verlassen, vielleicht noch dieses Jahr, etwann noch diesen Monat, wer weiß, ob es nit geschieht diese Woche, ist ungewiß, ob nit morgen, es kann seyn, dann es öfter geschehen, noch diese Stund, und ihr nichts werd mit euch tragen, nihil, nichts, wie kann euch doch einfallen, daß sich euer Herz so gar in diese öde, schnöde, eitle und zergängliche Sach kann verlieben? wie ist es doch möglich, daß euere Augen von diesen nichtigen, flüchtigen Gütern mehr verblendt werden, als die Augen des ältern Tobiä von dem Schwalben-Koth? Der Mathusalem hat neun hundert neun und sechszig Jahr gelebt auf Erden, und gleichwohl ihm kein Haus gebaut, in Erwägung, daß er alles muß durch den Tod verlassen, und du alter Narr, und du alte Ofenkachel schabest, und grabest, und tappst Tag und Nacht nach Geld, da du doch eine kleine Zeit zu leben hast.

Judas der grobe und stolze Narr, in Erwägung, daß er Procurator und Hauspfleger sey, untersteht sich vor allen andern Apostlen zu sitzen bei dem Fußwaschen, ja vermuthlich hat er gar dem Peter das erste Ort nit vergunnt.

Den 14. Tag des Monats Nisan, welches bei uns der April ist, am Donnerstag nach dem Palm-Sonntag hat der gebenedeite Heiland Jesus, nach dem

Gesetz der Hebräer, gegen späten Abend das Oster-Lamm geessen in einem Haus eines sehr reichen Edelmanns, dessen Namen, nach Aussag Greg. Nazianceni, Gausanii, Maldonati, Adrichomii, Cornelii, und anderer mehr, soll geheißen haben Joannes, mit dem Zunam Marcus, so nachmals ein Gespann und Mitgesell gewest ist des Pauli und Barnabä in dem Predigt-Amt: dieser war bei sehr großen Mittlen und Reichthum, welches aus dem unschwer abzunehmen, weil er einen stattlichen großen Saal mit kostbaren Teppich und Spalier ausgeziert zu dieser Solennität bereitet hat, auch das gebratene Osterlamm in keiner gemeinen Schüssel, sondern in einem von Smaragd verfertigten Geschirr, wie noch in der berühmten Stadt Genua zu sehen, aufgetragen worden. In besagtem hohen und schönen Saal hat der demüthigste Heiland den 12 Apostlen die Füß gewaschen, und zwar folgender Gestalt: Erstlich hat denselbigen Abend der liebste Heiland eine dreifache Mahlzeit gehalten, die erste war nach dem Gesetz, in dero er mit seinen Apostlen, nebst allen gehörigen Ceremonien, das Oster-Lamm verzehrt; die andere war die tägliche und gewöhnliche Mahlzeit, dann wo viel Gäst, und großes Hausgesind sich eingefunden, kleckte das Oster-Lamm nit dieselbige zu sättigen, derenthalben vonnöthen war, daß man auch andere Speisen nach demselbigen aufgetragen; die dritte Mahlzeit ist gewest diejenige, worin er das höchste und heiligste Altargeheimniß an- und eingestellt; nachdem nun die Apostel die erste Mahlzeit, benanntlich des Oster-Lamms vollbracht, und auch bei der anderen Tafel schon ziemlich in die Schüssel griffen, dann Ihr Gnaden Herr

Joannes Marcus sehr wohl tractirt, ist der Heiland Jesus aufgestanden, coena facta, und angefangen den Apostlen die Füß zu waschen, und ist sehr wohl zu glauben, wie der h. Joan. Chrysost. Origines, Euthimius, Theophilactus vorgeben, daß der unverschamte Judas, als ein stolzer aufgeblasener Limmel, das erste Ort habe eingenommen, und folgsam der himmlische Pelican vor diesem Galgen-Vogel zum allerersten niedergeknieet. Dieser hoffärtige Iscarioth hat eine sehr große Bruderschaft.

Allhier günstiger Leser, laß dir keinen Eckel oder Grausen ankommen, wann ich eine, und vielleicht ziemlich lange Reis' vortrage, worin ich die Stell eines Doctors der Medicin eine geraume Zeit vertrete, und meines Erachtens nicht einen geringen Nutzen dem Nächsten gebracht. Erstlich hab ich meinen Gradum genommen zu Padua, daselbst meine Doctrin so wenig als sie ist geschöpft von dem h. Antonio de Padua, der aus lauter Demuth den seraphischen Orden angetreten, um weil derselbige pranget mit dem Namen Minor, der Mindere, welches er je und allemal in seinem ganzen heiligen Lebens-Wandel sattsam erwiesen hat, absonderlich dazumal, wie er in der Kuchel die Häfen abgewaschen, da er doch von Gott erkiesen war zu einem Gefäß der Auserwählung, vas electionis, forderist dazumal, als er von einem undiscreten Quardian, da man sonst manchen Prior dessenthalben beschuldiget, daß er schärf und grob sey, zumalen von dem Esau gesagt wird: Qui Prior egressus est, ruffus erat et hispidus etc., in Mitte des Refectori zu Messana wegen eines Mängels, den er nie begangen, scharf ermahnt worden, welches er doch mit verwunderlicher Demuth alles übertragen, wie dann noch auf heutigen Tag daselbst, wo der h. Mann gekniet, kein Stein kann fest gemacht werden, zur ewigen Gedächtnuß seiner Demuth, sondern ein eisernes Gätter darüber gezogen, damit es allen kundbar sey, daß Antonius Namen und That halber ein Minor-ita gewesen sey. Von diesem paduanischen Doctor hab ich meine Recept erlernt, mit welchen ich nachmalens große Krankheiten curirt hab, benanntlich:

Nachdem ich in eine vornehme Stadt angelangt, und bei dem Thor, woselbst die Soldaten mehr männlich, als manierlich mit mir umgangen, meine Profession und Arznei-Kunst geoffenbart, ist gar eine kleine Zeit unterloffen, daß ich bin nach Hof berufen worden, allwo ich durch etliche hohe Bedienten zu dem König geführt war, welcher sich dazumal sehr unpäßlich befunden, wessenthalben man mich ersucht, ich wolle doch Kraft meiner Wissenschaft aussagen, was dieß vor ein Zustand sey? ich ohne ferners Nachsinnen habe die Krankheit alsobald erkennt, wie daß es ein sehr gefährliches Uebel sey, Ihr Majestät, sagte ich, sie seynd stark geschwollen und aufgeblasen, das ist übel. Et vos inflati estis.

Aufblasen seyn, das ist ein harter Zustand. Der gebenedeite Heiland wollt auf keine Weis seine Gottheit und Menschheit verhüllen mit der Gestalt des gesäuerten Brods, in dem höchsten Altar-Geheimnuß, und auf allweg den Sauerteig ausgeloschen, darum vielleicht, weil derselbige aufbläyet, dann man wird zuweilen Brod und Semmel finden, welche dergestalten einwendig hohl, daß bald der Bäck, sein Helfer, der Mischer, der Lehr-Jung, all ihr Geld konnten darein verbergen, dessen Ursach ist der Sauerteig, der also aufblaset, darum etwann wollte der Heiland Christus das allerheiligste Abendmahl nit einstellen in dem gesäuerten Brod, weil er dem aufblasenen Ding spinnfeind ist, absonderlich den aufgeblasenen und stolzen Gemüthern.

Gott der Allmächtige hat mehrmalen große Wunder gewirket durch die vernunftlosen Thiere, aber nie durch den Pfauen. Wie der h. Medardus, dazumal noch ein Knab auf dem flachen Feld, in Mitte eines Platz-Regens gestanden, ist die ganze Zeit ober seiner ein Adler mit ausgespannten Flügeln gestanden, daß nit ein Tropfen den frommen Knaben benetzt. Das war ein adeliches Dach.

Der h. Jungfrau und Martyrinn Katharinä hat 12 Täg nacheinander, da sie in der harten Gefängnuß gelegen, eine Taube die nothwendige Nahrung zugetragen. Das war ein köstlicher Kostherr.

Dem h. Columbano hat ein Rab einen Handschuh gestohlen, aber auf des h. Manns Befehl denselben wieder zurück gebracht. Das war ein leidiglicher Dieb.

Die h. kildariensische Abtissinn Brigitta hat die Wild-Enten zu sich berufen nach ihrem Wohlgefallen, und ganz freundlich mit ihnen gescherzt. Das war mit diesen wilden Vögeln kein wildes Gespäß.

Zu Cisterz haben die daselbst wohnenden Storchen gegen spate Herbst-Zeit ihre Abreis nit wollen nehmen, bis sie die Benediction von dem P. Prior selbigen Klosters empfangen. Das waren fromme Herren von Thurn.

Den h. Franciscum in der Wüste Avernä hat alle Nacht ein Falk zu der Mette aufgeweckt, und mit ihm die Horas gesungen. Das war ein seltsamer Choralist.

Die selige Ida Lovoniensis hat alle Heunen und Hahnen eines Orts zum Meß hören geruft, welche dann ganz schleunig mit aufgereckten Köpfen sich eingefunden, und nit abgewichen, bis das Evangelium geendet worden. Das war ein andächtiges Geflügelwerk.

Der h. rhemensische Erzbischof Remigius war also sanftmüthig, daß sogar die Spatzen mit ihm über Tafel geessen, und die Brösel zusammen klaubt. Das waren vertrauliche Treid-Dieb.

Der selige Simon Assisias hat zu Prufort in Piceno den Alstern, so in großer Anzahl daselbst ihre Nester gemacht, ernstlich geboten, sie sollen ihre Wohnung anderwärts nehmen, worauf sie augenblicklich abgereis't, und noch auf heutigen Tag keine dergleichen Vögel daselbsten gesehen worden. Das war ein geschwätziger Gehorsam.

Anno 1663 litt Ihr Gnaden Herr Johann Jakob Freiherr von Weichs unbeschreibliche Schmerzen an dem Stein, welchen, wo nit zu wenden, jedoch zu lindern wußte seine Frau Gemahlinn Maria Constantia, dafern sie nur ein Vögerl beihanden hätte, so insgemein das Königl genennt wird, welches aber dazumal, als den 21. Dezember nit auch mit Geld zu bekommen war; nachdem sie aber ihre Andacht und Zuversicht geschöpft zu dem h. Cajetanum, da ist unverhofft ein solches Vögerl dem Baron in das Zimmer geflogen, welches sich freiwillig in den daselbst angezündten Kamin gestürzt, woraus nachgehends die gewünschte Medizin zubereit worden, und also gedachten Zustand vertrieben. Das war eine große Sach mit diesem kleinen Vögerl.

Unzahlbar viel dergleichen Wunder liest man in den Büchern, Kroniken und Lebens-Verfassungen der Heiligen, wie der Allmächtige so große Mirakul gewirkt durch und mit allerlei Geflügel. Aber niemalen geschieht einige Meldung von dem Pfauen, wodurch sonnenklar abzunehmen, wie feind und abhold Gott dem Stolzen und Aufgeblasenen sey, massen der Pfau eine Abbildung der Hoffart: Adam befand sich in einem so vornehmen Stand, daß ihn alle Thier vestra Dominatio mußten tituliren, massen ihm der Allmächtige solchen Ehren-Namen selbst ertheilt, Dominamini piscibus maris etc., weil er aber sich nachmals übernommen, und sich hoffärtig aufgeblähet, gar wollte einen Gott spendiren, also hat ihm der Höchste den Hochmuth genommen, daß er aus einem vestra Dominatio ein vestra damnatio worden; der ex limo erschaffen, ein Limmel worden, so gehts, hohe Steiger fallen bald.

Agar, eine Kammer-Jungfrau bei Ihro Gnaden Frau Sarai, wie sie bei dem Abraham schwanger worden, indem es dazumal zuläßig, hat sich nicht allein der Leib aufgeblähet, sondern auch das Gemüth, gestalten sie sich derenthalben übernommen, die Frau Sarai nit wenig veracht, ich, dacht sie, bin ein rechtschaffnes Weibsbild, durch mich wird des Abrahams

Stammhaus wieder übersich kommen, wie wird man mich mit der Zeit nit ehren? meine Frau ist nit weit her, aber ich bin von der fruchtbringenden Gesellschaft, sie wird weder Kinder tragen, weder Ehr davon tragen ꝛc., weil sich diese stolze Krott also hoffärtig aufgeblähet, hat sie müssen die Herberg raumen, und spöttlich aus dem Haus gestoßen werden. So gehts, hohe Leut stoßen bald mit dem Kopf an.

David hat es dazumal schändlich übersehen, wie er das ihm untergebene Volk hat lassen zählen, wodurch er sich in etwas aufgebläht, in Erwägung, daß er so viel Vasallen unter seinem Governo. Lieber David, dasmal hast du die Saiten auf deiner Harfe zu hoch gestimmt; Gott hat ihn derenthalben hart gezüchtiget, und viel tausend der Seinigen durch die Pest hingerissen, das Zählen hat Zahlen kost. So gehts, hohe Felsen werden bald vom Donner getroffen.

Nabuchodonosor hat sich wegen seiner Macht und Herrlichkeit so stark übernommen, daß er endlich sich für einen Gott aufgeworfen, wessenthalben er in ein wildes Thier verkehrt worden, der zuvor solches Stroh im Kopf hatte, mußte nachmals Gras fressen, wie ein Ochs; ist also bei ihm das super-bos zusammen kommen, und hat müssen auf der Erd kriechen, der zuvor gar zu hoch übersich gangen. So gehts, hohe Sänger werden bald heiser.

Aman hat sich also aufgeblähet, daß er vermeint, alle Knice sollen sich vor seiner biegen, aber das heißt das Glück über die Knice abbrechen, er ist endlich nach seinem Wunsch alleinig hoch angesehen worden, weil er an lichten Galgen kommen.

So gehts, hohe Bäum werden bald vom Wind gebrochen.

Herodes, der König, ist so weit im Hochmuth gewachsen, daß er sich wie ein Gott aufgeblähet, und weil ihm das lateinische Laus so wohlgefallen, hat der Allmächtige verhängt, daß ihn das Deutsche lebendig gefressen, massen er von der Lauskrankheit und Würmen lebendig verzehrt worden. So geht es, hohe Gebäu leiden bald Schaden.

Aufblasen seyn, das ist halt ein harter Zustand; wegen des stark blasenden Winds wäre bei einem Haar das Schiffel der Apostel zu Grund gangen, daß sie also genöthiget worden, mit dem Domine salva den Herrn aufzuwecken; aber durch die aufgeblasene Hoffart seynd schon unzahlbar viel zu Grund gangen: der Pharao, der Kore, der Abimelech, der Saul, der Jeroboam, der Moab, der Balthasar, der Antiochus, der Nicanor, der Absalon, der Lucifer, diesen Schelmen hätt ich bald vergessen, und viel tausend andere seynd durch und an diesem Zustand und Krankheit verdorben. Weil ich dann sah, daß eben dieses Anliegen auf der Seite des Königs war, als der wegen seines Reichs, wegen seiner Macht, wegen seiner Victori und Sieg nit wenig aufgeblasen, ja schon allbereit dem macedonischen Alexander das Prädikat Magnus vom Titel weg gekratzt, andere Fürsten und Potentaten nit vor gut gehalten, ja wider allen Fug und Gerechtigkeit aus lauter Ehrgeiz die benachbarten Länder mit Krieg überfallen, also hab ich ihm bei Zeiten ein Recept vorgeschrieben, wie folgt:

Recip: { Vor solches Aufblähen
Esel=Milch â 3 vi.
Kürbes=Blätter â ⅔ 1.

Angelica mit Spir. Vin. bereitet. Dos 3)B distillirt in Aschen, ist trefflich gut vor diesen Zustand.

Wann ihr Majestät dieß nit bei Zeit brauchen, so ist kein Aufkommens mehr, dieß einige Mittel ist noch vorhanden.

Die Eselsmilch nimm ich von jener Eslin, worauf unser lieber Herr und Heiland kurz vor seinem bittern Tod den prächtigen Einzug gehalten nach Jerusalem, diese Eslin, dafern sie reden kounte, wie ihre Befreundten bei dem Balaam, würde sattsam Zeugnuß geben, wie flüchtig und nichtig alle Ehren und Würden dieser Welt seyn, massen der gebenedeite Herr und Heiland in besagtem herrlichen Eintritt alle erdenkliche Ehr empfangen; zumalen das gesamte Volk ihm entgegen gangen, mit allgemeinem Jubel und Frohlocken bewillkommnet, sogar, wie etliche darvor halten, haben die steinernen Bilder der alten römischen Kaiser auf den Pallästen und vornehmen Gebäuden sich gegen den Herrn demüthig geneigt, die hurtigen Knaben und fröhliche Jugend ihn mit grünen Palmzweigen verehrt, lauter Osanna, Osanna in Excelsis. Kaum daß vier Tag verflossen, hat sich das Blättl gewendt, da hats nicht mehr geheißen: Osanna, sondern subsana verunt me; nit mehr gebenedeit, der da kommt, sondern kreuzige ihn, kreuzige ihn; nit mehr die Zweig von dem Palmbaum, sondern der bittere Kreuzbaum selbst hat ihn empfangen; nit mehr die

Kleider auf die Erd gebreit, sondern er ist der seinigen selbst beraubt worden: nit mehr Rex Israel, sondern non habemus Regem, nisi Caesarem. Wie ist so gar nit zu schauen, noch zu bauen, noch zu trauen auf die Glori der Welt: Macrinus, ein großer Kaiser, Galienus, ein mächtiger Kaiser, Gordianus, ein siegreicher Kaiser, Decius, ein herrlicher Kaiser, Gallus, ein berühmter Kaiser, Volusianus, ein stattlicher Kaiser. Quintilius, Aurelianus, Numerianus, Sicinius, Constans, Constantinus, Junior, Julianus, Valens, Gratianus, Valentianus, lauter Kaiser, Monarchen der Welt, Herrscher des Erdbodens, Obsieger der Feinde, Vermehrer des Reichs, was noch? arme Tropfen, indem sie eine kleine Zeit den Scepter geführt, die Kron getragen, mit Purpur geprangt, ihre Herrschung aber bald geendt, also zwar, daß aus besagten hohen Welthäuptern nicht einer des natürlichen Tods gestorben, sondern alle meuchelmörderisch umgebracht worden.

Die Kürbesblätter zu diesem Recept spendirt mir der Prophet Jonas, welche er außer der großen Stadt Ninive auf einer Höhe abgebrochen, daselbst hat der Allmächtige bei heißer Sommerszeit im Augenblick lassen einen großen Kürbes aufwachsen, welcher ihm mit seinen breiten und schattenreichen Blättern die Sonnenhitz mit höchster Begnügung abgewendet; unterdessen aber, da Jonas ganz sanft unter diesem grünen Dächel und schönen Umbrell eingeschlafen, wollte Gott dem Propheten zeigen, wie alles auf der Welt der Unbeständigkeit unterworfen, hat er einem Wurm anbefohlen, er soll ganz schleunig die Kürbes-Stauden abnagen, welches dann er unweigerlich gar bald vollzogen, ist also geschwind verdorrt und verdorben, was so schön florirt.

Diese Kürbesblätter seynd eine eigentliche Abbildung aller zeitlichen Hohheiten, Ehren und Würden, welche sogar ihr Losament zu Konstanz nit haben, sondern bald wie ein Blatt verdorren, wie ein Rauch vergehen, wie ein Schatten verschwinden, wie eine Blühe verwelken, wie ein Wasser versinken, wie ein Licht erlöschen, wie ein Schall verklingen, und zu nichts werden.

Tausend andere zu geschweigen, scheint allein genug dasjenige, was der gerechte Gott verhängt hat über den französischen König Henrich, dieß Namens den Vierten, weil solcher sich seines Wohlstands und Hohheit übernommen, und schon dergestalten aufgeblasen war, daß er allen anderen Monarchen den Trutz geboten; die Kron Spanien an unterschiedenen Orten mit großer Kriegsmacht übersallen, das benachbarte Flandern beunruhiget, den mailändischen Staat hart und feindlich angetast, und dero Kriegsvolk an sich gezogen, nach dem berühmten Königreich Neapel mit aller Macht getracht, die ganze Welt fast in Schrecken und Zittern gesetzt, weil ihn der angestammte Ehrgeiz immerzu mehr gekitzlet, glaubte er, daß die Lilien nicht übel stunden in dem Garten, allwo der römische Reichsapfel wachset, zu welchem ungerechten Zweck er bereits viele deutsche Gemüther an sich gebracht, wie dann noch das verruchte Geld viel Allemannier zu Kahlemanner macht, und die parisische Waar viel leonische Herzen verdirbt; mit einem Wort,

Henricus und Henrici hohes Glück florirte, wie die Kürbesblätter Jonä, nach allem Wunsch und Gefallen; aber Geduld ein wenig, wann der Mond voll ist, so hat er nichts, als das Abnehmen zu erwarten; Henricus, seines Sinns nach der Höchste, wart ein wenig, Simon Magus, wie er geflogen, dort ist er gefallen. Henricus schon halb vergwißt des römischen Reichs-Apfels, hör ein wenig, Tantalus hatte den Apfel schon vor dem Maul, hat schon darnach geschnappt, aber gleichwohl nit ertappt, est Deus in Israel; Gott hat die Kron dem Habsburg gespendirt, und nit dem Hättsburg: Domus Austriaca hat in Ablativo caret, die Lerchen seynd des Adlers, durch göttliche Dispensation Schwestern worden; Henricus hat die Macht, was schadts, Potentia est prima brevis, er ist allirt, was irrts, aus dem alliren kann bald ein alieniren werden, ist wohl öfter geschehen; er thäte bishero allzeit überwinden, ich lach hierzu, Victoria ist generis foeminini, und dieß ist allzeit unbeständig. Henricus biets, das Haus Oesterreich päst, aber Gott halts darfür, Iudens in orbem terrarum, und gewinnet das Spiel mit einem Buben und schlechten Kerl, mit Namen Raviglhac, welcher Anno 1610 den König Henrich auf öffentlichem Platz zu Paris in seiner Karozen mit einem Dolch jämmerlich, im Beiseyn des ganzen Hofstaats, ermordt. O Wunder! ein Bub sticht einen König, o Wahrheit, alle Ehr und Hohheiten seynd Kürbesblätter Jonä! o Gerechtigkeit Gottes! ein schlechtes Messer schneidt einen so starken Hochmuth ab.

Cyrus, König in Persien, wie er von Tomyri

ist enthaupt worden. Attila, König in Ungarn, wie er gäh bei der Nacht im Bett erstickt. Heliogabalus, römischer Kaiser, wie er in einer Senkgruben ermordt worden. Eduardus XI., König in Engelland, wie er s. v. in einem Abtritt mit einem Bratspieß durch den hintern Leib erstochen worden. Kaiser Commodus, wie er im Bad erdroßlet worden. Sigismundus, König in Burgund, wie er in einem Brunn ertränkt worden, Edwinus, König der Northumbrier, wie er in der Keiche gestorben. Pyrrhus, König der Epiroter, wie er von einem Weib mit einem Ziegelsteine erworfen worden. Josias, König der Juden, wie er durch einen Pfeil erschossen worden. Saul, König in Israel, wie er durch einen Degen umkommen. Sigthunius, König in Schweden, wie er mit einem Prügel zu todt geschlagen worden. Wie Mustapha, des türkischen Solimanni Bruder, mit einem Strick erdroßlet worden. Wie die 5 König der Amoräer seynd an das Kreuz genaglet worden. Wie Agag, ein König der Amaleciter zu Stücken zerhauen worden, wie Kaiser Jovinianus vom Rauch erstickt, wie Ludovicus, König in Ungarn, in einem Morast ersoffen, wie Benadab, König der Syrier, von seinem Diener erhängt worden, wie Pharao, König der Aegyptier, im rothen Meer zu Grund gangen, haben sie sonnenklar, augenscheinlich, handgreiflich erfahren, daß alle königliche Hohheit nit mehr privilegirt sey, als die Kürbesblätter Jonä, und was allen diesen begegnet, das kann auch dir großer Monarch, auch dir gekröntes Haupt, auch dir unüberwindlicher Obsieger, widerfahren; dahero blas' dich nit auf, gedenke, was du bist, das bist du, Nos Dei gratia, durch Gottes Gnad, und wann dieser dir solche entzieht, bist du nichts.

Es ist ein großer, ein weiter, ein langer, ein breiter, ein hoher Unterschied unter dem Nehmen: dann es gibt Wegnehmer, es gibt Abnehmer, es gibt Umnehmer, es gibt Ausnehmer, es gibt Einnehmer, es gibt Aufnehmer, es gibt Zunehmer, es gibt Uebernehmer; beim Wegnehmen hat sich Achaz befunden, wie er in der Stadt Jericho geraubt hat; beim Abnehmen hat sich der Isaak befunden, wie er in seinem Alter an Leibskräften abgenommen; beim Umnehmen hat sich der David befunden, wie er wegen großem Frost und Kälte so viel Kleider umgenommen, gleichwohl nit hat können erwarmen; beim Ausnehmen haben sich die drei Marien, benanntlich Maria Salome, Magdalena und Jakobi befunden, wie sie die köstlichen Specereien ausgenommen; beim Einnehmen hat sich der Holofernes befunden, wie er das Nachtmahl eingenommen in Gegenwart der schönen Judith; beim Zunehmen hat sich der Job befunden, wie er an Leibsgestalt und Habschaften wieder hat zugenommen; beim Uebernehmen hat sich der Teufel befunden, wie er sich seiner Gestalt und Hohheit übernommen, und dem Höchsten hat wollen gleich seyn. Aber welches Nehmen thut zum mehresten nehmen? rath und reim, reim und rath.

Wegnehmen thut der Dieb.
Zunehmen thut die Lieb.
Umnehmen thut der Kälte.
Abnehmen thut der Alte.
Einnehmen thut der Saufer.
Ausnehmen thut der Kaufer.

Aber

Uebernehmen und Hochmuth.
Pflegt auch das meiste Nehmen, und thut nie gut.

Gottes Gnad, der Engel Huld, der Ehren Bestand, der Menschen-Gunst, des Stands Wohlfahrt, der Güter Wachsthum, des Hauses Segen, des Leibs Nutzen, der Seelen Heil thut nehmen das Uebernehmen. Von Häuptern die Kron, von Händen den Scepter, von Achseln den Purpur, vom Thron den Sitz, vom Herrscher das Reich, von Kriegsfürsten die Victori thut nehmen das Uebernehmen. Uebernimm dich dann großer König, blähe dich auf, wie ein Absalon, welcher wollte der Israeliten König seyn, mußte aber Eichel-Bub bleiben. Wachs im Hochmuth, wie ein Domitianus, welcher wollte ein Gott seyn, mußte aber im Elend sterben; veracht alle anderen, wie ein Antiochus, welcher glaubte, daß er ein Verwandter des Gott Jupiter sey, mußte aber zulezt lebendig verfaulen, also halt für gewiß, daß Hochmuth eine Vigil sey des Falls, ein Vorbot des Verderbens, ein Prophet des Unglücks, ein Schlüssel zum Elend. Mit wenig Worten, das Uebernehmen ist ein unfehlbares Zeichen des Abnehmens, merks König!

Angelica zu dem Recept gibt ein Angelus oder Engel, welcher aus göttlichem Befehl einen hochmüthigen Kaiser sehr stattlich gedemüthiget, dieser war Jovianus, der wegen seiner Macht, herrlichen Siege, großen Reichthum, und allerseits willfährigen Glücks-Standes sich also übernommen, daß er bereits ihm eingebildet, es sey etwas mehr, als Menschliches an ihm, wessenthalben ihm ein Engel mit sehr artlichem Fundseine Thorheit gewiesen. Es hat sich ereignet, daß besagter Kaiser Jovianus einmal bei heißer Sommers-Zeit, unweit seiner Residenz-Stadt, in einem sehr herrlichen Lust-Garten eine kühle Lust geschöpft, und weilen nicht allein daselbst die schattenreichen Bäume, das annehmliche dicke Gehölz, die ordentlich ausgesetzte grüne Hecken alle Augen ergötzten, sondern auch ein schöner Wasser-Teich, welcher von da und dort herquellenden Brunn-Adern allerseits bereicht wurde, also ist dem ohne das wohllustigen Kaiser eingefallen, sich in diesem silberfärbigen Wasser zu baden, und darmit die von übermäßiger Sommers-Hitz ermatte Glieder zu erquicken, zu welchem End er alle hohen Kavalier, adeliche Bediente, und gesamten Hofstab von sich geschafft, mit dem ernstlichen Befehl, daß sie ausser des Walds warten, und auf gegebenes Zeichen wieder daselbst erscheinen sollen, welcher gnädigste Willen dann in allweg vollzogen worden; wie nun Jovianus in Mitte dieses nassen Gespäß und angenehmer Erfrischung sich befunden, da hat ein Engel einem fast lächerlichen Spiel den Anfang gemacht, als welcher die ganz ähnliche Gestalt, das natürliche Gesicht, und eigene Geberden des Kaisers Joviani an sich genommen, dessen prächtige Kleidung, so er der Kaiser unter einen Eichbaum gelegt, angezogen, und sich also vor dem ganzen Hofstaat gezeigt, worauf dann alle hohen Ministri, alle adelichen Aufwarter, die ganze stattliche Leib-Guardi Ihr Majestät ihren allergnädigsten Herrn unterthänigst empfangen, und selbige (unwissend des wunderseltsamen Wechsel-Spiels) nach dero Residenz samtlich begleit; unterdessen fliege der wahre Kaiser Jovianus aus seinem

Lust-Bad, fande aber nit mehr seinen kaiserlichen Purpur und Aufzug unter dem Eichbaum, sondern anstatt dessen einen groben Bauern-Pfaidt, und einen schlechten sehr zerlumpten Holzhacker-Küttel, ob welchem sich der Kaiser nit wenig befremdt, als der nit fassen konnte diese so seltsame Metamarphosin, daß so bald der Sammet und Seiden sich in Zwilch und rauhen Loden verkehrt, schreit demnach mit wohlerhebter Stimm, pfeift, ruft, schafft, begehrt, bitt, drohet, flucht, klagt, es wollte aber niemand ihm eine Antwort geben, ausser das geschwätzige Echo oder Widerhall, mußte also aus dringender Noth der hochmüthige Kaiser in das rupfene Hemmet schliefen, und die zotige Bauern-Joppe anlegen, voll des Zorns und Grimmens, wie er mit seinem Hofstaat wolle verfahren, nachdem er aber auch ausser des Walds und dicken Gehülz seine Bediente nit mehr angetroffen, hat er nit anderst können, als in diesem so geringen Aufzug seinen Weg nach dem nächsten Geschloß eines Edelmanns zu nehmen, allwo er (zumalen er durch göttliche Verhängnuß nit erkannt wurde) nach vielen Bärnhäuters-Titlen und höhnischen Worten mit Gewalt abgeschafft worden. Nach solchem so harten und unverhofften Willkomm begibt er sich in die Stadt, und folgends nach Hof, woselbst er mit trutzigem Gesicht durch die Schildwacht zu dringen sich unterfangen, aber nit allein von derselben mit guten Püff und wiederholten Schlägen empfangen, sondern auch in Verhaft genommen worden. Diese neue Begebenheit kam bald zu den Ohren des Kaisers (der ein Engel war) auf dessen Befehl der alberne Mensch vorgestellt wurde, und erhebte sich bei männiglich ein langwieriges Gelächter, in Erwägung, daß dieser Phantast so trutzig und eigensinnig kurzum wolle Kaiser seyn, welches dann vielen aus den geheimen Räthen für verdächtig vorkommen, und ob schon die meisten glaubten, daß solche Einbildung von einem verruckten Verstand herrühre, so wäre dannoch der vornehmen Minister einhelliger Schluß, man soll diesen frechen Narren einem Roß an den Schweif binden, und also anderen zu einer Warnung durch die Stadt schleppen; wie es dem elenden Joviano dazumal um das Herz gewesen, ist gar leicht zu gedenken; indem er mit so armseligen Bauern-Zotten umhängt, einen anderen ihm ganz ähnlichen Kaiser auf dem Thron gesehen, und darüber solle eines so schmähen Todes sterben: welches letztere ihn veranlaßt, daß er mit aufgehebten Händen, mit weinenden Augen, und vielen Seufzern um Pardon seines Lebens angehalten, mit kräftiger Verheißung, daß er nimmermehr sich der kaiserlichen Hohheit wolle anmassen, worüber ihm das Leben gefristet, und er mit männiglichem Spott und öffentlichem Hohn den Pallast und die Stadt verlassen, seine Herberg, weil sonst dazumal nichts anderst in der Nähe, bei einem armen Klausner und Einsiedler in seinem hölzernen Hüttl genommen, allwo er nit allein mit aller Lieb und Freundlichkeit empfangen, sondern noch von dem h. Mann des ganzen Handels umständig bericht worden; wie daß Gott der Allmächtige hierdurch seinen Hochmuth habe wollen dämpfen, damit er hinfüran sich nimmermehr soll übernehmen, sondern gedenken, daß er ein Mensch sey, wie andere, dessen Glück und Wohlfahrt nicht in eigener Macht, sondern in Gottes Händen stehe; worauf er mit vorigem Purpur und kaiserlichem Ornat wieder in den Pallast gebracht worden, der Engel aber, als vermeinter Kaiser, verschwunden, und also dieses ganze Wunderspiel keinem Menschen, als dem Joviano und dem Einsiedler bekannt war.

Es ist halt des übergebenedeiten Heilands Natur, die Uebermüthigen zu züchtigen, es ist des Allerhöchsten Gewohnheit, die Hochmüthigen zu dämpfen, es ist des Allerhöchsten Brauch, die großen Prahl-Hansen zu erniedern: stutzen thut der Gärtner den Buxbaum, wann er zu hoch wachset, stutzen thut Gott den Menschen, wann er in seinen Gedanken zu hoch steiget, fangen thut der Fischer den Fisch, der in der Höhe schwimmet, fangen thut Gott den Menschen, der nach Höhe und Hohheit trachtet, nichts nutz ist die Waagschale, welche übersich steiget, nichts nutz ist der Mensch, so in seiner Einbildung gar zu hoch steiget; Deus superbis resistit.

Das letzte Stuck in obbenenntem Recept ist die Asche, worin alles soll distillirt werden; solche Asche spendirt mir der Prophet Daniel, wie er von der Bildnuß des stolzen Königs Nabuchodonosor schreibt, was gestalten solche ein ganz guldenes Haupt gehabt, die Brust von bestem Silber, der Leib von Erz und Eisen, die Füß von Erd, so bald aber ein kleines Steinl diese getroffen, ist alles zu Boden gefallen und zu Staub und Asche worden; nit allein die erdenen Füß, sondern auch das guldene Haupt, alles, alles, nit allein die Brust von Silber, sondern auch der untere Leib von Eisen. Pariter, alles, alles, so merk es wohl hoch- und übermüthiger König, nit allein die Füß, sondern auch das Haupt ist zu Asche worden,.

nit allein die gemeinen Leut, armen Leut, schlechten Leut, werden vom Tod angetast, sondern auch reiche, guldene Häupter werden zu Asche, pariter, in Erwägung dessen, was Ursach hast du zu stolzieren? unter dem Gesetz zu sterben bist auch du, unter die Sensen des Tods gehörst auch du, unter die Kinder des Adams wirst gezählt auch du, du, ja du, und erwäge wohl, daß der Tod nicht weiter hat nach des Königs Hof, als nach dem Bauern-Hof. Cäsar der römische Monarch, nach verlorner Schlacht mußte sich mit der Flucht salviren, wie er aber zu einem großen Fluß kommen, allwo weder Brucken noch Schiff vorhanden, so ist er gezwungen worden aus dringender Noth, seinen kaiserlichen Purpur samt aller Pracht abzulegen, daselbst am Gestad liegen lassen, und er Mutternackend also hinüber geschwummen, nichts mit sich genommen, als das Buch seiner Commentarien, welches er stets mit einer Hand in die Höhe gehalten. Unser Leben ist nichts anders, als ein stets rinnender Fluß, und ein Tod, ist nothwendig auf das andere Gestad der Ewigkeit hinüber zu kommen; aber nackend und bloß werden wir alle durchpassiren, auch große Monarchen, und da wirst du hochmüthiger König nichts mit dir tragen; Kron und Thron hinten lassen, Münz und Provinz fahren lassen, Schatz und Platz stehen lassen, nichts mit dir nehmen, als ein Buch, worin dein Lebens-Wandel verfaßt, das betracht wohl, sodann wirst du bald den Hochmuth fallen lassen.

Nachdem ich von Hof meinen Abschied genommen, zumalen ich vermerkt, daß mein vorgeschriebenes Recept nit gar angenehm war, hab ich bei mir selbst beschlossen, meine Reis in das h. römische Reich zu nehmen, und als ich mich auf den Weg bereits wollte machen, da laufte ein Laggey in rother Liberee gar hurtig herbei, mit höflichster Bitt, ich wollt mich doch nur ein wenig zu seinem gnädigen Herrn, der dazumalen bettliegerig war, befügen, welches ich ihm auf keine Weis wollte abschlagen, und als ich in dessen herrliche Behausung angelangt, wurd ich unverweilt zur Herrschaft hinein geführt, woselbsten ich ohne ferners Nachsinnen alsobald den Zustand erkennt, auch ohne Scheu ausgesagt, wie daß Ihre Gnaden leiden sehr große aufsteigende Aengsten. Dieser war ein Kavalier bei Hof, und beängstigte sich sehr, wie er doch möchte höher steigen. Dann ein Hof-Herr, und ein Hofft-Herr ist fast eins, zumalen selbiger immerzu hofft weiter zu kommen, und zu höhern Aemtern promovirt zu werden. Ein solcher ist nit viel ungleich jenem armen Bettler auf dem Weg, welcher unaufhörlich und fast ungestüm Christum den Herrn angeschrien; die Apostel faßten hierüber nicht einen geringen Unwillen, increpabant eum, und gaben ihm einen guten Filz, der ohne das keinen Hut hatte, er soll das Maul halten, welches er ohne das nit viel gebraucht zum Essen, er soll nit schreien, wie ein Zahn-Arzt, der ohne das wenig zu beissen, und zu nagen hatte; increpabant eum, vielleicht haben sie ihn einen schlimmen Sch. Socium geheissen, dann wohl öfter dergleichen Straßen-Bettler auch Straßen-Räuber abgeben, und nicht selten krumme Bettler gerade Dieb seyn; etwann haben sie ihn für einen faulen Kerl gehalten, der sein Brod lieber beim Bettelstab, als beim Regiments-Stab sucht, aus solchen Bettel-Leuten werden nachmals gute Beutel-Leut, und was sie mit dem Bettel-Sack nit gewinnen, das pflegen sie mit Sackgreifen einzubringen; increpabant eum, er soll sich schamen ins Herz hinein, daß er ein solches ungeheueres Geschrei verführe, daß sie also nit vernehmen noch verstehen konnten die h. Lehr, so ihnen der Herr auf dem Weg gebe, at ille magis. Aber dieser Bettler, ungeachtet der harten Droh-Wort, Schmach-Wort, Schelt-Wort, Stich-Wort, Schimpf-Wort der Aposteln, ungeacht des Ausfilzens, Ausmachens, Ausscheltens, Ausgreinens, Ausputzens der Jünger, hat noch ärger geschrien; in wem bestunde dann sein Suppliciren und Anbringen? Domine, ut videam, Herr, ich bitte, ich schreie, ich rufe, um was? damit ich doch sehe. Daran war ihm sehr viel gelegen.

O mein Gott, wie bemühet sich nit mancher Hof-Herr! Der Kinder Zebedäi Mutter hat sich nur einmal gebuckt, wie sie für ihre zwei Söhn von dem Herrn eine höhere Scharge begehrt, aber dieser buckt sich schon etliche Jahr zu Hof, fast mehr als eine Passauer-Kling. Des Jüngern Tobiä Hündl hat, vermög h. Schrift, mit dem Schweif nur einmal geschmeichlet, aber dieser schmeichlet schon so lange Zeit mit dem Maul, Händ und Füßen. Die Samaritaner haben aus Hungers-Noth gar das Tauben-Koth vor eine Speis genossen, aber dieser hat eine Zeit hero zu Hof wohl gröbere Brocken geschlicket, schon vor 5 Jahren her hat er alle 5 Sinn daran gespannt, schon von 4 Jahren her hat er mit allen Vieren sich bemühet, schon von 3 Jahren her hat er alle Treu erwiesen, schon von 2 Jahren her hat er auf 2 Achslen getragen, schon von einem Jahr her hat er nur einem Herrn gedient, er hat aufgewart, wie ein Pudel-Hund, er hat Reverenz gemacht und mit den Füßen gescharrt, wie eine Bruthenne, er hat aufgeschnitten, wie ein Wurm-Arzt, er hat allenthalben angeklopft, wie ein Baum-Häckel, er hat geseufzet wie eine Turtel-Taub, er hat gewacht, wie eine Schnee-Gans, er hat gesucht, wie ein Spür-Hund, er hat untergraben, wie ein Königl, er hat sich hin- und hergewendt, wie ein eiserner Gockl-Hahn auf einem Thurm, er hat sich in alles gefunden, und zu allem brauchen lassen, wie ein Hut eines Hans Supp, er ist hin- und hergangen, wie ein Rad, er hat ein und anderen Patron umfangen, wie der Wintergrün einen Baum, er ist stets gehupft, wie eine Bachstelz, warum? in wem besteht dann sein Verlangen? es muß wohl der Mühe werth seyn, zu was Ziel und End stehet er mehr aus, als ein Mönch im Kloster, ein Einsiedler in der Wüste? Augustissime, serenissime Domine, ut videar, damit er möge, nit wie der Bettler sehen, sondern angesehen seyn, sein flectamus genua ist nur wegen des levate, sein bucken ist nur wegen des aufstehen, sein dienen ist wegen des bedient werden, sein erniedern ist wegen des höch seyn, er leidt halt sehr an den aufsteigenden Aengsten.

Zu Jerusalem war ein Schwemmteich nahe bei der Porte des herrlichen Tempels, worin man die Schaaf pflegte zu waschen und säubern, ehe und bevor sie in dem Tempel geschlachtet, und aufgeopfert seyn worden, bei solchem Schwemm-Teich befand sich eine sehr große Menge der kranken und presthaften Personen, weilen nemlich zu gewissen Zeiten ein Engel vom Himmel benanntes Wasser bewegt, worvon nachmals der erste, so hinein getreten, die gewünschte Gesundheit erhalten, ein Jeder wollt bei dieser Motion der erste seyn, dahero war bei ihurn das stete schauen, wachen, umsehen, aufmerken, betrachten, warten, hoffen, seufzen, verlangen, begehren, es war bei ihnen kein anderer Gedanken, als in der Motion der Erste zu seyn.

Ein Hof eines großen Monarchen ist diesem Schwemmteich nit viel ungleich, ubi est multitudo languentium, allwo auch eine große Anzahl der Kranken, unter andern Suchten aber, die daselbst regieren, ist meistens die Ehr-Sucht, da will ein jeder in der Motion, oder besser geredt, in der Promotion der Erste seyn, dieser bemühet sich mehr, als ein Jakob um die schöne Rachel, jener sucht eifriger, als das Weibel den verlornen Groschen im Evangelio; ein anderer geht keck darein, wie der Edelmann Joseph zum Pilatus, der spendirt, und laßt sich nit wenig kosten, und sey ihm, wie es wolle, aus den drei Königen von Orient ist gleichwohl voran gangen, der das Gold getragen; es seynd nit wenig, welche suchen durch die Weiber promovirt zu werden, als wie der Peter, so auch zwar zu seinem Unglück zu Hof durch ein Weib sich eingedrungen, per ancillam ostiariam. Ein jeder will der Erste seyn, ein jeder will den Alt singen, ein jeder sucht Reputation, das ist ein schönes Wort bei Hof, aber eine theuere Waar.

Der Saul mußte auf Befehl seines Vaters Cis die Eslin suchen, er ist von einem Berg zum andern gestiegen, da einen Bauern gefragt, dort einen Burger ersucht, bald einen Reisenden angeredt, ob er keine Eslin hab gesehen? vom Feld in das Dorf, vom Dorf in die Stadt, von der Stadt auf das Land, ist Saul mehr geloffen, als gangen, Bauer sey kein Lauer, sag her, hast keine Eslin angetroffen? Bruder sey kein Luder, bekenns, hast keine Eslin gesehen? Knecht bestehs doch recht, hast keine Eslin wahrgenommen? was suchst du Saul mit so vielen Sorgen? was? wann dazumal Saul wäre der griechischen Sprach kundig gewest, so hätt er geantwortet: O nos, O nos geht mir ab, das suche ich.

Was sucht dieser Kavalier zu Hof? was prätendirt er bei den hohen Ministern? was supplizirt er bei der Herrschaft? was ist sein Begehren? Echo, Ehren? Honos suchet er, Honos geht ihm ab, er will höher ankommen, als er jetzo stehet, das Kraut Ehren-Preiß sucht er im Hofgarten, das Gloria in excelsis sucht er in der Hofmusik, das Officium primae classis sucht er im Hof-Brevier, und solches zu erhalten, nimmt er kein Gewissen, einen größern Fleck von der Ehr des Nächsten, als der David von des Sauls Mantel abzuschneiden, er macht ihm keine Scrupel, des Nächsten Fama schwärzer zu machen, als gewest die Dama, so der Moses geheirath, die war eine Mohrinn, er acht es wenig, wann er dem Mit-Competenten einen größern Prügel unter die Füß wirft, als gewest jener Strecken, mit dem der Jakob den Fluß Jordan durchgewaden.

Pontius, mit dem Zunamen Pilatus genannt, nach Aussag Baccarii, Lucii Dextri, Caitoni ꝛc., wie dann von diesem Geschlecht vor kurzen Jahren noch einige zu Rom vorhanden, gestalten aus einem Epitaphio oder Grabschrift daselbst in der Kirche des h. Vaters Augustini zu sehen, dieser war Landpfleger in Judäa, sonst ein geborner Franzos von der Stadt Lyon, wo die falschen Waaren herkommen, seiner Geburt nach einer Jungfrau Sohn, und war seine Mutter eine gemeine und arme Müllners-Tochter; obberührter Scribent, forderist Mallonins bezeugen, daß sein Vater sey genennt worden Tirus, Stand halber ein Freiherr, welche dazuzeit Reguli benamset waren; wie dieser einst stark berauscht, gar zu große Gemeinschaft pflegte mit gedachtem Schleppsack, also hat er unehelich und unehrlich mit ihr erzeugt den Pontium, woraus leicht abzunehmen, cum partus sequatur ventrem, was so schlimme Stammen vor eine Frucht können tragen; wie dann dieser Pilatus von Natur ein Erz-Schelm war, der noch als ein kleiner Knab seinen leiblichen Bruder ermordt, auch nachmals durch geheime Nachstellungen den Sohn des französischen Gesandten zu Rom umgebracht, wessenthalben er mußte in die Flucht gehen, gleichwohl aber hat er durch vieles Bemühen und Bitten seines Vaters die Landpfleger-Stell in Judäa erhalten unter dem Kaiser Tiberio, nachdem sein Vorfahrer Valerius Gratus mit Tod abgangen, in währender seiner Amts-Verwaltung hat er alle erdenklichen Laster und Unthaten begangen, absonderlich die Tempel Gottes verwüst und entunehret, sogar die Galliläer, so in dem Tempel oder Berg Garitim in Samaria ihr Opfer vollzogen, hat er jämmerlich niederhauen lassen, daß also das Menschen-Blut mit dem Blut des Schlacht-Viehes vermischt worden. Dieser Pontius, wegen so heftiger Klagen bei dem Tiberio, und absonderlich wegen schmählichen Tods Christi, ist aller seiner Ehren und Aemter entsetzt, und nach langem Arrest und harter Abstrafung von Rom bandisirt worden, der nachgehends zu Wien in Frankreich, nach Zeugnuß Eusebii, eines elenden Tods gestorben, indem er aus großer Melancholei, nagendem Gewissen, zeitlichem Spott sich selbst mit einem Dolch erstochen. Oft mehrgedachter Pilatus war ein Haupt-Statist und gewissenloser Politikus, der in allweg sachte, den unschuldigen Jesum vom Tod zu salviren, sobald ihm aber das gesamte Volk und fordrist die Hohenpriester gedrohet: Si hunc dimittis, non es amicus Caesaris, „Wann du diesen wirst frei lassen, so bist du kein Freund des Kaisers." Holla! gedachte Pilatus, würd ich bei dem Kaiser in Ungnad gerathen, sodann thut er mich von meinem Hochamt stoßen, verliere ich solche Charge, so ist alle Ehr und Reputation hin; ei so seys, lieber diesen Unschuldigen lassen kreuzigen, lieber das Gewissen auf die Seiten gesetzt, lieber die Gerechtigkeit fahren lassen, als Reputation verlieren. O Thorheit!

Dergleichen seynd bei dermaliger Welt nit wenig anzutreffen, denen eine Reputation werther ist, als alle Gebot Gottes und der Kirche, wann man schon weiß, daß dieß und dieß Amt und hohe Officium ohne Gewissens-Verletzung nit kann verricht werden, gleichwohl hinauf wegen der Reputation; wann man schon erkennet, daß die eigenen Talente weder tüchtig noch wichtig seynd vor eine solche Amts-Verwaltung, dannoch hinauf wegen der Reputation; wann schon hierdurch dem Nächsten eine große Unbild zugefügt wird, indem er wegen langer bishero treu geleisten Diensten solches Amt verdient hat, dannoch hinauf, quocunque modo et motu, wegen der Reputation. O meine Reputation, weil du die Natur und Eigenschaft des Fruers hast, als welches immerzu in die Höhe trachtet, also wirst du auch dein Losament nehmen beim Feuer, und zwar beim ewigen.

Weil ich dann bei solchem obbemeldten Kavalier den üblen Zustand, benanntlich die aufsteigenden Dämpf und Aengsten aus dem Magen wahrgenommen, also hab ich ihm ohne Verweilung folgendes Rezept vorgeschrieben:

Vor die aufsteigenden Aengsten.

Recip: { Galgan. a tto 1.
Majoran. a $\frac{2}{3}$ 1.
Weiß Lilien. 311.

Distillirs aus einem gläseren Alemb: in Asche, ist trefflich gut vor diesen Zustand.

Anbelangt die Wurzel Galgan, wachset solche in dem Königreich China, die Chineser nennen sie insgemein Lavandoa, diese Wurzel sonst in rothen Wein gesotten, und über den Magen gelegt, stärkt denselben; aber mein Galgan wachset in Judäa, und an dieser ist der stolze Ammon erstickt. O wie viel verlangen die Hof-Suppen, indem doch so harte Brocken darinnen! O wie manche begehren den Hof-Trunk, da doch ein schlechtes Proficiat dahinter! O wie viel suchen das Hof-Papier, indem doch so bald eine Sau darauf gemacht wird! O wie manche greifen nach der Hof-Karte, da doch öfter Bastoni untern Füßen, als Denari in Händen! O wie viel trachten nach den Hof-Keglen, indem doch dem hunderten der König nicht fallt nach seinem Wunsch und Verlangen! O wie manche laufen nach der Hof-Musik, worin doch öfter in B duro, als in B moll der Gesang lautet! O wie viel wollen haben den Hof-Kalender, in dem doch allemal ein Schalk-Jahr! O wie manche eilen nach dem Hof-Pflaster, worauf man doch so bald stolpert! O wie viel suppliciren um die Hof-Waaren, worunter doch das meiste leonisch! O wie manche reteriren sich auf die Hof-Pastein, und leiden so stark von der Contrascarpe! O wie viel suchen den Hof-Favor, und finden doch, daß Favor und Favonius geschwind, wie der Wind, versausen! Das hat der stolze Ammon sattsam erfahren, dieser war Prior in dem Hofstaat des großen Königs Asueri: Exaltavit eum, et Prior sedebat etc., er war das einige Favoritl des Königs, wer zu Hof hat wollen eine Gnad fischen, der mußte den Ammon vor einen Angel brauchen, wer zu Hof hat wollen das Prämium nehmen, der hat den Ammon müssen zum Präceptor haben; Reverenz von allen Leuten, Bazialemani von allen Orten, Cortesia von allen Ständen, wurde dem Ammon erwiesen; in summa summarum, er war Summus zu Hof, wessenthalben er nit wenig sich übernommen, und solches Uebernehmen thut alles nehmen. O wie ist Menschengunst so gleich einem Dunst, der bald vergeht! O wie ist großer Herrn Gnad so gleich einem Schneepfad, so von geringem Wind verwehet wird! Ammon der vornehmste Kavalier bei Hof, der angenehmste Rath bei Hof, kommet in eine gähe Ungnad, und wird durch ernstlichen Befehl des Königs Asueri an den lichten Galgen aufgehängt, und dieß ist die Wurzel Galgan, welche in dem Recept stehet: Gebt Acht ihr großen-Herren bei Hof, steigt nit zu hoch, damit euch das Fallen nit zu hart ankommt, der Schwindel ist meistentheils bei Hof anzutreffen, zu Hof ist manchesmal das Glatteis mitten im Sommer, und ist man des Fallens nie versichert, der Teufel streuet nirgends mehr Arbes, als auf der Hof-Stiege, es ist der Ammon nit allein, welchem die aufsteigenden Aengsten den Garaus und Kehraus gemacht haben, sondern er hat seines Gelichters mehr, denen der Uebermuth den Hals gebrochen, es ist halt wahr, daß Stultus, Stolperer und Stolz, wachsen auf einem Holz.

Als Jakob der Patriarch einst auf dem freien Feld seine Nachtherberg genommen, und zu solchem End etliche Steine zusammen klaubt, welche ihm anstatt eines Haupt-Polsters dienten der Hoffnung, auf diesen harten Federn eine sanfte Ruhe zu schöpfen; siehe aber, in Mitte der Nacht thut er wahrnehmen eine Leiter, welche von der Erde an bis in den hohen Himmel hinauf sich erstreckte, oben aber war der allmächtige Gott, welcher mit beeden Händen die Leiter gehalten.

Wann einem Gott die Leiter haltet, da ist leicht zu steigen, und ist man vor dem Fall versichert, also ist hoch gestiegen der David, welcher aus einem schlechten Hirten-Buben ein grosser König worden, weil er sich aber dessen nit übernommen, also hat ihm Gott die Leiter gehalten. So ist auch hoch gestiegen der Joseph, welcher aus einem Sclaven und Diener ein Vice-König, und Landpfleger in Egypten worden, weil er aber seinen Glück-Rossen den Demuth-Zaum eingelegt, also hat ihm Gott die Leiter gehalten.

Also seynd hoch gestiegen Joannes, der zwei und zwanzigste römische Papst, dessen Vater ein Schneider. Benedictus der Zwölfte, dessen Vater ein Müllner. Urbanus der Vierte, dessen Vater ein Schuster. Sixtus der Fünfte, dessen Vater ein Vignarvolo oder Weinzierl ꝛc., weil sie aber sich in dieser Höhe allzeit erniedriget, und das Wort Humilis von Humo, als eines jeden Menschen eigentliches Stammhaus hergezogen, also hat ihnen Gott die Leiter gehalten, daß sie nit gefallen. Aber die aus Ehrgeiz in die Höhe steigen, Reputation halber in die Höhe trachten, und in der Höhe sogar nit mehr herunter schauen, sondern sich übernehmen, denen haltet der allmächtige Gott die Leiter nicht, sondern er zieht ihnen solche noch auf die Seite, Deus superbis resistit, daß sie also spöttlich herunter plaschen. Wer ist höher kommen bei dem Hof des Davids, als der Joab, welcher ein General Feldmarschall war über die ganze Armee, weil ihm aber das super omnes die superbiam gebrochen, also hat ihn Gott lassen jämmerlich ermorden. Wer hat mehr golten bei dem Kaiser Tiberio, als Sejanus, dem zu Ehren sogar metallene Statuen seynd aufgericht worden, weilen ihm aber der Nieder zuwider, und sich in solcher Hohheit übernommen; also hat ihn Gott also gestürzt, daß er schändlich um das Leben gebracht, und sogar der Begräbnuß unwürdig geschätzt worden. Wer ist mehr gewest bei Hof des Kaisers Arcadii, als Ruffinus, in dessen Händen die ganze Regierung stund, weil aber Hof-Arbeit und Hoffart die nächsten Verwandten, also hat ihn Gott spöttlich lassen fallen, und gar ermorden. Wer ist höher gestiegen beim Hof des Kaisers Justiniani, als Belisarius? sogar, daß der Kaiser hat lassen Münz prägen, allwo auf einer Seite die Bildnuß des Kaisers, auf der andern das Contrafect des Belisarii zu sehen war; weil ihm aber der Dampf der Hoffart also in die Augen gestiegen, daß er sich übernommen, also hat ihn Gott dergestalten herunter gestoßen, daß ihm beede Augen ausgegraben worden, und er auf freier Straße, wie ein blinder Bettler, das Almosen gesucht. Das heißt: primus, Echo, imus.

Carolus de Biron, Marschall in Frankreich, Alvarus de Luna Constabel, und erster Minister in Spanien, Walterus, Graf Atholiä in Schottland, dieser und dieser N. N. vornehme Herr in Deutschland, Minister bei Hof, seynd alle, alle, wie der stolze Ammon, mit höchster Schand und Schaden zu Grund gangen, weil sie sich in ihrem Glück übernommen.

Das andere Stuck in dem obgesetzten Recept ist der Majoran; dieses Kräutel wachset allenthalben, wann der Teufel seinen bösen Saamen aussäet, wie bei dem Evangelisten Matthäo zu lesen, so wachst lauter Majoran daraus, welches so gar unter den Aposteln und Jüngern des Herrn wahrgenommen worden, weilen nemlich unter ihnen in Gegenwart Christi ein ziemlicher Zank entstanden, und wollte ein jeder Major seyn: Facta est contentio inter eos, quis eorum videretur esse Major. O mein Gott, so findt man so gar bei frommen und heiligen Leuten auch Competenzen! und zeigt sich nit selten ein hohes Geistel auch bei denen Geistlichen, und glaub mir, die Frau Superbia isset nicht wenig Kloster-Suppen; der Teufel gesegn ihrs: So bald unser lieber Herr vermerkt solches procedere wegen des praecedere, hat er geschwind den gesamten Aposteln die Lehr geben, es soll bei Leib keiner sich übernehmen, sich auf keine Weis anmaßen des Titels Major, sondern lieber Minor heißen, das Laster der Hoffart rühre eigentlich von dem Teufel her, welcher Limmel schon im Himmel ein solches Getümmel wegen der Präcidenz gemacht, das Paradeis sey nur für die Demüthigen gebauet, und nit für die Hoffärtigen.

Es ist ein gar enges und niederiges Thürl in Himmel, angusta porta, ein Major, ein großer Hans, ein stolzer Super-Gast kann nit hinein, in dieses Engelland ist kein anderer Weg, als aus Niederland, und der nicht baarfuß gehet, der ist des Teufels mit Haut und Haar. Holla! versteht mich recht, ich red Lateinisch, und mein es gut Deutsch; parvus heißt so viel, als demüthig, nisi efficiamini, sicut parvuli. Willst du ein absonderlich Glück haben Zachee? willst du, daß deinem Haus ein großes Heil widerfahre, willst du, daß Christus der Welt Heiland ein Gast sey festinans descende, herunter mit dir, verlaß die Höhe, eile in die Niedere rc., die niedere Demuth wird allein von Gott hoch geacht.

Die Demuth Mariä hat gemacht, daß sie aus einer Magd, ecce ancilla Domini, eine Königinn des Himmels und der Erde worden. Die Demuth Magdalenä hat gemacht, daß sie ein Jubiläum und vollkommenen Ablaß hat gefunden bei den Füßen Jesu. Die Demuth Petri hat gemacht, daß er mit seinem exi a me, quia homo peccator sum, züm hohen Papstthum gelangt; die Demuth des offnen Sünders hat gemacht, daß ihm die Gnaden-Porten offen worden; die Demuth Pauli hat gemacht, daß er in dritten Himmel (wären wir unterdessen nur im ersten) verzuckt worden; die Demuth der Niniviter hat gemacht, daß sie mit dem Aschen, den sie auf ihre Häupter gestreuet, haben das höllische Feuer gedämpft; die Demuth Matthiä hat gemacht, daß er des schelmischen Judä redlicher Successor worden; die Demuth Francisci hat gemacht, daß er dem stolzen Vogel Lucifer in sein Nest gesessen.

Sonst sagt man, Sonnen-Hitz, Nadl-Spitz, und Weiber-Witz seynd nit wehrhaft, aber in aller Wahrheit, ein witziges Weib ist jene gewest, welche ihr einiges Heil hat gesucht und gefunden an dem Saum und ünterſten Theil der Kleider Christi, also ist aller Menschen Heil nur in der niedern und tiefen Demuth anzutreffen, und ist bei Gott dem Herrn keine werthere und größere Zahl, als das Nulla der Nullität und Nichtigung seiner selbst, und ist wohl zu glauben, daß homo, humus und humilis die nächsten Verwandten miteinander seyn.

Das dritte Stuck in dem Recept seynd weiße Lilien: diese Blume ist eine aus den vornehmsten, gleichwohl aber übernimmt sie sich nit ihrer Hohheit, sondern neigt ihr silberfarbes Haupt allzeit gegen die Erde, auf solche Art soll ein vornehmer Herr und Kavalier beschaffen seyn, und sein niemalen wegen seines hohen Standes stolziren, sondern öfters die Erde anschauen, als sein natürliches Stamm-Haus und rechte Mutter, wessenthalben er mit dem geringsten Bettler verbrüdert ist. Nichts schöners stehet, als wann bei großen Herren und Ministern a l l e s und n i c h t s aus einer Schüssel essen, wann nemlich ein solcher Herr a l l e s hat, a l l e s kann, a l l e s weiß, und fast a l l e s regiert, und dannoch n i c h t s aus ihm macht, n i c h t s von sich halt.

In dem Buch Levitici hat Gott der Heer den Priestern befohlen, daß, wann sie in seinem Tempel ihm Vögel aufopfern, sodann sollen sie die Federn an das Ort werfen, wo die Asche liegt: Plumas projiciet in locum, ubi cineres effundi solent. Ein vornehmer Herr, ein adelicher Felix, ein gnädiger Herr Fortunatus, wann er schon hoch im Thron und Reputation stehet, so muß er doch nit hoch im Ton seyn, bei Leib nit fliegen, sondern die Federn dahin, wo die Asche liegt, werfen, und gedenken, er sey ein Mensch, wie andere, werde zu Staub und Aschen werden, wie andere. Der Hauptmann zu Kapharnaum ist über alle massen von Christo dem Herrn gelobt worden, ja so gar hat der gebenedeite Heiland ausgesagt, daß er seines gleichen in ganz Israel nit hab angetroffen, es hat dem Herrn die Demuth dieses Offiziers so wohlgefallen, um weil er gesagt hat: Et ego homo sum, „ich bin auch ein Mensch ꝛc." Er war ein Kavalier und gut vom Adel, hat vielleicht geheißen von Rittersberg, oder Streitbar-Hofen, bei stattlichen Mittlen und Herrschaften, von einem alten Hans und guter Casata, gleichwohl hat er gesagt und bekennt, et ego homo sum, er sey ein Mensch ꝛc. Also mein vornehmer Here und Minister, wann du schon bei Hof auf der ersten Bank sitzest, wann dich der Landfürst und die Landfürstinn fast verehren und anbeten, wie Sonn und Mond den Joseph, wann durch dein Ja und Nein schon muß alles geschlossen seyn, so hüt dich doch, daß Exaltatio und Exultatio nicht zusammen kommen, du bist kein Gott, und wann du glaubest, daß du besser seyest, als andere, alsdann heißt Minister in einem Anagrama Mentiris, sprich lieber mit obbenentem wackern Kriegs-Offizier aus Demuth, et ego homo sum, und ich bin auch ein Mensch. Der Prophet Ezechiel hat den Wagen Gottes bespannt gesehen mit 4 Thieren, benanntlich mit einem Löwen, Ochsen, Adler und Menschen. Und vermerkt wohl mein h. Vater Augustinus, daß der Adler sich nicht erhebt über die anderen Thier, sondern hat auch den Ochsen neben seiner gelitten, desgleichen soll sich der Adel auch nit übernehmen, sich nit mehr achten, als einen gemeinen Ochsen, will sagen, einen armen und arbeitsamen Menschen, die gemeinen Leut nicht, wie öfters pflegt zu geschehen, schlechte Kanalien tausen, sondern die liebe und werthe Demuth zeigen, welche Lection ihm aus der Schul Christi zu lernen aufgeben worden: Discite a me, quia mitis sum, et humilis corde.

Diese meine Kur bei obbesagtem Kavalier hat mir nicht gar übel gelungen, und halt vor gewiß, daß er so bald die aufsteigenden Aengsten nit werde leiden, dasern er sich das Recept halt, aber die Galgan-Wurzel machte ihm fast ein Grausen. Als ich mich nun daselbst beurlaubet, und für meine wenige Mühe sattsam contentirt worden, auch kaum 6 oder 7 Schritt von gedachtem Pallast hinweg gangen, da begegnet mir eine Karoze mit zweien schönen Leipziger-Rappen bespannet, worin ein sehr schön aufgeputztes Frauzimmer saße, welche, so bald sie mich erblickt, geschwind hat lassen stillhalten, und mich, utcumque lato modo, bittlich ersucht, ich wolt mich doch zu ihrem Herrn, dessen Wohnung unweit vom guldenen Feder-Busch, ein wenig bemühen, damit er mit mir wegen seines Zustands sich möchte berathschlagen; wie ich mich dann dessen nit geweigert, sondern den geraden Weg dahin genommen, auch seine Krankheit gar bald erkennt, und hatte er und seine Madam fast einen Zustand, dann beede die Gedächtnuß schier ganz verloren, war also nothwendig ihnen ein Recept zu verschreiben ad confortandam memoriam.

Recip: { Krebsen - - - Lib. II.
Ehren-Rosen, id est, malva hortensia M. II.
Spirit. Tartari - - - Unc. III.

In einem Malvasier gesotten, und darvon getrunken, stärket die Gedächtnuß.

Dieser hat seine Studia absolvirt mit wenigem Unkosten, zumalen er seine Suppe von einem Kloster supplicirt, das Bett-Geld durch die Nacht-Musik und Litaneyen singen gesammlet, endlich ist er bei einem

Fleckſieder ein Präceptor (der Zeit heißt mans ſchon Hofmeiſter) worden, und weil er Ihro Gnaden des Herrn von Lugeck Dienſt-Menſch, bei dem ſie ſehr viel golten, geheirath, alſo iſt er durch deſſen viel vermögende Recommendation ein Kanzeliſt worden, jetzt iſt er ſo weit droben, daß man ihm die Gaad gibt; aber er, ſamt ihr haben die Gedächtnuß verloren, ſie gedenken nit mehr, wer ſie geweſt ſeynd, ſie kennen die vorigen Freund nit mehr vor lauter Hoffart. Der große Mann Elias hat auf eine Zeit geſehen, daß ein kleines Wölkel, nubecula parva, aus dem Meer ſich erhoben, welches nach und nach höher geſtiegen, und endlich ſo groß worden, daß es den ganzen Himmel bedeckte. Ich, und du, und er, wir und ihr, und die haben ſchon öfters mit Augen geſehen, daß ein gemeiner Menſch iſt hoch geſtiegen, aus einem Kleinen ein Großer worden, aus einem Diener ein Herr, aus einer Magd eine Frau, aus einem Anhalter ein Verwalter, aus einem Thorſteher ein Vorſteher, haben aber auch mehrmalen erfahren, daß die Ehren einen ſolchen verkehren. Martha ſagte einmal Chriſto dem Heren, als die Red war von ihrem verſtorbenen Bruder Lazaro, jam foetet, er ſtinkt ſchon, ich ſags und klags von ſolchen, ſo bald er von einem ſchlechten Menſchen überſich kommt, und hoch ſteigt, foetet, er ſtinkt ſchon vor lauter Hoffart.

Es iſt einer geweſt, ſeines Handwerks ein Schneider, welcher aber durch das Glück alſo erhoben, daß er gar ein Gnädiger Herr worden, Berg und Thal im Namen und Titel geführt, etwann von Nadelsberg, von Steppenthal, von Fingerhuts-Hofen, von Zwiernau, von Ellen, von Flickingen ꝛc., er ist auf der Gassen daher gangen mit solchen constantinopolitanischen Schritten, als wollt er den Staub von dem hohen Berg Olympo wegblasen, er hat den Kopf in der Höhe getragen, wie des großen Alexandri Reitpferd, er hat die Arm beederseits unterstützt, als wollt er dem Atlas heisen den Himmel tragen, er prahlte bei Leuten, denen sein großes Stammen-Haus (scilicet) nit bekannt, daß er sey hochgeboren, und es war dem also, dann seine Mutter, als eine arme Haut, hat droben unterm Dach gewohnt, er sagte, daß er wolhgeboren sey, und ist wahr, dann sein Vater war ein Kotzenmacher, der stets mit Woll umgangen, er berühmte sich, daß sein Ahnherr oder Groß-Vater schon von gutem Geblüt gewesen, und das ist nit zu laugnen, dann er ist ein Fleischhacker gewest; dieser stolze Gesell hat von einem sehr berühmten Maier begehrt, daß er ihm sein Stamm-Wappen und Ritters-Helm solle und wolle auf eine Tafel malen, dem es der Maler in allweg zugesagt, und versprochen, damit er aber dem aufgeblasenen Gesellen unter die Nasen reibete, von was geringem Herkommen er sey, und sich also in dem großen Glück nit mehr kenne, wer er vorhin gewesen, also hat er nichts anders auf den Schild gemalt, als ein Häftel, benanntlich dieses Zeichen ☊, welches dem tollen Kerl also verschmacht, daß er unverweilt den Maler, wegen solcher angethaner Schmach und Injurii, bei dem Gericht angeklagt, dann er wäre der Meinung, als habe ihn der Maler durch das Häftel wollen schimpfen, daß er ein Schneider sey gewest; wie es dann in der Sach nit anderst war, aber es wußte ihm dieser Künstler stattlich zu helfen, indem er vor dem Gericht hoch betheuert, daß er dem Willen dieses (Titl.) Gnädigen Herrn sey in allweg nachkommen, als der nichts anders verlangt in seinem Wappen-Schild, als einen Löwen, und da sey er gemalt; was? sagt der neue Edelmann, ist das ein Löw, der Maler schwört dem Teufel ein Ohr ab, es sey ein Löw, jedermann sahe aber, daß es ein gelbes Häftel, bis endlich der Maler die Geheimnuß entdeckt, und den Kalender zum Zeugen genommen, in welchem durch das ♉ der Stier, durch das ♂ der Mars, darch das ♀ die Venus, durch das ♋ der Krebs, durch das ♈ der Widder rc. und durch das ♌ der Löw entworfen und vorgestellt wird.

Hannibal Carus, ein sehr gelehrter Kopf, hat einem reichen Bauern, welcher kurzum ein schönes und vornehmes Wappen für sich und seine ganze Freundschaft verlangte, diesen Rath geben: er solle nemlich in den Schild malen lassen drei Stuck, erstlich ein Treid-Körnel, zum andern ein Weinstock, drittens einen Birnbaum, welche drei Ding in italienischer Sprach zusammen gesetzt also lauten, gran vitu peru, auf deutsch, ein großer Spott, dann nicht eine geringe Schand, wann sich einer seines Herkommens schamet.

Bei großer Hungersnoth schickte der alte Jakob, der liebe Patriarch seine Söhne nach Egyptea, damit sie daselbst um das baare Geld sollten Treid einkaufen, wie sie nun bei dem Vice-König Joseph allda ankommen, hat ihm kein Mensch traumen lassen, daß sie seine leiblichen Brüder wären, auch sie selbst kennten den Joseph nicht mehr; Joseph zog in Sammet- und Seiden auf, wurde von einem großen Hofstaat bedient, jedermann biegte die Knie vor ihm, das ganze Land nennt ihn einen Allergnädigsten Herrn ꝛc., diese Gesellen aber hatten gar einen schlechten Aufzug, der Ruben einen Rock, worin bald mehr Fleck, als Tag im Jahr, der Simeon gieng so liederlich daher, als wär er in einer Tändler-Butten gesteckt, der Levi tragte ein Bauern-Joppen an, die etwann schon zwei Jahr älter, als er, der Judas hatte ein Kleid, so nit besser, als ein ungarischer Gebeneck, der Nephtali ist halt aufzogen, wie ein Schaaf-Hirt, mit einem rauhen Schaaf-Fell, der Isachar war also zerlumpt, daß schier das ganze Kleid aus dem Leim gangen, der Gad hatte den Vortl, daß ihn kein Schuh gedruckt, weil er baarfuß gangen, der Dan zog so schmutzig auf, als hätt er ein halbes Jahr mit Schmeer gehandelt, der Zabulon hatte eine Tracht von groben Loden, mit Zwilch gefüttert, der Aser hatte einen Rock aus solchem Sammet, woraus man die Mehl-Säck macht, alle ins gesamt zogen auf, wie arme Bauern, wie schlechte Hirten, wie gemeine Leut, Joseph aber in Sammet und Seiden, in Silber- und Goldstück, in aller Pomp und Herrlichkeit, und gleichwohl, o das ist schön und löblich! und gleichwohl hat er sich ihrer nicht geschämt, sondern bei dem ganzen Hofstaat des Königs, in Gegenwart so vieler Adels-Personen und Hof-Bedienten öffentlich bekennt: fratres mei venerunt etc., diese seynd meine leiblichen Brüder von Vater und Mutter.

O wie wenig Joseph gibt es bei der Welt, ein mancher Stolzenhofer, der mit seinen lateinischen Complementen etwann eine reiche Wittib ins Netz gebracht, und schon mit einer dicken Perücke, wie eine Nacht-

Eul unterm alten Kirchen-Dach daher prangt, schämt sich seiner Freundschaft, will nit haben, daß der Kämpl-flicker zu Bürstenfeld ihn soll einen Bruder heißen, will nit leiden, daß seine eigene Mutter soll mit ihm über Tafel essen. Ich habe selbst einen Doctor gekennt, dessen alter und betagter Vater ein Baner, und bei ihm die Wohnung hätte, als ich ihn fragte, wer der alte Tättl sey? so gab er mir die Antwort, er sey ein armer Bauer, dem er aus Barmherzigkeit die Unterhaltung schaffe, welches dem Alten die Thränen aus den Augen gelockt, und endlich in diese Wort ausgebrochen: der Doctor kommt vom Bauern her, und nicht der Baner vom Doctor.

Ein Fuchs, nach höflichem Willkomm und freundlicher Ansprach, fragt einmal das Maulthier, was Geschlechts und Herkommens es sey? dieß antwortet, es sey ein Geschöpf Gottes; wie seltsam ist das geredt, sagt hinwieder der Fuchs, ich frag nur, wer seine Eltern gewest? das Maulthier schämte sich, daß sein Vater schinderischer Gedächtnuß ein Esel gewest, wußte aber beinebens, daß seine Mutter ein Pferd sey aus dem Hofstall, sagte also, ich bin ein nächster Bluts-Verwandter Ihr königlichen Majestät Leib-Pferd. Gar viel deßgleichen seynd anzutreffen, welche sich ihres Herkommens schämen, und prahlt mancher, sein Vater sey ein Landmann gewest, der doch nur ein Fuhrmann war, sagt oft einer, sein Vater sey ein Rathsherr gewest, da er unterdessen nur als ein Raderherr das Wagner-Handwerk trieben. Ich habe selbst einen gekennt, welcher vorgeben, sein Vater sey ein Musikant gewesen, indem er doch als ein Calcant nur die Blasbälg getreten. In Indien soll ein König Mogor, schreibt Englgrave, diesen Brauch in seiner Regierung haben, daß er die allergeringsten Leut, vom niedersten Herkommen, wegen erwiesener heroischer Thaten zu höchsten Ehren und Aemtern erhebet; damit sie aber sich nit übernehmen, sondern allezeit des vorigen schlechten Stands gedenken, also hat erstgedachter König gar weislich geordnet, daß einem jeden in einen Schild das Zeichen seines vorhin geübten Handwerks solle voran getragen werden; ist also manchem Hofrath eine Scheer, manchem Obristen ein Binder-Schlegel, manchem General ein Schuster-Kneipp, manchem Minister ein Hammer und eine Beißzang vorgetragen worden ꝛc. Wann der Zeit ein jeder Edelmann, oder wenigst der hochmüthig prahlt wegen seines Adels, sollte in seinem Wappen-Schild führen dasjenige Instrument, wormit sein Vater oder Ahnherr sein Stückl Brod gewunnen, glaub mir, ein mancher hätt nichts anders, als ein Bügel-Eisen, als einen Schreibzeug, eine Geißel, einen langen Spieß, einen Wein-Zeiger, einen Hobel, eine Schaufel ꝛc., in seinem Wappen zu zeigen, weil seine Eltern oder Voreltern, Schneider, Schreiber, Fuhrleut, Sauschneider, Wirth, Tischler, und gar Todtengräber abgeben, und gemeiniglich solche, die vom Stall zum Saal kommen, pflegen meistens sich zu übernehmen, und andere verachten.

Der David ergriff einmal seine Harfe, spielte mit Freuden, und tanzte vor der Arche des Herrn mit aller Macht, Michol seine gnädige Hausfrau sah zum Fenster herab, et despecit illum in corde suo, verachtet ihn in ihrem Herzen, und hieß ihn ein Scurram, eine Raupe, und gar einen Schlifsel und Schweracken. Wäre ich damal David gewesen, ich wollt ihr rc., aber warum meine Frau Michol, verachtest du deinen Herrn den David? warum? sagt sie, wer ist dann der David? ein gewaltiger Herr, bei meiner Treu, er ist halt ein rothkopfeter Hirten-Bub gewest, man weiß gewiß nit, sein Vater war der Isai, ein armer Schaf-Hirt gewest, man kennt ihn gewiß nit, de post foetantes etc., auf ein Wort, Madam, mein wer ist dein Herr Vater gewest? mein Herr Vater? der König Saul, der, so auf einmal dreißig tausend Mann aus dem Haus Juda, der dreimal hundert tausend Mann aus dem Haus Israel wider die Kinder Ammon ins Feld geführt, der ist mein Herr Vater gewest. Meine Frau Michol, laß dir sagen, ein armer Mann aus dem Geschlecht Benjamin, mit Namen Cis, hatte seine Esel verloren, und er sprach zu seinem Sohn, (deinem Herrn Vater, merks!) mach dich auf, gehe hin, und suche mir die Esel, mein was ist ehrlicher, Schaf hüten, oder Esel treiben? David, dein Mann, den du verachtest, war ein Schaf-Hirt, Saul, dein Vater, mit dem du prangest, war ein Eseltreiber, seines Herkommens gar ein schlechter vom Adel, und noch ein Stuck schlechter, als David. O wie viel Leut haben eine so schlechte Gedächtnuß, daß sie sogar nit mehr denken, wer sie gewest seyn, ist also nothwendig, daß sie sich meines Recepts halten, in welchem das erste Stuck die Krebse, wordurch ich sie will ermahnt haben, daß sie öfters sollen mit ihren Gedanken zuruck gehen, wie die Krebse, und sein mehrmal erwägen, woher sie kommen, und in was schlechtem Stand sie gewest seyn. Der Prophet Ezechiel hat in einem geheimnußreichen Gesicht wahrgenommen einige Thier, so nicht allein vornher Augen trugen, sondern auch hinterhalb; bei solchen Leuten, welche da aus geringem Stand zu großen Ehren erhebt worden, wär es hoch nothwendig und nutzlich, daß sie auch auf dem Rucken Augen hätten, damit sie sehen könnten, woher sie kommen. Da geht eine auf der Gasse daher mit einem Vortreter, der Kopf ist mehr ziert, als ein aufgesteckter Maibaum, die Haar seynd zusammen gewispelt, als wärens durch einen Strauben-Modl gossen, die Mäschen gezogen, wie der erste Buchstabe in einem Pergamenten-Lehrbrief, der Hals ganz bloß, wie ein Aff beim End des Rückgrads, der Rock so lang, wie der Biber von hintenher, die Schuh bald so gespitzt, als ein Schuster-Aal, wessenthalben kein Wunder, daß sie manchem Pfuy die Augen aussticht. Wer ist diese? ihr Mann stehet trefflich wohl, allein das date, quae sunt Caesaris, Caesari, wird in seinem Evangeli-Büchel nit gefunden, das Töchterl und Semi-Fräule, die mit ihr geht auf der Seite, heißt Francisca, Athanasia, Gandolpha, Hedwig rc., (Urschel und Lisel seynd gar gemeine Namen) sie grüßt Niemand auf der Gasse, weil sie ihres Gleichen nicht siehet, sie rauscht für die Kirch-Thür hinein, wie der Wind im Eichwald, man soll bald eine Meß lesen, heraus gehen, sein bald, o der ungeschickte Sakristan! sie bildet ihr ein, jedermann solls anbeten und verehren, wie die Philistäer ihren Abgott Dagon, weilen ihr Mann beim Bret sitzt, nur her, venite adoremus. Ei du stinkender Grind-Schüppel, es wär wohl herzlich zu wünschen, du hättest ein paar Augen auf deinem stolzen Buckel, damit du könntest sehen, woher du kommst; ist nit dein Vater ein armer Nachtwächter gewest? hat sich nicht deine Mutter mit der Studenten-Wäsch erhalten? ist nicht dein Bruder im Seminario gestorben? hat dich nit der Meßner bei St. Salvator aus der Tauf gehebt? ist nit dahie ein Holzmesser dein Vetter? ei daß dir des Henkers Badwäschel den Kopf zwack wegen deiner stinkenden Hoffart, man hat dich noch wohl gekennt, wie du um das Fleisch in die Bank gangen, und den Kuchel-Zecker an dem Arm getragen, du stolzer Siech!

Das andere Stuck in dem Recept seynd Ehrenrosen, lateinisch malva hortensia, wordurch soll verstanden werden, daß ein Hoffärtiger, der nicht mehr sich seiner vorigen Armuth erinnert, die Ehr verliert; ein Demüthiger aber, der sich seines geringen Herkommens nicht schamet, alle Ehren verdient. Der König Saul laßt den David zur Audienz rufen, und thut ihm sehr stattliche Offerten anerbieten; was da? etwann eine schöne Herrschaft samt vielen reichen Unterthanen, die sich da lassen öfter barbieren, als seine Schaf? nichts dergleichen; etwann eine große Summa Gelds, wormit er reicher wurde, als durch seine Schäfereien, dann Pecunia mehr gilt, als Pecora? nichts dergleichen; etwann ein vornehmes Officium zu Hof, dann ja in Aula lustiger zu leben, als in Caula? nichts dergleichen, sondern der König Saul offerirt ihm seine Prinzessinn zu einem Weib, was? sagt David, ich soll des Königs Eidam seyn? ich? quis sum ego? bin ich doch ein armer Tropf, mein Vater ist ein armer Mann, welcher etliche seiner Söhn in Krieg schickt, mich aber samt andern zum Schaf-Hirten braucht, damit er uns nur erhalte, ich bin ein gemeiner Kerl, der nichts kann, als etwann mit dem knoperten Hirtenstab meine Schäfel in einer Disciplin zu halten rc. Weil solchergestalt der David sich seines Herkommens nit geschamt, sondern in allweg sich solcher großen Ehren unwürdig geschätzt, also ist er derenthalben bei dem König und dem gesamten Hofstaat in großer Aestima gehalten worden. Dem großen Erzbischof Wilegiso zu Mainz ist es eine sondere Ehr gewest, daß er seines schlechten Herkommens nit vergessen, und in sein Wappenschild ein Rad setzen lassen, zur ewigrn Gedächtnuß, daß er eines Wagners Sohn sey gewest; Amico, dem vornehmen aquilanischen Bischof und nachmals ereirten Kardinal, ist es eine Ehr gewest, daß er in seinem Wappen ein Lämml geführet, zu einer steten Erinnerung, daß er ein Schafhirt gewesen. Thomä Villanovano, diesem Erzbischof ist es eine Ehr gewest, wie er in Mitte der Bischöf gesessen, und wahrgenommen, daß ein armer Baner zu unterst des Saals unweit der Thür gestanden, den er als seines Vaters Bruder gekennt, dessentwegen ihm alsobald entgegen gangen, denselben sehr freundlich empfangen, und in Gegenwart so vornehmer Herren eine lange Ansprach, anbelangend seine armen Freund, mit erstgedachtem Bauersmann gehalten. Benedicto dem XI., römischen Papst, ist es eine Ehr gewest, wie er seine Mutter in fürstlichem Anspuz nit wollt erkennen, wohl aber, wie sie sich als eine arme Wäscherinn in schlechten Kleidern gestellt hat. Demjenigen vornehmen Herrn ist es eine Ehr gewest, welcher auf seinem Saal einen Back-Ofen lassen aufrichten, wordurch er nit wollte vergessen, daß sein Vater ein Bäck gewesen, er aber durch seine emsigen Studien und geschöpfte Wissenschaft so weit kommen. Demjenigen reichen und hochansehnlichen Mann ist es eine Ehr gewest, welcher sein Häferl, wormit er sich durch die Bettel-Suppe vorhero erhalten, gar fein in Silber lassen einfassen, und nachmals bei den Mahlzeiten als ein sonders Ehren-Geschirr auf die Tafel gesetzt, daraus getrunken, und also stets zuruck gedacht, wer er gewesen, damit er sich in gegenwärtigem Glücksstand nit übernehme. Eine Ehr ist es einem jeden, der sich demüthiget, und sagt man insgemein, ist das nit ein lieber und wackerer Herr, er redt mit einem jeden, vor allen Leuten zieht er den Hut ab; ist das nit eine feine Frau, sie macht wohl nichts aus ihr, sie heißt mich noch allezeit ihre Schwester; aber eine Schand ist es demjenigen, der sich nit mehr kennet, und sich hochmüthig aufbäumt, ist das nicht ein stolzer Narr! der Esel meint, er sey dem babylonischen Thurm befreundt, ist das nicht eine stolze Krott! die Höppin stinkt vor Hoffart, sie ist ein hoffärtiger Teixl, sie schaut einen nit mehr an.

In einer vornehmen Stadt hat ein armer Bauer Holz auf den Markt getragen, und weil solche Bürd ziemlich groß, und die Gassen nit gar breit, damit er mit seinem Holzkram nit möcht einen stoßen, also hat er immerzu geschrien: „auf die Seite!" Diesem Bauern begegnete unter andern ein sehr hochtrappender Limmelius, welcher 19 Wochen, 3 Täg und anderthalb Stund außer seiner Heimath und Vaterland gewest, dahero seine Muttersprach ggr schlecht mehr geredt, dieser höffärtige, gradirte und grandirte Mopsus wollte aus Stolzheit dem zweifäßigen Esel nit weichen, wessenthalben ihn der Holzträger übern Haufen gestoßen, dergestalten, daß ihm die Perücke hinweg geflogen, und gleich damalen einem vorbei getriebenen Gaisbock auf die Hörner gefallen, so je allen Gegenwärtigen sehr lächerlich vorkommen, daß solches Stroblnest von einem vor Hoffart stinkenden Narrn zu dem andern gerathen; das hat den seidenen Bravantio dergestalten verschmacht, daß er solche Injuri, wann er auch 3 Pfund Cremor Tartari eingenommen, nit hätte verkochen können, dahero er seine Klag so hitzig vorgetragen bei Gericht, daß besagter Bauer alsobald durch scharfen Befehl sich stellen müssen, die wider ihn gelegten Klag-Punkte zu beantworten; der Bauer (besser geredt) der Lauer erscheint, stellt sich aber, als wäre er stumm und könne nit reden, man drohet ihm ernstlich, er soll reden, dieser deut immerzu mit den Fingern, bald in die Höhe, bald in die Nieder, bald auf die Seite, bald krumm, bald gerad, bald ernstlich, bald lächerlich, bald traurig, bald lustig, man konnt nichts anders vernehmen, als nit gar halbe Wörter, ho-hu-ha-hei-oia-oe-huo, die Richter glaubten nit anderst, als könne der arme Tropf nit reden, sondern sey ein elender Stumm, mit dem man mehr mit Mitleiden, als mit Straf verfahren solle, es könne also dem hochgeehrten Herrn N. N.

als Kläger dießfalls keine Satisfaction ertheilt werden ꝛc., was? sagt dieser, so glaubt ihr, solcher Böse-wicht sey ein Stumm? ein Schelm ist er, ich will es mit glaubwürdigen Leuten bezeugen, daß er reden kann, hast du nit (also redete er den Bauern an) hast du nit immer geschrien: „auf die Seite, auf die Seite!“ ja, ja, ja; wann dem also ist, sagten hinwieder die Richter, so fällt der Herr selbst das Urthel wider sich, dann so der arme Tropf ermahnt, man wolle ihm ausweichen, hat diesen Spott und Fall der Herr seiner Hoffart und nicht des Bauern Bosheit zuzumessen, jetzt fallt mir der Name ein dieses stolzen Narrn, er hat Hathanasius geheißen, dann er eine lange Nase darvon getragen, der Spott laufet gemeiniglich dem Hoffärtigen mit Hasenfüßen nach.

Das dritte Stuck in dem Recept ist Spiritus Tartari, die Lateiner wissen schon, daß Tartarus auf deutsch die Höll heißt, welche dem Hoffärtigen nit wird ausbleiben. Foris canes, hinaus was Hund seynd, sagt uns der Herr, die gehören nit in das Haus meines Vaters, sondern welche, wie die Hund neidig seynd, gehören in die Höll, aber diese seynd noch nit die ersten darin gewest.

dahero alle Vollsaufer ihm zugehörig, aber diese seynd gleichwohl nicht die ersten in der Höll gewest. Im Himmel ist das ewige Licht, dahero die Blinden nit darein taugen, wessenthalben alle verblendeten Ketzer in die Höll fahren, allwo die ewige Finsternuß, aber diese seynd dannoch nit die ersten darin gewest. Die ewige Seligkeit ist ein Lohn, merces vestra copiosa etc., dahero die Faullenzer alldort nichts abzuholen, sondern die Trägen müssen die Höll ertragen, aber diese seynd dannoch nit die ersten allda gewest. Im Himmel ist ein ewigrr Fried, dannenhero die Geharnischten daselbst nit werden eingelassen, sondern alle Zornigen, die so geschwind im Harnisch, steigen in die Höll, aber dannoch seynd diese nit die ersten darin gewest. Weil die dritte Person in der Gottheit eine Taubengestalt an sich genommen, sodann gelten bei ihm die Raben gar nichts, wessenthalben alle, so wie die Raben stehlen, in die Höll verstoßen werden, nichts destoweniger seynd diese nit die ersten darin gewest. Nichts unreins geht in Himmel ein, nihil coinquinatum etc., weil dann viel Geld zählen schwarze Händ macht, also gehören die Geizigen hinunter, aber doch seynd diese die allerersten nit gewest darin, sondern die Hoffärtigen, als da war Lucifer, dieser Spiritus Tartari samt seinem Anhang warru die allerersten in der Höll, diese haben zum allerersten den Abgrund eröffnet, und wäre Adam samt seinem Weib, welche um 9 Uhr Vormittag erschaffen, und um 3 Uhr Nachmittag mit Ruthen ausgestrichen und des Paradies verwiesen worden, wie etliche darvor halten, der erste beim Teufel gewest wegen der Hofsart, dafern nit die grundlose Barmherzigkeit Gottes durch das bittere Leiden und Sterben Jesu ihn mit uns errettet hätte.

Der Dank war nit gar groß, den ich von diesem neugebackenen Edelmann habe eingenommen, welches mir schier ein wenig in die Nasen gerochen, in Erwägung, daß meine Salbe noch allzeit gut, bei diesem aber allein in Unwerth kommen, dahero ich diese, meine widerigen Mucken auszutreiben, eine beliebige Gesellschaft gesucht, und dieselbige bald nach allem Wunsch angetroffen in des Herrn Albanii, als meines sehr werthesten Freunds eigener Behausung, woselbst schon fast eine halbe Stunde bei einander gesessen, ein reicher Handelsmann, damal ein Wittiber, sodann seine größern Töchter, item ein Doctor; aus allen Reden, so sie damal führten, konnt ich leicht abnehmen, daß sie allesamt etwas unpäßlich, und gaben mir gar deutlich zu verstehen, daß ich ihnen, vermög meiner wenigen Wissenschaft, möcht einen Rath ertheilen, oder ein Mittel vorschlagen, wormit sie könnten diesem Uebel abhelfen. Dazumal war mir dieses Ansuchen nit gar angenehm, weil mir die kurz vorher ergangene Kur nit nach allem Wunsch ausgeschlagen, ich konnt es aber dannoch dem lieben Albanio wegen der alten Hacken und schon lang gepflogener Freundschaft nit weigern, habe demnach des reichen Handelsmanns Zustand alsobald erkennt, und gar wohl gesehen, daß er einen schweren Fluß in Augen, und also den Nächsten, forderist der arm ist, nit viel ansehen thut, worauf ich ihm dieses kurze Recept gemacht:

Recip. { Feigenblätter in der Sonn gedörrt, und mit Schwefel zerrieben, nachmals in frischem Wasser gesotten, darmit die Augen öfters gewischt, vertreibt die Flüß.

Die Reichen leiden sehr stark an solchem Augen-Fluß, daß sie also nicht bald einen armen Menschen können ansehen, sondern sich ihrer Mittel übernehmen, dann viel Güter machen hohe Gemüther; der evangelische Prasser hätt gar gewiß den armen Lazarum allzeit grüßt, und ihm ein bona dies geben, wann er nit viel Mittel hätt gehabt, weil er aber ein steinreicher Vogel war, also hat er den Armen nit viel gemacht; die babylonische Bestia und Unzucht in Apocalypsi, weil sie um und um mit Gold und reichem Geschmuck geziert war, wollt auch den hoffärtigen Namen und das stolze Prädikat haben, Babylon Magna. Aber mein Herr Goldecker, übernimm dich nit wegen deines Reichthums, brauch die Feigenblätter, und stell dir vor Augen jenen Feigenbaum, welcher an dem Weg gestanden: unweit Bethania stund überaus ein schöner Feigenbaum, unter dem ein mancher Reisender bei großer Sonnen-Hitz im Schatten gelegen, er war über und über mit den annehmlichen Blättern bedeckt, daß einem von fern gedunkt, es stehe daselbst einer mit einem grün-sammeten Rock, er streckte die Aest allerseits aus, als wollt er einen Chor-Regenten abgeben, und den so lieblich singenden Vögeln zu der Musik den Takt geben; in selbiger Gegend war kein Baum, der so sauber aufgezogen, und einer so adelichen Statur, als eben besagter Feigenbaum; ich glaub wohl, wie die Bäume ihren Reichstag celebrirt, und die Wahl eines Königs haben vorgenommen, dafern dieser Feigenbaum wäre gegenwärtig gewest, daß er unfehlbar hätte die Kron erhalten, auch wäre seine Resignation nit, wie seines Mitbruders, so dazumal bei dem Reichstag gegenwärtig, angenommen worden wegen der gar zu herrlichen Gaben, die an ihm zu finden waren, und gleichwohl so gut, so herrlich, so reich er gestanden, ist er dannoch durch die ergangene Excommunikation Christi des Herrn augenblicklich verdorben.

Laß dir dieß ein Exempel und eine Witzigung seyn, mein reicher Vogel, und thue nit wegen deines Reichthums stolzieren, hast du gute Mittel, gute Küttel, gute Titel, gute Schnittel, gute Hüttel, so übernimm dich nit, hast gute Herrschaften, Habschaften, Wirthschaften, Handelschaften, übernimm dich nit, sonst laßt dich Gott, der alle Hoffart hasset, fallen, daß du auch verdirbst, wie der Feigenbaum. Wer ist besser gestanden im Reich und Reichthum, als eben der König Nabuchodonosor? Felder und Wälder ohne Zahl, Geld und Zelt in Ueberfluß, Schätz und Plätz nach allem Wunsch, Haus und Schmauß, wie sein Herz verlangte, hatte dieser reiche Gesell; weil er sich aber übernommen, so hat ihn Gott lassen also arm werden, daß er nit ein Stückel Brod in seiner Gewalt hatte, sondern mußte Gras anstatt Käs essen. O elender Tropf!

Der Amerling ist unter den Vöglen einer aus den stolzesten, er prangt mit seinem gelben Brustfleck daher, als wann er des Vogei Phönix sein Schwager wär, den ganzen lieben Sommer hindurch ist er so stolz, daß er einen Bauern nicht anschaut, der Gimpel, so doch in halb Scharlach aufzieht, darf sich vor seiner nit sehen lassen, er residirt gemeiniglich bei den Landstraßen, damit nur alle Vorbeireisende seine Person mögen anschauen, ja, so bald jemand seinen Weg vorbei nimmt, alsdann schwingt sich dieser stolze Gesell ganz schnell auf einen hohen Baum, und wiederholt allda sein hochmüthiges Gesang und Liedel: Edel, edel bin ich, edel bin ich. Aber laß den lieben Sommer vorbei gehen, laß den fruchtbaren Herbst verschleichen, laß den rauhen Winter herzukommen, wann alles über und über mit Schnee bedeckt, sodann bleibt der stolze Amerling mit seiner Muteten wohl aus, er singt nit mehr, edel, edel bin ich, sondern er hocket dem Bauern vor die Thür, er sitzt ihm auf den Mist, er hupft ihm gar unter die Pferd, er spaziert vor der Sehener und singt, Vetter, Vetter, Vetter. Also soll auch auf keine Weis' der Mensch stolzieren wegen seines Haab und Guts, und sich etwann deswegen besser und mehr schätzen, als andere, es kann der Allmächtige gar leicht machen, daß er durch mancherlei Unglück um all das Seinige kommt, und nachmals bei einem gemeinen Menschen, den er vorhero nit angeschaut, Hilf suchen muß, ja gar, wie der Amerling dem Bauern vor die Thür kommet. Der Laban hat seine guldenen Götzen verloren, Gott kann auch zulassen, daß du um dein Geld und Gut kommest. Der reiche Job hat dergestalten alles verloren, daß er kein gutes Hemmet mehr hatte anzulegen, und war doch ein großer Fürst, dieß Elend kann auch Gott über dich verhängen. Aaron und Moses haben durch

Wirkung Gottes das Wasser in Blut verkehrt, das kann auch durch göttliche Zulassung geschehen, daß du blutarm wirst, deßwegen übernimm dich nit; der Reisende von Jericho nach Jerusalem hat all das Seinige müssen im Stich lassen, und ist noch darzu halb todt gehauet worden, das kann anch dir gar leicht widerfahren.

Nach dem Tod Recesuindi, Königs in Spanien, Anno 672 haben die Fürsten des Reichs nach einer neuen Wahl eines Königs getracht, und hat sie für rathsam gedunkt, daß sie die Namen etlicher tauglicher Männer hierzu dem Päpst Deodato sollen übersenden, und nachmals denselben vor ihren König krönen, der Ihro Heiligkeit vor andern beliebig scheinte, der Papst aber hat alle diejenigen ihm vorgestellte auf die Seite gesetzt, und beinebens sie ins gesamt erinnert, daß es der göttliche Wille sey, demjenigen die Kron auf das Haupt zu setzen, dessen Namen Bamba, worauf sie allerseits emsigst nachgesucht und endlich einen Lusitaner bei dem Ackerbau besagten Namens angetroffen, den sie unverweilt zn dieser Hohheit erheben wollten, welches aber der fromme Bamba in allweg geweigert, ja solches nur für einen Schimpf und Foppspiel ausgelegt, und endlich aber zugesagt, jedoch mit dem Beding, wann der dürre Stab, welchen er dazumal in die Erde gesteckt, werde blühen, und siehe Wunder! den Augenblick hat erstgedachter Stab angefangen zu grünen, und in Beiseyn alles Volks, die schönste Blühe hervor getrieben, worans sattsam zu erkennen war, daß Gottes Wille sey.

Dieß war ein groß Wunder, indem ein dürrre Stab ist gewachsen, hat blühet und floriret, aber es geschicht noch wohl öfter, daß ein Bettelstab aufkommt, florirt, und zu großem Reichthum gelangt. Gedeon war ein Drescher, welches ja kein adeliches Exercitium und gleichwohl nachgehends durch göttliche Anordnung ist er ein Kriegsfürst worden, zu großer Beut und Reichthum gelangt. Es geschicht mehrmalen, daß ein armer Erd-Dampf in die Höhe steigt, und nachgehends zu einem Regen wird, man hat schon öfter gesehen, daß ein armer Tropf ist hoch kommen, und ein reicher Regent daraus worden ꝛc., aber übernimm dich nit wegen deines Reichthums, sonst, was Gott hat geben, das thut er wunderbarlich wieder zurück nehmen, und da bestehst du, wie ein gerupfter Plato. O wie viel dergleichen weiß ich, etwann du auch, welche Reichthum halber im Vollmond gestanden, aber Hoffart halber in das Abnehmen kommen.

Der rothe Löw, oder reiche Berg-Knapp ist weit bekannt, als welcher die hohe Schul zu Prag soll erbaut haben, und seinem König eine ganze Tonne Gold geliehen, auch nachmals den Schuld-Brief in einer verdeckten guldenen Schüssel dem König für ein Bescheid-Essen aufgesetzt, und ihn darmit verehrt. Dieser war anfangs so arm, daß er mit dem Geld, welches sein Weib aus dem verkauften Schleier gelöst, hat angefangen zu hausen, und einen Berg-Knappen abgeben, weil aber sein Weib die Fersen blutrisig gestoßen an einer Gold-Ader, so aus der Erd hervor langte, ist er nach und nach so reich worden, daß er keinem Fürsten gewichen, weil sie sich aber dessen übernommen, und sich hochmüthig verlauten lassen, es sey Gott unmöglich, daß sie sollt arm werden, also sey sie dergestalten elend und armselig worden, daß sie, wie die verworfenste Bettlerinn, auf einem Misthaufen gestorben.

So wird auch erzählt von einem gewissen Herzog im römischen Reich, daß er in allen seinen Sachen hochmüthig und aufgeblasen sich erwiesen, weil er nemlich in großer Macht und Gütern gestanden; es ermahnete ihn dessen nit selten der Kaiser Friederich, sprechend, wann das End gut ist, so ist alles gut, dann es sahe der weiseste Monarch wohl vor, daß der Fall dem Hochmuth auf dem Fuß nacheile, solchen heilsamen Rath thäte der Herzog nicht allein verwerfen, sondern noch hierüber den Kaiser schimpfen, indem er ihm aus Zwilch einen schlechten Bauern-Küttel machen lassen, der Saum aber dieses Kleids war mit kostbaren guldenen Spitzen verbrämt, und als sich wegen dieses so wunderlichen Aufzugs der Kaiser nicht wenig befremdt, auch gefragt, was solche Kleidung bedeute, gab der übermüthige Herzog diese Antwort: „wann das End gut ist, so ist alles gut," wordurch er die gegebene Ermahnung ausgelacht. Weil aber Hoffart allemal mit dem Untergang niederkommt, und die Stolzheit nichts anders gebähret, als den Fall, also ist auch diesem widerfahren, daß er nachmals spöttlich im Krieg gefangen, und gar mit Stricken gebunden worden.

Von dem großen Goliath sagt die h. göttliche Schrift, wie er mit dem David einen so ungleichen Duell ringangen, daß er sey von Fuß-Sohlen an, bis hinauf in lauter Harnisch gewest. Das liebe Deutschland und ganze römische Reich ist viel Jahr hero immerzu im Harnisch, an allen Orten Krieg und Waffen, und hat dieser leidige Kriegslauf viel tausend um das Ihrige gebracht, auch meistens an den Bettelstab gezogen, warum dieß? ich habe zwar das göttliche Protokoll nit durchblättert, noch hierinfalls einige Offenbarung gehabt, aber ich glaub dannoch, daß solche Ruthen habe gebunden der Uebermuth, welchen die Adams-Kinder fast allemal treiben, so oft sie im günstigen Glückstand und Wohlstand sich befinden; glaub mir, der Tummel rühr die Trummel, und der zu große Segen zieh den Degen zum Kriegen.

Das andere Stuck im Recept ist der Schwefel, den hab ich dazumal aus der Erd graben, wie sich diese eröffnet, und den Dathan und Abiron lebendig verschlickt, dieser Schwefel ist aus der Höll, wohin bemeldte Bösewicht lebendig gestiegen; weil daselbst der Schwefel in der Menge, nach Aussag Johannis. Dieser Schwefel ist sehr heilsam für den Fluß in Augen; wann jemand aus Hochmuth sich übernimmt, den Nächsten nicht anschaut, ja alle veracht, der betrachte wohl das Schwefel-Feuer in jener unglückseeligen Ewigkeit, wormit Gott alle Stolzen und Hoffärtigen unaufhörlich züchtiget, welches ihm leicht allen Hochmuth dümpfen wird. Fragst du, was Unthat halber der Dathan und Abiron lebendig zum Teufel gefahren? lebendig von der Erd verschlickt worden? lebendig in das ewige Schwefel-Bad gestiegen? darum, weil sie hochmüthig waren.

Dieses reichen Herrn anwesende Tochter war sehr bleich, und also allem Ansehen nach nicht gar wohlauf, wie sie es dann selbsten bestanden, es war aber die Krankheit leicht zu erachten, dann sie sehr aus dem Maul geschmeckt, und hatte sie einen stinkenden Athem, will sagen eine stinkende Hoffart, dahero ihr alsobald diese Mittel vorgeschrieben.

Recip: { Nichts, dieß ist gar ein vortrefliches Mittel, wann man Fruhe und Abends, forderist bei nüchtern Magen etliche Unzen einnimmt.

Hoffart ist bei den Weibern die anderte Erbsünd und das tägliche Brod. Es kann gleichwohl nit eine unartige Frag seyn, warum der böse Feind der Eva in Gestalt einer Schlange versucht im Paradeis? warum ist er nit als eine Katz herein getreten, welche nachmalens mit ihrem Schmeichlen und Heuchlen sich an den weißen Füßen Evä herum gestrichen, und durch annehmliches Murren und Sumpsen der schönsten Madam ein Wohlgefallen gemacht hätte? warum nit in ein kleines Hündl? dann dem Frauenzimmer ohne das solche Bologneser-Flöh sehr werth und angenehm seynd, auch solche schönen Hunds-Nasen mit vielen Privilegien versehen. Warum nit in eine Taube? da hätt er künnen der holdseligen Eva auf die Achsel sitzen, mit dem Schnabel dero zarten Ohrnwäschl kitzlen und mit dem gewöhnlichen Gurugu, Gurugu, weiß nicht was für Heimlichkeiten in das Ohr sagen? warum nit in einem Papagei? zumalen vornehme Damen ohne das gern dergleichen gefiederte Schwätzer in ihren Zimmern aufhalten, und seynd die armen Geistlichen und Diener Gottes gar oft nicht sicher, daß sie nit von solchen indianischen Plodèren auf öffentlicher Gasse Pfaffen, Pfaffen genennt werden, welches sie von den Ehren- und Tugend- bedürftigen Zimmer-Menschern, oder kothseligen und heillosen Lageien erlernt. Warum nit in einen Hasen, in einen Fuchsen, in einen Rehbock, oder anders Thier? wie so gleich nur in eine Schlang? sehr viel und unterschiedliche Ursachen werden dessenthalben von den Lehrern und Scribenten beigebracht, deren ich allhier nicht gedenken will, sondern ist meine gar wenige und winzige Meinung, der Teufel habe deswegen durch Einschlag mit ihr parlirt; damit er ihr einen Spiegel weise, worin sie ihre schöne Gestalt ersehe, und nachmals in eine Hoffart gerathe; dann gar gewiß ist, wann sich eine Schlang ganz zusammen rollt, so kann sich der Mensch darin ersehen, wie in einem Spiegel, weilen nun vermuthlich dazumal die Eva in dergleichen lebendigem Spiegel ihre holdseligste Gestalt und schönstes Angesicht wahrgenommen, hat sie desto leichtern Glauben geben dem Satan, wie er ihr vorgelogen, daß sie werde eine Göttinn werden, eritis sicut Dii. Von dannen rührt ursprünglich her, daß die Weiber den Hoffart-Kitzel haben und kein stolzers Thier auf Erden anzutreffen, als dasjenige, welches Zöpf tragt.

Die h. Schrift in dem Buch Genesis am 30. Kapitel V. 14 u. flg. registrirt, daß der Ruben hab seiner Mutter der Lia etliche Alleraun vom Feld nach Haus gebracht, so bald die Rachel in Erfahrenheit gebracht, hat sie alsobald ganz inständig von ihrer Schwester die Alleraun begehrt, oder wenigst nur einen Theil derselben, was? sagt die Lia, ist es nit genug, daß du mir meinen Mann genommen hast, willst mir noch die Alleraun auch nehmen? es ist zu wissen, daß die Alleraun, in Latein Mandragorae genannt, gewisse Wurzel seynd, welche fast Händ und Füß haben, wie die Menschen, und also solche den kleinen Männlein nicht viel ungleich, warum aber die Rachel so inständig angehalten um die Wurzel? ja so gar sagte sie der Lia, meine liebe Schwester, wann du mir die Wurzel spendirest, so will ich dir heut Nacht meinen Mann überlassen, Parola, wie es dann auch also geschehen, es muß unfehlbar die Wurzel eines großen Werths und Wirkung seyn gewest, weil die Rachel sogar den Mann auf eine kleine Zeit darum geben, glaubwürdig ist es, sagt Menochius, daß in denselbigen Land die Alleraun-Wurzel einen sehr lieblichen Geruch von sich geben, massen in den Canticis stehet: Mandragorae dederunt odorem, und also hab sich die Rachel darmit angestrichen, oder sonst zur Schönheit gebraucht, auf mancherlei Weis. Es war aber die Rachel ohne das schön, was schadt es, die Weiber wollen nit allein schön seyn, sondern auch schön bleiben, ja, wann es möglich wäre, noch schöner zu werden, darum zieren sie sich, als wie der Esel am Palmtag.

Von dem Gedeon bezeugt die h. Bibel, wie daß er von dem Allmächtigen Gott habe ein Zeichen begehrt, wordurch er möchte vergwißt seyn, daß er ihm wolle in dem Feld und Krieg beistehen, das Zeichen aber war dieß, er nahm ein dürres Schaaf-Fell, legte es unter dem freien Himmel nieder, und sagte, mein Gott und mein Herr, wann der Morgen-Thau wird allein fallen auf dieses Fell, der ganze Erdboden aber wird trucken bleiben, sodann will ich glauben ꝛc., wie es dann nicht anderst geschehen. Gedeon bitt noch einmal, con licenza, mein Gott und Herr, vergieb mir dießmal noch eins, er legte mehrmalen das Fell an voriges Ort, und sagt, wann der Morgen-Thau wird fallen auf den ganzen Erdboden, daß alles naß seyn wird, außer des Fells, sodann will ich unfehlbar darvor halten, daß du mit und durch mich große Wunder werdest wirken, und ist auch nach seinem Begehren geschehen. Es ist nit auszusprechen, wie emsig, wie sorgfältig, wie genau der Gedeon in aller Fruhe das Fell geschaut, ob dasselbige naß oder trucken, Gott vergelt es dir, mein Gedeon, diese Arbeit.

Aber mein Gott, die Weiber tragen noch größere Sorgen auf ihre Haut und Fell, das beschauen sie alle Stund im Spiegel, obs naß, obs trucken, obs weiß, obs roth, obs bleich, obs hübsch, obs glatt, obs gelb, obs einfärbig, obs vermischt, obs rein, obs bemailiget, obs glanzend, obs dunkel, obs fröhlich, obs traurig, obs gesund, obs krezig, obs sauber, obs besudelt, obs recht oder schlecht sey; ob die Wangen noch prangen, ob die Nasen ohne Masen, obs Maul nit faul, ob die Augen noch taugen. Oel, Wasser, Pulver, Salben, Balsam, Butter, Kräuter, Wurzel, Blumen, Wein, Essig, Schwamm, Tüchel, Kämpel, Bürsten, und aller Plunder muß für das Gesicht allzeit in Bereitschaft stehen, ja kein Verlurst kommt sie härter an, als der Schönheit. In Tractu Melovicensi war eine Frau sehr wohlgeneigt den Ordens-Leuten St. Francisci, und denselben aus frommer Freigebigkeit sehr viel Almosen in das Kloster geschickt, einmal hat sie etwas für die lieben Geistlichen einkauft, weil sie sich aber auf dem Markt gar zu lang verweilt, und dereuthalben in etwas zu spat nach Haus kommen, hat sie der eifersüchtige Mann nit allein mit harten Streichen sehr übel tractirt, sondern sie noch bei den Haaren auf dem Saal dergestalten hin- und hergeschlept, daß er ihr alle Haar ausgerauft, und also die arme Haut fast einem geputzten Kalbs-Kopf gleich gesehen, sie empfand allerseits sehr große Wehtagen, aber forderist schmerzte sie der Verlurst ihrer schönen Haare, Ultramarin um die Angen, schad nit, Berggrün auf den Wangen, schad nit, Kugel-Lack unter der Nasen, schad nit, schüttgelb auf dem Rucken, schad nit, sagt sie, das wollt ich noch alles gern verschmerzen, dann ich in kurzer Zeit mich wollt ausheilen, aber die Haar hin, und gar hin, diese Schöne war hin, ach! das thät ihr ganz melancholische Gedanken machen; aber Frau warum deswegen so melancholisch? seyd ihr doch gar eine fromme und tugendsame Frau und Matron, schad nit, anch sonst fromme Weiber wollen schön seyn, dahero diese so inständig den H. Antonium Paduanum, welcher große Diener Gottes sich dazumal in demselben Convent aufgehalten, gebeten und ersucht, er wolle sie doch heimsuchen, welches er anch gethan, und auf so vieles Bitten und Anhalten, durch ein Wunderwerk, ihr die Haar auf das Haupt völlig erstattet. Schön seyn, schön bleiben, schön werden, schön machen, schön kleidt seyn, schön reden, schön gehen, schön wohnen, schön genennt werden, wollen die Weiber. Die Weiber haben eine widerige Natur, das ist so viel gesagt, als die Weiber haben eine Natur, wie der Widder, dann so oft eine Heerd Schaaf vorbei geht,* so wird man in allweg wahrnehmen, daß der Widder niemal, weder hinten nach, noch in der Mitte, sondern allemal will vorgehen, eine gleiche Beschaffenheit ist bei diesem Geschlecht, und will eine der andern vorgehen an der Schönheit: Die Phrinis war bei ihrer Zeit die allerschönste, als sie einsmals zu einer Gesellschaft kommen, worbei eine ziemliche Anzahl anderer Frauen sich eingefunden, welche allesamt sehr herrlich aufgeputzt scheinten; und glaubte eine jede aus ihnen, daß sie um 2 Pfund, 3 Loth, anderthalb Quintl schöner sey, als die andere, welches der edel-schönen Phrinis nit ein wenig in ihre Allabaster-Nase gerochen, dann sie gar wohl wahrgenommen, daß diese Weiber-Gesichter, der Natur zur Beihülf, unter einem fremden Pemsel gewest, fangt demnach ein Spiel an, welches bei uns Deutschen ins gemein das Müttern, oder eigentlich das Müssen genennt wird, in welchem ein Spielgespann unweigerlich, so das Verlieren an ihn kommt, thun muß, was ihm wird auferlegt. Wie nun die Ordnung die schöne Phrinis getroffen, Allo! sagt sie, und laßt alsobald ein frisches Brunn-Wasser herbei tragen, was ihr sehet, das ich thue, das sollt ihr gleichmässig nachthun, worauf sie alsobald ihr holdseliges Gesicht gewaschen, welches aber hierdurch nur schöner worden, so bald aber die anderen gefirneißten Muster desgleichen gethan, und dardurch der falsche Anstrich das Valet geben und Abschied genommen, alsobald haben dero Gesichter eine Gestalt gehabt, wie eine dreijährige Brandstatt, und hat sich die Phrinis nit wenig begnügt befunden, daß sie die Schönste geblieben.

Recipe für euch saubere Docken, damit der stinkende Athem vergehe, samt der stinkenden Hoffart; sagt her, was ist euere Gestalt, mit dero ihr so sehr pranget? nihil, nichts, eine pure Eitelkeit, nehmt dieß Nichts Fruhe und Abends ein, etliche Löffel voll, wo nit in Magen, wenigst in das Herz, ihr werd sehen und spüren, daß euer Zustand gewendt werde, forma bonum fragile. Wie der Job Gut und Blut verloren, Kinder und Rinder verloren, Land und Pfand verloren, und gleichwohl nit die Geduld, also hat ihm der Allmächtige diesen Verlurst doppelt erstattet, und wann er vorhero tausend Ochsen gehabt, sodann hat ihm Gott zwei tausend darfür geben. Unter andern hat ihm der Allerhöchste auch 7 Söhn und drei Töchter widerum geschenkt, von den Töchtern aber bezeugt die h. Schrift, daß sie die allerschönsten Mädel seyen gewest im ganzen Land: Non sunt autem inventae mulieres speciosae, sicut filiae Job, in universa terra. In keiner Stadt, in keinem Markt, in keinem Geschloß, in keinem Dorf hat man so schöne Menscher gefunden, als wie des Jobs seine gewest, die Gestalt der Lamia, das Gesicht der Flora, die Schönheit der Lucretia, die Wangen der Clelia, die Stirn der Livia, der Mund der Cleopatra, die Augen der Penelope, die Haar der Lais, seynd kaum ein Schatten zu nennen gegen den schönen Töchtern des Jobs; kein Mensch kann es ihm einbilden, wie hübsche Mädel diese gewest seyn; aber hört, was ihnen Job für seltsame Namen geben, die erste neunte er Dies, ein Tag, die andere Cassia, ein Rauch, die dritte Cornustibium, ein Anstrich, warum dieß? keiner andern Ursach halber, als daß er hierdurch das eitle Nichts der schönen Gestalt möchte zeigen. Dann wie lang währt ein Tag? etliche Stund, alsdann heißt es gute Nacht; wie lang währt ein Rauch? eine kleine Zeit, ja, vergeht oft so geschwind, wie der Wind; wie lang dauert ein Anstrich? gar nit lang, so ist hin alle Prang, also währt, dauert und bleibt der Weiber Gestalt gar eine kleine Weil, forma bonum fragile.

Der David hat jenes Schwerdt, mit dem er dem Goliath den Garaus und Kehraus gemacht, in dem Tempel aufgehängt, als ein sonders Kennzeichen und Gedächtnuß seiner Victori; es ist aber dieses Schwerdt gleichwohl mit der Zeit verrostet; was seynd oft schöne, ausputzte und aufgemutzte Gesichter anderst als Schwerdter, die manchen das Herz verwunden, aber wart eine Weil, so werden auch diese rostig und laufen an, wie eine Becklhauben bei Frieds-Zeiten. Wie lang bleibt das österreichische Wappen roth und weiß in dem Angesicht? nit lang, es stehet eine kleine Zeit an, da kommt das Moscowitische Wappen darein, so da ist eine Bärnhaut; mein wie lang glänzt das weiße Helfenbein auf der Stirn? nit gar lang, es stehet eine kurze Zeit an, da wird ein ungestalter Tuftstein daraus, ja das ganze Angesicht, wie eine Grott, in dero Mitte anstatt der Wasser-Kunst, die triefende Nasen; mein wie lang hangt der rothe Fürhang an den Wangen? nit gar lang, es steht eine kleine Weil an, da zerreißt er, als wie im Tempel zu Jerusalem, velum templi scissum est, schön; schändlich, wohlgestalt, wild, fein, falten, hübsch, häßlich, roth, rotzig fangen von einem Buchstaben an, und mag das Kräutel oder Blümel Tausendschön noch so hübsch blühen, so thut es doch bald verwelken und verdorren. Achan, als ein Dieb, hat zu Jericho gar einen schönen rothen Mantel gestohlen: Pallium coccineum valde bonum. Es es gibt der Dieb so viel, daß mit dero Namen die Medici und Aerzte ganze Bücher anfüllen, dann eine jede Krankheit ist ein solcher Lauer, welcher besagte Waar hinweg tragt: die Frau Cillerle ist wohl einmal inniglich schön gewest, aber die Blattern haben es verderbt; die Frau Clarl hat ihres gleichen nit gehabt, aber seit der verwichenen Krankheit siehet sie ihr selbst nimmer gleich; die Frau Theresel war vor diesem, wie Milch und Blut, aber von der Zeit an, daß sie ein Kind getragen, siehet sie wild aus. O ich bin, sagt eine 60jährige Abspulerinn, auch einmal schön gewest, und hütt ich, wie das lange Geld im Schwung gangen, einer jeden den Trutz geboten rc., so seyd ihr dann, nach selbst eigener Bekanntnuß, einmal schön gewest? gewest? gewest? aber jetzt nicht mehr, was prangt ihr dann mit solchem israelitischen Manna, welches so bald wurmstichig wird, was stolzirt ihr dann mit solchen Kürbesblättern Jonä, welche so bald verwelken, was übernehmt ihr euch dann wegen solcher brennenden Amplen der 5 Jungfrauen, welche sobald erlöschen? gedenkt wohl, betrachtet es recht, daß aus all euerer Gestalt so bald nichts wird, sodann wird euch bald der Uebermuth vergehen, das Geisiel sinken, die Demuth wachsen, und der Gestank der großen Hoffart aufhören.

Der Mundbäck des großen Königs Pharaonis, weil er saumselig, hat müssen in die Keiche schliesen, deßgleichen auch sein Mitkollega der Mundschenk, sonst ein sauberes paar Brüder, diese halten bei nächtlicher

Weil beede einen Traum, und weil der Joseph ein Traumausleger war, also hat ihm der Mundbäck den seinigen erzählet; mir, sagt er, hat getraumt, als trag ich drei Körb auf meinem Kopf, voll mit Brod, und ist mir natürlich vorkommen, als fressen mir die Vögel aus dem obern Korb, rc. Auweh! sagt Joseph, der Traum ist nit weit her, und du hast nit weit heim, weiter nit, als zum Galgen; dieser Traum war gar zu schlecht, weil ihm die Vögel aus dem obern Korb gefressen; die untern zwei Körb waren zugedeckt, in welchen das gemeine, schwarze Gesindel-Brod, der obere aber, in dem die gute, schneeweiße Mundsemmel, stund unversorgt offen, und also den Vögeln frei, dieses ist bei der jetzigen Welt noch stark im Schwung; was ist anderst die Seel des Menschen, als ein schönes Mundbrod des Königs der Himmel, und wenig gibt man Acht auf dieses, wie oft kommen die Vögel und höllischen Raben darüber, und fressens weg! ein schwarzes Gesindelbrod ist aber der Leib, diesen verwahrt man, diesen verwöhrt man, diesen verwacht man, diesen versorgt man, diesen versiehet man, und versichert man aufs allerbeste, forderist bei den Weibern. Das Götzenbild Adramelech haben die Sepharäer verehrt. Das Götzenbild Asima haben die Hemathäer venerirt. Das Götzenbild Astaroth haben die Sidonier angebetet. Das Götzenbild Gad haben die Agrier adorirt. Das Götzenbild Nergel haben die Calhäer verehrt. Das Götzenbild Remphan haben die Israeliter angebet. Und das Götzenbild Kasnedam verehren fast alle Weiber bei uns Christen; pfui! heißt das Christen seyn! auch sogar wollen sie, daß alle diesen Spott-Götzen sollen veneriren; das Wort Kasnedam leset zuruck, sodann werdet ihr finden, daß es Madensak heißt, und dieser ist euer wilder, schändlicher, muffender, siechiger, stinkender, garstiger, sterblicher Leib, den ihr also aus Hoffart zieren, palliren, schmieren und veneriren thut. Was ist euer Leib? ein sauberer Dalken, ein verguldtes Pfui, ein mit Zucker kandirter Saukäs, ein mit Schnee überdeckter Misthaufen, eine alabasterne Senkgrube, ein geschmucktes Wurmnest, ein gefürneister Sautrog, ein verschamerirtes Kaspel-Schaff, ein verdecktes Luder, eine ausgeweißte Schinderhütte, ein glasirter Kothhausen, ein freundlicher Wust, ein verblümeltes Unkraut, eine gefrorne Kothlacke, ein vermäntleter Gestank, ein schönes Aas, ein annehmliches Grausen, ein adelicher Mistfink, ein nobilirter Erdschrollen, ein balsamirter Bockstall, ein holdseliger Bau-Bau, ein glatter Unflath, ein süßes Gift, ein lederner Sack, worin lauter Unlauterkeit ꝛc., habt ihr dann Ursach, mit diesem Kothtrampel zu stolzieren? ist es dann der Mühe werth, daß man wegen dieses Aiter-Geschirr soll zum Teufel fahren? Filii hominum usquequo gravi corde!

Ich kann es mit meinem Gewissen bezengen, daß mir eine, dermal sehr andächtige Kloster-Person erzählt, so bereits noch bei Leben, wie daß sie, als ein lustiges Welt-Kind, nichts anders habe in das Kloster gezogen, als folgende Geschicht: (hier aber wird Ort, Namen und Zeit verschwiegen, weil annoch eine große Freundschaft vorhanden) Eine sehr adeliche Dama, bei der sie in Diensten war, ist nach kurzer Krankheit mit Tod abgangen, und die erste Nacht, als sie noch unbegraben gelegen, zu ihr ganz lebhaft in die Kammer-getreten, mit dem ernstlichen Befehl, sie soll sie nach Gewohnheit aufputzen, und alle Furcht hindan legen, dann ihr nichts übles widerfahren werde, welchem sie ganz zitternd nachkommen; und als der prächtige Aufputz nunmehr fertig, ist der böse Feind, jedoch in falscher Schönheit eingetreten, besagte Dama umarmet, und sie lebendig in dero Angesicht in den Abgrund geführt, auch soll der Todten-Körper Morgens frühe nit mehr seyn gefunden worden, sondern die leere Todten-Truhe; nachmals jedoch mit aller Behutsamkeit zum Grab bestättiget worden, damit solche erschreckliche Begebnuß nit ruchbar werde; obbenannte Kammer-Jungfrau aber, welche in dieser traurigen Sach und Tragödie selbst eine Person ngiet, ist wenig Tag hernach mit jedermanns Verwunderung in ein Kloster getreten, die Geschicht auch niemand, als ihrem vertrautesten Gewissens-Rath entdeckt. Ob nun dieß gebaut sey auf eine unfehlbare Wahrheit, will ich es dermalen lassen dahin stehen; aber gewiß ist doch, daß die Höll sehr angefüllt mit dergleichen stolzen Kreaturen.

Der Doktor, welcher sich in dieser Gesellschaft befunden, war meines Erachtens ein guter Jurisconsultus, und so viel ich von andern vernommen, ein sehr berühmter Historicus, indem er bereits etliche sinnreiche Schriften in Druck verfertiget; sobald dieser seinen Zustand mit wenigen Worten entdeckt, hab ich gleich die Krankheit getauft, und gesagt, er leide sehr an dem Ohrensausen, und habe auch gern, wann man von ihm löblich rede, worauf ich dieses Recept vorgeschlagen:

Recip. { Ostrucium, sive Smyrion Hortense, auf deutsch, Meister-Wurz, ein Stückel von dieser über die Ohren gelegt, vertreibet das Sausen.

Mit dem Esau möcht ich gern geredt haben, wie er so theuer das Linsen-Muß von dem Jakob erkauft, und selbes nachmal so begierig aufgeessen, dann ich hätt ihn befragt, wie er sich auf diese Speis befinde, zumalen die Arzneierfahrnen vorgaben, daß die Linsen von Natur den Magen und Leib aufblähen, wird also der Esau däzumal ziemlich aufgebläht seyn gewesen. Aber meiner Meinung nach blähet die Doctrin und Wissenschaft die Gemüther noch mehr auf, und heißt es meistens studeo, studui, stolz ꝛc. Scientia inflat, spricht der h. Paulus, 1. Corinth. K. 8.

Der übermüthige Abimelech, nachdem er allerseits großen Schaden zugefügt, hat auch zu Thebes einen festen Thurm, worauf sich sehr viel Leut retiriret, wollen in Brand stecken, und als er solches gleich wollte werkstellig machen, siehe! da hat ein Weib von oben herab ihm einen großen Stein auf den Schädel geworfen: Et confregit cerebrum ejus, und hat ihm das Hirn zerbrochen. Die sieben freien Künste werden allemal wie die Weibsbilder entworfen und vorgebildet. O wie manche aus diesen hat oft einem schier das Hirn zerbrochen! viel Jahr, oft bei Tag und Nacht, siehet man, dicht man, wacht man, tracht man, wie man der Natur heimlichen Wirkungen nachschleiche, und dieselben ertappe.

Was die Ursach sey, daß ein Koch von einem weizenen Mehl, da es um dieselbe Zeit, wann der Weizen auf dem Feld in der Blüthe steht, nit zusammen gestockt, sondern je länger es beim Feuer, je dünner es werde?

Was die Ursach sey, daß alles Brod im Back-Ofen sich schäle, und die Rinde von der Schmolle sich zertheile, wann man nur ein Laibel heraus zieht, und selbes neugebacken von einander schneidet?

Was die Ursach sey, daß immer gelbe Mail oder Fleck in der Hand auffahren, das Herz klopft, und gar oft das Blut aus der Nase schweiße, zur selben Zeit und Stund, da meinem Bruder 300 Meilen von hier etwas widriges begegnet?

Was die Ursach sey, daß die Beeren-Feiste in einem Büchsel zur Winterszeit, da die Beeren in der Höhlen und Wäldern zunehmen, auch wirklich wachsen und sich vermehren?

Was die Ursach sey, daß eine Kindsmutter eine reiche Spinn bekomme, die vorhero Mangel gelitten, wann sie einen Bissen Fleisch oder Brod, so eine andere milchreiche Ammel im Maul zerbissen, hinunter isset?

Was Ursach sey, daß viele von dem dreitäglichen Fieber frei und los werden, wann sie die Nägel an Händ und Füßen abschneiden, und nachmals solche an einen lebendigen Fisch oder Krebs gebunden in einen rinnenden Fluß werfen?

Was Ursach sey, daß die ungestalten Wärzen im

im Gesicht oder Händ vergehen, wann man dieselben mit einer Speckschwarte streicht, und solche nachmals in die Sonn gegen Mittag hängt?

Was Ursach sey, daß eine runde Kugel, so man sie ins Wasser wirft, allzeit mit demselben Theil in die Höhe schaue, mit welchem sie vorhero an dem Baum in die Höhe gestanden?

Was Ursach sey, daß ein Dukate oder anders Gold im Maul gehalten, ganz weiß werde, wann man nur eine Zehe am Fuß in ein Quecksilber oder Mercuri steckt?

Was Ursach sey, daß ein gesottener Krebs, wann man dessen Schweif in ein Glas Wein hängt, das ganze Glas aussaufe?

Was Ursach sey, daß gar oft im heißen Sommer augenblicklich die Frösch auf der Straße wachsen, wann ein warmer Regen in Staub fallt?

Was Ursach sey, daß die Belzer, so vorhero als Zweigel abwärts gebrochen worden, nur in die Dicke wachsen, so sie aber aufwärts abgenommen worden, in die Höhe nachmalens wachsen?

Was Ursach sey, daß fast allemal ein Zank unter den Gästen entstehe, wann man einen Stein, in den vorhero ein zorniger Hund gebissen, auf die Tafel legt?

Was Ursach sey, daß viel das gefährliche Seitenstechen kuriren, wann sie in ihren Trunk ein Messer hängen, wormit ein Metzger oder Fleischhacker das Vieh abgestochen?

Was Ursach sey, daß ein Kind nit geschreckt wird, wann man demselben etwas von einer Eselshaut in die Wiege legt?

Was Ursach sey, daß diejenigen, so bald nit können verzaubert werden, welche aus einem Hechten-Kopf ein Gräten bei sich tragen, so wie ein Kreuz gestaltet ist?

Was Ursach sey, daß der Esel die Ohren hängt, die Schwalben auf der Erd fliegen, die Flöh sehr ungestüm beißen, wann bald ein Regenwetter einfällt?

Solche Ursachen suchen oft einige emsiger, als der Saul die Esel seines Vaters, sie suchen es mit größern Sorgen, als der Laban seine Götzen-Bilder, und wann sie nach viel Zeit und Jahren etwas ergriffen, zu was dient ihm diese Wissenschaft? zu nichts anders, als daß sie hiervon aufgebläht werden. Scientia inflat, da prangt man mit dem Titel Bacalaurei, Magistri, Candidati, Doctores etc., da müssen Flügel an das Wammes, ein Ring an Finger, ein Gestreng an Titel rc., da sitzt der Plato auf der Zung, der Aristoteles schaut zum Fenster heraus, der Diogenes hockt auf den Achseln, der Sallustius liegt im Hosensack, der Seneca steckt in Handschuhen, der Horatius sitzt bei den Füßen, und die saubere Hoffart im Herzen.

Der Prophet Ezechiel hat einmal ein wunderliches Gesicht gehabt, er hat gesehen, daß ein Buch vom Himmel kommen, und war zugleich der Befehl, er soll das Buch essen, comede volumen, und nachdem er solches genossen, ist er ein wunderlicher Mann worden, ein ansehnlicher und heiliger Prophet worden; viel sitzen ob den Büchern, schöpfen eine Wissenschaft weit tiefer, als der Brunn gewest, wo unser Herr von der Samaritaninn den Trunk begehrt, solviren und lösen auf alle Quästiones und Fragen, die weit schwerer, als der Stein vor dem Grab Christi, erat quippe magnus, erdenken solche Argumenta, die weit schärfer, als der Säbel, wormit der Peter dem Malcho das Ohr gestutzt, ersinnen solche Rationes, die weit spitziger, als der Nagel, den die Jahel dem Sisarä durch den Schlaf geschlagen, bemühen sich mehrer und länger um die schöne Wissenschaft, als der Jakob um die schöne Rachel, welcher sich doch 14 Jahe hart strapaziret, und also nit eins, wie Ezechiel, sondern fressen fast alle Bücher; was folgt aber endlich? was? scientia inflat, meistens die Hoffart, da kitzlet der Titel: SS. Theol. Doctor, trutz laß ihn einer aus, wann man einem zuschreibt, da heißt es: nos legem scimus, hic est filius fabri, wir seynd aufgeraumte Köpf, dieser und dieser hat nit weit in die Bücher geschaut, da will man allzeit oben schwimmen, wie das Eisen Elisäi, und wachst man in der Wissenschaft so weit, daß man sich selbst nit mehr weiß.

Wer ist gelehrter und erlauchter gewest, als eben Origines, dessen Vater ein glorreicher Martyrer und Blutzeug Christi; dieser Origenes war zu seiner Zeit in dem 18. Jahr schon ein Lehrer aller Lehrer benamset, dieser Origenes war so heilig und vollkommen, daß ihm mehrmal der Heiland Jesus selbst erschienen; dieser Origenes war so gelehrt, daß er 6000 Bücher zusammen geschrieben, wie es Epiphanius bezeuget. Aber lies weiter, dieser, dieser Origenes hat wegen seiner Scienz und Wissenschaft sich übernommen, hat das Sausen in Ohren gelitten, und gern gehört, daß man allerseits von ihm redet, daß er endlich aus Hoffart alle anderen Lehrer minder gehalten, als sich, sogar wider die Glaubens-Artikel der römischen Kirche sich aufgelehnt, und als ein Ketzer von derselben gehalten worden, daß man also vermuthen kann, er sey wegen solcher Hoffart zum Teufel gefahren, ob zwar einige seyn, die vorgeben, als habe er seinen so harten Fall bereuet.

Tertulianus, ein Glanz, eine Schanz, ein Kranz der katholischen Kirche; Tertulianus, ein Bekehrer, ein Lehrer, ein Vermehrer des christlichen Glaubens; Tertulianus, ein Dämpfer, ein Kämpfer wider alle Irrthümer; Tertulianus war einer solchen Wissenschaft, daß ihn der h. Hieronymus über alle gepriesen, und gleichwohl dieser Tertulianus hat das Sausen in Ohren bekommen, indem die ganze Welt so lobwürdig von seiner Doctrin geredt, sich dessen übernommen, und aus Hoffart, weil ihm ein anderer in dem Papstthum vorgezogen worden, wider die Kirche Gottes angefangen zu streiten, und hat dieses ausgeloschene Licht also gestunken, daß man es in der ganzen Welt gerochen.

Simon de Tornaro, eine Fackel und Mirakel der theologischen Wissenschaft zu Paris, war in solchem Ruhm und Preis, daß man seine Lehr als eine ziemliche Portion von einer himmlischen Scienz gehalten, ist aber endlich von der Hoffart also angeblasen worden, daß er freventlich sich verlauten lassen, er hab des armen Jesuli seinem Gesatz nit wenig Schutz gehalten, und wann er wollt, so konnt er gar leicht mit so starken Beweisungen das völlige Gesatz Christi umstoßen.

O wie viel tausend und tausend sitzen in der Höll, verweilen in der Höll auf ewig, die alle wegen ihrer Wissenschaft in Hoffart, und folgsam in das Verderben gerathen, wie viel besser wäre es ihnen gewest, wann sie anstatt der oft unnöthigen, spitzfindigen Doctrin hätten mit einem Pachomio Körb geflochten in der Wüste, wie viel steigen mit der frommen Einfalt auf der Leiter Jakob in Himmel, da unterdessen die bescheidensten Köpf von Gott verworfen werden, wie es jene erschreckliche Geschicht zu Neapel sattsam bezeugt, allwo viel hochgestudirte und hochgelehrte Religiosen verdammt worden wegen der Hoffart.

Zur Zeit Urbani des Fünften, römischen Papstes, um das Jahr Christi 1350 hat ein einfältiger Tropf gelebt, mit Namen Alaun, der zwar als ein junger Knab in die Schul geschickt worden, aber ganz und gar nichts fassen konnte, als die zwei Wort allein: Ave Maria; dahero wohl kein Doktor aus ihm worden, sondern ein gemeiner Bettler, der von Haus zu Haus das Brod gesammlet, und brauchete er keine solche Wohlredenheit, wie andere Bettler, sondern sein ganzes Reden, weil er gar zu plump und untüchtig, ist gewest das öftere Wiederholen des Ave Maria, das gratia plena war ihm allzuschwer; männiglich hielt ihn für einen albern Menschen und angebrennten Einfalt; aber der Einfältige gefallt oft der gähen Zweifaltigkeit mehr, als ein Hochgelehrter und Witziger; wie dieser Alaun mit Tod abgangen, und ihn die benachbarten Bauern bei dem Brunn begraben, allwo erstgedachter armer Schlucker seine Wohnung hatte, ist aus dem Grab eine schneeweiße Lilie heraus gewachsen, auf dessen Blättern mit guldenen Buchstaben geschrieben waren diese Wort: Ave Maria, woraus leicht abzunehmen war, in was Glorie und Seligkeit diese fromme Einfalt bei Gott stehe, da unterdessen ein Anaxagoras, Pythagoras, ein Anthistenes, Sokrates, ein Chrysippus, Lysippus, ein Anaxarchus, Plutarchus, ein Focion, Xenophon, lauter Oracula der Wissenschaft in der Höll braten. O wie viel hochgelehrte Männer, weltberühmte Doktores, ansehnliche Magistri, treffliche Prediger wünschen annoch in jener Welt, daß sie lieber hätten in der Kuchel die Schüßlen gewaschen, im Klostergarten die Erd umgraben, im Chor psaliret, und andächtig betracht, als daß sie zu Kanzlen erhoben, in Dignitäten gesetzt worden, worin sie die Hoffart übervortlet.

Das Weibl im Evangelio hat den Groschen verloren, wessenthalben sie ein Licht angezündt, und das ganze Haus durchsucht, oben gesucht, unten gesucht, in der Mitte gesucht, auf der Seite gesucht, vorn gesucht, hinten gesucht, in der Stube gesucht, in der Kammer gesucht, in der Kuchel gesucht, im Keller gesucht, unterm Dach gesucht, um und um gesucht, und nachdem sie ihn nach viel angewendter Arbeit gefunden, da ist nichts anders heraus kommen, als das congratulamini mihi, etc. Deßgleichen seynd nit wenig Prediger, welche viel Jahr durchsuchen, durchblättern, durchgrüblen, durchlaufen, durchlesen, ein Aloysium Abrizium, ein Ludovicum de Tamaso; ein Reginaldum Scambati, ein Franciscum Panigarola, ein Aloysium Juglarem, ein Cornelium Mussum, ein Paulum Olivam, ein Augustinum Mascardum rc., und viel hundert andere Bücher, damit sie subtile Concept; scheinbare Raritäten, sinnreiche Lehrstuck, aufpußte Gedicht auf die Bahn oder Kanzel bringen, und nachmals zu einem vergelts Gott nichts anders haben, als das congratulamini mihi, eine eitle Ehr, ein schallendes Geschrei, ein begieriges Lob, ein gemeines Glück wünschen ꝛc. O wie weit höher wird solche in der Glorie übersteigen (wann sie doch noch dahin gelangen, welches sehr zweifelhaft) ein frommer und demüthiger Einfalt, ein gottseliger Simplicianus. Raderus erzählt von einem, der so einfältig war, daß er nichts anders beten konnte, als diese ungereimten Wort: Miserere tui Deus, „Gott erbarm dich deiner,“ und ist doch dadurch zu solcher Heiligkeit gelangt, daß er mit trucknen Füßen über das Wasser gangen. Ein anderer war, der im Brauch hatte, nichts anders zu beten, als das ABC, nach Vollendung desselben sagte er, o mein Gott, ich weiß, daß alle Gebet im ABC begriffen seynd, jetzt klaub dir aus, was dir wohlgefällig. Viel dergleichen stehen bei dem Allerhöchsten in größern Gnaden, als ihr Clarissimi, Excellentissimi, Ingeniosissimi, Doctissimi, Eximii Domini, Domini etc., die ihr gar oft mehr nach dem Lob schnappt, als ein Hungeriger nach dem Laib, und thut euch die Ohren nichts mehrers kitzlen, als hohe, herrliche Titel, dahero titulare und titillare fast gleich seyn: um Gottes willen, braucht dieß mein vorgeschlagenes Mittel im Recept, nemlich die Meisterwurze, damit der so gefährliche Zustand gewendt werde; unter diesem Namen verstehe ich unsern lieben Helland selbsten, der mehrmal bei und von dem Evangelisten genennt wird Magister, ein Meister, dieser, o Demuth über alle Demuth! dieser kurz vor seinem Tod hat sich vor den Apostlen niedergeworfen, und ihnen die kothigen Füß gewaschen, diejenigen Händ, welche Himmel und Erd erschaffen, die erniedrigen sich anjetzo zu den Füßen der Menschen, auch sogar zu den Füßen des verrätherischen Judä! nach solchem Werk der tiefesten Demuth wendet sich der Herr zu den Aposteln, und sprach: Vos vocatis me Magister et bene dicitis; sum etenim, etc. Ihr nennet mich Magister, gar recht, dann ich bin einer: der gebenedeite Heiland Jesus ist ein Magister, ja, und wir seynd seine Discipel, die Lektion, so er uns aufgibt, bestehet nur in 36 Buchstaben, nur in 7 Wörtern, benanntlich: Discite a me, quia mitis sum et humilis corde, die Demuth ist über alle Scienz und Wissenschaften, ihr möcht können, was Suarecius und Vasquecius, diese vornehmen Theologi, ihr möcht können, was Cato und Plato, diese vornehmen Philosophi, ihr möcht können, was Bartholus und Baldus, diese vornehmen Juristen, wann ihr aber besagte Lektion nit könnt, so seyd ihr ungelernige Eselsköpf in der Schul dieses Magisters.

Weil nun der Tag sich gegen den spaten Abend neigte, und der Weg nit gar nahet in die Herberg, also hab ich mich von dem Herrn Albanio schön beurlaubet, und ganz allein nach Haus geeilet, allwo einer schon über zwei Stund meiner gewart, dieser hatte eine so lange Nase, daß er, wie er zu der Stuben-Thür hinein getreten, die Nase schon zum andern Fenster hinaus gelangt, er bat mich hintersich und fürsich, auch neben großen Offerten, ich wollt doch auf Mittel gedenken, damit er dieser Nase los werde; das war eine N — A — S — E!

Ich entschuldigte mich alsobald, daß ich kein Chirurgus noch Wundarzt sey, und gedachte bei mir, was key ich mich um deine Nase; forderist hatt ich schon Nachricht hiervon, daß ihm, dem stolzen und hoffärtigen Naren, Gott der Herr selbsten diese Nase gemacht, wie er dann mit allen deßgleichen Gelichters nit anders umgehet.

In dem Land Sennar, dazumal hätt es können heißen, seynd Narrn, waren die Nachkömmling des gerechten Alt-Vaters Noe zusammen kommen, und einer dem andern zugesprochen: Bruder weißt was, helfen wir einhellig zusammen, und laßt uns einen Thurm bauen so hoch, bis in Himmel hinauf, eine hübsche Höhe, wer wird aus euch oben den Knopf aufsetzen? wohlan ihr lieben Kammeraden; lege ein jeder die Händ an, viel Händ machen bald ein End, wir werden uns einen ewigen Namen hierdurch machen, celebremus nomen nostrum, die Leut werden tausend Jahr nach uns sagen, das seynd Kerl gewest. Ein jeder ließ sich zu solchem Werk anfrischen, weil die Arbeit mit Preis-Geld, Lob-Batzen und Glori-Groschen soll bezahlt werden, graben demnach ein Fundament, legen eine Grundfest, bauen aus der Erd, erheben die Gemäuer, fahren in die Höhe, und zwar so hoch, daß man nach Aussag des h. Hieronymi, fast zwei Stund hinnuf zu steigen hatte, wie nun der Allmächtige Gott gesehen, daß diese Gesellen gar zu hoch wollen, da hat er sie alle zu Schanden gemacht, indem er dero Sprachen verkehrt, in einem Augenblick hat ein jeder eine andere Sprach geredt, einer Griechisch, der andere Lateinisch, der dritte Hebräisch, der vierte Böhmisch, der fünfte Crabatisch, der sechste Crainerisch, möcht gern wissen, welcher aus ihnen Deutsch geredt ꝛc., welche Sprach-Vermischung sie an aller Arbeit verhindert, denn so einer Kalch begehrt, brachte ihnen der andere Ziegel, wann einer um Stein geschrien, hat ihm der andere Malter zugereicht, es schaute ein Narr den andern an, und haben gar leicht erkennt, daß wegen ihres Hochmuths von Gott diese lange Nase komme.

Kaiser Friederich sollte in ein Kloster auf eine Zeit, aus zweien einen Abt zu erwählen, und war einer aus diesen, welcher solche Hohheit suchte durch Spendiren, wie dann Munia und Munera leicht gefangen werden, und also oft besser das Schmieren, als Peroriren: Indem nun der gute Kaiser im Zweifel stund, wen er zu der vacirenden Dignität soll erheben, gab ihm ein vornehmer Minister unterthänigst den Rath und Einschlag, weil diese Mönch, vermög ihrer Regel und Satzungen, ein jeder muß eine Nadel bei sich tragen, zum Zeichen der evangelischen Armuth, damit er ihm die Kleider selber flicke, also sollen Ihre Majestät fragen den ersten Prätendanten, ob er eine Nadel bei sich habe, woraus man erkennen kann, ob er seiner Regel gemäß lebe. Wie nun beede auf bestimmte Zeit bei dem Kaiser erschienen, und der Ehrsüchtige ihm nichts anders eingebildet, als Abt zu werden, und weil sein Competent ein einfältiger Mensch und gemeiner Chor-Esel, und da der Kaiser gefragt, als woll er einen eingezogenen Schiefer aus dem Finger ziehen, haben Ihr Ehrwürden keine Nadel bei sich? O nein, sagte er, Ihre Majestät, aber mein Gespann wird wohl eine bei sich tragen (du hasts wohl getroffen, acu tetigisti) und als der einfältige und demüthige Mann mit seinem Nadel-Büchsel heraus gewischt, ist er als ein hochwürdiger Abt nach Haus gewischt, der andere Stolze aber mit Schand und Spott gestanden, das war eine lange Nase!

Der allmächtige Gott hat nun gänzlich beschlossen, aus den Kindern Isai einen König über Israel zu stellen, zu solchem End, aus Befehl des Allerhöchsten, geht der Prophet Samuel zu erstgemeldtem Isai, der gar ein gemeiner, aber redlicher Mann war zu Bethlehem, und schafft ihm, er soll alle seine Söhne lassen erscheinen, einer muß König daraus werden, wie dann solche alsobald sich eingefunden, der Eliab, der Abinedab, der Samma und noch andere sieben, es muß noch einer abgehen, sagt Samuel, ich werde ja können eilfe zählen, adhuc reliquus est parvulus, ja Herr, ein kleiner Bub ist noch daraus, und hüt die Schaaf auf dem Feld, daß man auch diesen laß holen, sagt Samuel, wie auch dieser erschienen, gedacht ihm der ältere, mit Namen Eliab, es wirds doch keiner, als ich, ich bin ein braver Kerl, und ist wahr, dieser Eliab war ein halber Riß, die anderen Brüder konnten ihm untern Füßen durchschliefen, wessenthalben er nicht wenig hoffärtig, und kann wohl seyn, daß er einem oder dem andern aus seinen Brüdern gesagt hat in der Still, Bruder, es wirds doch keiner als ich, du wirst viel bei mir gelten, ich will dich wohl nit also in Bauern-Arbeit strapiziren, wie der Vater, als er dann vermeint, jetzt, jetzt werde der Samuel ihn herfür rufen und ihm die Kron darbieten, so hat aber Gott den allergeringsten, nemlich den David erwählt, und folgsam der große Limmel Eliab blutroth da gestanden, das war eine lange Nase! Das geschieht noch auf heutigen Tag in unterschiedlichen Wahlen, forderist bei den Geistlichen, allwo gar oft derjenige zur Hohheit erwählt wird, von dem die wenigste Meinung, und derselbige das Kürzere zieht, der aus Ehrsucht das Gloria in excelsis wollte singen.

In einer gar bekannten Stadt, die ich unterdessen Veripolis oder Wahrburg nennen will, hat sich ein Student befunden, welcher ein unerhört stolzer Stultus, ich getraue es mir nit deutsch zu sagen, dieser in seiner großen Armuth und Bedürftigkeit hat das Geld, was ihm seine armen Eltern zur geringen Unterhalt beigeschafft, zur Hoffart und Kleider-Pracht angewendt, unterdessen aber bei den P.P. Kapuzinern auf dem Berg die Suppe abgeholt. Wie er auf eine Zeit mit diesem Kuchel-Proviant und Suppen-Häferl unter dem saubern Mantel herab gestiegen, ist ihm auf der nächst entlegenen Brucken eine bekannte Jungfrau begegnet, die er nach Gebrauch sehr höflich salutiret und eine kleine Weil in gar freundlicher Ansprach beieinander gestanden; wohl recht liest man das Wort Löffel hintersich und fürsich Leffel, dann ja das löfflen auf allen Seiten; die Jungfrau, vom angebornen Vorwitz angespornt, fragt doch, was er unter dem Mantel trage? er antwortet, es sey seine Laute, auf welcher er zur Zeit-Vertreibung in der Höhe des Berges gespielt habe, und zieht hierauf den Mantel noch besser zu sich, das curiose Flügel wollt kurzum die Laute sehen, der stolze Monsieur ruckte immerzu mit dem Häferl unter den Arm, bis er endlich dasselbe wegen Feiste und Schmutz hat auf die Erd fallen lassen, daß also die Knödel und Brocken, diese Lauten-Trümmer auf der Brucken herum kngelt, und ein ganzes Duell dessenthalben unter den Hunden entstanden, der stolze Studenten-Knecht aber, ungezweifelt durch sondere göttliche Schickung, der noch allemal durch den Psalmisten sagt, confundantur superbi, ist zu größten Schanden worden, und also gestanden mit der langen Nase.

Von der Fran Sunamitis kommt Nachricht ein bei dem Elisäo, diesem großen Mann Gottes, wie daß ihr einiger Sohn sey mit Tod abgangen, welches dem guten Propheten sehr zu Herzen gangen, und damit er sich dankbar einstelle um alle empfangenen Gutthaten, gebiet er also seinem Discipul Jezi, er soll seinen eigenen Stab nehmen, sich ganz schleunig zu gedachter seiner Kost-Frau begeben, unb daselbst den todten Jüngling zum Leben erwecken, der Jezi macht sich auf den Weg, die bekannten Leut, so ihm begegnet, fragten ihn, wohin? buon giorno Padre santo, wohin so eilends? ihr müßt gewiß ein wichtiges Geschäft haben, daß ihr euer Einsiedler-Hütten verlaßt, und über Land reist? was dann, sagt Jezi, meine Verrichtung ist nit schlecht, ich muß einen Todten auferwecken, einen Todten? ja freilich, den und da, da und den, Auweh! sagten die Leut, das ist ein Mann, der verdient ein unsterbliches Lob, wir Nachbauern sollen ihm die Händ unterlegen, seines gleichen hat die Welt dermalen nit, das hat dem Eremiten Jezi in seiner rauhen Kutten so wohlgefallen (pfui! ein Religios in rauher Kutte und baarfuß soll noch darzu hoffärtig seyn?) daß er ihm nit ein wenig eingebildet; wie er nun zu der todten Leich kommen und den Knaben mit dem Wunderstab oben und unten Kreuzweiß angerührt, so hat sich halt der Todte nit wollen rühren, und da ist der stolze Pfaff zu Schanden worden, und mit einer großmächtigen Nase gestanden.

Es ist ein Doctor gewest, welcher bei jedermann wollte hoch angesehen seyn, und war bei ihm eine jede Parola ein Prahlen, da doch sein Hirn und Verstand erleucht gewesen, wie der fünf thörrichten Jungfrauen ihre Amplen, in seinem Zimmer auf allen Stellen stunden große, kleine, dicke, dünne, alte, neue, gute, schlechte, hohe, niedere, schwarze, weiße, gelbe, grüne, offene, geschlossene, lateinische und deutsche Bücher, und scheint fast seine Wohnung zu seyn ein Tummel-Platz des Justiniani, und damit er ihm bei den Leuten noch einen größern Namen machte, hat er ober der Thür eine große Stell aufgericht, und darauf lauter Mauer-Ziegl nacheinander gestellt, dieselbe in Papier eingewicklet und aussenher darauf geschrieben, Acta deren und des, daß man also darfür gehalten, er habe sehr große Proceß zu führen, aber wie ihn auf eine Zeit eine ziemliche Gesellschaft heimgesucht, worbei er mehrmalen nur das eigene Lob hervorgestrichen, hat jemand die Stuben-Thür so starck zugeschlagen, daß ein solcher steinener Proceß von der Stell herunter gefallen und einem aus den Anwesenden ein großes Loch in Kopf gemacht, da hat einer mit lachendem Maul dem stolzen Doctor gesagt, er habe freilich schwere Proceß, die einem so gar den Kopf zerbrechen, ist also dieser große Federhans und Prahler gestanden mit einer langen Nase.

Agar, ein Dienst-Mensch bei dem großen Patriarchen Abraham, so bald sie groß Leibs worden, hat sie sich übernommen, ihre eigene Frau die Sara veracht, pfui, sagt sie etwann zu der Sara, was ist die Frau nutz, solche Weiber gehören auf den Täntelmarkt, die keine Waar haben in die Wiegen zu legen, ein Weib ohne Kind, ist wie ein Blasbalg ohne Wind, es wäre dem Abraham nützlicher gewest, wann er die nächste beste Sau-Dirn hätte geheirath, wäre doch solches Sauzimmer auch ein Frauzimmer worden, so sie nur hätte Erben tragen, mein Herr hat Ursach, euch hinfüran nicht mehr als eine Magd zu halten, da wäre ich wohl eine große Närinn, daß ich euch sollt aufwarten, es ist immer schad, daß ein solcher unfruchtbarer Baum, wie ihr Sara seyd, soll in einem so schönen Garten stehen, meine Sara, gebt lieber eine Bet-Schwester ab, weil ihr doch keine Bett-Schwester könnt seyn ꝛc., despexit Dominam suam etc., das war eine stolze egyptische Krot! Es stehet eine kleine Zeit an, Gott hat es also verhängt, daß Agar, welche vermeint eine große Frau zu werden, hat müssen mit einem Binkel untern Armen, mit einem gestumpften Kütterl am Leib, dem bösen Buben Ismael an der Hand zum Haus hinaus wandern, vor der Thür ist draussen, gehe mir aus dem Gesicht, fort mit der Höppin, nur geschwind, sonst wird man dir die Stiegen weisen, muß seyn, so seys halt, die Frau Sara schlagt nach ihr die Thür zu, da ist die stolze Agar (ein andersmal übernimm dich mehr) gestanden mit einer großen Nase.

Nicolaus Caussinus erzählt, daß in einer volkreichen Procession sey auch unter andern eine sehr stolze
Frau gangen, welche ihr eingebildt, der Apelles könnte
mit aller seiner Maler-Kunst ihre schöne Gestalt nit
entwerfen, sie hatte den Kopf so zierlich aufgeputzt, daß
alle Haar, die zwar nur falsch, weil ihr wegen einer
Krankheit die rechten ausgefallen, nach der Kraus-Regel
gericht, die Scheidel war so schön gestellt, daß diese
Lausstrassen, wie ein lateinisches Ypsilon hat herge-
sehen, in Summa, sie glaubte, St. Nicola könne keine
schönere Docken einlegen, wie sie ist, da sie nun also
mit falschen Federn daher gerauscht, ist ungefähr, oder
besser geredt, durch Gottes Willen, ein Aff aus einem
Kaufmanns-Gewölb heraus gesprungen, den geraden
Weg ihr auf die Achsel und dero Haarlocken, Bändel,
Hauben, Zierräthen, Geschmuck, und allen Pracht also
vom Kopf gezogen, daß sie mit ihrem calvinischen Grind,
wie ein geputzter Kalbskopf vor männiglich zu Schanden worden, und auf öffentlicher Gassen gestanden mit
der großen Nase.

Simon Magus ein Haupt-Hexenmeister und Zauberer hat Wunder-Sachen zeigt bei seiner Zeit, er hat
gemacht, daß die steinernen und hölzernen Bilder daher
gangen wie die lebendigen Menschen, er hat sich mitten
in Feuer und Flammen gesetzt, und ihm doch nit ein
Haar verletzt worden, er hat aus Kieselsteinern das beste
Brod, die schönste Semmel gemacht, er hat sich in
unterschiedliche Thier verwandelt, er hat bisweilen hinten-
und vornher ein Gesicht gehabt, zu Zeiten hat er sich
in lauters Gold verkehrt, er hat gemacht, daß in Häusern alle Geschirr sich selbst bewegt und die Kandel im

Keller, das Schaf zum Brunn, die Teller auf den Tisch gangen, er hat gemacht, daß vor seiner vielerlei, allerlei Schatten gangen, die er für Seelen der Abgestorbenen ausgeben, er hat gemacht, daß Selenna, ein gemeiner Schleppsack, in dem Thurm, worin sie verhaft gelegen, aus den Fenstern auf einmal zugleich heraus geschaut, und sich dem Volk um und um gezeiget, er hat aus der Luft einen neuen Menschen erschaffen, viel andere Wunder hat er durch seine Teufels-Kunst erwiesen, neben andern hat er wollen fliegen, und wie er mitten im Flug war, in Beiseyn einer großen Menge Volks, hat Gott dem Satan den Gewalt genommen, worauf der saubere Simanl mit Schand und Spott herunter platzt, und die Füß gebrochen, da ist er gelegen mit einer langen Nase.

In Prato Fiorito wird erzählt von einem Abt, welcher einen kleinen Knaben bei sich hatte, denselbigen aber sehr scharf hielte, theils wegen etlicher kleinen Verbrechen, nachmals auch, damit der Knab in Tugenden und Furcht Gottes möcht auferzogen werden; weil aber einem andern Religiosen in selbem Kloster das Maul gestunken nach der Abtey, hat solcher aus Ehrsucht dahin getracht, wie er möchte den Abt aus dem Weg räumen, zu diesem End gab er besagtem Knaben ein Gift-Pulver in aller Gehrim, mit dem Rath und Schlag, er solle dieß in der Still seinem Abt zu Morgens auf die Suppen strähen, er werde bald erfahren, daß sein Herz besser und frömmer werde, dann solches Pulver habe diese Kraft und Wirkung; der Knab folget dem boshaften Rath, jedoch hat er die Hälfte des Pulvers ihm vorbehalten, zu dem Ende, dasern sein

Herr über eine lange Zeit möcht wiederum bös werden, daß er solches Mittel geschwind bei Händen hätte. Nachdem nun der Mönch durch erwähntes Gift zur Abtey gelangt, und den Knaben sehr werth und lieb gehabt; weil aber Gottes gemeiner Brauch ist, alle Stolzen zu stürzen, und ihnen einen langen Schmecker anzuheften, also ist es auch hier nit anderst geschehen, dann etlich Tag nach angetrettener Abtey, gedacht der Knab, daß er zwar dermalen einen lieben und frommen Herrn habe, allein seye doch eine Furcht, er möcht mit der Zeit auch bös werden, Holla! sagte der Knab bei sich selbst in kindlicher Einfalt, ich will dißfalls vorkommen und den andern Theil des Pulvers ihm geben, alsdann bin ich versichert, daß er alleweil werde fromm und gütig bleiben, welches er dann in solcher Geheim werckstellig gemacht hat, wordurch der ehrsüchtige und stolze Gesell auch auf gleiche Weis, wie er mit seinem Vorfahrer umgangen, sein gottloses Leben geendet, und also gestorben mit einer langmächtigen Nase.

Die Hebräer haben einmal eine Ehebrecherinn zu unserm Herrn in Tempel geführt, dieselbige ernstlich angeklagt, wie daß sie laut vieler Zeugen Aussag in flagranti, aber nit in fragranti, sey ertappt worden, weil nun ihnen, vermög des Mosaischen Gesetz, obliege, dergleichen Uebertreter gebührmässig zu züchtigen, und zwar lebendig versteinigen, was er dann darzu sage? wir seynd ehrliche Leut, und haben noch von unsern Vor-Eltern her die anverwandte Tugend-Lieb, dergleichen Lasterl und Schleppsäck können wir nit gedulden, er soll doch auch seine Meinung beitragen, ob man die Fettel soll versteinigen? wie unser Herr vermerkt, daß diese stolzen Vögel vermeint, sie seyn besser und gerechter als andere, sodann hat er das andertemal auf die Erd geschrieben, worvon die hochmüthigen Pharisäer und Schriftgelehrten blutroth worden, und mit einer langen Nase gestanden, weil unser Herr alle dero geheimen Laster und Schelm-Stückel auf die Erde protocollirt.

Indem ich nun die Kur rund abgeschlagen wegen solcher langen Nase, weil ich darfür gehalten, ich möcht doch kein Lob darvon tragen, zumalen es meine Profession nit war, er aber noch inständiger angehalten, und fast mit weinenden Augen gebeten, so sagte ich, der Sach sey leicht zu helfen, nur untersich übersich. das Wort empfand sehr hoch der Nasutus, und glaubte, ich wollt ihn soppen, dann er war der Meinung, als soll er die Nasen umkehren, welches sehr gefährlich, dafern einer unter einem Schwalben-Nest schlafen sollt, wie Tobias, sondern ich wollt hierdurch zu verstehen geben, daß er sollte wohl und vielmal zu Gemüth führen, daß Gott fast jederzeit pflegte das untersich übersich kehren, verstehe die Demüthigen, so untersich seyn, übersich helfen.

Nachdem sich der Patriarch Abraham also gedemüthiget, daß er vor dem Angesicht Gottes bekennt hat, er sey nichts, als pulvis et cinis, Staub und Aschen, solcher Aschen hat nachmals eine so gute Länge gemacht, daß er fünf König ziemlich den Kopf gewaschen und sie überwunden, das heißt untersich übersich.

Nachdem Moses freimüthig sich also erniedriget, daß er von sich selbsten ausgeben, tardioris linguae ego sum, er habe gar eine harte Zunge, und könne vor großen He-He-Herren nit recht re-re-reden, da

Herr über eine lange Zt möcht wiederum bös werden, daß er solches Mittel geschwind bei Händen hätte. Nachdem nun der Mönch duch erwähntes Gist zur Abtey gelangt, und den Knabe sehr werth und lieb gehabt; weil aber Gottes gemeir Brauch ist, alle Stolzen zu stürzen, und ihnen einenlangen Schmecker anzuheften, also ist es auch hier ni anderst geschehen, dann etlich Tag nach angetrettener lbtey, gedacht der Knab, dåß er zwar dermalen einen lben und frommen Herrn habe, allein seye doch eine Fucht, er möcht mit der Zeit auch bös werden, Holla sagte der Knab bei sich selbst in kindlicher Einfalt, ich will dißfalls vorkommen und den andern Theil des Plvers ihm geben, alsdann bin ich versichert, daß er alweil werde fromm und gütig bleiben, welches er dannin solcher Geheim werckstellig gemacht hat, wordurch dr ehrsüchtige und stolze Gesell auch auf gleiche Weis', vie er mit seinem Vorfahrer umgangen, sein gottlose Leben geendet, und also gestorben mit einer langnichtigen Nase. [illegible]

Die Hebräer habe einmal eine Ehebrecherinn zu unserm Herrn in Temp[illegible] geführt, dieselbige ernstlich angeklagt, wie daß sie [illegible] [illegible] Aussag in flagranti, aber nit in [illegible] worden, weil nun ihnen [illegible] [illegible]iege, dergleichen Ueb[illegible] [illegible] zwar le[illegible]
wir
Vo
La
d

stolzen Vögel vermeint, sie sey besser und gerechter als andere, sodann hat er das a[illegible]ertemal auf die Erd geschrieben, worvon die hochmüthi[illegible] Pharisäer und Schriftgelehrten blutroth worden, un[illegible] mit einer langen Nase gestanden, weil unser Herr [illegible]e dero geheimen Laster und Schelm-Stückel auf die [illegible]rde protocollirt.

Indem ich nun die Ku[illegible]rund abgeschlagen wegen solcher langen Nase, weil ich [illegible]arfür gehalten, ich möcht doch kein Lob darvon tragen, zumalen es meine Profession nit war, er aber noc[illegible] inständiger angehalten, und fast mit we[illegible]uenden Auge[illegible] gebeten, so sagte ich, der Sach sey leicht zu helfen nur untersich übersich. das Wort empfand seh hoch der Nasutus, und glaubte, ich wollt ihn soppen, dann er war der Meinung, als soll er die Nasen [illegible]ikehren, welches sehr gefährlich, dafern einer unter einem Schwalben-Nest schlafen soll, wie Tobias, s[illegible]ndern ich wollt hierdurch [illegible] verstehen geben, daß er s[illegible]lte wohl und vielmal [illegible] Demüth führen, daß Gott a[illegible]st jederzeit pflegte das un[illegible]ersich übersich kehren verstehe die Demüthigen, so untersich seyn, übersich h[illegible]en.

[illegible] der Vat[illegible]rch Abraham [illegible]

hat ihn Gott nit allein zu einem Haupt der Israeliter, sondern so gar zu einem Vice-Gott des Pharaonis gestellt. Das heißt untersich übersich.

Der Gedeon hat in einem so niedern Stand gelebt, daß er so gar das Treid in der Scheuer selbst ausgedroschen, nachgehends aber hat ihn Gott zu einem Erlöser des ganzen Israel gemacht, der da die Sach wider die Ephraiter stattlich mit dem Degen ausgedroschen. Das heißt ja untersich übersich.

Wie der Saul aus demüthigem Gehorsam seines Vaters Eslin gesucht, da ist er von dem Esel aufs Roß gesessen, und den Eselstupfer mit dem Scepter vertauscht, da ist er von langen Ohren zu langen Ehren kommen. Das heißt ja untersich übersich.

Der David war halt ein rothkopfetes Hirten-Bübel, das war die ganze Charge, weil er aber Demuth halber nichts auf sich gehalten, ist er von Schafen zum Schaffen kommen, und König in Israel worden. Das heißt ja untersich übersich.

Die Esther war ein armes Juden-Mädel, von einem unbekannten Herkommen, indem sie aber sich wegen dero edlen Gestalt nichts übernommen, da sonst selten Schön und Schein beieinander seynd, also ist sie vom niedern Ton zum höchsten Thron gestiegen, und eine gekrönte Königinn worden. Das heißt ja untersich übersich.

Weilen sich Petrus in dem Schiffel freiwillig vor einen Sünder erkennt, und daß er nicht werth sey der Gegenwart Christi, also hat er mit seinem gehe von mir, das komm herzu der höchsten Ehren erhalten, und für die Schnallen seiner schlechten Fischer-Hütte die Schlüssel des Himmels ringe-nommen.

Als Paulus ein Paulaner worden, und in den Orden der Minimorum eingetreten, sich also Minimum Apostolorum erklärt, so hat ihm Gott die ganze Welt für eine Diözes geschenkt. Das heißt ja untersich übersich.

Indem Johannes Baptista sich aller hohen Prädikaten geweigert, mit denen ihn die Pharisäer komplementirten, ja sogar sich unwürdig erkennt, die Schuhriemen des Herrn aufzulösen, also hat ihn Gott mehr hervor gestrichen, als alle Menschen, non surrexit Major, und seynd die Händ, welche sich zu den Schuhriemen erniedriget, in dem Fluß Jordan gar über das Haupt Christi erhebt worden. Das heißt ja untersich übersich.

Weil die übergebenedeite Jungfrau Maria sich eine Dienerinn und Magd des Herrn genennt, also ist sie wegen solcher Erniedrigung dergestalten hoch worden, daß sie alle Chör der Engel übersteigt, und wegen der drei Wort: Ecce Ancilla Domini, ist sie würdig worden, das ewige göttliche Wort einzufleischen. Das heißt ja untersich übersich.

Alexander Philosophus ist aus Demuth gar ein Kohlenbrenner worden, damit er nur von der Welt nit geehrt werde; Gott hat aber dieses Kohlenbrenners Demuth mit der Kreide also aufgezeichnet, daß nachmals dieser Kohlenbrenner ein Bischof worden, der sich gewaschen hat. Das heißt ja untersich übersich.

Der h. Gregorius Magnus hat sich gar in ein

Faß lassen einschlagen, und auf den nächst entlegenen Berg tragen, damit er nur zum höchsten Papstthum nit gezogen werde; es hat ihn aber Gott durch eine feurige Saul verrathen, hat also müssen aus diesem hölzernen Futteral heraus schliesen, und gleich in den allerwürdigisten Purpur einschliefen, der erst in dem Faß gesteckt, per vas ein Papst worden, das heißt ja untersich übersich.

Hilarius, piktaviensischer Bischof, wie er in das Concilium zu Seleucia kommen, und daselbsten unter denen versammelten Vätern keinen Sitz mehr gefunden, hat er sich auf die Erd niedergesetzt, aber Gott hat bald seine Demuth erhöhet, indem die Erd unter seiner sich in Gestalt eines Thrones oder Sitzes aufgebäumt, und mit samt dem Bischof erhebt, daß er also höher, als alle andern gesessen. Das heißt ja untersich übersich.

Carolus Boromäus, ein vornehmer Kardinal und Erzbischof, hat sich also gedemüthiget, daß er mehrmalen auf der Reis' seine Diener überhebt, und anstatt derselben den Ranzen getragen, auch war seine Freud, mit Bettlern und armen Leuten umzugehen; nach dem seligen Hinschriden ist er also von Gott erhebt worden, daß allein in seiner Canonisation und solenner Heiligsprechung über die hundert und fünfzig Million Ablaßpfenning mit seiner Bildnuß durch die ganze Welt ausgetheilt worden. Das heißt untersich übersich.

Franciscus von Assis, dieser heilige Patriarch hat sich dergestalten erniedriget, daß er sich den größten Sünder genennt, mehrmalen einen Strick an Hals gehängt, als eine Malefiz-Person, in einem schlechten Sack, wie der elendeste Bettler daher gangen, nach seinem Tod hat ihn Gott also erhoben, daß sein seraphischer Orden durch die ganze Welt ausgebreitet worden, ja in der ganzen Christenheit nit eine Stadt, nit ein Dorf, ja wenig Häuser, worin einer nit den Namen Francisci tragt. Das heißt untersich übersich.

Wer also wohl erwägt dieses untersich, übersich, der wird das placebo Domino in einem niedern Baß singen, der wird das de Profundis in allen Orten intoniren, der wird dem Teufel folgen in jenem Rathschlag, mitte te deorsum, laß dich hinunter, der wird mit Magdalena bei den Füßen sitzen, der wird mit der Samaritaninn aus dem tiefen Brunn schöpfen, der wird sich mit der Rebekka auch über die Kameel erbarmen, der wird auf dem Hochzeit-Mahl das letzte Ort nehmen, damit er das ascende superius erwarte, der wird Jesu Christo unserm Heiland nachfolgen, der von der Krippe an, bis auf den bittern Kreuz-Stamm die Demuth, Demuth, Demuth gesucht, die Demuth, Demuth gelehrt, die Demuth, Demuth, Demuth gezeigt, sogar sich wie ein Erdwurm treten lassen, humiliavit se usque ad mortem, propter quod et Deus exaltavit illum, derenthalben er also erhebt worden, daß er bereits sitzet zu der rechten Hand des himmlischen Vaters.

Lightning Source UK Ltd.
Milton Keynes UK
UKHW010633041218
333415UK00013B/735/P

9 780243 321735